2025-26年合格目標

大卒程度 公務員試験

本気で合格！ 過去問 解きまくり！

⑬ ミクロ経済学

JN058102

はしがき

1 「最新の過去問」を掲載

2024年に実施された公務員の本試験問題をいち早く掲載しています。公務員試験は年々変化しています。今年の過去問で最新の試験傾向を把握しましょう。

2 段階的な学習ができる

公務員試験を攻略するには、さまざまな科目を勉強することが必要です。したがって、勉強の効率性は非常に重要です。『公務員試験 本気で合格！過去問解きまくり！』では、それぞれの科目で勉強すべき項目をセクションとして示し、必ずマスターすべき必修問題を掲載しています。このため、何を勉強するのかをしっかり意識し、必修問題から実践問題（基本レベル→応用レベル）とステップアップすることができます。問題ごとに試験種ごとの頻出度がついているので、自分にあった効率的な勉強が可能です。

3 満足のボリューム（充実の問題数）

本試験問題が解けるようになるには良質の過去問を繰り返し解くことが必要です。『公務員試験 本気で合格！過去問解きまくり！』は、なかなか入手できない地方上級の再現問題を収録しています。類似の過去問を繰り返し解くことで知識の定着と解法パターンの習得を図れます。

4 メリハリをつけた効果的な学習

公務員試験の攻略は過去問に始まり過去問に終わるといわれていますが、実際に過去問の学習を進めてみると戸惑うことも多いはずです。『公務員試験 本気で合格！過去問解きまくり！』では、最重要の知識を絞り込んで学習ができるインプット（講義ページ）、効率的な学習の指針となる出題傾向分析、受験のツボをマスターする10の秘訣など、メリハリをつけて必要事項をマスターするための工夫が満載です。

※本書は、2024年9月時点の情報に基づいて作成しています。

みなさんが本書を徹底的に活用し、合格を勝ち取っていただけたら、わたくしたちにとってもそれに勝る喜びはありません。

2024年10月吉日

株式会社　東京リーガルマインド
LEC総合研究所　公務員試験部

本書の効果的活用法

STEP1 出題傾向をみてみよう

各章の冒頭には、取り扱うセクションテーマについて、過去9年間の出題傾向を示す一覧表と、各採用試験でどのように出題されたかを分析したコメントを掲載しました。志望先ではどのテーマを優先して勉強すべきかがわかります。

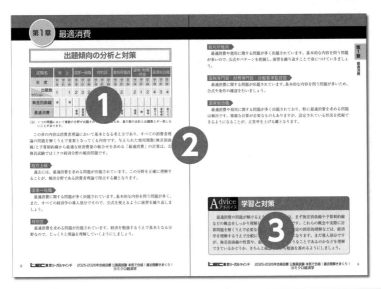

❶ 出題傾向一覧

章で取り扱うセクションテーマについて、過去9年間の出題実績を数字や★で一覧表にしています。出題実績も9年間を3年ごとに区切り、出題頻度の流れが見えるようにしています。志望先に★が多い場合は重点的に学習しましょう。

❷ 各採用試験での出題傾向分析

出題傾向一覧表をもとにした各採用試験での出題傾向分析と、分析に応じた学習方法をアドバイスします。

❸ 学習と対策

セクションテーマの出題傾向などから、どのような対策をする必要があるのかを紹介しています。

● 公務員試験の名称表記について

本書では公務員試験の職種について、下記のとおり表記しています。

地上	地方公務員上級（※1）
東京都	東京都職員
特別区	東京都特別区職員
国税	国税専門官
財務	財務専門官
労基	労働基準監督官
裁判所職員	裁判所職員（事務官）／家庭裁判所調査官補（※2）
裁事	裁判所事務官（※2）
家裁	家庭裁判所調査官補（※2）
国家総合職	国家公務員総合職
国家総合職教養区分	国家公務員総合職（教養区分）
国Ⅰ	国家公務員Ⅰ種（※3）
国家一般職	国家公務員一般職
国Ⅱ	国家公務員Ⅱ種（※3）
国立大学法人	国立大学法人等職員

（※1）道府県、政令指定都市、政令指定都市以外の市役所などの職員
（※2）2012年度以降、裁判所事務官（2012～2015年度は裁判所職員）・家庭裁判所調査官補は、教養科目に共通の問題を使用
（※3）2011年度まで実施されていた試験区分

　「必修」問題はセクションテーマを代表する問題です。まずはこの問題に取り組み、そのセクションで学ぶ内容のイメージをつかみましょう。問題文の周辺には、そのテーマで学ぶべき内容や覚えるべき要点を簡潔にまとめていますので参考にしてください。

　本書の問題文と解答・解説は見開きになっています。効率よく学習できます。

←左に問題
右に解答→
解いたらすぐに
確認！

● 「解答かくしシート」で
　解答・解説を隠そう！

問題を解く前に解答・解説が
見えないようにしたい方は、
本書にはさみ込まれた「解答か
くしシート」をご利用ください。

❶ ガイダンス、ステップ

　「ガイダンス」は必修問題を解くヒント、ひいてはテーマ全体のヒントです。
　「ステップ」は必修問題において、そのテーマを理解するために必要な知識を整理したものです。

❷ 直前復習

　必修問題と、後述の実践問題のうち、ＬＥＣ専任講師が特に重要な問題を厳選しました。試験の直前に改めて復習しておきたい問題を表しています。

❸ 頻出度

　各採用試験において、この問題がどのくらい出題頻度が高い＝重要度が高いかを★の数で表しています。志望先に応じて学習の優先度を付ける目安となります。

❹ チェック欄

　繰り返し学習するのに役立つ、書き込み式のチェックボックスです。学習日時を書き込んで復習の期間を計る、正解したかを○×で書き込んで自身の弱点分野をわかりやすくするなどの使い方ができます。

❺ 解答・解説

　問題の解答と解説が掲載されています。選択肢を判断する問題では、肢１つずつに正誤と詳しく丁寧な解説を載せてあります。また、重要な語句や記述は太字や色文字などで強調していますので注目してください。

👣STEP3 テーマの知識を整理しよう

　必修問題の直後に、セクションテーマの重要な知識や要点をまとめた「インプット」を設けています。この「インプット」で、自身の知識を確認し、解法のテクニックを習得してください。

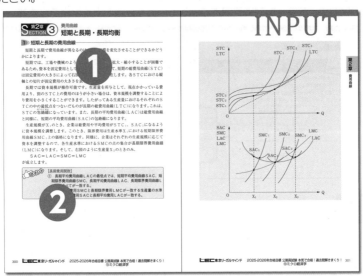

❶「インプット」本文

　セクションテーマの重要な知識や要点を、文章や図解などで整理しています。重要な語句や記述は太字や色文字などで強調していますので、逃さず押さえておきましょう。

❷サポートアイコン

　「インプット」本文の内容を補強し、要点を学習しやすくする手助けになります。以下のようなアイコンがありますので学習に役立ててください。

● サポートアイコンの種類

補足✏	「インプット」に登場した用語を理解するための追加説明です。	○○○	「インプット」に出てくる専門用語など、語句の意味の紹介です。
ポイント	「インプット」の内容を理解するうえでの考え方などを示しています。	注目	実際に出題された試験種以外の受験生にも注目してほしい問題です。
具体例	「インプット」に出てくることがらの具体例を示しています。	判例チェック	「インプット」の記載の根拠となる判例と、その内容を示しています。
ミニ知識	「インプット」を学習するうえで、付随的な知識を盛り込んでいます。	判例	「インプット」に出てくる重要な判例を紹介しています。
注意!	受験生たちが間違えやすい部分について、注意を促しています。	科目によって、サポートアイコンが一部使われていない場合もあります。	

STEP4 「実践」問題を解いて実力アップ!

「インプット」で知識の整理を済ませたら、本格的に過去問に取り組みましょう。「実践」問題ではセクションで過去に出題されたさまざまな問題を、基本レベルから応用レベルまで収録しています。

❶難易度

収録された問題について、その難易度を「基本レベル」「応用レベル」で表しています。
1周目は「基本レベル」を中心に取り組んでください。2周目からは、志望先の採用試験について頻出度が高い「応用レベル」の問題にもチャレンジしてみましょう。

❷直前復習、❸頻出度、❹チェック欄、❺解答・解説

※各項目の内容は、STEP2をご参照ください。

STEP5 「章末CHECK」で確認しよう

章末には、この章で学んだ内容を一問一答形式の問題で用意しました。
知識を一気に確認・復習しましょう。

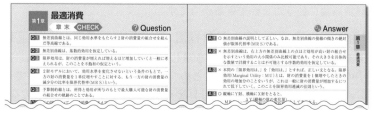

LEC専任講師が、『過去問解きまくり!』を使った「オススメ学習法」をアドバイス!⇒

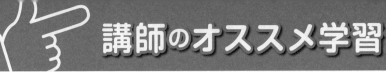

講師のオススメ学習法

❓ どこから手をつければいいのか？

原則として、各章の最初にある「出題傾向の分析と対策」を見て、志望する職種で出題があるかを確認してください。特に出題がまったくないセクションについては、時間を使わないようにします。

そのうえで、「必修問題」、および、「実践問題」の基本レベルを順次解いていきます。応用レベルの問題は、頻度が低い問題や、クセのある問題、マイナー学説などからなります。よって、必修問題や基本レベルを解けるようになってから挑戦します。

なお、本書には必修問題と実践問題の基本レベルとして約100問、応用レベル約80問が収録されています。

🕐 演習のすすめかた

❶ 1周目（数分～20分程度：まず、時間を気にせずに解いてみる）

ミクロ経済学では、グラフ問題と計算問題で出題の相当数を占めます。計算問題については、わからないときには解説を見てもかまいません。解説を見て、それをヒントに自分で式の計算を続けてください。なお、微分などの知識がない人は、第1編の冒頭にある「数学の簡単な復習」をマスターしてから問題を解きます。

学説問題については、インプットのテキストや右ページの解説を見て専門用語や概念の意味を押さえていきます。

❷ 2周目（5分～10分程度：知識が定着しているかを確認する）

2回目に解くときには、解答を見ないで解くように努力しましょう。そのうえで、解けない場合には解答を読み直した後に、その問題番号にチェックを入れておき、後でまたチャレンジします。

なお、単純に試験時間を問題数で割ると、1問につき3分から4分程度で解くことになりますが、ミクロ経済学の計算問題については、筋道を考えたり、途中計算を検算したりする必要があるので、本番の試験でも解答時間は3分を超えてもかまいません。他の知識系の問題で時間を余らせることができるので、その時間を経済原論に使うことができるからです。

❸ 3周目以降や直前期（2～3分程度：時間内に解くことを意識する）

3周目以降や直前期には、時間を意識して解答していきます。また、1問1問を解くのではなく、5問ぐらいをまとめて一気に解いていくのもよいでしょう。また、公式を使えば解ける問題では計算を省略して、公式を使って解くなど、局面に応じた解答ができることが理想です。

一般的な学習のすすめかた（目標正答率60〜80%）

「必修問題」と「基本レベル」をマスターし、次に「応用レベル」を解きます。財務専門官などの経済系の官庁を志望する場合には、知識系の問題よりも計算系の問題の比重が高いので計算問題を重視してください。国家一般職についても計算問題を重視します。他の職種では、計算問題、グラフ問題などをバランスよく学習しましょう。

ほどほどに学習する場合のすすめかた（目標正答率50〜70%）

「必修問題」と「基本レベル」のマスターに専念しましょう。各問題ページの上部にある「頻出度」を見て、志望する職種で★★★をすべて解き、さらに、できるだけ多くの★★の問題をできるだけマスターしましょう。

短期間で学習する場合のすすめかた（目標正答率50〜60%）

試験までの日数が少なく、短期間で最低限必要な学習をする場合です。

学習効果が高い問題に絞って演習をすることにより、最短で合格に必要な得点に到達することを目指しましょう。

学習のすすめかたとしては、必修問題28題と、以下の「講師が選ぶ『直前復習』50問」のうち、特に基本レベルや★の多いもののみを解きましょう。

直前復習

講師が選ぶ「直前復習」50問

必修問題28問 +

実践1	実践33	実践69	実践100	実践132
実践2	実践40	実践71	実践102	実践136
実践5	実践41	実践79	実践103	実践143
実践6	実践46	実践83	実践108	実践145
実践7	実践51	実践85	実践111	実践149
実践15	実践56	実践87	実践115	実践154
実践24	実践57	実践90	実践118	実践158
実践27	実践62	実践92	実践123	実践162
実践30	実践63	実践94	実践124	実践165
実践32	実践66	実践98	実践130	実践169

CONTENTS

ミクロ経済学をマスターする10の秘訣

1. 必修問題と基本レベルを優先してマスター

2. 図を中心に要点を整理して暗記

3. 中学、高校で学んだ数学を思い出す

4. 数式の記号や変数が何を指すか瞬時にヒラメくように

5. 応用力は、努力に比例して伸びてくる

6. 図は白紙から描けるように

7. 途中計算の文字は丁寧に

8. 毎日コツコツ

9. 暗記量は少ないので直前は楽

10. できないことは気にするな。本番がすべてだ

ミクロ経済学

第1編
消費者理論

数学の簡単な復習

微分

微分については、(1)手順、(2)意味の２つを知っておく必要があります。

(1) 微分の手順

微分するとは、ある関数の式を一定の手順で変形することです。

$U = 2x^2 + 1$という関数があるとき、次の①から②の手順で x で微分することができます。

(手順)

$$\underbrace{2 \times 2x^{2-1}}_{①の処理} + \underbrace{\cancel{1}}_{②の処理} \rightarrow \underbrace{4x}_{導関数}$$

① x の次数を前に出して掛け算にし、x の次数を１減らす。(色文字)
② x を含まない項は取り除く。(式の斜線)

また、関数 U を x で微分することを ΔU と Δx の分数の記号を使って、

$$\frac{\Delta U}{\Delta x} = 4x$$

という式で表現します。

(2) 微分の意味

関数 $U = 2x^2 + 1$ があるときに、その微分である $4x$ は、**元の関数（U）のグラフの接線の傾きを表す式**になります。

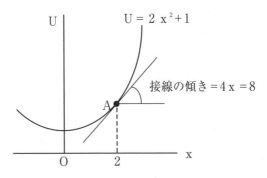

接線の傾き $= 4x = 8$

たとえば、$U = 2x^2 + 1$ の微分である $\frac{\Delta U}{\Delta x} = 4x$ に $x = 2$ を代入した値、つまり、$4 \times 2 = 8$ は、図の A 点での関数 U のグラフの接線の傾きの大きさを表します。

【練習問題】

(1) $U = x^2 y$

$\dfrac{\Delta U}{\Delta x} = 2 \times x^{2-1} y = 2xy$

$\dfrac{\Delta U}{\Delta y} = 1 \times x^2 y^{1-1} = x^2$

(2) $U = x^2 + xy$

$\dfrac{\Delta U}{\Delta x} = 2 \times x^{2-1} + 1 \times x^{1-1} y = 2x + y$

$\dfrac{\Delta U}{\Delta y} = 1 \times x y^{1-1} = x$

(3) $U = x^{0.4} y^{0.6}$

$\dfrac{\Delta U}{\Delta x} = 0.4 \times x^{0.4-1} y^{0.6} = 0.4 x^{-0.6} y^{0.6}$

$\dfrac{\Delta U}{\Delta y} = 0.6 \times x^{0.4} y^{0.6-1} = 0.6 x^{0.4} y^{-0.4}$

(4) $U = 3x^2 + \dfrac{3}{x} + 2y \quad \left(注 : \dfrac{1}{x} = x^{-1}\right)$

$\dfrac{\Delta U}{\Delta x} = 2 \times 3x^{2-1} + (-1) \times 3x^{-1-1} = 6x - 3x^{-2}$

$\dfrac{\Delta U}{\Delta y} = 1 \times 2y^{1-1} = 2$

【練習問題】

$U = -2x^2 + x + 1$ の最大値を求めよ。

(解答) U が最大のときには、接線の傾き $\dfrac{\Delta U}{\Delta x}$ がゼロになります。

$\dfrac{\Delta U}{\Delta x} = -4x + 1 = 0 \quad \rightarrow \quad x = \dfrac{1}{4}$ のとき、U は最大値をとります。よって、

$U = -2 \times \left(\dfrac{1}{4}\right)^2 + \dfrac{1}{4} + 1 = \dfrac{9}{8}$

となります。

数学の簡単な復習

指数

指数とは、x^n における n のことで、x を n 回繰り返し掛けることを表します。

指数の公式

① $x^n \times x^m = x^{n+m}$ 　　【例】$2^2 \times 2^3 = 2^{2+3} = 2^5 = 32$

② $(x^n)^m = x^{n \times m}$ 　　【例】$(2^2)^3 = 2^{2 \times 3} = 2^6 = 64$

③ $x^0 = 1$ 　　【例】$3^0 = 1$

④ $x^{-1} = \dfrac{1}{x}$ 　　【例】$3^{-1} = \dfrac{1}{3}$

⑤ $x^{\frac{1}{n}} = a \Leftrightarrow x = a^n$ 　　【例】$27^{\frac{1}{3}} = a \Leftrightarrow 27 = a^3 \Leftrightarrow a = 3$

特に $x^{\frac{1}{2}} = \sqrt{x}$ と表します。

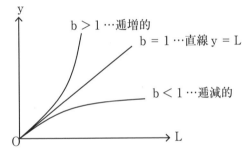

＜ $y = L^b$ のグラフ＞

$b > 1$ …逓増的

$b = 1$ …直線 $y = L$

$b < 1$ …逓減的

| 変化率 |

　ある財について当初の価格をP、変化分をΔPとすると、

　　　価格の変化率 $= \dfrac{\Delta P}{P}$

となります。たとえば、ある財の価格について、当初は10円であったのが、12円に上昇したときの価格の変化率は次のとおりとなります。

　　　$\dfrac{\Delta P}{P} = \dfrac{12-10}{10} = \dfrac{2}{10} = 0.2$

変化率の公式

①　PとQの積の変化率はPの変化率とQの変化率の和である。

　　　$\dfrac{\Delta(PQ)}{PQ} = \dfrac{\Delta P}{P} + \dfrac{\Delta Q}{Q}$

　【例】　ある財の価格Pが10％上昇し販売数量Qが5％増大すると、売上額
　　　　PQは15％増大する。

　　　　　$\dfrac{\Delta(PQ)}{PQ} = \dfrac{\Delta P}{P} + \dfrac{\Delta Q}{Q} = 0.1 + 0.05 = 0.15$

②　PとQの商の変化率はPの変化率とQの変化率の差である。

　　　$\dfrac{\Delta \frac{P}{Q}}{\frac{P}{Q}} = \dfrac{\Delta P}{P} - \dfrac{\Delta Q}{Q}$

　【例】　面積P＝100の用地に企業数Q＝10社が立地している。企業数Qが

　　　　10％増大し、用地Pが5％増大すると、1企業あたりの敷地面積$\dfrac{P}{Q}$

　　　　の変化率は－5％である。

　　　　　$\dfrac{\Delta \frac{P}{Q}}{\frac{P}{Q}} = \dfrac{\Delta P}{P} - \dfrac{\Delta Q}{Q} = 0.05 - 0.1 = -0.05$

（注意）　①と②の公式は、どちらも近似的に等しいものであり、実務では誤差が
　　　　　大きい場合がありますので注意してください。

memo

第1章

最適消費

SECTION

1. 無差別曲線
2. 最適消費

出題傾向の分析と対策

試験名	地　上		国家一般職			特別区			裁判所職員			国税・財務・労基			国家総合職		
年　度	16-18	19-21	22-24	16-18	19-21	22-24	16-18	19-21	22-24	16-18	19-21	22-24	16-18	19-21	22-24	16-18	19-21	22-24
出題数 セクション	1		1	2	3	2	1		1	2	2		2	1	2	4	3	4
無差別曲線	★		★															
最適消費				★★	★★★	★★	★		★	★★	★★		★★	★	★★	★★ ×4	★★★ ★★	★★ ×4

(注)　1つの問題において複数の分野が出題されることがあるため、星の数の合計と出題数とが一致しないことがあります。

　この章の内容は消費者理論において基本となる考え方であり、すべての消費者理論の問題を解くうえで重要となってくる内容です。与えられた効用関数(無差別曲線)と予算制約線から最適な財消費量の組合せを求める「最適消費」の計算は、公務員試験ではミクロ経済分野の頻出問題です。

地方上級

　過去には、最適消費を求める問題が出題されています。この分野を正確に理解することが、頻出分野である消費者理論で得点する鍵となります。

国家一般職

　最適消費に関する問題が多く出題されています。基本的な内容を問う問題が多く、また、すべての経済学の導入部分ですので、公式を使えるように演習を繰り返しましょう。

特別区

　最適消費を求める問題が出題されています。経済を勉強するうえで基本となる分野なので、じっくりと理論を理解していくようにしましょう。

裁判所職員

　最適消費や効用に関する問題が多く出題されています。基本的な内容を問う問題が多いので、公式やパターンを把握し、演習を繰り返すことで身につけていきましょう。

国税専門官・財務専門官・労働基準監督官

　最適消費に関する問題が出題されています。基本的な内容を問う問題が多いため、公式や条件の確認を行いましょう。

国家総合職

　最適消費や効用に関する問題が多く出題されており、特に最適消費を求める問題は頻出です。複雑な計算が必要なものもありますが、設定されている状況を把握できるようになることが、正答率を上げる鍵となります。

Advice アドバイス　学習と対策

　最適消費の問題が解けるようになるためには、まず無差別曲線や予算制約線などの概念をしっかり理解しておくことが大切です。これらの概念や実際に計算問題を解くうえで必要な考え方、最適消費点決定の図形的理解などは、経済学を理解するうえで全般にわたって重要な内容になります。まだ導入部分ですが、無差別曲線の性質や、最適消費とはどのようなことであるのかなどを理解できているかどうか、きちんと確認しながら勉強を進めるようにしましょう。

必修
問題
セクションテーマを代表する問題に挑戦！

無差別曲線の特徴についてしっかり整理しておきましょう。

問 次の図は、正常財であるX財とY財との無差別曲線をU_0、U_1、U_2で、消費者の予算制約線を直線A_0B_0、A_0B_2、A_1B_1で表したものであるが、この図に関する記述として、妥当なのはどれか。ただし、直線A_0B_0と直線A_1B_1とは平行である。（特別区2011）

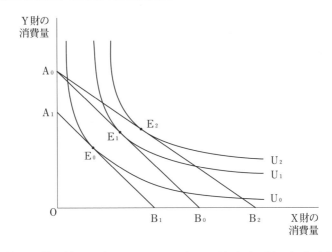

1：無差別曲線は効用の大きさが同一になるX財及びY財の組合せを次々と結んだもので、無差別曲線U_0上では、いずれの点も限界代替率は一定である。

2：X財の価格上昇のみによりX財とY財の相対価格比が変化したとき、予算制約線がA_0B_0からA_1B_1にシフトし、両財の消費量は減少する。

3：両財の価格が変わらないまま、所得が増加したとき、予算制約線A_0B_0は、A_0B_2にシフトし、最適消費点E_1は点E_2へ移動する。

4：両財の価格が変わらないまま、所得が減少したとき、予算制約線がA_0B_2からA_1B_1にシフトし、X財の消費量が減少する。

5：予算制約線がA_0B_0のとき、無差別曲線U_1との接点である点E_1では、Y財のX財に対する限界代替率は、X財とY財の価格比に等しい。

〈無差別曲線〉

1✕ 無差別曲線は効用の大きさが同一になるX財消費量およびY財消費量の組合せを次々と結んだものである。すなわち無差別曲線U_0上では、どの点においても効用水準は同一となる。よって、本肢前半の記述は正しい。

　一方、限界代替率MRSはグラフにおいては無差別曲線U_0の接線の傾きの大きさ（絶対値）で表される。下図のA点とB点を比べれば、X財の消費量が大きくなると限界代替率（＝接線の傾きの大きさの絶対値）は小さくなることがわかる。

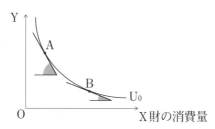

　なお、無差別曲線U_0は原点に対して凸であるからX財の消費量が増加すると限界代替率は小さくなる（限界代替率逓減の法則）。よって、限界代替率が一定であるという本肢後半の記述は誤りとなる。

【肢2、肢3、肢4についての予備知識】

予算制約式は、一般に以下の式で表される。

$P_x\,x + P_y\,y = M$　（予算制約式）

（P_x：X財の価格、P_y：Y財の価格、x：X財の消費量、y：Y財の消費量、M：所得）

$\Rightarrow\quad P_y\,y = -P_x\,x + M$

$\Rightarrow\qquad y = -\dfrac{P_x}{P_y}x + \dfrac{M}{P_y}$　……①

①をグラフに表すと傾きが $-\dfrac{P_x}{P_y}$、切片が $\dfrac{M}{P_y}$ の直線となる。

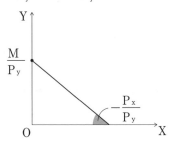

　上図の直線上の点であれば、所与の予算額Mで X 財および Y 財を購入できることを表し、予算制約線とよばれる。

　以上を踏まえて、肢 2、肢 3、肢 4 を検討する。

2 ✕　X 財の価格 P_x が上昇し、P_y と M が一定であった場合には、価格比 $\dfrac{P_x}{P_y}$ が大きくなり、予算制約線の傾きが急になる一方、縦軸切片 $\dfrac{M}{P_y}$ は不変にとどまる。よって、予算制約線は下図のように縦軸切片を中心に時計回りにシフトする。

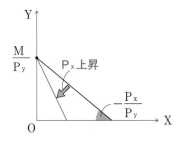

　　　　肢 2 に示された $A_0 B_0$ から $A_1 B_1$ へのシフトは平行シフトであり、切片が変化しているから誤りとなる。

3 ✕　肢 4 の解説を参照のこと。

4 ✕　肢 3 では P_x と P_y を一定に M が増大している。よって、価格比 $\dfrac{P_x}{P_y}$ は不変にとどまり、縦軸切片 $\dfrac{M}{P_y}$ が増大する。よって、2 財の価格比が不変のまま予算Mが増加すると予算制約線は上方へ平行シフトする。逆に、肢 4 のようにMが減少した場合には、予算制約線は下方へ平行シフトする。

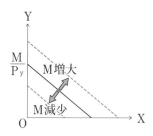

肢３ではA_0B_0からA_0B_2へのシフトとしている。これは平行シフトではないので誤りとなる。なお、A_0B_0からA_0B_2へのシフトはP_xの低下によって生じるものである。また、肢４のA_0B_2からA_1B_1へのシフトは、平行シフトではないので誤り。

5 ○ 問題文の図のE_1点をみると、E_1点で無差別曲線と予算制約線が接している。肢１でみたとおり、

　　無差別曲線の接線の傾き＝限界代替率

である。さらに、肢２でみたとおり、

　　予算線の傾き＝価格比$\dfrac{P_x}{P_y}$

である。よって、E点では、

　　限界代替率（MRS）＝価格比$\dfrac{P_x}{P_y}$　……②

が成立している。よって、正しい。なお、E_1のように予算線と無差別曲線が接している点は効用最大化点、あるいは最適消費点という。また、②を効用最大化条件という。

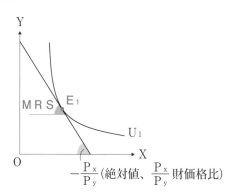

正答 **5**

1 財の消費量と効用

　ある個人は2種類の財(X財とY財)を消費し、そこから効用U(Utility)を得るとします。財の消費量は変数xとyで表し、xy平面に表します。たとえば、X財を3個、Y財を3個だけ消費した状況は右図のF点で表されます。

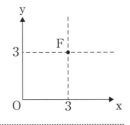

2 無差別曲線

　効用関数は財の消費量x、yから得る効用Uを表す式です。効用関数が
　　$U = xy$
であるときには、X財を1個、Y財を6個消費すると6の効用を得ます。

　等しい効用が得られるxとyの組合せを表す曲線を無差別曲線といい、一般的に、図1のU_1、U_2のように原点に対して凸型の曲線で表されます。図1のA点とB点はどちらも同じ効用に対応しています。

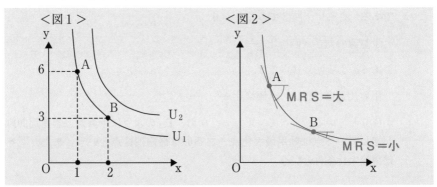

　一般に、無差別曲線は、原点に対して凸型の形状をしており、原点から右上方に位置する曲線のほうが高い効用を表します。つまり、U_2のほうがU_1よりも高い効用を表す無差別曲線となります。

　効用を一定としてx財を1単位増やしたときに減らすべきy財の量を限界代替率MRS(Marginal Rate of Substitution)といいます。

　図1では、A点からxを1から2に増やすとyが6から3に減らすことができるので、A点の限界代替率は3となります。しかし、通常は、図2のように限界代替率は無差別曲線の接線の傾きで測ります。また、通常の経済理論では、無差別曲線が原点に対して凸型であることから、xを増加させると限界代替率は低下していきます。これを限界代替率逓減の法則といいます。

③　予算制約式と最適消費点

　予算制約式とは、一定の所得（または予算）の範囲内で購入できる財の量を表す式です。x財の価格をP_x、y財の価格をP_y、x財の数量をx、y財の数量をy、所得をMとすると、

$$P_x x + P_y y = M$$

$$\rightarrow \quad y = -\frac{P_x}{P_y}x + \frac{M}{P_y} \quad \cdots\cdots ①$$

で表されます。①の予算制約式は、図3のように縦軸切片$\frac{M}{P_y}$、傾き$-\frac{P_x}{P_y}$の直線となります。たとえば、P_xが100円、P_yが50円、予算が400円のときには予算制約式は次のようになります。

$$100x + 50y = 400 \quad \rightarrow \quad y = -\frac{100}{50}x + \frac{400}{50} \quad \rightarrow \quad y = -2x + 8$$

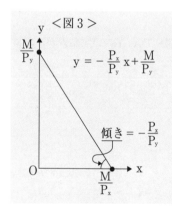

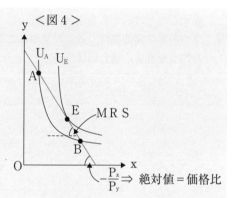

　いま、消費者が図4のA点に対応する財の消費量の組合せに基づき消費するとします。A点は予算線上にあるので、予算的には購入可能です。しかし、効用はU_Aという低い水準です。線分AB上の点に対応する消費量の組合せで消費すればA点より高い効用が実現できるはずです。

　結果的に、E点のように予算線と無差別曲線が接する点で効用が最も高くなります。この点が最適消費点（または効用最大化点）です。

　なお、図4のE点では限界代替率と価格比が等しい、つまり、

$$MRS = \frac{P_x}{P_y}$$

が成立します。これを効用最大化条件といいます。

実践 問題 **1** 〈 **基本レベル** 〉

頻出度	地上★	国家一般職★	特別区★
	裁判所職員★	国税・財務・労基★	国家総合職★

問 正の効用をもつ２財Ｘ、Ｙの無差別曲線に関する記述として、妥当なのはどれか。 （東京都2005）

1 ： 無差別曲線は、Ｘ、Ｙに対するある人の選好の組合せを示す曲線であり、曲線上の任意の点における接線の傾きは、その人の限界消費性向を表す。

2 ： 無差別曲線は、右下がりであるが、これは、Ｘの消費量の減少に伴って変化する効用水準を維持するために、Ｙの消費量が減少するからである。

3 ： 無差別曲線は、通常、原点に向って凸の形状をとるが、これは、限界代替率逓減の法則が成立することを示している。

4 ： 無差別曲線は、左下方に位置するほど対応する効用水準が高く、右上方に位置するほど対応する効用水準が低い。

5 ： ２つの無差別曲線は、通常、交わることはないが、Ｘ、Ｙのいずれかが下級財の性質を有する場合には交わる。

実践 問題 **1** の解説

〈無差別曲線〉

1 × 無差別曲線上の任意の点における接線の傾きの大きさは限界代替率を表す。なお、限界消費性向は、マクロ消費関数において、国民所得が1単位増加したときに消費支出がどれだけ増加するかを表す概念である。

2 × 無差別曲線が右下がりになるのは、XとYについての代替性が仮定されているからである。すなわち、X財の消費量を減少させるとX財消費から得られる効用が減少するが、以前と同じ効用水準を維持したいのならば、Y財の消費量を増加させてY財の消費から得られる効用を増加させればよいからである。

3 ○ 本肢の記述のとおりである。なお、特殊な無差別曲線の1例として、原点に対して凹の形状の無差別曲線を考えることができるが、この場合には限界代替率が逓増することになる。

4 × 問題文より、2財X、Yは正の効用を持つので、無差別曲線は左下方に位置するほど対応する効用水準が低く、右上方に位置するほど対応する効用水準が高い。

5 × X、Yのいずれかが下級財であろうが上級財であろうが、無差別曲線は交わらない。

正答 **3**

実践 問題 **2** 〈 基本レベル 〉

頻出度	地上★★	国家一般職★	特別区★
	裁判所職員★	国税・財務・労基★	国家総合職★

問 無差別曲線の形状に関する次の記述のうち、正しいのはどれか。 （地上1997）

1：縦軸に緑茶、横軸にコーヒーをとったとき、コーヒーにしか興味を示さないAさんの無差別曲線は、横軸に対して垂直になる。

2：縦軸に心地よいクラシックの音色、横軸に隣室のバンドマンの騒音としかいいようのないギターの音をとったとき、クラシックファンのBさんの無差別曲線は、横軸に対して水平になる。

3：縦軸にビール、横軸に日本酒をとったとき、両方を交互に飲むよりも、1種類のお酒だけを飲み続けることが好きなCさんの無差別曲線は、原点に対して凸型になる。

4：無差別曲線が右下がりで原点に対して凸型であろうと凹型であろうと、縦軸の財に対する横軸の財の限界代替率は逓減する。

5：無差別曲線が右下がりで原点に対して凸型であるとき、財が上級財的性質を持とうと、下級財的性質を持とうと、予算制約線と無差別曲線の接点を結んでできる所得－消費曲線は必ず右上がりになる。

直前復習

実践 問題 **2** の解説

1 ○ 横軸の財にしか興味がない場合、縦軸の財の消費が増えても効用は増加せず、横軸の財の消費が増加したときのみ効用が増加する。よって, 無差別曲線は図のようになる。

〈無差別曲線〉
（$u_1 < u_2 < u_3$）

2 × 横軸に騒音のような効用を低下させる財（bads）をとる場合、badsが増加すると効用が低下してしまうため、同じ効用を維持するには縦軸の財（goods）を増加させなければならない。よって、無差別曲線は図のように右上がりとなる。なお、一般的に消費量が増えると効用が増加する財を「goods」、消費量が増えると効用が減少する（負の効用）財を「bads」とよぶ。

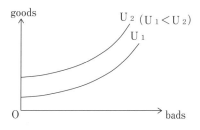

3 × どちらか一方の財のみを消費したほうが、両方を一緒に消費するよりいい場合、無差別曲線は右図のように原点に対して凹となる。

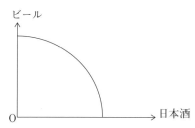

4 × 無差別曲線が、原点に対して凸ならば限界代替率は逓減し、原点に対して凹ならば限界代替率は逓増する。

5 × 両財が上級財のときのみ、所得消費曲線が右上がりとなる。これに対して、一方の財が下級財の場合の所得消費曲線は左上がり（横軸の財が下級財のとき）、または右下がり（縦軸の財が下級財のとき）になる。なお、両財がともに下級財ということは二財モデルの場合はありえない。

正答 1

実践 問題 3 < 応用レベル >

頻出度	地上★	国家一般職★	特別区★
	裁判所職員★	国税・財務・労基★	国家総合職★

問 X財、Y財はともに、ある消費者にとって望ましい財である。この消費者の両財に関する無差別曲線 I_0、I_1 が交わらない理由について図を用いて説明した場合の記述として最も妥当なのはどれか。

ただし、無差別曲線は原点に凸であるとする。 (労基2011)

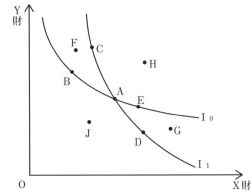

1 : 二本の無差別曲線が点Aで交わるとすると、点Aと I_0 上の点B、点Aと I_1 上の点Dはともに無差別であり、したがって、点Dは、その左上方にある点Bとも無差別となってしまい矛盾する。

2 : 二本の無差別曲線が点Aで交わるとすると、点Aと I_0 上の点B、点Aと I_1 上の点Cはともに無差別であり、したがって、点Bは、その右上方にある点Cとも無差別となってしまい矛盾する。

3 : 二本の無差別曲線が点Aで交わるとすると、点Aと I_0 上の点E、点Aと I_1 上の点Dはともに無差別であり、したがって、点Eは、その右下方にある点Dとも無差別となってしまい矛盾する。

4 : 二本の無差別曲線が点Aで交わるとすると、点Fは点Aよりも選好され、点Aは点Gよりも選好される結果、点Fは点Gよりも選好される。しかし、これは、二本の無差別曲線で囲まれた、点Fを含む点Aの左上方部分と点Gを含む点Aの右下方部分は無差別である、ということと矛盾する。

5 : 二本の無差別曲線が点Aで交わるとすると、点Hは点Aよりも選好され、点Aは点Jよりも選好される結果、点Hは点Jよりも選好される。しかし、これは、二本の無差別曲線で囲まれた、点Hを含む点Aの右上方部分と点Jを含む点Aの左下方部分は無差別である、ということと矛盾する。

実践 問題 **3** **の解説**

〈無差別曲線〉

　無差別曲線とは、消費者に同一の効用水準を与える2財（X財、Y財）の消費量の組合せの点を結んだ軌跡で表される。消費する2財が消費者にとって望ましい財（消費量が増加すると効用が上昇する財）の場合、縦軸にY財、横軸にX財をとったグラフ上では、原点に対して凸型の右下がりの曲線として描かれる。

　以下は、2本の無差別曲線（I_0、I_1）が交わった状態の図であるが、同図を使って無差別曲線が交わった場合について検討する。

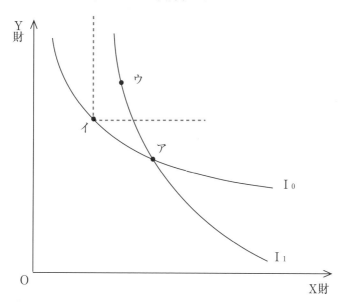

　無差別曲線の性質から、I_0上の点アと点イの効用水準は等しく、I_1上の点アと点ウの効用水準も等しくなる。点アはI_0とI_1の交点に位置するため、各点の効用水準を検討すると、点ア、点イ、点ウの効用水準はすべて等しいと考えられる。

　しかし、点イと点ウを比較すると、点イにおけるX財、Y財の消費量よりも点ウにおけるX財、Y財の消費量のほうが多いため、点ウの効用水準は点イの効用水準よりも高くなるはずである。ゆえに、無差別曲線I_0とI_1が交わると、点イと点ウにおける効用水準に矛盾が生じることから、無差別曲線は交わらないといえる。なお、2つの無差別曲線が交わらないことの理由が確実なものとなるには、点イと点ウのように無差別曲線（I_0）上の点イの右上方の領域（上図の点線（縦）の右方および

点線(横)の上方の領域)に無差別曲線(I_1)上の点ウが存在する場合となる。なお、点イを中心とした他の領域については、各解説肢の記述を参考としていただきたい。

以下、上記のことを踏まえて、各肢を検討していく。

1 ✕ 問題図中の点Bと点Dを比較すると、点Bは点Dの左上方に位置している。点Dと点Bの効用水準を比較すると、点Bは点DよりもX財消費量が少なく、Y財消費量が多いことから、点Dと比べてX財消費量が少ないことによる効用水準の低下をY財消費量が多いことによる効用水準の上昇で補うことができる。しかし、点Dと点Bは、その効用水準の大きさにおいて、どちらが大きいなどを明確に判断することができず(点Dと点Bの効用水準について、異なる場合もあれば等しい(無差別)場合も考えられる)、I_0とI_1が交わらない理由として不十分である。

2 ◯ 本肢の記述のとおりである。先に記述したとおり、点Cは点Bの右上方に位置していることから、点Cは点BよりもX財およびY財の消費量が多く、効用水準も点Bよりも高くなるはずである。ゆえに点Bと点Cは無差別であるとはいえず、I_0とI_1が交わらない理由として妥当である。

3 ✕ 問題図中の点Eと点Dを比較すると、点Dは点Eの右下方に位置している。点Eと点Dの効用水準を比較すると、点Dは点EよりもX財消費量が多く、Y財消費量が少ないことから、E点と比べてY財消費量が少ないことによる効用水準の低下をX財消費量が多いことによる効用水準の上昇で補うことができる。しかし、点Eと点Dは、その効用水準の大きさにおいて、どちらが大きいなどを明確に判断することができず(E点とD点の効用水準について、異なる場合もあれば等しい(無差別)場合も考えられる)、I_0とI_1が交わらない理由として不十分である。

4 ✕ 問題図中の点Fと点Aを比較すると、点Fは点Aの左上方に位置している。点Fと点Aの効用水準を比較すると、点Fは点AよりもX財消費量が少なく、Y財消費量が多いことから、A点と比べてX財消費量が少ないことによる効用水準の低下をY財消費量が多いことによる効用水準の上昇で補うことができる。しかし、点Fと点Aの効用水準は、一方が大きい場合もあれば、両者が無差別である場合もありうる。ゆえに点Fが点Aよりも選好されるとは必ずしもいえない。また、点Aと点Gについても、点Aは点Gの左上方に位置していることから、点Fと点Aの場合と同様に考えると、点Aが点Gよりも選好されるとは必ずしもいえない。このことから、点Fが点Gよりも選好されるとは必ずしもいえない。また、2本の無差別曲線で囲まれた点Aの左上方部分と点Aの右下方部分についても、両者の効用

水準は異なる場合と無差別である場合が考えられる。ゆえに本肢後段の記述は正しいとはいえず、I_0とI_1が交わらない理由として不十分である。

5 × 本肢前段の記述は正しい。点Hは点Aよりも右上方に位置し、点Aは点Jよりも右上方に位置していることから、点H、点A、点Jの効用水準の大きさは「点H ＞ 点A ＞ 点J」となり、点Hは点Jよりも選好されるといえる。一方、本肢後段の記述をみると、点Aの左下方部分は、点Aよりもが X財およびY財の消費量が減少することから、その効用水準は点Aよりも低いといえる。また、点Aの右上方部分は、点AよりもX財およびY財の消費量が増加することから、その効用水準は点Aよりも高いといえる。つまり、点Aの右上方部分と左下方部分は無差別とはいえない。ゆえに本肢後段の記述は正しいとはいえず、I_0とI_1が交わらない理由として不十分である。

正答 **2**

実践 問題 **4** 〈応用レベル〉

頻出度	地上★	国家一般職★	特別区★
	裁判所職員★	国税・財務・労基★	国家総合職★

問 ある消費者は、所得の中から一定額を日本酒とビールの購入にあてており、図において、予算制約線は$A_0 B_0$、無差別曲線はU_0、均衡点はE_0で表されるものとする。夏が近づいて、ビールメーカーの宣伝活動が強化されたときの均衡点E_0の変化に関する記述として正しいのは次のうちどれか。ただし、宣伝活動以外の条件は一定であるとする。 (地上1998)

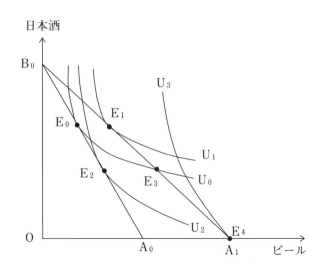

1：宣伝活動により、日本酒とビールの予算制約線が$A_0 B_0$から$A_1 B_0$へ、無差別曲線がU_0からU_1へ変化してE_1で均衡する。

2：宣伝活動により、無差別曲線の形状がU_0からU_2へ変化してE_2で均衡する。

3：宣伝活動により、ビールに対する購買力が高まり、E_0より効用水準の高いE_3で均衡する。

4：宣伝活動により、日本酒とビールの予算制約線が$A_0 B_0$から$A_1 B_0$へ、無差別曲線がU_0からU_3へ変化してE_4で均衡する。

5：宣伝活動により、ビールに対する購買力が高まり、$A_1 B_0$上でE_0よりもビールが大、日本酒が小のE_3で均衡する。

実践 問題 **4** の解説 ───────────────────────

〈無差別曲線〉

　ビールの宣伝活動が活発に行われると、消費者は同じ予算制約のもとでも、宣伝広告を見ることでビールをより飲みたいと感じるようになる。よって、消費者の最適消費点は下図の点 E_0 から点 E_2 へ移行し、ビールの消費量が増大することになる。

　ここで注意することは、消費者の所得や財価格は変化していないので、予算制約線は当初の $A_0 B_0$ から変化しないということである。すなわち、企業による宣伝活動は、消費者の財の好みに影響を与えることにより、宣伝された財をより多く消費するように無差別曲線を変化させるのである。

　よって、正解は肢2である。

　なお、ガルブレイスは、このような宣伝により消費が影響を受けることを依存効果とよんだ。

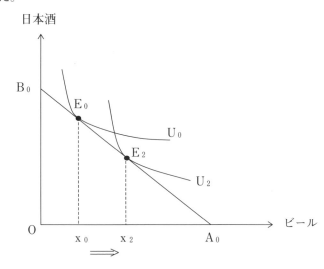

【ポイント】

　依存効果とは、家計の消費行動は企業等の行う広告・宣伝活動に依存して誘導されて形成されるとするもので、J.K.ガルブレイスによって指摘された。

正答 **2**

必修
問題　セクションテーマを代表する問題に挑戦！

最適消費の計算問題です。

公式が使えるようになるまで練習しましょう。

問 ある合理的な消費行動をとる消費者が、所得のすべてをX財、Y
財の購入に支出し、この消費者の効用関数は、

$$U = X^2 \cdot Y \quad \begin{cases} U：効用水準 \\ X：X財の消費量 \\ Y：Y財の消費量 \end{cases}$$

で示されるとする。この消費者の所得は45,000円、X財の価格は
1,000円、Y財の価格は1,500円であるとき、効用最大化をもたら
すX財の最適消費量はどれか。　　　　　　　　　（特別区2008）

1：18
2：21
3：24
4：27
5：30

Guidance　最適消費とは
ガイダンス
　　消費者にとって最適な消費とは、予算内で得られる効用を最大
にするような財の消費のことで、このことを効用最大化に基づく最適消費とい
う。最適消費の問題は、効用関数と予算制約式に注目、効用最大化条件を活
用して解こう。

必修問題の解説 ————————————

〈最適消費〉

最適消費問題の解法には、以下の4つの代表的解法がある。

なお、以下、X財の価格をP_X、Y財の価格をP_Y、X財の限界効用をMU_X、Y財の限界効用をMU_Y、この消費者の所得(予算)をMと表記する。

【解法1：効用最大化条件を使用する解法】

$$\frac{MU_X}{MU_Y} = \frac{P_X}{P_Y} \quad \cdots\cdots ① \quad (効用最大化条件)$$

$$P_X X + P_Y Y = M \quad \cdots\cdots ② \quad (予算制約式)$$

(効用最大化条件)

効用関数$U = X^2 Y$をX、Yで微分してX財とY財の限界効用を導出する。

$$\frac{\Delta U}{\Delta X} = 2X^{2-1}Y = 2XY \quad \rightarrow \quad MU_X = 2XY$$

$$\frac{\Delta U}{\Delta Y} = 1 \times X^2 Y^{1-1} = X^2 \quad \rightarrow \quad MU_Y = X^2$$

次に、上のMU_XとMU_Yを使えば、本問に即した効用最大化条件として①′を作ることができるので、この①′を約分などして、①″のように整理しておく。

$$\frac{2XY}{X^2} = \frac{1,000}{1,500} \quad \cdots\cdots ①'$$

$$\rightarrow \quad \frac{2Y}{X} = \frac{2}{3}$$

$$\rightarrow \quad Y = \frac{1}{3}X \quad \cdots\cdots ①''$$

(予算制約式)

題意より予算制約式は以下の②′となる。②′に①″を代入してYを消去することで、予算制約と効用最大化条件の両方を満たすXの値として30が導出される。

$$1,000X + 1,500Y = 45,000 \quad \cdots\cdots ②'$$

$$\rightarrow \quad 1,000X + 1,500\left(\frac{1}{3}X\right) = 45,000$$

$$\rightarrow \quad 1,500X = 45,000$$

$$\rightarrow \quad X = 30$$

この30がX財の最適消費量となる。したがって、肢5が正解である。

なお、X = 30を②′に代入すると、$1,000 \times 30 + 1,500Y = 45,000$となり、Y = 10が

導ける。つまり、Y財の最適消費量は10である。

【解法2：加重限界効用均等法則を使用する解法】

効用関数$U = X^2 Y$から、X財、Y財の限界効用MU_X、MU_Yを求める。

$$MU_X = \frac{\Delta U}{\Delta X} = 2XY、MU_Y = \frac{\Delta U}{\Delta Y} = X^2$$

ここで、効用最大化のもとで成立する加重限界効用均等法則：$\frac{MU_X}{P_X} = \frac{MU_Y}{P_Y}$を用いると、

$$\frac{2XY}{1,000} = \frac{X^2}{1,500}$$

$$2XY = \frac{X^2}{1,500} \times 1,000$$

$$2XY = \frac{2X^2}{3}$$

$$Y = \frac{2X^2}{3} \times \frac{1}{2X}$$

$$Y = \frac{1}{3}X \quad \cdots\cdots ①$$

を得る。次に、予算制約式「$M = P_X X + P_Y Y$」を求めると、

$$45,000 = 1,000X + 1,500Y \quad \cdots\cdots ②$$

となり、①、②式を連立させて解くと、

$$X = 30$$
$$Y = 10$$

を得る。以上から、正解は肢5となる。

【解法3：効用関数Uを微分してゼロとおく（「＝0」とおく）解法】

以下の予算制約式①を$Y = \sim$の形に変形して①′を作る。次に、その①′を効用関数②のYに代入しYを消去することで、②′のような予算制約を含んだ効用関数を導出する。

$$1,000X + 1,500Y = 45,000 \quad \cdots\cdots ①$$

$$\rightarrow \quad Y = -\frac{1,000}{1,500}X + \frac{45,000}{1,500}$$

$$\rightarrow \quad Y = -\frac{2}{3}X + 30 \quad \cdots\cdots ①'$$

$$U = X^2 Y \quad \cdots\cdots ② \quad （効用関数）$$

$$\rightarrow \quad U = X^2\left(-\frac{2}{3}X + 30\right)$$

$$\rightarrow \quad U = -\frac{2}{3}X^3 + 30X^2 \quad \cdots\cdots ② ' \quad (予算制約を含んだ効用関数)$$

②'のUをXで微分してゼロとおく(「=0」とおく)ことで③が作られる。③をXについて解くことで、X=30が導出される。

$$\frac{\Delta U}{\Delta X} = 3 \times \frac{-2}{3}X^{3-1} + 2 \times 30 \times X^{2-1} = 0 \quad \cdots\cdots ③$$

$$\rightarrow \quad -2X^2 + 60X = 0$$

$$\rightarrow \quad 2X^2 - 60X = 0$$

$$\rightarrow \quad 2X(X-30) = 0$$

$$\rightarrow \quad X = 30 、 0$$

X=0のときは効用がゼロになってしまうので、X=30を解とする。

【解法4：公式を使う方法】

効用関数が$U = X^a Y^b$というXとYの積のみからなる効用関数であり、$P_X X + P_Y Y = M$が予算制約である問題では、最適消費点は次の公式で求めることができる。なお、この公式は$U = XY + Y$など足し算を含む効用関数には用いることができない。

$$公式 \quad X = \frac{a}{a+b} \cdot \frac{M}{P_X} 、 \quad Y = \frac{b}{a+b} \cdot \frac{M}{P_Y}$$

本問に即すると、$U = X^2 Y^1$から、a=2、b=1が読み取れる。したがって、

$$X = \frac{2}{2+1} \times \frac{45{,}000}{1{,}000} \quad \rightarrow \quad X = 30$$

となり、X財の最適消費量は30ということがわかる。

正答 5

LEC東京リーガルマインド　　2025-2026年合格目標 公務員試験 本気で合格！過去問解きまくり！⑬ミクロ経済学　29

1 最適消費点

　消費者は予算の範囲内で消費量を選択するので、予算線上の点（図1のａａ直線上のどこかの点）を必ず選択します。このとき、予算線の上で最も効用が高くなる点が最適消費点です。

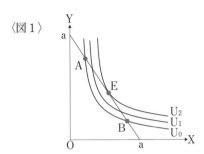

〈図1〉

　図1のＡ点での効用はＵ₀で表されます。しかし、線分ＡＢ上の点の効用はＡ点の効用よりも必ず高くなります。なぜならば、Ｕ₀より右上にある無差別曲線であるＵ₁、Ｕ₂のほうが高い効用を表すからです。いま、Ａ点からＸ財を増加させ、Ｙ財を減少させることで予算線に沿って消費点が変化すると効用はＵ₀からＵ₁へと上昇します。このような調整の結果としてＥ点に到達します。Ｅ点が予算線の上で最も効用が高くなる点、つまり、最適消費点となります。

　図2のＥ点では無差別曲線と予算線が接していることから、Ｅ点では無差別曲線の接線の傾き（限界代替率ＭＲＳ）と予算線の傾き$\left(\dfrac{P_X}{P_Y}\right)$が等しくなります。

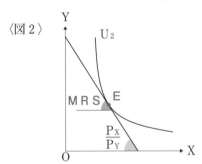

〈図2〉

　つまり、Ｅ点では、以下の効用最大化条件が成立します。

$$\boxed{\quad \mathrm{MRS} \quad = \quad \dfrac{P_X}{P_Y} \quad} \quad \cdots\cdots①$$

$$\begin{bmatrix}無差別曲線の\\接線の傾き\end{bmatrix} = [価格比]$$

２ 限界代替率MRSを導くための計算技法······

微分については、本章の前にある「数学の簡単な復習」（２ページ）を参照してください。

効用関数$U =$ 〜 をXで微分した$\dfrac{\Delta U}{\Delta X}$を$X$財の限界効用とよび、$MU_X$で表します。また、$Y$で微分したものを$Y$財の限界効用とよび、$MU_Y$で表します。

（例）効用関数が$U = X^2 Y$のとき、限界効用は次のように導出されます。

$$MU_X = 2 X^{2-1} Y = 2 X Y$$
$$MU_Y = X^2 Y^{1-1} = X^2 Y^0 = X^2$$

このMU_X、MU_Yから以下の公式でMRSが導出できます。

（公式）　$\dfrac{MU_X}{MU_Y} = MRS$　……②

この②を効用最大化条件（①式）に当てはめると、限界効用MU_X、MU_Yで表した**効用最大化条件**が得られます。

$$\boxed{\dfrac{MU_X}{MU_Y} = \dfrac{P_X}{P_Y}}　……①'$$

この①′が計算問題を解くときに使う効用最大化条件、つまり、図２や図３のE点で成立している数学的な条件式となります。

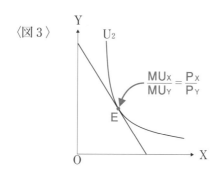

〈図３〉

$\dfrac{MU_X}{MU_Y} = \dfrac{P_X}{P_Y}$

なお、あるいは、①′を変形して、効用最大化条件を

$$\boxed{\dfrac{MU_X}{P_X} = \dfrac{MU_Y}{P_Y}}$$

と表すこともあります。これを**価格で加重した限界効用均等の法則（加重限界効用均等法則）**とよび、貨幣１単位あたりの限界効用が、両財ともに等しいことを意味します。

③ 最適消費の計算問題

― 【例題】 ―

ある消費者の効用を

$U = x^2 y$ （x：X財の消費量、y：Y財の消費量）

とする。X財の価格が2万円、Y財の価格が1万円、所得が12万円とする。効用が最大となるX財の消費量として妥当なのはどれか。

1. 1
2. 2
3. 3
4. 4
5. 5

最適消費の問題では、効用Uが最大となるxとyを求めます。

効用関数　$U = x^2 y$　……①

予算制約式　$2x + y = 12$　……②

この問題では、②を満たしつつ、①で示されるUの値を最大にする必要があります。

【解法1：効用最大化条件を使用する解法】

すでに学習した効用最大化条件より、

$$\frac{MU_x}{MU_y} = \frac{P_x}{P_y}　……③$$

となります。

Step.1　効用関数$U = x^2 y$をxとyで微分して限界効用を求めます。

$MU_x = 2x^{2-1}y = 2xy$

$MU_y = x^2 y^{1-1} = x^2$

上の2つの限界効用と、$P_x = 2$、$P_y = 1$を③に代入すると、

$$\frac{2xy}{x^2} = \frac{2}{1}　\rightarrow　\frac{2y}{x} = \frac{2}{1}　\rightarrow　y = x　……④$$

となります。

Step.2　④を②に代入してyを消去します。

$$2x + y = 12　\rightarrow　2x + x = 12$$

$$\rightarrow　3x = 12　\rightarrow　x = 4$$

以上より、X財の最適消費量は4となります。

よって、正解は肢4です。

【解法2：加重限界効用均等法則を使用する解法】

効用関数が$U = x^2 y$から、X財、Y財の限界効用MU_x、MU_yを求めます。

$$MU_x = \frac{\Delta U}{\Delta x} = 2xy, \quad MU_y = \frac{\Delta U}{\Delta y} = x^2$$

ここで、効用最大化のもとで成立する加重限界効用均等法則：$\dfrac{MU_x}{P_x} = \dfrac{MU_y}{P_y}$を用いると、

$$\frac{2xy}{2} = \frac{x^2}{1}$$

$$xy = x^2$$

$$y = x \quad \cdots\cdots ⑤$$

を得ます。次に、予算制約式は、

$$2x + y = 12$$

であるので、予算制約式に⑤式を代入して解くと、

$$x = 4$$

となります。

【解法3：効用関数Uを微分してゼロとおく（「＝0」とおく）解法】

Step.1　効用関数Uをxに関する式で表します。

予算制約式$2x + y = 12$を変形して$y = 12 - 2x$とします。この予算制約式を効用関数$U = x^2 y$に代入して整理すると、⑥式のとおりとなります。

$$U = x^2 (12 - 2x)$$

$$\rightarrow \quad U = 12x^2 - 2x^3 \quad \cdots\cdots ⑥$$

Step.2　⑤式で導いたUの式をxで微分してゼロとおきます（「＝0」とおく）。

$$\frac{\Delta U}{\Delta x} = 24x - 6x^2 = 0$$

$$\rightarrow \quad \frac{\Delta U}{\Delta x} = 6x(4 - x) = 0$$

$$\rightarrow \quad x = 4$$

以上より、X財の最適消費量は4となります。

【解法4：支出割合の公式を使用する解法】

効用関数が$U = x^a y^b$というコブ＝ダグラス型であり、かつ予算制約が$P_x x + P_y y = M$であるときには、最適なxとyでは各財への支出は、指数a、bの割合に等しいという性質があります。つまり、

$P_x\,x : P_y\,y = a : b$　（支出割合の公式）

が成立します。

Step.1　$M = 12$を$2 : 1$に分ける　→　$8 : 4$

Step.2　$P_x\,x = 8$、$P_y\,y = 4$とおく。

Step.3　$P_x = 2$なので、$2\,x = 8$　→　$x = 4$

以上より、X財の最適消費量は4となります。

【参考：コブ＝ダグラス型効用関数の場合の公式】

効用関数が$U = x^a\,y^b$のようなコブ＝ダグラス型をしているときに、予算式が$P_x\,x + P_Y\,y = M$として、効用Uが最大になるx、yの消費量は

$$\begin{cases} x = \dfrac{a}{a+b} \cdot \dfrac{M}{P_X} \\[2mm] y = \dfrac{b}{a+b} \cdot \dfrac{M}{P_Y} \end{cases} \quad \cdots\cdots(コブ＝ダグラスの公式)$$

となります。問題文では$U = x^2\,y$なので公式の変数では$a = 2$、$b = 1$となります。これと$P_X = 2$、$P_Y = 1$、$M = 12$をコブ＝ダグラスの公式に代入すると、以下のようにxを求めることができます。

$$x = \frac{2}{2+1} \times \frac{12}{2} \quad \Rightarrow \quad x = 4$$

memo

頻出度		
地上★★★	国家一般職★★★	特別区★★★
裁判所職員★★★	国税・財務・労基★★★	国家総合職★★★

問 所得のすべてをX財とY財に支出する、ある消費者の効用関数が次のように与えられている。

$$u(x, y) = x(2 + y)$$

ここでxはX財の消費量、yはY財の消費量を表す。X財の価格が8、Y財の価格が4、貨幣所得が120であるとき、この消費者の貨幣1単位当たりの限界効用はいくらか。 (国Ⅱ2008)

1： 2
2： 4
3： 6
4： 8
5： 10

直前復習

36 **LEC**東京リーガルマインド　2025-2026年合格目標 公務員試験 本気で合格！過去問解きまくり！
⑬ミクロ経済学

実践 問題 **5** の解説

〈最適消費〉

「消費者の貨幣1単位あたりの限界効用」は、$\dfrac{MU_x}{P_x}$ または $\dfrac{MU_y}{P_y}$ で表し、加重限界効用という。

X財の限界効用MU_xとY財の限界効用MU_yは以下のように計算でき、

$MU_x = 2 + y$、$MU_y = x$

効用最大化条件である加重限界効用均等法則の式に代入して、

$$\dfrac{MU_x}{P_x} = \dfrac{MU_y}{P_y} \quad \Rightarrow \quad \dfrac{2+y}{8} = \dfrac{x}{4} \quad \cdots\cdots ①$$

を得る。また、予算制約式は、

$$120 = 8x + 4y \quad \cdots\cdots ②$$

となるので、以下のように、①を②に代入しやすいように①′に変形する。

$$\dfrac{2+y}{8} = \dfrac{x}{4} \quad \Rightarrow \quad 4(2+y) = 8x \quad \Rightarrow \quad 8 + 4y = 8x \quad \cdots\cdots ①′$$

次に、①′を②に代入して、

$$120 = 8 + 4y + 4y \quad \Rightarrow \quad 112 = 8y \quad \Rightarrow \quad y = 14$$

を得る。これを①の左辺に代入すると、

$$\dfrac{2+y}{8} = \dfrac{2+14}{8} = 2$$

を得る。よって、正解は肢1である。

【補足】

本問においては、貨幣1単位あたりの限界効用について問われていて、効用が最大となるX財、Y財の消費量について問われているわけではない。しかし、限界効用MU_x、MU_yはX財、Y財の量によって変化するので、貨幣1単位あたりの限界効用もX財、Y財の量によって変化する。貨幣1単位あたりの限界効用が定まるのは、$\dfrac{MU_x}{P_x} = \dfrac{MU_y}{P_y}$ のときであり、これは効用最大化の条件でもある。したがって、本問では効用を最大にする財の消費量を問われているわけではないが、まず、効用を最大化するX財もしくはY財の消費量を求めなければならない。なお、効用が最大化され、つまり、$\dfrac{MU_x}{P_x} = \dfrac{MU_y}{P_y}$ が成立するときには、$\dfrac{MU_x}{P_x}$ を求めても $\dfrac{MU_y}{P_y}$ を求めても同じこととなるので、計算しやすいほうを求めればよい。

正答 1

実践 問題 **6** 基本レベル

頻出度	地上★★★　国家一般職★★★　特別区★★★
	裁判所職員★★★　国税·財務·労基★★★　国家総合職★★★

問 2財 x 、y を消費するある個人の効用関数が

U＝x y³（U：効用水準、x：x 財の消費量、y：y 財の消費量）

で表されるとする。また、x 財の価格は 2 、y 財の価格は 3 であり、この個人は所得Mを与えられている。この個人が所得Mを用いて効用を最大にする各財の消費量を選択すると128の効用を得られるとき、Mの値として最も適当なのはどれか。　　　　　　　　　　　　　　　　　　　　　　　　　　　　　　　（裁事2009）

1：12
2：16
3：24
4：32
5：48

直前復習

38　LEC東京リーガルマインド　2025-2026年合格目標 公務員試験 本気で合格！過去問解きまくり！
⑬ミクロ経済学

実践 問題 **6** の解説 ————————————————

〈最適消費〉

予算制約式は、所得をMとして、

$$M = 2x + 3y \quad \cdots\cdots ①$$

となる。効用関数$U = x y^3$をx、yで微分することで限界効用MU_x、MU_yを導出する。

$$MU_x = 1 \times x^{1-1} \times y^3 = y^3$$
$$MU_y = 3 \times x \times y^{3-1} = 3xy^2$$

これらを$\dfrac{MU_x}{MU_y} = \dfrac{P_x}{P_y}$に代入して、以下のように効用最大化条件を求める。

$$\frac{y^3}{3xy^2} = \frac{2}{3}$$

$$\rightarrow \quad \frac{y}{3x} = \frac{2}{3}$$

$$\rightarrow \quad y = 2x \quad \cdots\cdots ②（効用最大化条件）$$

②を①に代入すると、

$$x = \frac{1}{8}M \quad \cdots\cdots ③$$

$$y = \frac{1}{4}M \quad \cdots\cdots ④$$

が導出される。③、④および$U = 128$を効用関数に代入すると、

$$128 = \frac{1}{8}M\left(\frac{1}{4}M\right)^3 \quad \cdots\cdots ⑤$$

となる。これをMについて解くと、

$$128 = \frac{1}{8}M \times \frac{1}{4^3}M^3$$

$$\rightarrow \quad 128 \times 8 \times 4^3 = M^4$$

$$\rightarrow \quad 2^7 \times 2^3 \times 2^6 = M^4$$

$$\rightarrow \quad 2^{16} = M^4$$

$$\rightarrow \quad (2^4)^4 = M^4$$

$$\rightarrow \quad M = 16$$

を得る。よって、正解は肢2である。

正答 2

実践 問題 **7** 〈 基本レベル 〉

頻出度	地上★★★　国家一般職★★★　特別区★★
	裁判所職員★★★　国税・財務・労基★★★　国家総合職★★★

問 効用を最大化する、ある消費者を考える。この消費者は、所得の全てをX財とY財の購入に充てており、効用関数が以下のように示される。

u＝x y　（x≧0、y≧0）

（u：効用水準、x：X財の消費量、y：Y財の消費量）

この消費者の所得は120であり、当初、X財の価格は3、Y財の価格は15であったとする。いま、Y財の価格は15で変わらず、X財の価格のみが3から12に上昇したとすると、価格の変化前の効用水準を実現するのに必要な最小の所得はいくらか。

(国家一般職2019)

1：200

2：240

3：280

4：320

5：360

実践　問題 7　の解説 ─────────────────

〈最適消費〉

　問題で与えられている効用関数u＝x yより、X財、Y財それぞれの限界効用M
U_x、MU_yを求めると、

$$MU_x = \frac{\Delta u}{\Delta x} = y$$

$$MU_y = \frac{\Delta u}{\Delta y} = x$$

となる。

　まず、当初のX財の価格が3、Y財の価格が15の場合を考える。効用最大化条
件は**加重限界効用均等法則**より、

$$\frac{MU_x}{P_x} = \frac{MU_y}{P_y}$$

$$\frac{y}{3} = \frac{x}{15}$$

$$x = 5\,y \quad \cdots\cdots ①$$

となる。

　一方、予算制約式は、X財の価格は3、Y財の価格は15、所得は120であることから、

$$3x + 15y = 120$$

$$x + 5y = 40 \quad \cdots\cdots ②$$

となる。①、②より、最適消費量を求めると、

$$x = 20、\quad y = 4$$

となる。すると、このときの効用水準は、

$$u = x\,y = 20 \cdot 4 = 80 \quad \cdots\cdots ③$$

と求められる。

　次に、X財の価格が3から12に上昇した場合を考える。効用最大化条件は**加重
限界効用均等法則**より、

$$\frac{MU_x}{P_x} = \frac{MU_y}{P_y}$$

$$\frac{y}{12} = \frac{x}{15}$$

$$x = \frac{5}{4}\,y \quad \cdots\cdots ④$$

となる。

一方、予算制約式は、X財の価格は12、Y財の価格は15であり、求める所得をM とおくと、

$$12x + 15y = M$$

となるので、④を代入すると、

$$12 \cdot \frac{5}{4}y + 15y = M$$

$$30y = M$$

$$y = \frac{M}{30} \quad \cdots\cdots ⑤$$

となる。⑤を④に代入すると、

$$x = \frac{5}{4} \cdot \frac{M}{30} = \frac{M}{24} \quad \cdots\cdots ⑥$$

となる。⑤、⑥を効用関数 $u = xy$ に代入すると、

$$u = \frac{M}{24} \cdot \frac{M}{30}$$

となり、この効用水準が価格変化前の効用水準80になればよいため、③を代入すると、

$$\frac{M}{24} \cdot \frac{M}{30} = 80$$

$$M^2 = 24 \times 30 \times 80$$

$$M^2 = (2^3 \times 3) \times (2 \times 3 \times 5) \times (2^4 \times 5)$$

$$M^2 = 2^8 \times 3^2 \times 5^2$$

$$M^2 = (2^4)^2 \times 3^2 \times 5^2$$

$$M = 2^4 \times 3 \times 5$$

$$M = 240$$

となる。

よって、正解は肢2である。

正答 **2**

memo

実践 問題 8 ＜基本レベル＞

頻出度	地上★★★　国家一般職★★★　特別区★★
	裁判所職員★★★　国税·財務·労基★★★　国家総合職★★★

問 ある消費者は、一定の所得の下、効用が最大となるようにＸ財とＹ財の消費量を決める。この消費者の効用関数は以下のように与えられる。

$u = x y$

（u：効用水準、 x ： X財の消費量、 y ： Y財の消費量）

当初、この消費者の所得は60であり、X財の価格は 5 、Y財の価格は10であった。

いま、X財の価格は変化せず、Y財の価格が40に上昇したとする。このとき、この消費者がY財の価格上昇前と同じ効用水準を達成するために必要な所得の増加分として最も妥当なのはどれか。　　　　　　　　　　（国家総合職2024）

1 : 30
2 : 60
3 : 90
4 : 120
5 : 240

OUTPUT

実践 問題 **8** の解説

〈最適消費〉

　効用関数が $u = xy$ という x、y の指数が 1 のコブ＝ダグラス型であるとき、この消費者が効用を最大となるように X 財、Y 財の消費量を決定すると、X 財、Y 財への支出額の比率は 1：1 となり、また、問題文の条件より、当初、$P_x = 5$、$P_y = 10$ であるので、

$$P_x x = P_y y \quad \Rightarrow \quad 5x = 10y \quad \Rightarrow \quad x = 2y$$

という効用最大化条件を得る。これを予算制約式 $5x + 10y = 60$ に代入すると、

$$5(2y) + 10y = 60 \quad \Rightarrow \quad 20y = 60 \quad \Rightarrow \quad y = 3$$

となり、$y = 3$ を予算制約式に代入すると、$x = 6$ を得る。よって、当初の効用は、

$$u = xy = 6 \times 3 = 18$$

となる。次に、Y 財の価格が 40 に上昇したときの最適消費量を求める。効用関数は Y 財の価格上昇によっても変化しないので、X 財、Y 財への支出額の比率は 1：1 となり、$P_x = 5$、$P_y = 40$ を踏まえて、

$$P_x x = P_y y \quad \Rightarrow \quad 5x = 40y \quad \Rightarrow \quad x = 8y$$

という効用最大化条件を得る。これを所得を M とした予算制約式 $5x + 40y = M$ に代入すると、

$$5(8y) + 40y = M \quad \Rightarrow \quad 80y = M \quad \Rightarrow \quad y = \frac{M}{80}$$

となり、$y = \frac{M}{80}$ を予算制約式に代入すると、

$$5x + 40 \times \frac{M}{80} = M \quad \Rightarrow \quad x = \frac{M}{10}$$

を得る。このときの効用

$$u = xy = \frac{M}{10} \times \frac{M}{80} = \frac{M^2}{800}$$

が Y 財の価格上昇前の効用 18 と等しくなるとすると、

$$\frac{M^2}{800} = 18 \quad \Rightarrow \quad M^2 = 18 \times 800 = 2 \times 3^2 \times 2^3 \times 10^2 = (2^2 \times 3 \times 10)^2$$

$$\Rightarrow \quad M = 120$$

を得る。以上より、当初の所得 60 から 120 に増加すれば、Y 財の価格が上昇しても、価格上昇前の効用が達成できることがわかり、所得の増加分は $120 - 60 = 60$ となる。

　よって、正解は肢 2 である。

正答 **2**

実践 問題 **9** 〈 **応用レベル** 〉

頻出度	地上★	国家一般職★★	特別区★
	裁判所職員★	国税・財務・労基★	国家総合職★

問 第1財の消費量を x_1、第2財の消費量を x_2 とし、これら2種類の消費財からなる効用関数が与えられている。第1財の価格を $p_1 = 2$、第2財の価格を $p_2 = 4$、所得を $I = 50$ として、この I が全て第1財及び第2財に支出されているものとする。このとき、消費者が効用を最大化して行動した場合、ア〜エの記述のうち、妥当なもののみを全て挙げているのはどれか。

(国家一般職2014)

ア：効用関数が $u = x_1(2x_2 + 5)$ であれば、消費量の組合せは、$(x_1, x_2) = (5, 10)$ となる。

イ：効用関数が $u = x_1(2x_2 + 5)$ であれば、貨幣の限界効用は、7.5となる。

ウ：効用関数が $u = \min(x_1, 3x_2)$ であれば、消費量の組合せは、$(x_1, x_2) = (15, 5)$ となる。

エ：効用関数が $u = x_1 + 3x_2$ であれば、消費量の組合せは、$(x_1, x_2) = (25, 0)$ となる。

1：ア、イ
2：ア、ウ
3：ア、エ
4：イ、ウ
5：ウ、エ

実践 問題 **9** の解説 ─────────

〈最適消費〉

ア× 第1財と第2財の限界効用は、それぞれ

$$MU_1 = 2x_2 + 5$$
$$MU_2 = 2x_1$$

となる。効用最大化条件より限界効用の比が価格の比に等しいことから、

$$\frac{MU_1}{MU_2} = \frac{P_1}{P_2} \Rightarrow \frac{2x_2 + 5}{2x_1} = \frac{2}{4} \Rightarrow 2(2x_2 + 5) = 2x_1 \quad \cdots\cdots①$$

である。①を以下の予算制約式の$2x_1$の項に代入してx_1を消去すると、

$$2x_1 + 4x_2 = 50 \Rightarrow 2(2x_2 + 5) + 4x_2 = 50 \Rightarrow 8x_2 = 40$$

となるために、$x_2 = 5$が得られる。$x_2 = 5$を予算制約式のx_2の項に代入してx_2を消去すると、

$$2x_1 + 4x_2 = 50 \Rightarrow 2x_1 + 4 \times 5 = 50 \Rightarrow x_1 = 15$$

となる。よって、最適消費点は$(x_1, x_2) = (15, 5)$となることがわかる。以上より、記述アは誤りである。

イ○ 貨幣1単位あたりの限界効用とは$\dfrac{MU_1}{P_1}$、または$\dfrac{MU_2}{P_2}$のことである。効用が最大化されているとき両者は等しくなる。解説記述アの結果より、$(x_1, x_2) = (15, 5)$であるので、

$$\frac{MU_1}{P_1} = \frac{2x_2 + 5}{2} = \frac{2 \times 5 + 5}{2} = 7.5$$

$$\frac{MU_2}{P_2} = \frac{2x_1}{4} = \frac{2 \times 15}{4} = 7.5$$

を得る。よって、記述イは正しい。

ウ○ 効用関数が$U = \min(x_1, 3x_2)$のようにレオンチェフ型効用関数であるときには、第1変数、第2変数のいずれか小さいほうが効用Uの値となる。一般にレオンチェフ型効用関数の効用最大化条件は、第1変数＝第2変数である。本問に即していえば、$U = \min(x_1, 3x_2)$なので、

$$x_1 = 3x_2 \quad \cdots\cdots②$$

でUが最大になる。肢ウの$(x_1, x_2) = (15, 5)$は②を満たし、かつ、$2x_1 + 4x_2 = 50$という予算制約式も満たす。よって、記述ウは正しい。

エ× 効用関数がU = x_1 + 3x_2のときは無差別曲線が直線となる。このような
ケースを完全代替のケースという。この場合、効用最大化点は予算線にお
ける端点(25, 0)か(0, 12.5)のいずれかになる。前者では効用はU = 25、
後者ではU = 3 × 12.5 = 37.5となり、後者が効用最大化点である。よって、
記述エの(25, 0)が効用最大化点であるというのは誤り。

以上より、妥当なものはイ、ウとなるので、正解は肢4である。

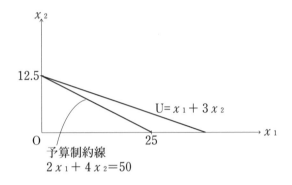

正答 4

memo

実践 問題 **10** 〈応用レベル〉

頻出度	地上★	国家一般職★★	特別区★
	裁判所職員★	国税・財務・労基★	国家総合職★

問 所得の全てをX財とY財に支出する、ある消費者の効用関数が次のように与えられているとする。

u＝x＋y （u：効用水準、x：X財の消費量、y：Y財の消費量）

当初、X財の価格は2、Y財の価格は4、名目貨幣所得は24であった。いま、Y財の価格と名目貨幣所得は、それぞれ4と24のまま、X財の価格が上昇して3になったとする。価格上昇後の効用水準を価格上昇前と同じにするために必要な所得の増加分はいくらか。

(国家一般職2016)

1： 0

2： 6

3： 12

4： 24

5： 36

実践 問題 **10** の解説

〈最適消費〉

本問における効用関数uの無差別曲線について、

$$u = x + y \quad \rightarrow \quad y = -x + u$$

となり、また、限界代替率$MRS = \dfrac{MU_x}{MU_y}$ は、

$$MU_x = 1 \cdot x^{1-1} = x^0 = 1$$
$$MU_y = 1 \cdot y^{1-1} = y^0 = 1$$
$$MRS = \frac{MU_x}{MU_y} = \frac{1}{1} = 1$$

となり、本問の効用関数は、横軸にx、縦軸にyを採ったグラフでは、図1のuのようにMRSが「1」、傾きが「−1」の直線として描かれる。なお、無差別曲線が右下がりの直線として描かれ、限界代替率MRSが一定となるとき、2財は完全代替の関係にある。また、x財価格上昇前の予算制約式は、

$$2x + 4y = 24 \quad \rightarrow \quad y = -\frac{1}{2}x + 6$$

となり、図2のように描ける。

図1

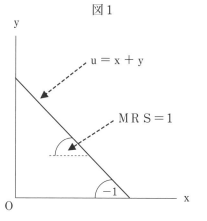

図2

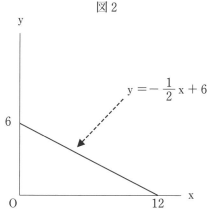

効用最大化条件は、$MRS = \dfrac{P_x}{P_y}$ であるが、本問では、「$MRS = 1$」、「$\dfrac{P_x}{P_y} = \dfrac{2}{4} = \dfrac{1}{2}$」となっており、$MRS \neq \dfrac{P_x}{P_y}$ であることから、通常の効用最大化条件を満たす点はない。このような場合における最適消費点について図3を用いて検証する。

図3は、予算制約線が描かれ、無差別曲線u_0はA点、u_1はB点において予算制約線と接している。無差別曲線の効用水準は「$u_0 < u_1$」であり、消費可能領域の△ABO内で効用水準が最大となる最適消費点は予算制約線とu_1が接しているB点となる。すなわち最適消費点はx軸上にあって端点解（コーナー解）となり、消費者はX財のみを12単位消費する（また、2財の価格比$\frac{P_x}{P_y}\left(=\frac{1}{2}\right)$が限界代替率MRS（＝1）より小さいことからX財のみが消費されると判断できる。本問の場合、無差別曲線の傾き（MRS）が予算制約線の傾き$\left(財価格比\frac{P_x}{P_y}\right)$よりも大きいことから、完全代替関係にある2財の無差別曲線よりも予算制約線の傾きのほうが緩やかな形状となり、この2直線がグラフ面において接するのはx軸上となるからである）。このときの効用水準は、

$$u = x + y = 12 + 0 = 12$$

となる。

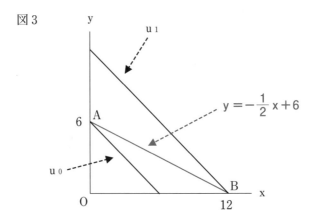

図3

u_1

$y = -\dfrac{1}{2}x + 6$

u_0

次に、X財価格が「3」に上昇したときの効用水準を検討する。X財価格上昇後の予算制約式は、

$$3x + 4y = 24 \quad \rightarrow \quad y = -\frac{3}{4}x + 6$$

となり、図4の色つき直線ACで表される。X財価格上昇後においても財価格比$\frac{P_x}{P_y}\left(=\frac{3}{4}\right)$が限界代替率MRS（＝1）より小さいことからX財のみが8単位消費され、最適消費点はC点となり（無差別曲線u_2との接点）、効用水準は、

$$u = x + y = 8 + 0 = 8$$

となる。所得増加により価格変化前の効用u＝12を実現するためには、財価格比が$\frac{3}{4}$で最適消費点がB点(無差別曲線u_1との接点)になるように予算制約線を色つき直線ACから色つき直線DBへと平行シフトさせればよいことになる。ゆえにX財消費量をC点の8単位からB点の12単位になるまで4単位増加させる必要がある。価格上昇後のX財価格が3であることから、増加すべき所得額は、

$$P_x(X財価格) \times x(X財増加量) = 3 \times 4 = 12$$

となる。

よって、正解は肢3である。

図4

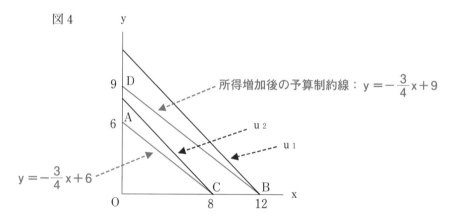

【補足：端点解（コーナー解）】

本問のように、効用関数が$u = x + y$で示されるようなX財、Y財は、完全代替の関係にあり、完全代替財とよばれる。完全代替関係にある2財の無差別曲線の形状は直線となり、2財の交換比率（MRS）は常に一定となる。

完全代替財の無差別曲線は直線となることから、最適消費点は無差別曲線および予算制約線の横軸切片または縦軸切片で決定される。これを「端点解」または「コーナー解」という。端点解が、横軸（x軸）上になるか縦軸（y軸）上になるかは、2財のMRSと価格比$\left(\frac{P_x}{P_y}\right)$の大小関係による（$P_x$：X財価格、$P_y$：Y財価格）。

・$MRS > \dfrac{P_x}{P_y}$ ⇒ 横軸(x軸)上に最適消費点が出現。

・$MRS < \dfrac{P_x}{P_y}$ ⇒ 縦軸(y軸)上に最適消費点が出現。

正答 3

実践 問題 **11** 〈 応用レベル 〉

頻出度	地上★★	国家一般職★★	特別区★
	裁判所職員★	国税·財務·労基★	国家総合職★★

問 ある個人の効用関数が

U＝x y　（U：効用水準、x：X財の消費量、y：Y財の消費量）

で示されるとする。ここで x 財に対して140の給付がされた場合、この個人が効用最大化するときの x 財の需要量はいくらか。

ただし、個人は所得のすべてを x 財、y 財に支出し、所得を100、x 財の価格を 4 、y 財の価格を 1 とする。　　　　　　　　　　　　　（地上2005）

1 ： 30
2 ： 35
3 ： 40
4 ： 45
5 ： 50

OUTPUT

実践 問題 11 の解説

チェック欄
1回目	2回目	3回目

〈最適消費〉

第1章
最適消費

当初の予算制約線

$$4x + y = 100$$

は、右図において線分ＡＢで与えられる。

ここで、Ｘ財のみ購入可能な140の給付がなされることから、この個人は所得100をすべてｙ財の消費に用いても、ｘ財を35まで消費することが可能になる。

これを同じ図上に表せば、予算制約線は図の線分ＡＥ₁Ｃのように、折れ曲がるように描かれることになる。

このとき、ｘ財のみ購入可能な140の給付をこの個人は必ずすべて使い切るから、ｘ財需要量は35を上回ることはあっても、下回ることはないことに注意しなければならない。つまりｘ財需要量は$35 \leqq x \leqq 60$の値をとる。一方、ｙ財需要量は$0 \leqq y \leqq 100$の値をとる。

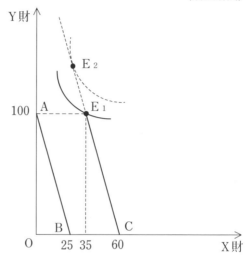

したがって、新たな予算制約線は

$$y = -4x + 240 \quad \cdots\cdots ① \quad (ただし、35 \leqq x \leqq 60、 0 \leqq y \leqq 100)$$

と与えられる。

以上を踏まえ、効用を最大化するような最適消費量を求めると、効用最大化条件の$MRS = \dfrac{P_X}{P_Y}$より、

$$\frac{y}{x} = 4 \quad \therefore \ y = 4x \quad \cdots\cdots ②$$

②式を①式に代入すれば、$x = 30$、$y = 120$を得る。これは図中の点E_2で表される。しかし、これは与えられた$35 \leqq x \leqq 60$、$0 \leqq y \leqq 100$の範囲外にあり、実現不可能な点となっている。xを下限値の35とおくと、$y = 100$となり、これは確かに範囲内にある。すなわち、x財の需要量は35となる。

よって、正解は肢2である。

正答 2

実践 問題 **12** 〈応用レベル〉

頻出度	地上★★	国家一般職★★	特別区★
	裁判所職員★	国税・財務・労基★★	国家総合職★★

問 ある消費者は、所得 I の下、効用が最大となるように X 財と Y 財の消費量を決める。この消費者の効用関数は、以下のように与えられる。

$$u = x\,y^2$$

$$\left(\begin{array}{l} u\ :効用水準 \\ x\ :X財の消費量、\ y:Y財の消費量 \end{array}\right)$$

X財の価格は 5 、Y財の価格は10、この消費者の所得 I は150であるとする。政府は、30の税収を得るために、この消費者に対し、

　㋐　一括所得税を課す政策

　㋑　Y財にのみ従量的な物品税を課す政策

のいずれかを検討している。

　このとき、㋐及び㋑それぞれにおけるこの消費者の効用水準の組合せとして最も妥当なのはどれか。 (国家総合職2023)

	㋐	㋑
1 :	360	490
2 :	512	490
3 :	512	512
4 :	600	512
5 :	600	640

実践 問題 **12** の解説 ─────────────────────

〈最適消費〉

効用関数が $u = x^{\alpha} y^{\beta}$ という定型の単項式で表されていることから、コブ＝ダグラス型効用関数の公式を使うことが可能である。

その公式とは、効用関数が $u = x^{\alpha} y^{\beta}$ というコブ＝ダグラス型の定型の単項式であり、かつ予算制約式が $p_x x + p_y y = M$ で表されるときは、最適な x と y での各財への支出額は、指数 α、β の比率にそれぞれ等しくなるというものである。

すなわち、効用最大化条件のもとでは、

$$p_x x = \frac{\alpha}{\alpha + \beta} M, \quad p_y y = \frac{\beta}{\alpha + \beta} M$$

となり、各財 x、y の消費量

$$x = \frac{\alpha}{\alpha + \beta} \cdot \frac{M}{p_x}, \quad y = \frac{\beta}{\alpha + \beta} \cdot \frac{M}{p_y}$$

が得られる。

以上の公式(34ページ参照)を、本問に応用して解いていく。

アのときの u を求める。当初の予算制約が $5x + 10y = 150$ であり、30だけの一括所得税が課されると、課税後の予算制約式は $5x + 10y = 120$ となる。効用関数は、$u = x y^2$ であるので、公式より、$x = \frac{1}{1+2} \cdot \frac{120}{5} = 8$、および、$y = \frac{2}{1+2} \cdot \frac{120}{10} = 8$ となる。

よって、効用水準 $u = 8 \times 8^2 = 512$ を得る。これにより正解は、肢2または肢3に絞られる。

(イ)のときの u を求める。従量税率を t とすると、Y財に1単位あたり t の物品税を課したときのY財の価格は $p_y = 10 + t$ となり、各財X、Yの消費量は、

$$x = \frac{1}{1+2} \cdot \frac{150}{5} = 10$$

$$y = \frac{2}{1+2} \cdot \frac{150}{10+t} \quad \Rightarrow \quad y = \frac{100}{10+t} \quad \cdots\cdots①$$

となる。題意より税収 $ty = 30$ となるため、①に t を掛け、

$$t \times y = \frac{100t}{10+t} = 30 \quad \Rightarrow \quad 100t = 300 + 30t \quad \Rightarrow \quad t = \frac{30}{7} \quad \cdots\cdots②$$

を得る。②を①に代入することで物品税収を30とするときの y の需要量は、

第1章 最適消費

$$y = \frac{100}{10 + \frac{30}{7}} = \frac{100}{\frac{100}{7}} = 7$$

となる。したがって、x = 10、y = 7 より、効用水準 u = 10 × 7² = 490を得る。

よって、肢3は妥当でなく、肢2が正解となる。

【別解】

一括固定税は同額の税収をもたらす個別物品税よりも効用が高くなるという定理より、(イ)での効用水準は、512よりも小さくなることが明らかである。よって、肢3は妥当でなく、肢2が正解となる。

正答 **2**

memo

実践 問題 **13** 〈応用レベル〉

頻出度	地上★	国家一般職★	特別区★
	裁判所職員★	国税・財務・労基★	国家総合職★★

問 X財とY財の2財を消費する、ある消費者の効用関数が、

$$u = 5x + y + 2xy \quad \begin{pmatrix} x：X財の消費量、 x \geqq 0 \\ y：Y財の消費量、 y \geqq 0 \end{pmatrix}$$

で示され、この消費者は効用最大化を行う。いま、X財の価格が1、Y財の価格が25、消費者の所得が50であるとき、この消費者のX財の最適消費量はいくらか。 (国家総合職2017)

1： 0

2： 10

3： 20

4： 25

5： 50

実践 **問題 13** **の解説**

〈最適消費〉

2財の限界効用はそれぞれ、$MU_x = 5 + 2y$、$MU_y = 1 + 2x$なので、効用最大化条件は、$\dfrac{MU_x}{MU_y} = \dfrac{P_x}{P_y}$より、

$$\frac{5 + 2y}{1 + 2x} = \frac{1}{25} \quad \rightarrow \quad y = \frac{1}{50}(1 + 2x) - \frac{5}{2} \quad \cdots\cdots ①$$

となる。また、予算制約式は、$P_x x + P_y y = M$より

$$x + 25y = 50 \quad \cdots\cdots ②$$

である。①と②を連立してxとyを求めると、以下のようになる。

$$\begin{cases} x = 56 \\ y = -\dfrac{6}{25} \end{cases} \quad \cdots\cdots ③$$

ところが、**財の消費量は非負であることから**、$y = -\dfrac{6}{25}$**という解は不適である。**すなわち、本モデルは**端点解のケース**である。したがって実際のyの値は$y = 0$であり、このときX財の消費量は$x = 50$である。よって、正解は肢5である。

【論点】端点解のケース

図は本問での無差別曲線と予算線の位置関係を表します。点Fは③に対応しており、無差別曲線と予算線が接していますが、$y < 0$であるため選択できません。この場合には、$y = 0$に対応する点Eが最適消費計画を表します。このように、一方の財の消費量がゼロとなり通常の最適条件が成立しないような最適解を**端点解**といいます。これに対し、通常の解は**内点解**とよばれます。

【端点解のケース】

（ⅰ）点Fは$y < 0$なので選択不可

（ⅱ）点Eでは$MRS \neq \dfrac{P_x}{P_y}$だが効用最大

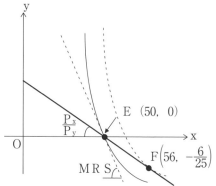

正答 5

実践 問題 **14** 〈 応用レベル 〉

頻出度	地上★	国家一般職★★	特別区★
	裁判所職員★	国税・財務・労基★	国家総合職★★

問 所得の全てを三つの財の消費に充てる消費者の効用関数が、

$$u = x\,y + z^2$$

であるとする。ここで、u は効用水準、x は第1財の消費量、y は第2財の消費量、z は第3財の消費量を表す。第2財と第3財の価格をそれぞれ 8、4、この消費者の所得を100とするとき、第1財の需要関数として正しいのはどれか。

ただし、p_x は第1財の価格である。

(国家一般職2013)

1：$x = \dfrac{32}{p_x + 2}$

2：$x = \dfrac{100}{3p_x + 1}$

3：$x = \dfrac{50}{p_x + 1}$

4：$x = \dfrac{100}{2p_x + 1}$

5：$x = \dfrac{50}{p_x}$

実践 問題 **14** の解説

〈最適消費〉

【解法1：効用最大化条件を使う解法】

2財の場合の効用最大化条件は、$\dfrac{MU_x}{p_x} = \dfrac{MU_y}{p_y}$であった。同様に、3財の場合の効用最大化条件は、次のような連立方程式となる。

$$\frac{MU_x}{p_x} = \frac{MU_y}{p_y} = \frac{MU_z}{p_z} \quad \cdots\cdots① \quad (効用最大化条件)$$

（効用最大化条件）

まず、$u = xy + z^2$を x、y、z で微分して、各財の限界効用を導出する。

$MU_x = y$

$MU_y = x$

$MU_z = 2z$

上記3つのMUとそれぞれの財の価格を①に代入すると、効用最大化条件が①′のようになる。

$$\overbrace{\frac{y}{p_x}}^{(A)} = \underbrace{\frac{x}{8} = \frac{2z}{4}}_{(B)} \quad \cdots\cdots①′$$

①′を(A)と(B)の2つの等式に分解して、②、③のように整理しておく。

(A) $\dfrac{y}{p_x} = \dfrac{x}{8} \quad \rightarrow \quad 8y = p_x x \quad \cdots\cdots②$

(B) $\dfrac{x}{8} = \dfrac{2z}{4} \quad \rightarrow \quad 4x = 16z \quad \rightarrow \quad x = 4z \quad \cdots\cdots③$

（予算制約式）

予算制約式 $p_x x + 8y + 4z = 100$に、②、③を代入して、yとzを消去していく。

$p_x x + 8y + 4z = 100 \quad \cdots\cdots（予算制約式）$

$\rightarrow \quad p_x x + p_x x + x = 100$

$\rightarrow \quad 2p_x x + x = 100$

$\rightarrow \quad (2p_x + 1)x = 100$

$$\rightarrow \quad x = \frac{100}{2p_x + 1} \quad \cdots\cdots ④$$

需要量 x が価格 p_x の関数として示されているので④が（価格）需要関数である。
よって、正解は肢4である。

【解法2：効用関数Uを微分してゼロとおく解法】

Step.1　予算制約を代入した効用関数を作る

予算制約式

$$p_x x + 8y + 4z = 100$$

を y = ～ にした、

$$y = \frac{100 - p_x x - 4z}{8} \quad \cdots\cdots ①$$

を $U = xy + z^2$ の y に代入すると、

$$U = x\left(\frac{100 - p_x x - 4z}{8}\right) + z^2$$

$$\rightarrow \quad U = \frac{100x - p_x x^2 - 4xz}{8} + z^2 \quad \cdots\cdots ②$$

のように x と z のみの効用関数が得られる。

Step.2　効用関数を微分してゼロとおく

②を x と z で微分してゼロとおくと、③と④のようになる。

$$\frac{\Delta U}{\Delta x} = \frac{100 - 2p_x x - 4z}{8} = 0$$

$$\rightarrow \quad 100 - 2p_x x - 4z = 0 \quad \cdots\cdots ③$$

$$\frac{\Delta U}{\Delta z} = \frac{-4x}{8} + 2z = 0$$

$$\rightarrow \quad 2z = \frac{4x}{8} \quad \rightarrow \quad 4z = x \quad \cdots\cdots ④$$

次に、③と④を連立して x について解く。以下のように、④を③に代入して 4z を消去する。

$$\rightarrow \quad 100 - 2p_x x - x = 0$$

$$\rightarrow \quad 100 - (2p_x + 1)x = 0$$

$$\rightarrow \quad x = \frac{100}{2p_x + 1}$$

よって、正解は肢4である。

正答 **4**

memo

最適消費

? Question

Q1 無差別曲線とは、同じ効用水準をもたらす2財の消費量の組合せを結んだ等高線である。

Q2 無差別曲線は、基数的効用を仮定している。

Q3 限界効用は、財の消費量が増えれば増えるほど増加していくと一般に考えられるが、このことを不飽和の仮定という。

Q4 2財モデルにおいて、効用水準を変化させないという条件のもとで、一方の財の消費量を1単位増やすことに対する、もう一方の財の消費量の減少分の比率を限界代替率(MRS)という。

Q5 予算制約線とは、所得と効用が所与のもとで最大購入可能な財の消費量の組合せの軌跡のことである。

Q6 下の図において、最適消費点は点dである。

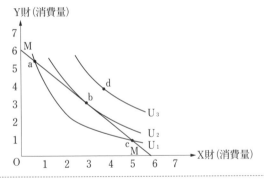

Q7 上図より、最適消費条件は、限界代替率(MRS) = 2財の価格比$\left(\dfrac{P_X}{P_Y}\right)$ということができる。

Q8 一般的な無差別曲線の性質の1つとして、原点に対して凸になることが挙げられるが、これは限界代替率逓減の法則に対応している。

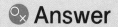

Answer

A1 ○ 無差別曲線の説明として正しい。なお、無差別曲線の接線の傾きの絶対値が限界代替率（MRS）である。

A2 × 無差別曲線は、右上方の無差別曲線上の点ほど効用が高い財の組合せを示すという効用の大小関係のみ比較可能であり、その大きさを具体的な数値で計測することは不可能とする序数的効用を仮定している。

A3 × 本問の「限界効用は、」を「効用は、」とすれば、正しい文となる。限界効用（Marginal Utility：MU）とは、財の消費量を1個増やしたときの効用の増加分のことをいうが、これは一般に財の消費量が増加するにつれて低下していく。このことを限界効用逓減の法則という。

A4 ○ 縦軸にY財、横軸にX財をとると、

$$MRS = -\frac{\Delta Y（縦軸の財の変化量）}{\Delta X（横軸の財の変化量）}$$ として表される。

A5 × 「効用」ではなく、「財の価格」である。なお、予算制約線の傾きの絶対値は、2財の価格比を表す。

A6 × 最適消費点は、予算制約線と無差別曲線の接点である点bである。

A7 ○ b点では予算制約線と無差別曲線が接している。予算制約線の傾きの絶対値は2財の価格比であり、また、無差別曲線の接線の傾きの絶対値は限界代替率（MRS）であることから、b点では、2財の価格比とMRSが等しくなっている。

A8 ○ 限界代替率MRSは、ある財の消費量が増加すると、その財に対するありがたみがなくなることから、だんだん低下していく。このことを限界代替率逓減の法則という。

第1章 最適消費

memo

第2章

与件の変化と需要

SECTION

① 所得の変化
② 価格変化・財の分類

出題傾向の分析と対策

試験名	地　上			国家一般職			特別区			裁判所職員			国税・財務・労基			国家総合職		
年　度	16-18	19-21	22-24	16-18	19-21	22-24	16-18	19-21	22-24	16-18	19-21	22-24	16-18	19-21	22-24	16-18	19-21	22-24
出題数 セクション	2	1	1			1			1	1		2			1	2	1	1
所得の変化						★				★	★					★		★
価格変化・財の分類	★★	★	★						★			★		★		★	★	

（注）　1つの問題において複数の分野が出題されることがあるため、星の数の合計と出題数とが一致しないことがあります。

　この分野は、与えられた所得や価格が変化したときの、各財の最適消費量の変化に焦点を当てる問題です。近年の公務員試験ではより複雑な最適消費量の変化を引き起こす「価格の変化」と、所得や価格の変化に伴う財消費量の変化からその財の性質を分類する「財の分類」が頻出となっています。

地方上級

　価格の変化、財の分類など、幅広く出題されています。また、エンゲル曲線に関する問題が出題されたこともあるので、対策しておくとよいでしょう。

国家一般職

　近年の出題頻度は低いですが、過去には、価格の変化が多く出題されていたので、代替効果・所得効果の意味や、最適消費量の変化について確認しておきましょう。

特別区

　価格の変化や財の分類に関する問題が出題されています。代替効果・所得効果の意味や、財の分類条件を確認しておきましょう。

裁判所職員

　所得の変化、価格の変化や財の分類に関する問題が出題されています。代替効果・所得効果の意味や、財の分類条件を確認しておきましょう。

国税専門官・財務専門官・労働基準監督官

　所得の変化、価格の変化に関する問題が出題されています。代替効果・所得効果の意味や、最適消費量の変化について確認しておきましょう。

国家総合職

　財の分類に関する問題が出題されています。各財の性質や所得消費曲線の向きについて確認しておきましょう。

Advice アドバイス　学習と対策

　これらの問題を解くにあたっては、最適消費量決定の図形的な理解が不可欠になりますので、図形的な部分に不安を覚える人は復習しておきましょう。特に、所得効果・代替効果の意味や、財を分類する際の定義など、ポイントをよく確認し、身につけていくことが最重要課題といえます。

必修
問題 セクションテーマを代表する問題に挑戦！

所得消費曲線に関する問題です。

図による理解を大切にしながら、問題に取り組んでいきましょう。

問 図のSS曲線は、所得のすべてを使ってx財とy財を購入するある消費者の所得が変化したときの所得消費曲線を描いたものである。図の所得消費曲線上の点に関する次の記述のうち、正しいのはどれか。 (地上1992)

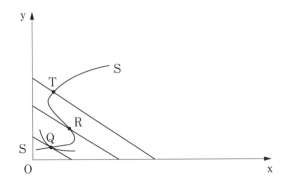

1：R点ではx財は上級財、y財は下級財である。

2：R点ではy財は上級財、x財は下級財である。

3：T点ではx財はギッフェン財、y財は上級財である。

4：T点ではx財は上級財、y財は下級財である。

5：Q点ではx財は下級財、y財は上級財である。

Guidance 所得消費曲線
ガイダンス
　　　　所得が変化すると、予算制約線が移動するので、予算制約線と無差別曲線の接点である最適消費点も移動する。この所得の変化に対応した最適消費点の軌跡が所得消費曲線である。所得消費曲線から財の種類（上級財・下級財）を見分けることができる。

必修問題の解説 ────────────────

〈所得の変化〉

Q、R、Tの各点近傍における所得消費曲線の状態から以下のことがいえる。

・Q点では、x財、y財はともに所得が増加すると需要量が増加しているので、両財のいずれも**上級財**である。

・R点では、x財は所得が増加すると需要量が減少しているので**下級財**、y財は所得が増加すると需要量が増加しているので上級財である。

・T点では、x財、y財とも所得が増加すると需要量が増加しているので、両財のいずれも上級財である。

よって、正解は肢2である。

【ポイント】

・**上級財**…所得が上昇(低下)すると需要量が増加(減少)する財。

・**下級財**…所得が上昇(低下)すると需要量が減少(増加)する財。

・**ギッフェン財**…下級財の一種で、価格が上昇(低下)すると需要量が増加(減少)する財。

正答 2

Step ステップ　所得消費曲線とは別に、平面上に所得と財の需要量の関係をプロットしたものをエンゲル曲線という。エンゲル曲線の形状から、エンゲル曲線上のある点における財の種類(上級財・下級財)を見分けることもできる。

第2章 与件の変化と需要

第2章 ① 与件の変化と需要
SECTION ① 所得の変化

消費者の所得が増大すると最適消費点も変化し、需要量が増大あるいは減少することになります。所得が増えると需要が増大する財を上級財、所得が増えると需要が減少する財を下級財といいます。

1 所得変化と予算制約線のシフト

X財、Y財の2財モデルを想定し、予算制約線 $Y = -\dfrac{P_X}{P_Y}X + \dfrac{M}{P_Y}$ において所得Mが増大すると予算制約線のグラフの縦軸切片が上昇し、下図のように右上方に平行シフトします。このシフトにより最適消費点がE点からF点（あるいはG点、H点）へと変化します。所得が増大したときの最適消費点の軌跡を所得消費曲線とよびます。

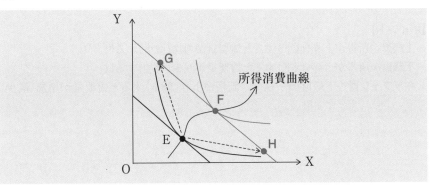

・最適点がE点からF点に変化 ……X財、Y財ともに上級財のケース
・最適点がE点からG点に変化 ……X財は下級財、Y財は上級財のケース
・最適点がE点からH点に変化 ……X財は上級財、Y財は下級財のケース

2 需要の所得弾力性

需要の所得弾力性 E_m とは、所得Mが1％増大したときの需要量Xの変化率を表します。たとえば、所得Mが5％上昇して需要Xが10％増大する財は、$E_m = 2$ となります。

$$E_m = \frac{Xの変化率}{Mの変化率} = \frac{\dfrac{\Delta X}{X}}{\dfrac{\Delta M}{M}} = \frac{\Delta X}{\Delta M} \cdot \frac{M}{X}$$

$E_m > 1$ であるときは、所得が増大すると所得の伸び率以上に需要が伸びることを表します。つまり、

INPUT

$$E_m > 1 \quad \Leftrightarrow \quad \frac{\Delta X}{X} > \frac{\Delta M}{M}$$

$$E_m < 1 \quad \Leftrightarrow \quad \frac{\Delta X}{X} < \frac{\Delta M}{M}$$

という関係があります。

3 奢侈品と必需品

所得が増大するとそれ以上に需要が増大する財を奢侈品、そうでない財を必需品とよびます。経済学では需要の所得弾力性E_mを用いて次のように定義します。

- 奢侈品 ……$E_m > 1$ または $\dfrac{\Delta X}{X} > \dfrac{\Delta M}{M}$

- 必需品 ……$E_m < 1$ または $\dfrac{\Delta X}{X} < \dfrac{\Delta M}{M}$

4 エンゲル曲線

エンゲル曲線とは、所得と需要量の関係を表す曲線です。縦軸に財の需要量、横軸に所得をとると、上級財のエンゲル曲線は右上がりに、下級財のエンゲル曲線は右下がりになります。なお、必需品は$\dfrac{\Delta X}{\Delta M} < \dfrac{X}{M}$で定義されるので、必需品のエンゲル曲線は原点を通る直線の傾き$\dfrac{X}{M}$が接線の傾き$\dfrac{\Delta X}{\Delta M}$より大きくなり、下図のように、徐々に傾きが緩やかになる形状の曲線となります。逆に、奢侈品は$\dfrac{\Delta X}{\Delta M} > \dfrac{X}{M}$で定義されるので、奢侈品のエンゲル曲線では、徐々に傾きが大きくなる形状の曲線となります。

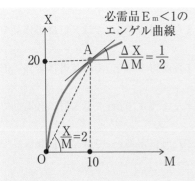
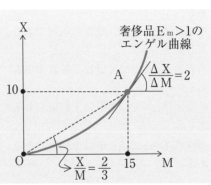

問 ある家計は所得の全てをX財、Y財に支出している。この消費者のX財に対するエンゲル曲線が下図のように描かれるとき、以下の記述のうち最も妥当なものはどれか。

ただし、X財、Y財の価格は一定に保たれているものとする。

（裁事2023）

直前復習

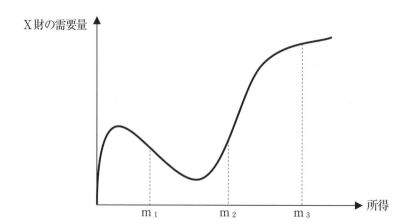

1：所得水準m_1ではX財は下級財である。また所得水準m_2ではX財は必需品である。

2：所得水準m_1ではX財は上級財である。また所得水準m_2ではX財は奢侈品である。

3：所得水準m_1ではX財は下級財である。また所得水準m_3ではX財は奢侈品である。

4：所得水準m_2ではX財は上級財である。また所得水準m_3ではX財は必需品である。

5：所得水準m_3ではX財は下級財である。また所得水準m_1ではX財は奢侈品である。

OUTPUT

実践 問題 **15** の解説 ─────────────

〈エンゲル曲線〉

　エンゲル曲線は、所得と財の需要量の関係を表す曲線であり、所得が増加したときに財の需要量が増加するときは右上がりとなり、所得が増加したときに財の需要量が減少すると右下がりとなる。よって、エンゲル曲線が右上がりであれば、所得が増加したときにその財の需要量が増加していることになり、その財が上級財ということがわかる。エンゲル曲線が右下がりであれば、所得が増加したときにその財の需要量が減少していることになり、その財は下級財ということがわかる。以上より、本問のグラフを次のページの図によって検討すると、所得水準がm_1のとき点Aにおいて曲線は右下がり、m_2、m_3のときそれぞれ点B、Cにおいて曲線は右上がりであるので、所得水準がm_1のときは下級財、m_2、m_3のときは上級財となり、この時点で選択肢2、5が誤りであることがわかる。

　次に、所得水準がm_2、m_3のときにX財が奢侈品か必需品かを検討する。奢侈品か必需品かは、需要の所得弾力性によって決まり、需要の所得弾力性＞1のときは奢侈品、需要の所得弾力性＜1のときには必需品となる。需要の所得弾力性E_mは、所得をM、財の需要量をXとした場合、

$$E_m = \frac{\frac{\Delta X}{X}}{\frac{\Delta M}{M}} = \frac{\Delta X}{\Delta M} \cdot \frac{M}{X}$$

と表される。ここで、財の需要の弾力性$E_m > 1$となり、財が奢侈品であるとき、

$$\frac{\Delta X}{\Delta M} \cdot \frac{M}{X} > 1 \quad \Rightarrow \quad \frac{\Delta X}{\Delta M} > \frac{X}{M}$$

が成立する。すなわち、グラフでは、その所得水準における接線の傾きの大きさを表す$\left(\frac{\Delta X}{\Delta M}\right)$と、その点と原点を結んだ直線の傾きの大きさを表す$\left(\frac{X}{M}\right)$を比較し、接線の傾きのほうが大きければ奢侈品、小さければ必需品となる。以上を踏まえて次ページの図を検討すると、所得水準m_2においては、m_2における接線の傾きのほうが原点Oと点Bを結んだ直線OBの傾きより大きく奢侈品となり（左図）、m_3においてはm_3における接線の傾きのほうが原点Oと点Cを結んだ直線OCの傾きより小さいので必需品となる（右図）。

　よって、正解は肢4である。

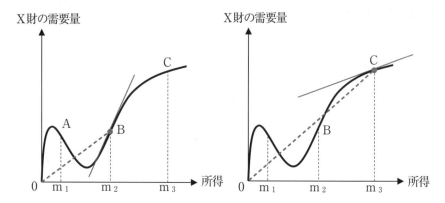

memo

実践 問題 **16** 〈 基本レベル 〉

頻出度	地上★★	国家一般職★	特別区★	
	裁判所職員★	国税·財務·労基★		国家総合職★

問 財の性質に関する記述として最も適当なものはどれか。　（裁判所職員2016）

1：上級財は、消費者の所得が増えるにつれ消費量が減少し、所得が減るにつれ消費量が増加する財である。

2：下級財は、消費者の所得が増えるにつれ消費量が減少し、需要の所得弾力性が0より大きく1より小さい財である。

3：ギッフェン財は、価格が低下したときに、プラスの代替効果よりマイナスの所得効果の方が大きく働く。

4：奢侈品は、所得の変化率より需要の変化率が小さい財であり、需要の所得弾力性が1未満である。

5：必需品は、消費者の所得が増加しても需要が変化しない財であり、需要の所得弾力性が0である。

実践 問題 **16** の解説

〈所得の変化〉

1× 本肢は下級財についての記述である。上級財は、消費者の所得が増えるにつれ消費量が増加し、所得が減るにつれ消費量が減少する財である。

2× 確かに、下級財は消費者の所得が増えるにつれ消費量が減少する財のことである。しかし、下級財の需要の所得弾力性E_mはマイナスであって、0より大きく1より小さい値ではない。よって、下級財の需要の所得弾力性の記述が誤り。なお、需要の所得弾力性E_mは所得Mが1％増大したときに需要量xが何パーセント増大するかを表す。所得をM、需要量をxとすると、以下のⅠ、Ⅱのように定義される。

（需要の所得弾力性Ⅰ）　$E_m = \dfrac{\dfrac{\Delta x}{x}}{\dfrac{\Delta M}{M}}$　……①

（需要の所得弾力性Ⅱ）　$E_m = \dfrac{\Delta x}{\Delta M} \cdot \dfrac{M}{x}$

3○ 本肢の記述のとおりである。ギッフェン財は、価格が低下したときに、プラスの代替効果よりマイナスの所得効果のほうが大きく働く。このために、価格が低下したにもかかわらず全部効果でみたギッフェン財の需要量は減少する。

4× 奢侈品は需要の変化率が所得の変化率より大きい財$\left(\dfrac{\Delta x}{x} > \dfrac{\Delta M}{M} となる財\right)$であるので、解説肢2の①より需要の所得弾力性$E_m$が1よりも大きい。

5× 必需品は、需要の所得弾力性E_mが1よりも小さい財である。よって、需要の所得弾力性を0としている点からはっきりと誤りであることがわかる。

【ポイント】　需要の所得弾力性による財の分類
・$E_m > 0$　上級財　（$E_m > 1$　奢侈品、　$E_m < 1$　必需品）
・$E_m = 0$　中級財、中立財
・$E_m < 0$　下級財

正答 **3**

実践 問題 **17** 応用レベル

頻出度	地上★★	国家一般職★★	特別区★
	裁判所職員★	国税·財務·労基★★	国家総合職★

問 ある消費者は、所得 I の下、効用が最大となるように X 財と Y 財の消費量を決める。この消費者の効用関数は、以下のように与えられる。

$$u = x^a y^b \quad \left(\begin{array}{l} x：X財の消費量、 y：Y財の消費量、 \\ a、b は正の定数 \end{array} \right)$$

　この消費者の所得 I が200のとき、X財、Y財の消費量はそれぞれ40、12である。いま、X財、Y財の価格が一定の下、所得が200から60だけ減少する場合を考える。

　このとき、X財に関する記述として妥当なのはどれか。　（国家総合職2022）

1：X財は上級財であり、その消費量は12となる。

2：X財は上級財であり、その消費量は28となる。

3：X財は下級財であり、その消費量は42となる。

4：X財は下級財であり、その消費量は54となる。

5：X財はギッフェン財であり、その消費量は45となる。

OUTPUT

実践 問題 **17** の解説

〈所得の変化〉

第2章 与件の変化と需要

　問題で与えられている効用関数「$u = x^a y^b$」がコブ＝ダグラス型効用関数であることから、ある消費者のX財およびX財に対する支出は、効用関数の指数の割合に等しくなり、所得Iは指数の比で按分できる。X財価格をPx、Y財価格をPyとすると、X財支出額：Px・x、Y財支出額：Py・yは、

$$P x \cdot x = \frac{a}{a + b} I$$

$$P y \cdot y = \frac{b}{a + b} I$$

と表すことができる(32ページの第1章SECTION2「3　最適消費の計算問題」の解法4を参照のこと)。また、本問はX財に関する記述の妥当性を検証するものであるから、「$P x \cdot x = \frac{a}{a + b} I$」をxについて整理し、X財の需要関数を導出すると、

$$x = \frac{a}{a + b} \cdot \frac{I}{P x} \quad \cdots\cdots ①$$

となる。①式に題意のI＝200、x＝40を代入すると、

$$40 = \frac{a}{a + b} \cdot \frac{200}{P x}$$

$$\frac{a}{a + b} = \frac{40}{200} P x \quad \cdots\cdots ②$$

となる。②式を①式に代入すると、

$$x = \frac{40}{200} P x \cdot \frac{I}{P x}$$

$$x = \frac{40}{200} I$$

$$x = \frac{1}{5} I \quad \cdots\cdots ③$$

となる。③式に題意の「所得が200から60だけ減少」した「I＝140」を代入すると、

$$x = \frac{1}{5} \times 140$$

$$x = 28$$

となる。

　よって、Iが減少したときにxは減少したので、X財は上級財であり、「x＝28」であるから、正解は肢2である。

正答 **2**

頻出度	地上★★	国家一般職★★	特別区★
	裁判所職員★	国税・財務・労基★	国家総合職★★

問 効用を最大化するある消費者を考える。この消費者は、所得の全てをX財とY財の購入に充てており、効用関数は以下のように与えられる。

$u = x y^2$ （u：効用水準、x：X財の消費量、y：Y財の消費量）

X財の価格は1、Y財の価格は3である。この消費者のX財の需要の所得弾力性として最も妥当なのはどれか。 （国家一般職2023）

1 : 0

2 : $\dfrac{1}{3}$

3 : $\dfrac{1}{2}$

4 : $\dfrac{2}{3}$

5 : 1

OUTPUT

実践 問題 **18** の解説

第2章
与件の変化と需要

〈需要の所得弾力性〉

消費者は効用を最大化するので、X財、Y財それぞれの価格をP_x、P_yとしてX財、Y財それぞれの限界効用MU_x、MU_yを用いて効用最大化条件を求める。

X財とY財の限界効用は、それぞれ効用関数をxおよびyで微分することで、

$$MU_x = \frac{\Delta u}{\Delta x} = y^2$$

$$MU_y = \frac{\Delta u}{\Delta y} = 2xy$$

と求められる。よって、効用最大化条件$MRS = \frac{MU_x}{MU_y} = \frac{P_x}{P_y}$は

$$\frac{MU_x}{MU_y} = \frac{y^2}{2xy} = \frac{y}{2x} = \frac{P_x}{P_y} \quad \Rightarrow \quad P_y \cdot y = 2P_x \cdot x \quad \cdots\cdots①$$

となる。

①を予算制約式$P_x \cdot x + P_y \cdot y = M$ に代入してyを消去すると、$P_x \cdot x + 2P_x \cdot x = M$となり、

$$3P_x \cdot x = M$$

を得る。上記の式に$P_x = 1$を代入することで、xについて解くことができる。

$$x = \frac{M}{3} \quad \cdots\cdots②$$

ここで、X財の需要の所得弾力性をE_Mとおくと、$E_M = \frac{\frac{\Delta x}{x}}{\frac{\Delta M}{M}} = \frac{\Delta x}{\Delta M} \cdot \frac{M}{x}$となり、この値を求める。②を所得Mで微分して、

$$\frac{\Delta x}{\Delta M} = \frac{1}{3} \quad \cdots\cdots③$$

を得る。また、Mを②で割ると、

$$\frac{M}{x} = \frac{M}{\frac{M}{3}} = 3 \quad \cdots\cdots④$$

を得る。③および④より、X財の需要の所得弾力性E_Mは、

$$E_M = \frac{\frac{\Delta x}{x}}{\frac{\Delta M}{M}} = \frac{\Delta x}{\Delta M} \cdot \frac{M}{x} = \frac{1}{3} \cdot 3 = 1$$

となる。したがって、肢5が正解となる。

正答 **5**

実践 問題 **19** 〈応用レベル〉

頻出度	地上★★	国家一般職★★	特別区★
	裁判所職員★	国税・財務・労基★	国家総合職★★

問 X財、Y財の2財を消費するある個人の効用関数は以下のように表される。

　　　$U = 2x^2 y$　　（U：効用、x：X財の消費量、y：Y財の消費量）

　　また、X財の価格をP_x、Y財の価格をP_y、所得をMとする。このとき、この個人のX財の需要関数とX財の需要の所得弾力性のいずれも正しく示しているのはどれか。

(地上2013)

　　　　　需要関数　　所得弾力性

1 ： $\dfrac{M}{3P_x}$ 　　　1.5

2 ： $\dfrac{M}{2P_x}$ 　　　0.5

3 ： $\dfrac{M}{2P_x}$ 　　　1

4 ： $\dfrac{2M}{3P_x}$ 　　　1

5 ： $\dfrac{2M}{3P_x}$ 　　　1.5

実践　問題 19　の解説

〈需要の所得弾力性〉

X財とY財の限界効用は、それぞれ効用関数を x および y で微分することで、

$$MU_x = 2 \cdot 2 x^{2-1} y = 4 x y$$
$$MU_y = 2 x^2 y^{1-1} = 2 x^2$$

と求められる。よって、効用最大化条件 $\dfrac{MU_x}{MU_y} = \dfrac{P_x}{P_y}$ は、

$$\frac{MU_x}{MU_y} = \frac{4 x y}{2 x^2} = \frac{2 y}{x} = \frac{P_x}{P_y} \quad \Rightarrow \quad 2 P_y y = P_x x$$

$$\Rightarrow \quad P_y y = \frac{1}{2} P_x x \quad \cdots\cdots①$$

となる。

①を予算制約式 $P_x x + P_y y = M$ に代入して $P_y y$ を消去すると、$P_x x + \dfrac{1}{2} P_x x = M$ となり、

$$\frac{3}{2} P_x x = M$$

を得る。上記の式を x について解くことで、X財の需要関数を求めることができ、次の②が導かれる。

$$x = \frac{2 M}{3 P_x} \quad \cdots\cdots②$$

この時点で正解は、肢 4 、 5 に絞れる。次に、X財の需要の所得弾力性を E_m とすると、$E_m = \dfrac{\dfrac{\Delta x}{x}}{\dfrac{\Delta M}{M}} = \dfrac{\Delta x}{\Delta M} \cdot \dfrac{M}{x}$　となり、この値を求める。②を所得Mで微分して、

$$\frac{\Delta x}{\Delta M} = \frac{2}{3 P_x} \quad \cdots\cdots③$$

を得る。また、Mを②で割ると、

$$\frac{M}{x} = \frac{M}{\dfrac{2 M}{3 P_x}} = \frac{3 P_x}{2} \quad \cdots\cdots④$$

を得る。③および④より、X財の需要の所得弾力性 E_m は、

$$E_m = \frac{\Delta x}{\Delta M} \cdot \frac{M}{x} = \frac{2}{3 P_x} \cdot \frac{3 P_x}{2} = 1$$

となる。したがって、肢 4 が正解となる。

正答 **4**

第2章　与件の変化と需要

必修
問題
セクションテーマを代表する問題に挑戦！

価格の変化とそれによる財の変化量を問う問題です。
財の分類が頭の中でしっかり定着しているか確認しましょう。

問 次の図は、Ｘ財とＹ財との無差別曲線をＵ₀及びＵ₁、予算線ＰＴ
の消費者均衡点をＥ₀、予算線ＲＳの消費者均衡点をＥ₁、予算線
ＲＳと平行に描かれている予算線ＰＱの消費者均衡点をＥ₂で示し
たものである。今、Ｘ財の価格の下落により、予算線ＰＴが予算
線ＰＱに変化し、消費者均衡点がＥ₀からＥ₂へと移動した場合の
需要変化に関する記述として、妥当なのはどれか。 （特別区2014）

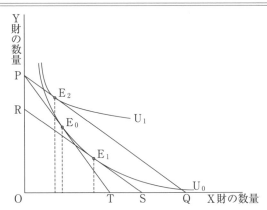

1：Ｘ財は、上級財であり、Ｘ財の価格下落による正の所得効果及び正の代
　　替効果により、全体としての効果はプラスとなる。
2：Ｘ財は、上級財であり、Ｘ財の価格下落による正の代替効果が負の所得
　　効果を下回るため、全体としての効果はマイナスとなる。
3：Ｘ財は、下級財であり、Ｘ財の価格下落による正の代替効果が負の所得
　　効果を上回るため、全体としての効果はプラスとなる。
4：Ｘ財は、ギッフェン財であり、Ｘ財の価格下落による負の所得効果が正
　　の代替効果を上回るため、全体としての効果はマイナスとなる。
5：Ｘ財は、ギッフェン財であり、Ｘ財の価格下落による負の所得効果が正
　　の代替効果を下回るため、全体としての効果はプラスとなる。

必修問題の解説

〈価格の変化〉

X財の価格が下落すると予算線がPTからPQへと変化し、最適消費点がE_0からE$_2$へと変化する。RS線は変化後の価格比で当初の効用U$_0$を実現する補助的な予算線でありPQと平行である。

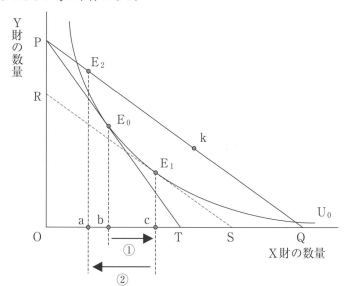

代替効果はE_0点とE_1点の位置から決まり、X財の消費量は当初のb点からc点に増加している（図の①の矢印）。

所得効果はE_1点とE_2点の位置から決まり、X財の消費量はc点からa点へとマイナス方向に作用している（図の②の矢印）。つまり、X財は下級財である。

「全体としての効果」は全部効果のことである。全部効果では、X財の消費量は当初のb点からa点に減少する。すなわち、本問題の図例では、X財は安価になったにもかかわらず、需要量は減少しているのである。これは代替効果による消費量の増加分（bcの長さ）よりも所得効果による消費量の減少分（caの長さ）が大きいことから全部効果では需要が減少しているのである。このような財をギッフェン財という。

1 ✕ X財が上級財であるとする記述が誤り。X財の所得効果はマイナスであるから下級財である。なお、もしもX財が上級財であるならば、図において

価格変化後の最適消費点 E_2 点の位置は、図の k 点のように E_1 よりも右側に位置しなくてはならない。

また、後半の全体としての効果はプラスという記述も誤り。全体としての効果は、①と②を合わせたものであるからマイナスである。

2 ✕ X財が上級財であるとする記述が肢1と同じく誤り。

3 ✕ X財を下級財とする点は正しい。しかし、図からは代替効果のプラスは所得効果のマイナスを下回っており、全体ではX財の需要量は減少している。よって、後半が誤りである。

4 ◯ 本肢の記述のとおりである。X財はギッフェン財である。ギッフェン財は下級財の一種であり、図のように代替効果のプラス①よりも所得効果のマイナス②のほうが大きく、このために全部効果がマイナスとなるものをいう。

5 ✕ 代替効果と所得効果の大小関係に関する記述が誤り。X財の価格が下落したときのX財の需要の変化をみると、負の所得効果が正の代替効果を上回っているので全部効果は負である。

正答 **4**

memo

1 価格の変化

① 予算制約線のシフトと需要曲線の導出

予算制約式は $P_x x + P_y y = M$ で表されます。これを $y = \sim$ の形に変形すると、

$$y = -\frac{P_x}{P_y}x + \frac{M}{P_y} \quad \cdots\cdots ①$$

となります。①式より予算制約線は図1のように縦軸切片 $\frac{M}{P_y}$、傾き $-\frac{P_x}{P_y}$ の直線m

となります。

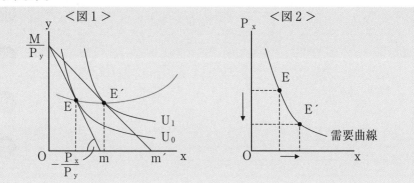

①式において、P_x が下落すると $\left(\dfrac{P_x}{P_y}\right)$ の値が小さくなります。よって、P_x が下

落すると予算制約線はmからm′のように右に回転シフトし、最適消費点はE点からE′点へと移動します。なお、E点とE′点を通過する最適消費点の軌跡を**価格消費曲線**といいます。

P_x 下落後の最適消費点であるE′点ではx財の消費量が増大しています。このような P_x とxの関係を縦軸に P_x をとって表したものを**(価格)需要曲線**といいます。

② 代替効果と所得効果

図3のE点は当初の最適消費点を表すとします。予算制約線はmで表されています。

ここでX財の価格が下落して予算制約線がm′となったとします。また、X財の価格が下落した後の最適消費点は無差別曲線 U_1 とm′の接点のE′点で表されています。さらに、価格変化後の新しい価格比のもとで、元の効用水準(図の U_0)を実現するような補助予算線を引き無差別曲線 U_0 との接点をa点とします。この補助予算線は図ではｓｓで示されており、必ずm′と平行に描かれます。

INPUT

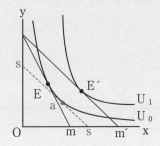

＜図３：Ｘが上級財のケース＞

・**代替効果（Ｅ点→ａ点）**……ｘ財の価格が下落したために相対的にｙ財よりも低価格になったｘ財をより多く消費することから生じるｘ財の需要量の変化。

　代替効果は必ず価格が低下した財の需要量を増大させます。

・**所得効果（ａ点→Ｅ´点）**　……ｘ財の価格が下落したために実質的に所得が増大したことによるｘ財の需要量の変化。

　所得効果は上級財ではプラスであり、図３のように変化後の最適消費点Ｅ´点がａ点よりも右に位置します。

・**全部効果（Ｅ点→Ｅ´点）**　……代替効果と所得効果をあわせたすべての効果。

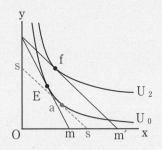

＜図４：Ｘが下級財のケース＞

　なお、下級財では所得効果はマイナスとなり、最適消費点は図４のｆ点のようにａ点よりも左に位置します。

③　ギッフェン財

　ギッフェン財とは価格が下がると需要量が減少するような特殊な財で、下級財の一種です。図５では、P_xの低下により最適消費点がＥ点からｇ点のようなＥ点よりも左の位置に移っており、ｘ財への需要量は減少しています。これは代替効果

（E点→a点）のxの増加分よりも所得効果（a点→g点）のxの減少分が大きいために、全部効果ではx財の需要量が減少することから生じます。

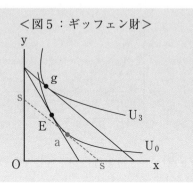

＜図5：ギッフェン財＞

memo

価格変化・財の分類

実践 問題 **20** 〈 基本レベル 〉

頻出度	地上★	国家一般職★	特別区★★
	裁判所職員★	国税・財務・労基★	国家総合職★

問 ある合理的な消費者は、予算の全てをX財とY財の購入に支出する。次の図は、その無差別曲線 U_1、U_2 と予算制約線 AB、AC を表したものである。X財価格の変化により、最適消費点は E_0 から E_2 に変化した。この場合に関する次のア〜オの記述のうち、適当なもののみを全て挙げているものはどれか。ただし、AC と DE は平行であり、DE は点 E_1 において U_1 と接している。また、名目所得は変化しないものとする。

（裁判所職員2015）

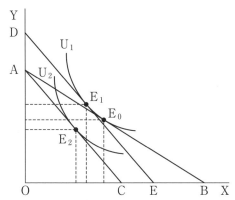

ア：X財は上級財であり、所得効果は E_0 から E_2 への変化として表される。

イ：X財の価格上昇による代替効果は、E_0 から E_1 への変化として表される。

ウ：X財と比較してY財は所得効果の影響が小さいため、Y財は下級財である。

エ：Y財はギッフェン財であり、所得効果の大きさは代替効果より大きい。

オ：X財の価格上昇により、Y財の補償需要量は増加するため、Y財はX財の代替財である。

1：ア、イ、ウ

2：イ、オ

3：ア、ウ、エ

4：イ、エ、オ

5：ウ、エ、オ

OUTPUT

実践 問題 **20** の解説 ―――――――――

〈価格の変化〉

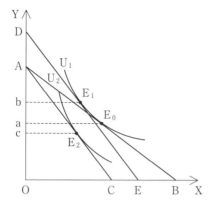

　題意では、X財の価格変化によりABからACへとA点を軸に予算線が左方向に回転シフトしている。これはX財の価格が上昇したことを示している。当初の最適点であるE_0から無差別曲線U_1に沿って導かれるE_1への変化が代替効果、変化後の予算線ACと平行で当初の無差別曲線U_1に接する補助線DEとの接点であるE_1からE_2への変化が所得効果である。

ア× 所得効果はE_1からE_2への変化であり、実質所得の減少によりX財への需要量が減少していることがわかる。よって、X財は上級財であり、前半の記述は正しいことがわかる。しかし、本記述は、後半で所得効果をE_0からE_2への変化としているので誤り。

イ○ 本記述のとおりである。本図はABからACへの予算線のシフトが描かれており、これはX財価格が上昇したことを表す図であるといえる。また、代替効果はE_0からE_1への変化である。

ウ× 所得効果をY財についてみると、E_1のbからE_2のcへと消費量が減少している。実質所得の減少に伴いその消費量が減少する財は上級財であるので、Y財は上級財である。なお、上級財や下級財などの財の分類は他の財との比較によらない。上級財か下級財かは、所得効果が所得の変化と需要量の変化が同じ方向か逆方向かで決定され、X財との比較は無関係である。

エ× 図では、Y財の所得効果をみると実質所得の減少によりY財の需要量が減少している。よって、Y財は上級財であることがわかる。ギッフェン財は、下級財でもあるのでY財はギッフェン財ではない。よって、誤りである。

オ○ 本記述のとおりである。Y財の補償需要とは、X財の価格変化の後も、元

の効用水準を補償する所得を得られるとしたときのY財の需要量であり、代替効果に対応している。図において、代替効果はE_0からE_1への変化で表されるのでY財の補償需要量は増加している（a→bの変化）。また、X財の価格上昇により、代替効果においてX財の需要が減少する一方、Y財の需要が増加するような場合、X財とY財は代替関係にあるという。

以上より、妥当なものはイ、オとなるので、正解は肢2である。

正答 2

memo

実践 問題 **21** 〈基本レベル〉

頻出度	地上★★	国家一般職★	特別区★
	裁判所職員★★	国税・財務・労基★★	国家総合職★★

問 次の文の ┃ A ┃ 〜 ┃ E ┃ に入るものの組合せとして妥当なのはどれか。

(国家総合職2020)

　消費者Ｓは一定額の予算を使ってＸ財とＹ財の二つの財だけを購入する。いま、Ｙ財の価格が変化せずＸ財の価格のみが上昇した場合のＳのＸ財の購入量の変化を所得効果と代替効果に分けて考える。Ｘ財がＳにとって正常財であるならば、所得効果は ┃ A ┃ であるが、Ｘ財がＳにとって下級財であるならば、所得効果は ┃ B ┃ である。また、限界代替率が逓減するという通常の仮定の下では、代替効果は ┃ C ┃ である。Ｘ財がＳにとってギッフェン財であるならば、所得効果と代替効果を合わせたときの効果は ┃ D ┃ である。したがって、Ｘ財がＳにとってギッフェン財であるならば、Ｘ財はＳにとって ┃ E ┃ でなければならないことになる。

	A	B	C	D	E
1：	マイナス	プラス	マイナス	マイナス	正常財
2：	マイナス	プラス	マイナス	プラス	下級財
3：	マイナス	プラス	プラス	マイナス	下級財
4：	プラス	マイナス	マイナス	プラス	正常財
5：	プラス	マイナス	マイナス	マイナス	下級財

OUTPUT

実践 問題 **21** の解説 ───────────────

〈価格の変化〉

本問は、一般的な2財モデルの価格変化による消費量の変化を問うている。

Y財の価格が変化せず、X財の価格のみが上昇した場合の、消費者SのX財の購入量の変化を所得効果と代替効果に分けて考える。正常財は、上級財と同義であり、X財がSにとって正常財（上級財）であれば、X財の価格上昇により、価格変化以前と同様の効用を維持し、相対的に高くなったX財を相対的に安くなったY財に代えるために、代替効果はマイナスである。また、X財の価格が上昇したことで、消費者の実質的な所得が減少するため、所得効果もマイナスであり、所得効果と代替効果を合わせたときの効果はマイナスである。

一方、X財がSにとって下級財であれば、上級財と同様に代替効果はマイナスである反面、X財の価格が上昇したことで、消費者の実質的な所得が減少するが、X財は下級財なので、消費量が増加するために、所得効果はプラスである。よって、所得効果と代替効果を合わせたときの効果は、2つの効果の大きさによりプラスかマイナスかが決定する。

なお、ギッフェン財は、下級財の一種であり、代替効果よりも所得効果のほうが大きいために、価格が上昇した場合に、2つの効果を合わせたときの効果はプラスである。一方、価格が下落した場合に、2つの効果を合わせたときの効果はマイナスになる。

以下、各空欄について検証する。

空欄A　X財がSにとって正常財であるならば、所得効果は マイナス である。

空欄B　X財がSにとって下級財であるならば、所得効果は プラス である。

空欄C　限界代替率が逓減するという通常の仮定のもとでは代替効果は マイナス である。

空欄D　X財がSにとってギッフェン財であるならば、所得効果と代替効果を合わせたときの効果は プラス である。

空欄E　X財がSにとってギッフェン財であるならば、X財はSにとって 下級財 である。

以上より、正解は肢2となる。

第2章　与件の変化と需要

正答 2

実践 問題 **22** 〈 応用レベル 〉

頻出度	地上★	国家一般職★	特別区★
	裁判所職員★	国税・財務・労基★	国家総合職★★

問 X財とY財を消費する個人の効用関数が

$u = xy$ （u：効用水準、x：X財の消費量（x＞0）、y：Y財の消費量（y＞0））

で示されるとする。当初、X財とY財の価格はともに1、個人の所得は32であるとする。X財の価格が4に上昇したとき、代替効果によるX財の需要量の変化(A)と所得効果によるX財の需要量の変化(B)の組合せとして妥当なのはどれか。

なお、Y財の価格及び個人の所得は変わらないものとする。また、代替効果とは、最適な消費の点を含む当初の無差別曲線上で、X財の価格上昇による相対価格の変化により最適な消費の点が変化することをいう。

(国税・財務・労基2012)

	(A)	(B)
1 :	3 増加	9 増加
2 :	9 増加	3 増加
3 :	4 減少	8 減少
4 :	6 減少	6 減少
5 :	8 減少	4 減少

OUTPUT

実践 問題 **22** の解説

〈価格の変化〉

第2章 与件の変化と需要

　価格変化前は、X財の価格＝1、Y財の価格＝1、所得＝32であるから、予算制約式は、

　　$x + y = 32$

である。効用関数は$u = xy$であるので、X財の限界効用をMU_x、Y財の限界効用をMU_yとすると、$MU_x = y$、$MU_y = x$であるから、効用最大化条件は、

$$\frac{MU_x}{MU_y} = \frac{y}{x} = \frac{1}{1} \quad \Rightarrow \quad x = y \quad \cdots\cdots①$$

であり、予算制約式$x + y = 32$に①を代入すると$2x = 32$となり、これを解くと

$$\begin{cases} x = 16 \\ y = 16 \end{cases}$$

を得る。この最適消費点は図のA点で表されている。A点における効用水準は、$U = xy$にA点での消費量$x = 16$、$y = 16$を代入して、

　　$U = 256$

と導出される。

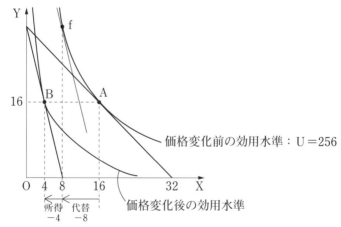

価格変化前の効用水準：$U = 256$

価格変化後の効用水準

　次に、X財の価格が4に上昇した状況を考える。X財の価格＝4であるから、予算制約式は、

　　$4x + y = 32$

である。限界効用MU_xとMU_yは、前述のものを使うことができるから、効用最大化条件は、価格のみを改めて、

$$\frac{MU_x}{MU_y} = \frac{y}{x} = \frac{4}{1} \quad \Leftrightarrow \quad y = 4\,x \quad \cdots\cdots ②$$

となる。よって、予算制約 $4\,x + y = 32$ に②を代入すると、$4\,x + 4\,x = 32$ より、

$$\begin{cases} x = 4 \\ y = 16 \end{cases}$$

となる。これはX財価格が上昇した後の最適消費点となり、図のB点で表されている。

　次に、代替効果と所得効果を求める。代替効果は図のA点からf点への変化で表される。図における色つきの直線は価格変化後の予算線に平行で、価格変化前のA点での効用水準（$U = 256$）を実現するように調整された補助予算線である。

　f点における次の(1)と(2)の性質を使って代替効果・所得効果を導出する。

(1)　f点における無差別曲線の接線の傾きは補助予算線の傾きと等しい。すなわち、

$$\frac{MU_x}{MU_y} = \frac{y}{x} = \frac{4}{1} \quad \Leftrightarrow \quad y = 4\,x \quad \cdots\cdots ③$$

　　が成立する。

(2)　f点における効用はA点での効用（$U = 256$）と等しい、すなわち、

$$U = x\,y = 256 \quad \cdots\cdots ④$$

　　が成立する。

　上記の2つから導かれた③と④を連立して効用関数 $U = x\,y$ からyを消去すると、

$$U = x \times 4\,x = 256 \quad \Rightarrow \quad 4\,x^2 = 256 \quad \Rightarrow \quad x^2 = 64$$
$$x = 8$$

を得る。

　A点、B点、f点におけるxの消費量をみると、A点では$x = 16$であり、f点では$x = 8$なので、X財への代替効果は-8となる。また、f点では$x = 8$、B点では$x = 4$であるから、X財への所得効果は-4である。よって、(A)が「8減少」、(B)が「4減少」となる。

　以上より、正解は肢5である。

正答　5

memo

頻出度	地上★	国家一般職★	特別区★
	裁判所職員★	国税・財務・労基★	国家総合職★

問 財Aと財Bは互いに粗代替財の関係にある。それぞれの需要量をa、bとし、また、それぞれの価格をP_A、P_Bとする。いま、P_Bが上昇した。この場合における、財Aと財Bの需要量の変化を示した図と財Aの需要曲線の変化を示した図との組合せとして妥当なのはどれか。

ただし、図においてx軸、y軸以外の矢印の先は価格変化後のものを表す。

(労基2008)

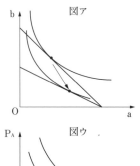

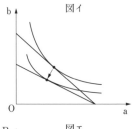

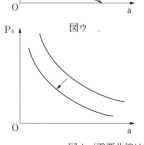

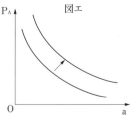

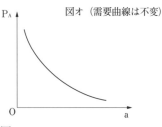

1：図アと図ウ

2：図アと図エ

3：図イと図ウ

4：図イと図エ

5：図イと図オ(需要曲線は不変)

実践 問題 **23** の解説 ———————————————

〈価格の変化〉

　本問の図アとイは、縦軸にbをとり横軸にaをとっていることから、財Aと財B の需要量の変化を示した図とわかり、図ウ～オは、縦軸にP_Aを横軸にaをとって いることから、財Aの需要曲線の変化を示した図ということがわかる。以下、それ ぞれ検討していく。

　財Aと財Bは互いに粗代替財であるから、P_Bが上昇したとき、全部効果でみる と財Aの需要量aは増加する。また、横軸に財Aの需要量aをとり縦軸に財Bの需 要量bをとると、P_Bが上昇したとき、予算制約線の縦軸切片が低下するが、横軸 切片は変化しないため、傾きは緩やかになる。よって、予算制約線は横軸切片を中 心に反時計回りに回転シフトする。この点では、図アと図イは予算線の回転シフト と整合的である。しかし、図アは財Aの需要量aが全部効果でみて増加しているが、 図イでは減少しているので、財Aと財Bの需要量の変化を示したものは、図アとい うことがわかる。この時点で正解は肢1と肢2のいずれかに絞られる。

　次に、P_Aが一定のもとで、財Aの需要量aが増加したのであるから、P_Bの上 昇によって需要曲線は右方シフトする。したがって、図エが該当する。

　よって、正解は肢2である。

【ポイント】

　ある財の価格の低下による全部効果が、他の財の需要量を減少させるとき、その 財はある財に対する**粗代替財**という（例：コーヒーと紅茶）。

　ちなみに、ある財の価格の低下による全部効果が、他の財の需要量を増加させ るとき、その財はある財に対する**粗補完財**という（例：コーヒーと砂糖）。

正答 **2**

実践 問題 **24** 〈 基本レベル 〉

頻出度	地上★★　　　　国家一般職★　　　特別区★
	裁判所職員★★　　国税・財務・労基★★　国家総合職★

問 財の性質に関する次の記述のうち妥当なもののみをすべて挙げているものはどれか。

(地上2018)

ア：所得が増加すると需要量が減少する財のことを上級財という。また、所得が増加すると需要量が増加する財のことを下級財という。

イ：需要の所得弾力性が0以上1未満の上級財のことを必需品という。所得が増加すると、必需品への支出が所得に占める割合は減少する。

ウ：ギッフェン財とは、価格が上昇すると需要量が増加する財のこという。ギッフェン財は上級財のうち、所得効果を代替効果が上回る財のことをいう。

エ：第1財の価格が上昇したときに、第2財の需要量が増加する財のことを、第2財は第1財の粗代替財であるという。また、第1財の価格が上昇したときに、第2財の需要量が減少する財のことを、第2財は第1財の粗補完財であるという。

1：ア、イ
2：ア、エ
3：イ、ウ
4：イ、エ
5：ウ、エ

実践 問題 **24** **の解説**

第2章 与件の変化と需要

〈価格の変化〉

ア× 上級財と下級財の記述が逆である。すなわち、下級財は、所得が増加すると需要量が減少する財で、上級財は所得が増加すると需要量が増加する財である。

イ○ 本記述のとおりである。上級財は、所得が増加するとその需要量が増加するが、需要の所得弾力性が0以上1未満のため、所得の変化率よりも需要量の変化率のほうが小さくなるため、その財への支出額の所得に占める割合は減少する。

ウ× ギッフェン財とは、価格が上昇すると需要量が増加する財であることは正しいが、負の所得効果を持つので下級財であり、上級財ではない。また、所得効果を代替効果が上回る財ではなく、価格が上昇したときに代替効果による需要量の減少分を所得効果による需要量の増加分が上回る財である。

エ○ 本記述のとおりである。なお、第1財の価格が1%変化したときに、第2財の需要が何%変化したかを需要の交差弾力性といい、正の値のときには粗代替関係にあり、負の値のときには粗補完関係にある。

以上より、妥当なものはイ、エとなるので、正解は肢4である。

正答 **4**

頻出度	地上★★	国家一般職★	特別区★
	裁判所職員★★	国税・財務・労基★★	国家総合職★★

問 二つの財を消費する消費者の選好に関するA〜Dの記述のうち、妥当なもののみを全て挙げているのはどれか。ただし、**無差別曲線は原点に対して凸の形状**を考えるものとする。 (国税・財務・労基2020)

A：ともに上級財であるA財とB財のみを消費する消費者がいる。所得が一定の下、A財の価格が上昇した場合、代替効果はA財の需要量を減少させる方向へ働く。一方、実質所得は増加するため、所得効果はA財の需要量を増加させる方向へ働く。したがって、総効果では、A財の需要量が増加するか減少するかは確定しない。

B：無差別曲線は、同一線上の全ての点において、消費者が同一の満足を得られることを示すものである。消費者の無差別曲線は複数存在し、必ず上方にある無差別曲線上の点の方が、下方にある無差別曲線上の点よりも好まれる。また、無差別曲線は互いに交わることがある。

C：無差別曲線に対する接線の傾きの絶対値を限界代替率という。一方の財の価格の変化は最適消費点における限界代替率に影響を及ぼすが、財の価格は変化せず所得が変化したときは、最適消費点における限界代替率に影響を及ぼさない。

D：下級財については、その価格が上昇すると、所得効果は需要量を増加させる方向へ働く。しかし、代替効果は需要量を減少させる方向へ働くため、総効果をみると需要量が増加する場合もあれば減少する場合もある。また、ギッフェン財は、その価格が上昇すると、負の代替効果を正の所得効果が上回り、需要量が増加する財である。

1：A、B
2：A、D
3：B、C
4：B、D
5：C、D

OUTPUT

実践 問題 **25** の解説

〈価格の変化〉

第2章 与件の変化と需要

A ✕ A財の価格が上昇した場合、A財の需要量は代替効果では必ず減少するので、第二文は正しい。しかし、第三文、第四文は誤りで、A財の価格が上昇すると、実質所得は増加ではなく減少する。A財は上級財であるから、実質所得が減少すると所得効果により需要量は減少する。よって、A財の価格上昇により代替効果、所得効果ともに需要量を減少させるので、総効果でもA財の需要量は減少する。

B ✕ 第一文、第二文は正しく、無差別曲線は同一の効用となる消費点の集合であり、効用水準に応じて無数に描くことができ、右上方の無差別曲線のほうが高い効用に対応する。第三文が誤りで、無差別曲線は交わることはない。

C ◯ 本記述のとおりである。消費者が効用を最大にするように2つの財を消費する最適消費点においては、予算制約線の傾きと無差別曲線の傾きである限界代替率が等しくなる。ここで、一方の財の価格が変化すると二財の価格比は変化し、予算制約線の傾きが変化することになるので、新たな最適消費点においては、傾きが変化した後の予算制約線と無差別曲線の接線の傾きが等しい大きさとなる。つまり、予算制約線の傾きの変化に合わせて、最適消費点における限界代替率も変化する。一方、財の価格が変化せず所得が変化したときは、予算制約線の傾きは変化せず、予算制約線は右上方に平行移動する。よって、所得が増加する前後の最適消費点において限界代替率は変化しない。

D ◯ 本記述のとおりである。下級財は、所得が増加すると需要量が減少する財であるので、価格が上昇し実質所得が減少すると所得効果では需要量が増加することとなる。一方、代替効果をみると本問のような二財モデルにおいては、価格が上昇した財の需要量が減少し、相対的に安くなったもう一方の財の需要量が増加する。以上より、下級財の価格が上昇した場合、所得効果によって需要量が増加し、代替効果では需要量が減少することとなり、所得効果と代替効果の大小関係によって総効果が決定する。ギッフェン財は、特殊な下級財であり価格が上昇すると需要量が増加するので、代替効果による需要量の減少より、所得効果による需要量の増加が上回っているといえる。

以上より、妥当なものはC、Dとなるので、正解は肢5である。

正答 5

問 X財とY財の2財について、所得変化及び価格変化が需要量に与える効果に関する次の記述のうち、妥当なのはどれか。　　　　　　　（国Ⅱ2005）

1：X財が下級財の場合には、その財の需要の所得弾力性は1より小さくなり、X財とY財の間に描くことのできる所得・消費曲線は右上がりとなる。

2：X財、Y財ともに上級財であり、両財が代替財の関係にある場合、X財の価格が低下するとY財は代替効果によっても所得効果によっても需要量が減少するので、Y財の全部効果はマイナスとなる。

3：X財が下級財の場合、その財の価格が低下すると、代替効果により需要量が減少するが、所得効果によって需要量が増加するので、X財の全部効果は二つの効果の大きさに応じてプラスの場合もマイナスの場合もある。

4：X財とY財が連関財の関係にある場合、X財の価格が変化するときY財の交差弾力性がプラスの値をとるとすれば、両財は粗代替財の関係にあるといえる。

5：X財がギッフェン財であるとき、その財の価格が低下すると、代替効果による需要量の減少が所得効果による需要量の増加を上回るので、X財の全部効果はマイナスになる。

実践　問題 **26**　の解説

〈財の分類〉

第2章 与件の変化と需要

1 ×　本肢の前半は正しい。下級財の需要の所得弾力性はマイナスなので確かに1より小さい。しかし、X財が下級財なので横軸をX財とするグラフ上では、最適消費点は必ず左方向に移動するから、所得消費曲線は右下がりになるはずであり、後半が誤りである。

2 ×　X財とY財がともに上級財でありX財の価格が低下した場合には、Y財は代替効果では需要が減少するが所得効果では需要が増加するので全部効果はプラスもマイナスも両方がありうる。

3 ×　X財が下級財の場合、その財の価格が低下すると代替効果により需要が増大するが、所得効果では需要が減少する。よって、全部効果はプラスもマイナスも両方がありうる。

4 ○　本肢の記述のとおりである。X財の価格が変化したときにY財への需要が増大または減少をすれば連関財である。

粗代替財とは全部効果でみてX財の価格が低下したときにY財への需要量が減少する財のことである。

Y財への**需要の交差弾力性**はX財の価格が1％上昇したときにY財が何％変化するかを示し、

$$E_{yx} = \frac{\dfrac{\Delta Y}{Y}}{\dfrac{\Delta P_x}{P_x}} \cdots (Y財需要の交差弾力性)$$

と定義される。**粗代替財の需要の交差弾力性はプラスである。**

なお、粗補完財とは全部効果でみてX財の価格が低下したときにY財への需要が増加する財であり、粗補完財の需要の交差弾力性はマイナスである。

5 ×　ギッフェン財は下級財の一種である。X財がギッフェン財の場合にはX財の価格が低下すると代替効果では需要量は増大するが所得効果では需要量が代替効果による需要の増加分より大きく減少する。結果として、全部効果はマイナスとなる。

【ポイント】　連関財

　ある2つの財(X，Y)に関して、一方の財(たとえばX財)の価格変化(需要変化)が、もう一方の財(たとえばY財)の需要量に変化を与えるような関係にある場合、この2つの財のことを連関財という。

正答 4

実践 問題 **27** 〈 応用レベル 〉

頻出度	地上★★	国家一般職★	特別区★
	裁判所職員★	国税・財務・労基★★	国家総合職★★

問 ある個人が、所得のすべてを財 x と財 y の消費に費やしている。財 x はギッフェン財、財 y は上級財であるとき、次の記述のうち最も適当なのはどれか。

（裁事2006）

1：財 x の価格が上昇すると、財 y の需要量は必ず増加する。

2：財 x の価格が上昇すると、財 y の需要量は必ず減少する。

3：財 x の価格が上昇すると、財 x の需要量は必ず減少する。

4：財 y の価格が上昇すると、財 y の需要量は必ず増加する。

5：財 y の価格が上昇すると、財 x の需要量は必ず減少する。

直前復習

OUTPUT

実践 問題 **27** の解説

〈価格の変化〉

【肢1、2、3の解説】

財xの価格が上昇すると、予算制約線はffからfgへと当初の位置から左方へシフトする。

このとき、代替効果はE→a点で表せる。また、所得効果はa→F点で表せる。

このときF点の位置はE点よりも右に位置しなければならない。なぜなら、財xはギッフェン財なので、代替効果によるx財の需要の減少（E→aの横幅）を打ち消して余るほどに所得効果によるx財の需要の増加（a→Fの横幅）が大きいはずであるからである。

（肢1、2、3）

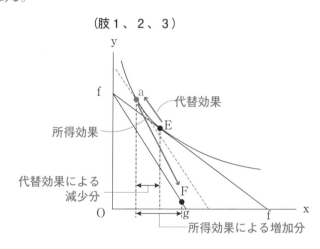

1 × F点はE点より下にあるから、財yの需要量は減少している。よって「財yの需要量は必ず増加する」との記述は誤り。

2 ○ 本肢の記述のとおりである。財xはギッフェン財であるので、財xの価格が上昇したときの全部効果はプラスとなっており、上級財である財yは最適消費点が点Eから点Fへ変化することにより、当初の需要量よりも減少する。

3 × 財xの価格が上昇した後の最適消費点はF点であり、財xの価格が上昇する前の当初の最適消費点であるE点より右にあり、x財は増加している。よって、「財xの需要量は必ず減少する」との記述は誤り。

【肢4、5の解説】

　財 y の価格が上昇すると、予算制約線は f f から f g へと当初の位置から左方へシフトする。このとき代替効果は E → a であり、財 x の需要量が増加する。また、所得効果は a → F で表せるが、財 x は下級財の一種であるギッフェン財であるので、F 点の位置は a 点よりも必ず右に位置する。

（肢4、5）

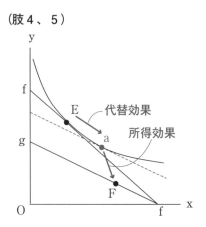

4 ×　財 y の価格が上昇した後の最適消費点である F 点は、財 y の価格が上昇する前の当初の最適消費点である E 点よりも下に位置しているから y 財は減少している。よって、「財 y の需要量は必ず増加する」との記述が誤り。

5 ×　財 y の価格が上昇した後の最適消費点である F 点は、財 y の価格が上昇する前の当初の最適消費点である E 点よりも右に位置しているから x 財は増加している。よって、「財 x の需要量は必ず減少する」との記述が誤り。

正答 **2**

memo

実践 問題 **28** 〈 応用レベル 〉

頻出度	地上★ 　国家一般職★ 　特別区★ 裁判所職員★ 　国税·財務·労基★ 　国家総合職★

問 ある消費者の効用は x 財と y 財の量に依存し、$u = xy^2$（u は効用の値を示す）で示される。x 財の価格が p_x、y 財の価格が p_y であるとき、この消費者の y 財の補償需要関数はどれか。 （裁判所職員2013）

1： $y = 2^{1/3}\, p_x^{1/3}\, p_y^{-1/3}\, u^{1/3}$

2： $y = 2^{-2/3}\, p_x^{-2/3}\, p_y^{2/3}\, u^{1/3}$

3： $y = 2^{1/3}\, p_x^{2/3}\, p_y^{1/3}\, u^{-1/3}$

4： $y = 2^{1/3}\, p_x^{-1/3}\, p_y^{1/3}\, u^{1/3}$

5： $y = 2^{-1/3}\, p_x^{-2/3}\, p_y^{-2/3}\, u^{2/3}$

OUTPUT

実践 問題 **28** の解説

〈補償需要関数〉

　補償需要関数とは、一定の効用水準を維持するために支出を最小にしたときの需要関数のことである。

　まず、ある消費者が2財 x 、 y を消費して効用を得るものとする。その際の消費者の支出関数は、

　　$p_x\, x + p_y\, y$　……①

となる。一方、消費者が2財 x 、y を消費した際に得られる効用を表す効用関数は、

　　$u = x\, y^2$　……②

となる。また、限界効用 MU_x、MU_y は、

　　$MU_x = y^2$

　　$MU_y = 2\, x\, y$

となる。このとき、②を制約条件として①が最小となる条件は、

　　$\dfrac{MU_x}{MU_y} = \dfrac{p_x}{p_y}$　……③である。

　　$\dfrac{MU_x}{MU_y} = \dfrac{y^2}{2\,x\,y} = \dfrac{y}{2\,x}$ となるので、③より $\dfrac{p_x}{p_y} = \dfrac{y}{2\,x}$ となる。

　このとき、 $x = \dfrac{1}{2}\left(\dfrac{p_y}{p_x}\right)y$　……④

　④を効用関数に代入して y について整理すると、$y = 2^{1/3}\, p_x^{\,1/3}\, p_y^{\,-1/3}\, u^{1/3}$ より、肢1が正解である。

正答 **1**

Q1 所得消費曲線とは、所得が変化したときの最適消費点の軌跡である。

Q2 下の3つの図のうち、X財が上級財、Y財が下級財の図は②である。なお、点Eから点E′を結ぶ太い矢印は所得消費曲線の向きを表している。

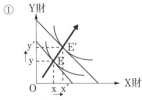

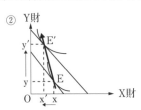

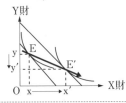

Q3 代替効果とは、価格変化により実質所得が変化したときの財の消費量の変化を示す。

Q4 下図の点Eを当初の最適消費点、点E′を価格変化後の最適消費点とすると、所得効果は点Eから点E′の部分を示す。

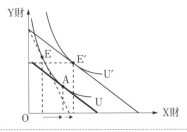

Q5 上図において、X財、Y財はともに上級財である。

Q6 ギッフェン財とは、価格の低下（上昇）で需要が減少（増加）する財のことであり、上級財の中にもギッフェン財は存在する。

Q7 ギッフェン財は、下級財の中でも、所得効果に比べて代替効果のほうが大きい財である。

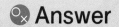

A1 ○ 所得消費曲線の説明として正しい。なお、所得消費曲線の向きにより、財の分類ができる。

A2 × X財が上級財、Y財が下級財の図は③である。ちなみに、上級財とは、所得が増加(減少)したとき、消費量が増加(減少)する財で、下級財とは、所得が増加(減少)したとき、消費量が減少(増加)する財のことである。また、図①は2財とも上級財、図②はY財が上級財でX財が下級財のケースである。

A3 × これは所得効果の説明である。代替効果とは、財価格が変化したときに、効用水準を一定に維持するために最適消費をどのように変化させる必要があるかを示す。

A4 × 点Eから点Aの部分が代替効果、そして点Aから点E′の部分が所得効果を表し、点Eから点E′の部分は全部効果を表す。

A5 ○ 上級財、中級財、下級財といった財の分類は所得効果をみることで判断できる。図では点Aから点E′の部分が所得効果を表し、このときの最適消費の変化をみると、両財とも、実質所得の増加により消費が増えていることがわかる。

A6 × ギッフェン財は下級財の一種であり、上級財はギッフェン財にはならない。また、下級財のすべてがギッフェン財になるわけではないことにも注意すること。

A7 × ギッフェン財は、下級財の中でも、代替効果に比べて所得効果のほうが大きい財である。

memo

第3章

需要の価格弾力性

SECTION

① 需要の価格弾力性

出題傾向の分析と対策

試験名	地 上			国家一般職			特別区			裁判所職員			国税・財務・労基			国家総合職		
年 度	16 ー 18	19 ー 21	22 ー 24	16 ー 18	19 ー 21	22 ー 24	16 ー 18	19 ー 21	22 ー 24	16 ー 18	19 ー 21	22 ー 24	16 ー 18	19 ー 21	22 ー 24	16 ー 18	19 ー 21	22 ー 24
出題数 セクション	2	1	2	1				1	1	2	2	1	2				1	
需要の価格弾力性	★★	★	★★	★				★	★	★★	★★	★	★★				★	

(注) 1つの問題において複数の分野が出題されることがあるため、星の数の合計と出題数とが一致しないことがあります。

　弾力性という概念は経済学全般にわたって登場する重要な概念の1つですが、中でも最も出題頻度が高いといえるのが、需要曲線の形状を知るうえで重要な役割を果たす「需要の価格弾力性」です。実際の試験では、問で与えられた条件から需要の価格弾力性を求める計算問題が多く出題されています。

地方上級

　需要の価格弾力性の計算問題、文章題ともに出題されています。需要の価格弾力性の定義式を確認し、計算できるようにしておくのはもちろん、グラフを活用して需要の価格弾力性について深く理解しておくことが必要です。また、過去には一方の財の価格が変化したときの、もう一方の財の需要量の変化を求める「交差弾力性」についても出題されました。

国家一般職

　需要の価格弾力性の計算問題が多く出題されています。需要の価格弾力性の定義式を確認し、確実に求めることができるように心掛けましょう。また、過去には需要の価格弾力性の性質を問う文章題も出題されているため、需要の価格弾力性の性質についても理解しておきましょう。

特別区

　近年の出題動向としては、2019年にグラフの理解を問うもの、2023年に計算問題が出題されましたが、相対的に本論点は頻出ではないといえます。最低限の知識や計算問題に対応できるようにしましょう。

裁判所職員

　需要の価格弾力性の性質を問う問題が多く出題されています。グラフなどを活用し、需要の価格弾力性に関する理解を深めておきましょう。

国税専門官・財務専門官・労働基準監督官

　需要の価格弾力性の計算問題や、文章題が出題されています。図を用いた問題も出題されているので、価格の需要弾力性と図の関係についても確認しておきましょう。

国家総合職

　かつては需要の価格弾力性の計算問題や、文章題の出題がみられましたが、近年の出題はほとんどありません。単純な計算問題は確実にできるように心掛けましょう。

Advice アドバイス 学習と対策

　弾力性が何を意味しているのかを理解し、あとは計算問題を練習しておくことで十分対応できます。特に需要の価格弾力性の問題は頻繁に出題されるので、定義やパターンをしっかりと覚え、出題された場合には必ず正答できるように準備しておきましょう。

需要の価格弾力性

必修
問題 **セクションテーマを代表する問題に挑戦!**

公式を覚えてしまえばほとんどの問題に対して同じパターンで対処できます。

問 ある財の価格が200円から160円に下落したところ、需要量が30単位から32単位に増加した。この場合の需要の価格弾力性はいくらになるか。ただし、当初の価格及び需要量を基準として計算するものとする。 (労基2002)

1 : $\dfrac{1}{3}$

2 : $\dfrac{3}{5}$

3 : $\dfrac{2}{3}$

4 : $\dfrac{3}{4}$

5 : $\dfrac{4}{3}$

Guidance
ガイダンス **需要の価格弾力性とは**

需要の価格弾力性とは、価格Pが1%変化したとき、需要Dが何%変化するかを示すものであり、E_dで表される。需要の価格弾力性の式は以下のような式で定義される。

$$E_d = -\frac{需要の変化率}{価格の変化率}$$

の解説 ――――――――――――

〈需要の価格弾力性〉

需要の価格弾力性（E_d）は、次の式により計算することができる。

$$E_d = -\frac{需要量の変化率}{価格の変化率} = -\frac{\dfrac{\Delta x}{x}}{\dfrac{\Delta p}{p}} \quad [\,x：需要量、\ p：価格\,]$$

そこで、まず需要量の変化率を求めると、需要量は30単位から32単位へ変化しているので、定義式にそれぞれ数値を代入すると、

$$\frac{\Delta x}{x} = \frac{32 - 30}{30} = \frac{1}{15}$$

となる。

次に、価格の変化率を求めると、価格は200円から160円へ変化しているので、定義式にそれぞれ数値を代入すると、

$$\frac{\Delta p}{p} = \frac{160 - 200}{200} = -\frac{1}{5}$$

となる。したがって、需要の価格弾力性は、

$$E_d = -\frac{\dfrac{1}{15}}{-\dfrac{1}{5}} = \frac{1}{3}$$

となる。

よって、正解は肢1である。

正答 **1**

Step ステップ　需要の価格弾力性が大きい財としては、サーチャージの低下、円高により需要が大きく増加する旅行などがある。逆に、食料品や水道などは需要の価格弾力性が小さい。

需要の価格弾力性

1 需要の価格弾力性

需要の価格弾力性とは価格が1％変化したときに需要量が何％変化するかを表します。記号ではE_d(Price Elasticity of Demand)と表します。たとえば、価格を10%値引きして需要量が20%増大したときには需要の価格弾力性は2であるといえます。

数式では変化前の価格と需要をPとD、価格と需要の変化量をΔP、ΔDで表すときに、需要の価格弾力性E_dは次のように定義されます。

$$E_d = -\frac{\frac{\Delta D}{D}}{\frac{\Delta P}{P}} \quad \cdots\cdots ① \qquad \left(\frac{\Delta P}{P} : 価格変化率、 \frac{\Delta D}{D} : 需要変化率 \right)$$

2 需要曲線と需要の価格弾力性の関係

①を変形すると、

$$E_d = -\frac{\Delta D}{\Delta P} \cdot \frac{P}{D} \quad \cdots\cdots ①'$$

と表すことができます。図1の需要曲線($D = 5 - 0.5P$)においてa点では価格Pが6円、需要量Dが2個、需要曲線の傾きの逆数$\frac{\Delta D}{\Delta P}$は$-0.5$と表されています。(また、$\frac{\Delta D}{\Delta P}$は、需要曲線($D = 5 - 0.5P$)をPで微分しても求めることができます。)

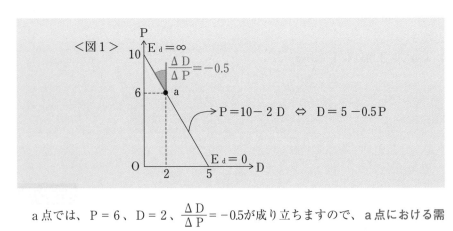

<図1>

a点では、$P = 6$、$D = 2$、$\frac{\Delta D}{\Delta P} = -0.5$が成り立ちますので、a点における需要の価格弾力性は次のように導出されます。

$$E_d = -\frac{\Delta D}{\Delta P} \cdot \frac{P}{D} = -(-0.5) \cdot \frac{6}{2} \quad \Rightarrow \quad E_d = 1.5$$

INPUT

　需要曲線が直線の場合、その中点における需要の価格弾力性は1になることが知られています（f点）。また、需要曲線上を右下に移動するにつれて、需要の価格弾力性はゼロに近づきます。実際、図2の横軸切片（b点）ではP＝0なので、E_d
$=-\dfrac{\Delta D}{\Delta P}\cdot\dfrac{0}{D}=0$ となります。逆に、需要曲線上を左上に移動するにつれて、E_d
$=-\dfrac{\Delta D}{\Delta P}\cdot\dfrac{P}{D}$ におけるDの値がゼロに近づいていくことから、需要の価格弾力性は無限大に近づきます。実際、縦軸切片（c点）では$E_d=\infty$となっています。

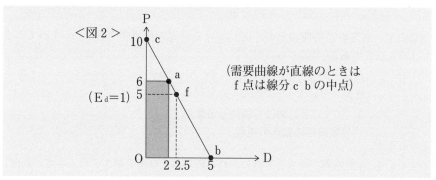

＜図2＞

（需要曲線が直線のときは
f点は線分 c b の中点）

$(E_d=1)$

　図2のa点を頂点に含む色つきの長方形は支出額（価格×需要量）を表します。図2のa点では、

　　　P　×　D　＝　支出
　　（6円）（2個）　（12円）

となり、長方形の面積が12となり支出額を表しています。

　支出額は価格Pと需要量Dの積であることから、価格は高すぎても低すぎても支出額は小さくなります。このとき、需要曲線上で、需要の価格弾力性が1になる点（$E_d=1$の点）では支出額が最大になります。特に、需要曲線が直線の場合には中点に対応する価格（図では5円）で支出額が最大になります。

3 需要の価格弾力性と図の関係

　需要の価格弾力性を図から求めてみましょう。通常、財の価格が下落すれば消費量（需要量）は増加することから、需要曲線は次のページの図のように右下がりとなります。

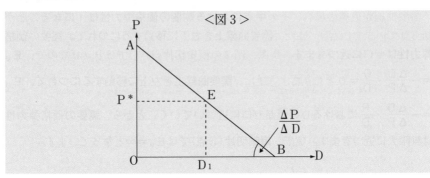

<図3>

ここで、図3の需要曲線上の点Eにおける需要の価格弾力性 E_d を求めてみましょう。公式である①´式から、

$$E_d = -\frac{\Delta D}{\Delta P} \cdot \frac{P}{D} = \frac{D_1 B}{D_1 E} \cdot \frac{D_1 E}{O D_1} = \frac{D_1 B}{O D_1}$$

需要曲線の傾きの逆数 点Eにおける価格と需要量

となります。

　すなわち、需要曲線の傾きとE点における価格および需要量さえわかっていれば、需要の価格弾力性は求めることができます。ちなみに、点Eがもし需要曲線の中点であれば、$O D_1 = D_1 B$ であることから、需要の価格弾力性は1となります。

　一方、需要曲線が図4のように直角双曲線の場合には、需要の価格弾力性は需要量に関係なく常に一定（＝1）となります。

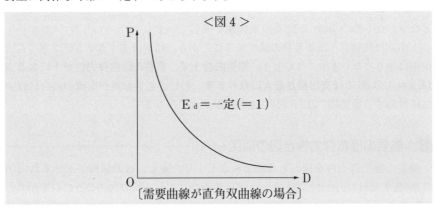

<図4>

$E_d =$ 一定（＝1）

〔需要曲線が直角双曲線の場合〕

memo

実践 問題 **29** 〈 基本レベル 〉

頻出度	地上★★	国家一般職★	特別区★
	裁判所職員★	国税·財務·労基★	国家総合職★

問 需要の価格弾力性に関する次の説明文中のＡ、Ｂの空欄に入る語句の組合せとして最も適当なものはどれか。 **(裁事2005)**

　縦軸に財の価格、横軸に財の需要量をとり、需要曲線が右下がりの直線として表される場合、価格が上昇するにつれて需要の価格弾力性は（　Ａ　）なる。また、その需要曲線上のある点を中心に需要曲線を回転させて、需要曲線の傾きを水平に近づけると、その点における需要の価格弾力性は（　Ｂ　）に近づく。

	Ａ	Ｂ
1：	大きく	無限大
2：	大きく	0
3：	小さく	無限大
4：	小さく	1
5：	小さく	0

OUTPUT

実践 問題 29 の解説

〈需要の価格弾力性〉

空欄A 直線の傾きは一定である。これは需要の価格弾力性E_dの式、

$$E_d = -\frac{\Delta D}{\Delta P} \cdot \frac{P}{D}$$

のうち、$\frac{\Delta D}{\Delta P}$の値は一定であることを意味する。

そして価格が上昇すると需要量は減少するから、$\frac{P}{D}$の値は価格が上昇すると大きくなる。よって、価格が上昇するとE_dは大きくなる。

空欄B 図のA点を中心にD_0曲線を回転させて、需要曲線の傾きをD_1曲線のように水平に近づけると、A点での弾力性はどうなるかを考察する。すると、

$$E_d = -\frac{\Delta D}{\Delta P} \cdot \frac{P}{D}$$

のうち、$\frac{\Delta D}{\Delta P}$の絶対値は大きくなり、弾力性は無限大になる。

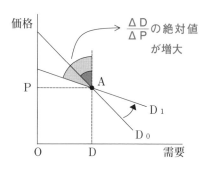

したがって、肢1が正解となる。

【ポイント】 需要曲線の傾きと需要の価格弾力性

① ある点を中心に需要曲線の傾きが緩やかになって水平に近づくと需要の価格弾力性は無限大に近づく。

② ある点を中心に需要曲線の傾きが急勾配になって垂直に近づくと需要の価格弾力性はゼロに近づく。

正答 **1**

実践 問題 **30** 〈 基本レベル 〉

頻出度	地上★★　　国家一般職★★★　特別区★ 裁判所職員★★★　国税・財務・労基★★　国家総合職★

問 次の文章の空欄A、Bに入るものの組合せとして正しいのはどれか。

(国Ⅱ2007)

需要量をx、価格をpとし、需要曲線がx = 100 – 40 p である場合において、 p = 2としたとき、需要の価格弾力性(絶対値)は ┃ A ┃ である。また、このとき、価格が2％上昇すると、需要量の変化率は ┃ B ┃ ％になる。

	A	B
1 :	2	– 4
2 :	2	– 8
3 :	4	– 8
4 :	4	– 12
5 :	6	– 12

直前復習

実践 問題 **30** の解説

〈需要の価格弾力性〉

第3章 需要の価格弾力性

需要の価格弾力性 E_d は、

$$E_d = -\frac{\Delta x}{\Delta p} \cdot \frac{p}{x} \quad \cdots\cdots ①$$

で与えられる。

ここで、需要曲線 $x = 100 - 40p$ に $p = 2$ を代入すれば $x = 20$ であり、また需要量 x（需要曲線の式）を価格 p で微分すると、

$$\frac{\Delta x}{\Delta p} = -40 \quad \cdots\cdots ②$$

となる。①に②および $p = 2$、$x = 20$ を代入すると、

$$E_d = -\frac{\Delta x}{\Delta p} \cdot \frac{p}{x} = -(-40) \cdot \frac{2}{20} = 4$$

となる。

したがって、空欄Aには4が入る。

ここで、$E_d = 4$ のときには、価格 p が1％上昇したときに需要量 x が4％減少すると解釈することができる。よって、価格 p が2％上昇したときには、需要量 x は4％×2＝8％減少することになる。したがって、空欄Bには－8が入る。

よって、正解は肢3である。

正答 3

第3章
SECTION ① 需要の価格弾力性
需要の価格弾力性

実践 問題 **31** 〈基本レベル〉

頻出度	地上★★　　国家一般職★★★　特別区★
	裁判所職員★★★　国税・財務・労基★★　国家総合職★

問 ある財の需要関数が、Q＝300－5P（Q：需要量、P：価格）であるとする。いま、この財の需要の価格弾力性が1.5であるとき、この財の需要量はいくらか。

(国家一般職2017)

1： 30

2： 60

3： 80

4：120

5：180

実践 問題 **31** の解説

〈需要の価格弾力性〉

与えられた需要関数を微分すると、

$$\frac{\Delta Q}{\Delta P} = -5$$

これと需要の価格弾力性が1.5であることを用いて、Pについての方程式を立てて解く。

$$-\frac{\frac{\Delta Q}{Q}}{\frac{\Delta P}{P}} = -\frac{\Delta Q}{\Delta P} \cdot \frac{P}{Q} = -(-5) \cdot \frac{P}{300-5P} = 1.5$$

$$\Rightarrow \quad \frac{P}{300-5P} = 0.3 \quad \Rightarrow \quad P = 0.3(300-5P) \quad \Rightarrow \quad P = 90 - 1.5P$$

$$\Rightarrow \quad 2.5P = 90$$

$$\Rightarrow \quad \therefore P = 36$$

このPの値を需要曲線に代入して需要量を求める。

$$Q = 300 - 5P = 300 - 5 \times 36 = 300 - 180 = 120$$

よって、正解は肢4である。

【別解】

求める需要量を x とおいて、需要関数の式より以下のように図を描く。

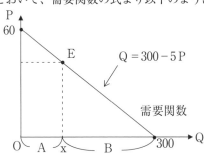

$$\therefore 需要の価格弾力性 = \frac{B}{A} = \frac{300-x}{x} = 1.5$$

$$300 - x = 1.5x$$

$$2.5x = 300$$

$$\therefore x = 120$$

以上より、正解は肢4である。

正答 4

第3章 需要の価格弾力性

実践 問題 **32** 〈 基本レベル 〉

頻出度	地上★★　　国家一般職★★★　特別区★ 裁判所職員★★★　国税・財務・労基★★　国家総合職★

問 X財の需要関数が、需要量をX、価格をPとしたとき、次のように表されている。

$$X = \frac{1}{\sqrt{P}}$$

価格が2のときの、この財の需要の価格弾力性として、最も妥当なものはどれか。 （裁判所職員2021）

1 : 0.5

2 : 1

3 : $\dfrac{\sqrt{2}}{2}$

4 : $\sqrt{2}$

5 : 2

直前復習

OUTPUT

実践 問題 **32** の解説 ─────

〈需要の価格弾力性〉

需要の価格弾力性 $E_d = -\dfrac{\Delta X}{\Delta P} \times \dfrac{P}{X}$

の公式を用いて需要の価格弾力性を求める。

$\dfrac{\Delta X}{\Delta P}$ を求めるために、需要関数 $X = \dfrac{1}{\sqrt{P}}$ を P で微分すると $\left(\dfrac{1}{\sqrt{P}} = P^{-\frac{1}{2}} \text{ として}\right.$

考える $\biggr)$、

$$\dfrac{\Delta X}{\Delta P} = -\dfrac{1}{2} P^{-\frac{3}{2}}$$

を得る。また、需要関数が、$X = \dfrac{1}{\sqrt{P}}$ であるので、需要の価格弾力性 $= -\dfrac{\Delta X}{\Delta P} \times \dfrac{P}{X}$ は、

$$-\dfrac{\Delta X}{\Delta P} \times \dfrac{P}{X} = -\left(-\dfrac{1}{2} P^{-\frac{3}{2}}\right) \times \dfrac{P}{\dfrac{1}{\sqrt{P}}}$$

となる。ここで、

$$\dfrac{P}{\dfrac{1}{\sqrt{P}}} = P \div \dfrac{1}{\sqrt{P}} = P \times \sqrt{P} = P\sqrt{P}$$

$$P^{\frac{3}{2}} = (P^3)^{\frac{1}{2}} = \sqrt{P^3} = P\sqrt{P}$$

であるので、

$$-\dfrac{\Delta X}{\Delta P} \times \dfrac{P}{X} = -\left(-\dfrac{1}{2} P^{-\frac{3}{2}}\right) \times \dfrac{P}{\dfrac{1}{\sqrt{P}}} = \dfrac{1}{2 P\sqrt{P}} \times P\sqrt{P} = \dfrac{1}{2} = 0.5$$

となる。

よって、正解は肢1である。

第3章
需要の価格弾力性

正答 **1**

実践 問題 33 基本レベル

頻出度	地上★★	国家一般職★★	特別区★★
	裁判所職員★★	国税・財務・労基★★	国家総合職★

問 次の図は、3つの財A、B、Cに関する消費者の需要曲線D_A、D_B、D_Cを重ねて描いたものである。この図における需要の価格弾力性又は消費者の総支出額に関する記述として、妥当なのはどれか。ただし、需要曲線D_Aは右下がりの直線、需要曲線D_Bは直角双曲線、需要曲線D_Cは完全に垂直な直線であるとし、点bは需要曲線D_Aの中点であるとする。　　　（特別区2019）

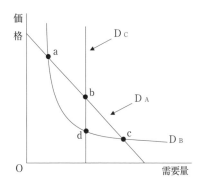

1 ：点aにおいて、A財の需要の価格弾力性は、B財の需要の価格弾力性よりも小さい。

2 ：点aにおいて、A財の価格が上昇すると、A財に対する消費者の総支出額は減少する。

3 ：点bにおいて、A財の需要の価格弾力性は、C財の需要の価格弾力性と等しい。

4 ：点cにおいて、B財の価格が下落すると、B財に対する消費者の総支出額は増加する。

5 ：点dにおいて、B財の需要の価格弾力性は、C財の需要の価格弾力性よりも小さい。

OUTPUT

実践 問題 **33** の解説

〈需要の価格弾力性と支出額〉

○A財について

A財の需要曲線D_Aのように需要曲線が右下がりの直線となる場合、a〜cの各点における需要の価格弾力性(E_d)および支出額は以下のようになる。

a点：$E_d > 1$

価格（P）の変化よりも需要量（Q）の変化のほうが大きい。Pが上昇（下落）すると、Pの上昇（下落）率よりもQの減少（増加）率のほうが大きいため、支出額は減少（増加）する。

b点：$E_d = 1$（需要曲線D_Aの中点）

「Pの変化率＝Qの変化率」となっており、Pが変化しても支出額は変化しない。また、b点（需要曲線D_Aの中点）において支出額は最大となり、需要曲線D_A上においてb点から離れるほどに支出額は減少する。

c点：$E_d < 1$

価格（P）の変化よりも需要量（Q）の変化のほうが小さい。Pが上昇（下落）すると、Pの上昇（下落）率よりもQの減少（増加）率のほうが小さいため、支出額は増加（減少）する。

○B財について

問題文から、B財の需要曲線D_Bは直角双曲線となっている。需要曲線が直角双曲線となっている場合、需要曲線上のどの点においても需要の価格弾力性（E_d）は「1」となる。すなわち、a、c、dの各点におけるE_dは「1」であり、各点における支出額は等しくなる。

○C財について

問題文から、C財の需要曲線D_Cは完全に垂直な直線となっている。需要曲線が垂直線となっている場合、価格Pがどのように変化しても需要量は不変となるので、需要の価格弾力性（E_d）は「0」となる。この場合、価格Pが上昇すれば、Pの上昇に応じて支出額が増加し、Pが下落すれば、Pの下落に応じて支出額が減少する。

1✕ 点aにおいて、A財の需要の価格弾力性はB財の需要の価格弾力性よりも大きいので、本肢の記述は妥当ではない。

2◯ 本肢の記述のとおりである。点aにおいて、A財の価格が上昇すると、需要曲線D_A上の点は点bからより離れる方向に移動するので、総支出額は減少する。

第3章 需要の価格弾力性

3 ✕　点 b において、A 財の需要の価格弾力性(値は 1)は、C 財の需要の価格弾力性(値は 0)と等しくなく、本肢の記述は妥当ではない。

4 ✕　B 財については、B 財の価格の変化によって消費者の総支出額は変化しないので、本肢の記述は妥当ではない。

5 ✕　点 d において、B 財の需要の価格弾力性(値は 1)は、C 財の需要の価格弾力性(値は 0)よりも大きいので、本肢の記述は妥当ではない。

正答 **2**

memo

実践 問題 **34** ＜応用レベル＞

頻出度	地上★★	国家一般職★	特別区★
	裁判所職員★	国税・財務・労基★	国家総合職★

問 需要量をD、価格をp、所得をmとする。需要の価格弾力性 $\varepsilon = -\dfrac{\Delta D}{\Delta p} \cdot \dfrac{p}{D}$、

需要の所得弾力性 $\eta = \dfrac{\Delta D}{\Delta m} \cdot \dfrac{m}{D}$ によって定義する。次の記述のうち妥当なのは

どれか。 (地上2007)

1： ε が1より小さい場合、価格が上昇すると需要量は増加する。

2： ε が1より小さい場合、価格が上昇すると企業の売上高は減少する。

3： ε が1より大きい場合、当該財は正常財（上級財）である。

4： η が1より小さい場合、所得が増加すると需要量は減少する。

5： η が1より大きい場合、所得が増加すると当該財に対する支出割合も上昇する。

OUTPUT

実践 問題 **34** の解説

〈需要の価格弾力性・所得弾力性〉

1 ✕ 価格が上昇すると需要量が増加することは式では$\frac{\Delta D}{\Delta p} > 0$と表せる。よって、$\varepsilon < 1$でなく、$\varepsilon < 0$でないと需要は増加しない。

2 ✕ 需要の価格弾力性が1よりも小さい場合、価格が1％上昇しても需要量の減少率は1％に満たない。企業の売上高TRは販売量（ここでは需要量と一致するものとする）をD、価格をpとしたとき、TR＝pDであり、売上高の変化率$\frac{\Delta TR}{TR}$は、価格変化率$\frac{\Delta p}{p}$と販売量の変化率$\frac{\Delta D}{D}$の和によって表される$\left(\frac{\Delta TR}{TR} = \frac{\Delta p}{p} + \frac{\Delta D}{D}\right)$。このとき、価格の上昇率より販売量の減少率のほうが小さいために、売上高の変化率はプラスとなる。

$$-\frac{\Delta D}{\Delta p} \cdot \frac{p}{D} < 1 \quad \Rightarrow \quad -\frac{\Delta D}{D} < \frac{\Delta p}{p} \quad \Rightarrow \quad \frac{\Delta D}{D} + \frac{\Delta p}{p} > 0$$

ゆえに、売上高は増加する。

3 ✕ 当該財が下級財であったとしても、代替効果による需要量の変化が十分に大きい場合には、需要の価格弾力性が1より大きくなることはありうる。

4 ✕ 需要の所得弾力性が1より小さくても、0より大きい限り、所得の増加に対し需要量は増加することになる。

5 ◯ 所得mに占める支出割合Eは$E = \frac{p \times D}{m}$と表される。その変化率は、

$$\frac{\Delta E}{E} = \frac{\Delta p}{p} + \frac{\Delta D}{D} - \frac{\Delta m}{m}$$

と表される。需要の所得弾力性が1より大きいので、価格は一定のもとで$\left(\frac{\Delta p}{p} = 0\right)$、所得が1％増加したときに、需要量が1％より大きく増加するために上式右辺がプラスの値となる。

$$\frac{\Delta D}{\Delta m} \cdot \frac{m}{D} > 1 \quad \Rightarrow \quad \frac{\Delta D}{D} > \frac{\Delta m}{m} \quad \Rightarrow \quad \frac{\Delta D}{D} - \frac{\Delta m}{m} > 0$$

つまり、所得が増加すると当該財に対する支出割合は増加する。

正答 5

第3章 需要の価格弾力性

実践 問題 **35** 〈 応用レベル 〉

頻出度	地上★★　　国家一般職★★　　特別区★
	裁判所職員★★　　国税・財務・労基★★　　国家総合職★

問 次のア～ウの需要関数のうち、需要の価格弾力性が一定となるものをすべて挙げているのはどれか、ただし、Dは需要量、pは価格を表す。　　（地上2006）

ア：$D = 100 - p$

イ：$D = \dfrac{100}{p}$

ウ：$D = \dfrac{100}{p^2}$

1：ア
2：イ
3：ウ
4：ア、イ
5：イ、ウ

実践 問題 **35** の解説 ────────────────

〈需要の価格弾力性〉

ア✕ $D = 100 - p$ は右下がりの直線である。よって、需要の価格弾力性E_dは一定ではない。需要曲線が右下がりの直線の場合には、需要量Dが大きいほど需要の価格弾力性E_dは小さくなる。

イ〇 $D = \dfrac{100}{p}$ は直角双曲線である。よって、需要の価格弾力性E_dは1で一定である。

$D = \dfrac{100}{p}$ において、Dをpで微分すると、

$$\frac{\Delta D}{\Delta p} = -\frac{100}{p^2}$$

となる。よって、需要の価格弾力性E_dを計算すると、

$$E_d = -\frac{\Delta D}{\Delta p} \cdot \frac{p}{D} = -\left(-\frac{100}{p^2}\right) \cdot \frac{p}{\dfrac{100}{p}} = 1$$

となる。よって、需要の価格弾力性E_dは1に等しく、需要量Dの大きさに依存することなく一定である。

ウ〇 $D = \dfrac{100}{p^2}$ において、Dをpで微分すると、

$$\frac{\Delta D}{\Delta p} = -\frac{200}{p^3}$$

となる。よって、需要の価格弾力性E_dを計算すると、

$$E_d = -\frac{\Delta D}{\Delta p} \cdot \frac{p}{D} = -\left(-\frac{200}{p^3}\right) \cdot \frac{p}{\dfrac{100}{p^2}} = 2$$

となる。よって、需要の価格弾力性E_dは2に等しく、需要量Dの大きさに依存することなく一定である。

よって、正解は肢5である。

第3章 需要の価格弾力性

正答 **5**

実践 問題 **36** 〈 応用レベル 〉

頻出度	地上★★	国家一般職★	特別区★
	裁判所職員★	国税·財務·労基★	国家総合職★

問 以下の需要曲線と供給曲線について妥当なものを選びなさい。　(地上2014)

$D = 48 - P$

$S = 0.6P$

(D：需要量、S：供給量、P：価格)

1：需要の価格弾力性は価格が高いほど大きい。

2：需要の価格弾力性は常に1である。

3：供給の価格弾力性は価格が高いほど大きい。

4：供給の価格弾力性は常に0.6である。

5：需要の価格弾力性と供給の価格弾力性は等しい。

OUTPUT

実践 問題 **36** の解説

〈需要の価格弾力性・供給の価格弾力性〉

需要関数と供給関数は次のとおりである。

$D = 48 - P$、$S = 0.6P$（D：需要量、S：供給量、P：価格）

これをもとに需要の価格弾力性や供給の価格弾力性を求める。

1 ○ 本肢の記述のとおりである。

$\dfrac{\Delta D}{\Delta P} = -1$、および、$D = 48 - P$ を $E_d = -\dfrac{\Delta D}{\Delta P} \cdot \dfrac{P}{D}$ に代入すると、

$$E_d = -(-1) \times \frac{P}{48-P} \quad \rightarrow \quad E_d = \frac{P}{48-P} \quad \cdots\cdots①$$

①より E_d は P が高いほど大きくなることがわかる。

2 × 需要曲線が右下がりの直線の場合には、需要の価格弾力性は 0 から無限大（∞）までの値をとる。

3 × 供給の価格弾力性 $E_s = \dfrac{\Delta S}{\Delta P} \cdot \dfrac{P}{S}$ を求める。供給曲線を P で微分すると、

$$\frac{\Delta S}{\Delta P} = 0.6 \quad \cdots\cdots②$$

を得る。供給曲線 $S = 0.6P$ を変形すると次の式となる。

$$\frac{P}{S} = \frac{1}{0.6} \quad \cdots\cdots③$$

②×③が供給の価格弾力性 E_s となる。すなわち、

$$E_s = 0.6 \times \frac{1}{0.6} \quad \rightarrow \quad E_s = 1$$

である。したがって、供給の価格弾力性は常に 1 である。

4 × 肢 3 の解説でみたとおり、供給の価格弾力性は常に 1 である。

5 × 需要の価格弾力性は 0 から無限大（∞）までの値で変化するのに対して、供給の価格弾力性は 1 で定数となる。よって、両者の値は等しくない。

【補足】

供給の価格弾力性 E_s とは、価格 P が 1 ％変化したときに供給量が何％変化するかを表し、

$$E_s = \frac{\dfrac{\Delta S}{S}}{\dfrac{\Delta P}{P}} \quad \text{または、} \quad E_s = \frac{\Delta S}{\Delta P} \cdot \frac{P}{S}$$

と定義される。なお、供給曲線が原点を通過する直線のときには、供給の価格弾力性は常に 1 になる。

正答 **1**

第3章 需要の価格弾力性

実践 問題 **37** 応用レベル

頻出度	地上★★　　国家一般職★★　　特別区★
	裁判所職員★★　　国税・財務・労基★★　　国家総合職★

問 所得100を使ってX財、Y財の２財を消費する消費者の効用関数が、

$u = x^{0.5} y^{0.5}$　（u：効用水準、x：X財の需要量、y：Y財の需要量）

で示されている。この場合におけるX財の需要の価格弾力性はいくらか。

(労基2016)

1 : 0

2 : 0.2

3 : 0.5

4 : 1

5 : 2

OUTPUT

実践 問題 **37** の解説

〈需要の価格弾力性〉

【解法1】 効用最大化条件を使う解法

効用関数 $u = x^{0.5} y^{0.5}$ を x と y で微分して X 財と Y 財の限界効用を求めると、

$MU_x = 0.5 x^{-0.5} y^{0.5}$ ……①

$MU_y = 0.5 x^{0.5} y^{-0.5}$ ……②

である。X 財と Y 財の価格を P_x と P_y で表すと、効用最大化条件 $\dfrac{MU_x}{MU_y} = \dfrac{P_x}{P_y}$ は、以下のようになる。

$$\frac{0.5 x^{-0.5} y^{0.5}}{0.5 x^{0.5} y^{-0.5}} = \frac{P_x}{P_y}$$

$\rightarrow \quad \dfrac{0.5 y^{0.5} y^{0.5}}{0.5 x^{0.5} x^{0.5}} = \dfrac{P_x}{P_y}$

$\rightarrow \quad \dfrac{0.5 y^{0.5+0.5}}{0.5 x^{0.5+0.5}} = \dfrac{P_x}{P_y}$

$\rightarrow \quad \dfrac{y}{x} = \dfrac{P_x}{P_y}$

$\rightarrow \quad P_y y = P_x x$ ……③ （効用最大化条件）

> 【指数の公式】
> $$x^{-a} = \frac{1}{x^a}$$
> $$x^a \times x^b = x^{a+b}$$

効用最大化条件③を予算制約式 $P_x x + P_y y = 100$ に代入して x について解くと、

$P_x x + P_x x = 100$

$\rightarrow \quad x = \dfrac{50}{P_x}$ ……④ （需要関数）

を得る。

（需要関数から E_d を導出する）

次に、④として求められた需要曲線の需要の価格弾力性を計算する。

需要の価格弾力性の定義は次のとおりである。

$$E_d = -\frac{\Delta x}{\Delta P_x} \cdot \frac{P_x}{x} \quad \cdots\cdots ⑤ \quad （需要の価格弾力性）$$

④で示した需要関数を P_x で微分すると、

$$\frac{\Delta x}{\Delta P_x} = -\frac{50}{P_x^2} \quad \cdots\cdots ⑥$$

を得ることができる。④と⑥を⑤に代入すると、

第3章 需要の価格弾力性

$$E_d = (-1) \times \left(-\frac{50}{P_x{}^2} \cdot \frac{P_x}{\frac{50}{P_x}} \right)$$

$\rightarrow \quad E_d = (-1) \times \left(-\frac{50}{P_x{}^2} \cdot \frac{P_x{}^2}{50} \right)$

$\rightarrow \quad E_d = 1$

よって、正解は肢4である。

【解法2】 コブ＝ダグラス型効用関数の公式を使う解法
（需要関数の導出）

コブ＝ダグラス型効用関数の公式より、X財の需要関数は、

$$x = \frac{0.5}{0.5 + 0.5} \cdot \frac{100}{P_x}$$

$\rightarrow \quad x = \frac{50}{P_x} \quad \cdots\cdots④'（需要関数）$

と導出される。④'から先の計算は、上述の（需要関数からE_dを導出する）と同じである。

正答 4

memo

実践 問題 **38** 〈応用レベル〉

頻出度	地上★	国家一般職★	特別区★
	裁判所職員★	国税·財務·労基★	国家総合職★

問 ある財の需要関数が

$$Q = \frac{1}{10} + \frac{1}{8}P$$

であるとする。ただし、$P\,(>0)$ は価格、Q は需要量である。

　このとき、需要の価格弾力性が0.2以上になる価格 P の範囲として妥当なのはどれか。 （国家一般職2018）

1： $0 < P \leqq 5$

2： $0 < P \leqq 8$

3： $5 \leqq P$

4： $8 \leqq P$

5： $10 \leqq P$

OUTPUT

実践 問題 **38** の解説 ————————————

〈需要の価格弾力性〉

需要の価格弾力性を E_d とおくと、

$$E_d = -\frac{\frac{\Delta Q}{Q}}{\frac{\Delta P}{P}} = -\frac{\Delta Q}{\Delta P} \cdot \frac{P}{Q} \quad \cdots \cdots ①$$

と表すことができる。ここで、$\frac{\Delta Q}{\Delta P}$ と $\frac{P}{Q}$ を分けて考えて、それぞれをPで表す。

$\frac{\Delta Q}{\Delta P}$ は、需要曲線の式が、

$$Q = \frac{1}{10} + \frac{1}{8P} = \frac{1}{10} + \frac{1}{8} \cdot \frac{1}{P} = \frac{1}{10} + \frac{1}{8} \cdot P^{-1}$$

と変形できることから、

$$\frac{\Delta Q}{\Delta P} = \frac{1}{8} \cdot (-1) P^{-1-1} = -\frac{1}{8} P^{-2} = -\frac{1}{8P^2} \quad \cdots \cdots ②$$

となる。そして、$\frac{P}{Q}$ は、

$$Q = \frac{1}{10} + \frac{1}{8P} = \frac{4P}{40P} + \frac{5}{40P} = \frac{4P+5}{40P}$$

であることから、

$$\frac{P}{Q} = P \div \frac{4P+5}{40P} = P \times \frac{40P}{4P+5} = \frac{40P^2}{4P+5} \quad \cdots \cdots ③$$

となる。この②と③を①に代入すると E_d は、

$$E_d = -\frac{\Delta Q}{\Delta P} \cdot \frac{P}{Q} = -\left(-\frac{1}{8P^2} \cdot \frac{40P^2}{4P+5}\right) = \frac{5}{4P+5}$$

とPで表すことができる。本問では、$E_d \geqq 0.2$ であるPを求めることから、

$$\frac{5}{4P+5} \geqq 0.2 \quad \Rightarrow \quad \frac{25}{4P+5} \geqq 1 \quad \Rightarrow \quad 25 \geqq 4P+5$$

$$\Rightarrow \quad 4P \leqq 20 \quad \Rightarrow \quad \therefore P \leqq 5$$

を得る。価格Pは負の値になることは考えられないので、Pの値の範囲は $0 < P \leqq 5$ である。

よって、正解は肢 1 である。

正答 1

第3章

需要の価格弾力性

第3章
SECTION ① 需要の価格弾力性
需要の価格弾力性

実践 問題 **39** 〈 応用レベル 〉

頻出度	地上★★　　国家一般職★★　　特別区★
	裁判所職員★★　　国税·財務·労基★★　　国家総合職★

問 X財、Y財の2財を消費する、ある消費者の効用uが

　　　$u = x^2 y$　（x：X財の消費量、y：Y財の消費量）

で示されているとする。

　　この消費者が、所与の所得Iの下、効用が最大となるようにX財とY財の消費量を決めるとき、X財の需要の価格弾力性はいくらか。　（国家一般職2021）

1： $\dfrac{1}{3}$

2： $\dfrac{1}{2}$

3： 1

4： 2

5： 3

OUTPUT

実践 問題 **39** の解説 ────────────

〈需要の価格弾力性〉

まず、効用最大化における最適消費の計算問題の解法を用いてX財の需要関数を求める。

効用関数：$u = x^2 y$より、X財、Y財それぞれの限界効用MU_X、MU_Yを求める。

$$MU_X = \frac{\Delta u}{\Delta x} = 2xy \quad 、\quad MU_Y = \frac{\Delta u}{\Delta y} = x^2$$

そこで、加重限界効用均等法則：$\dfrac{MU_X}{P_X} = \dfrac{MU_Y}{P_Y}$を用いると（$P_X$：X財の価格、$P_Y$：Y財の価格）、

$$\frac{2xy}{P_x} = \frac{x^2}{P_Y}$$

$$\Rightarrow \frac{2y}{P_x} = \frac{x}{P_Y} \quad \Rightarrow \quad \therefore P_x x = 2 P_Y y \quad \cdots\cdots ①$$

次に、予算制約式を求めると、$P_x x + P_Y y = I$であることから、両辺を2倍して①式を代入すると、X財の需要関数を求めることができる。

$$2 P_x x + P_x x = 2I$$

$$\Rightarrow 3 P_x x = 2I \quad \Rightarrow \quad \therefore x = \frac{2}{3} \frac{I}{P_x} = \frac{2}{3} I P_x^{-1} \quad \cdots\cdots ②$$

X財の需要関数②をP_xで微分すると、

$$\frac{\Delta x}{\Delta P_x} = \frac{2}{3} I(-1) P_x^{-1-1} = -\frac{2}{3} I P_x^{-2} \quad \cdots\cdots ③$$

であることから、X財の需要の価格弾力性：$E_d = -\dfrac{\Delta x}{\Delta P_x} \dfrac{P_X}{x}$に②、③式を代入して変形すると、

$$E_d = -\frac{\Delta x}{\Delta P_x} \frac{P_X}{x}$$

$$= -\left(-\frac{2}{3} I P_x^{-2}\right) P_x \left(\frac{2}{3} I P_x^{-1}\right)^{-1}$$

$$= \frac{2}{3} I P_x^{-2} P_x \left(\frac{3}{2} I^{-1} P_x\right)$$

$$= 1$$

となる。

よって、正解は肢3である。

正答 **3**

第3章 需要の価格弾力性

需要の価格弾力性

❓ Question

Q1 需要の価格弾力性とは、価格の変化率に対する需要量の変化率の比率のことで、価格が1％変化したときに需要量が何％変化するかを表す。

Q2 需要の価格弾力性が1より大きい場合、価格が上昇すると総支出額は減少する。

Q3 需要の価格弾力性が1の場合、価格が上昇しても総支出額は変化しないが、価格が下落した場合は総支出額が増加することになる。

Q4 下図の点Eにおける需要の価格弾力性の大きさは $\dfrac{D_1B}{OD_1}$ で表される。

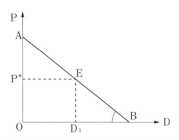

Q5 上図において、需要曲線上における需要の価格弾力性は、点Aに近づくほど需要量が少ないことから需要の価格弾力性は小さくなる。

Q6 上図の点Eが需要曲線の中点にある場合、需要の価格弾力性の大きさは1である。

Q7 需要曲線が下図のような直角双曲線の場合、需要の価格弾力性の大きさは右下にいくほど小さくなる。

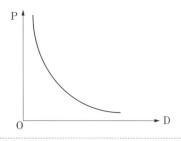

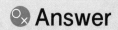

Answer

A1 ○ 需要の価格弾力性の説明として正しい。なお、需要の弾力性について、所得の変化率に対する需要量の変化率の比率を表す所得弾力性も本試験で出題される場合があるので、違いを整理しておくこと。

A2 ○ 需要の価格弾力性と支出額の説明として正しい。なお、価格が下落したときは、需要量は価格下落率以上に大きく増加することから、総支出額は増える。

A3 × 需要の価格弾力性が1の場合、価格が変化しても需要量も同じ割合しか変化しないことから総支出額は変化しない。

A4 ○ 問題の記述のとおりである。点Eにおける需要の価格弾力性E_dは公式から、

$$E_d = -\frac{\Delta D}{\Delta P} \times \frac{P}{D} = \frac{D_1 B}{D_1 E} \times \frac{D_1 E}{O D_1} = \frac{D_1 B}{O D_1}$$

$\underbrace{}$ 点Eにおける価格と需要量

傾きの逆数

となる。

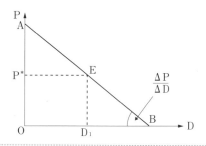

A5 × 点Aおよび点Bにおける需要の価格弾力性を求めると、公式に当てはめることで、点Aにおける需要の価格弾力性E_d＝無限大、点Bにおける需要の価格弾力性E_d＝0となる。

A6 ○ 点Eがもし需要曲線の中点であれば、$OD_1 = D_1 B$であることから、需要の価格弾力性は1となる。

A7 × 需要曲線が図のような直角双曲線の場合には、需要の価格弾力性は需要量に関係なく常に1で一定となる。

memo

第4章

最適消費の応用

SECTION

① 異時点間の消費
② 余暇と労働

出題傾向の分析と対策

試験名	地 上		国家一般職			特別区			裁判所職員			国税・財務・労基			国家総合職		
年 度	16-18	19-21 22-24	16-18	19-21	22-24	16-18	19-21	22-24	16-18	19-21	22-24	16-18	19-21	22-24	16-18	19-21	22-24
出題数 セクション	2		2	2	2	1	1	1		1	1	1	1	3	3	2	2
異時点間の消費	★		★	★	★									★	★	★	★
余暇と労働	★		★	★	★	★	★	★		★	★	★	★	★★	★★	★	★

（注）１つの問題において複数の分野が出題されることがあるため、星の数の合計と出題数とが一致しないことがあります。

　最適消費の応用問題では、「異時点間の最適消費」と「最適労働供給」が出題されます。

　なお、本章SECTION 2「余暇と労働」の実践問題の中に、「顕示選好」の問題が含まれています。「顕示選好」は、「余暇と労働」という問題テーマに含まれるべき論点とはいえませんが、消費者理論の応用の論点という観点から、「余暇と労働」の最後に掲載しています。

地方上級

　異時点間の最適消費や最適労働供給に関する問題が出題されています。何度も問題を解くことで、これらの問題の計算パターンや図を描く能力を身につけておくことが必要です。

国家一般職

　異時点間の消費や最適労働供給に関する計算問題が出題されています。基本的な計算問題から、税を絡めた複雑な問題まで出題されています。

特別区

　最適労働供給に関する問題が出題されています。計算問題だけでなく、過去には、文章題の出題もありました。まずは、基本的な考え方を理解しましょう。

裁判所職員

　近年では、最適労働供給に関する計算問題が出題されています。基本的な考え方を理解し、計算パターンを身につけておきましょう。

国税専門官・財務専門官・労働基準監督官

　近年、異時点間の最適消費の出題はあまりみられないものの、最適労働供給の出題はあります。難易度も、基本的なパターンを使うだけで解答できるものから、深い理解が必要な文章題まで幅広く出題されています。また、労働基準監督官を受験される方は、労働経済学の分野で最適労働供給や賃金率の変化の分野がよく出題されます。何度も問題演習を繰り返し、計算問題は確実に得点できるようにしておきましょう。

国家総合職

　異時点間の最適消費と最適労働供給は頻出です（経済政策として出題されることが多いです）。複雑な計算を要求する問題が多く、理論の深い理解とともに演習を行うことが重要です。また、顕示選好も出題されます。高度な知識を要求されるため、顕示選好の弱公準などの顕示選好の基礎概念の理解も深めておきましょう。

Advice 学習と対策
アドバイス

　異時点間の最適消費も最適労働供給も、基本的には最適消費問題と同じ解法で解くことができますが、予算制約線の導出が少し違います。考え方を理解して、問題を解き、慣れていくことが合格への鍵といえます。

異時点間の消費

必修問題 セクションテーマを代表する問題に挑戦！

　２期間における最適消費ですが、基本的には２財の場合の応用になります。効用最大化の条件を思い出しましょう。

問 ある個人の効用関数が、

$$u = c_1 \cdot c_2$$

で与えられているとする。ただし、uは効用水準、c_1は今期の支出額、c_2は来期の支出額である。また、今期と来期それぞれの予算制約式は、

$$c_1 = y_1 - S$$
$$c_2 = (1 + r)S + y_2$$

である。ただし、y_1は今期の所得、y_2は来期の所得であり、Sは正であれば貯蓄、負であれば借入れの大きさで、rは市場の利子率である。

　いま、y_1が120、y_2が84であることが分かっていて、貯蓄や借入れが市場の利子率５％（$r = 0.05$）で可能であるとする。このとき、この個人が効用を最大化するための行動として妥当なのはどれか。

(国家一般職2014)

1：借入れを20だけ行う。
2：借入れを15だけ行う。
3：貯蓄も借入れも行わない。
4：貯蓄を15だけ行う。
5：貯蓄を20だけ行う。

Guidance ガイダンス 異時点間の最適消費とは

　今期と来期に所得を得て、これを今期と来期の二期間の消費に充て、効用最大化を行うことを異時点間の最適消費という。異時点間の最適消費における効用最大化条件は、財の最適消費問題で使用する公式と同様である。

必修問題の解説

〈異時点間の最適消費〉

第4章 最適消費の応用

【解法1：効用最大化条件を使う解法】

(1) 予算制約式

問題文に示された予算制約式に、$y_1 = 120$、$y_2 = 84$、$r = 0.05$を代入したものが①と②である。

$$c_1 = 120 - S \quad \cdots\cdots ①$$
$$c_2 = 84 + 1.05S \quad \cdots\cdots ②$$

①を$S = \sim$にして②のSに代入して、②′、②″へと変形する。

$$c_2 = 84 + 1.05(120 - c_1) \quad \cdots\cdots ②′$$
$$\rightarrow \quad c_2 = 84 + 126 - 1.05c_1$$
$$\rightarrow \quad c_2 = 210 - 1.05c_1$$
$$\rightarrow \quad 1.05c_1 + c_2 = 210 \quad \cdots\cdots ②″（予算制約式）$$

```
    1. 05
  × 1  20
   21  0
  105
  126. 00
```

を得る。②″は「$P_x X + P_y Y = M$」を一般形とするX財、Y財の予算制約式として解釈ができるため、「c_1の価格」が1.05、「c_2の価格」が1、「予算」が210と解釈する。

(2) 効用最大化条件

次に、効用関数$U = c_1 c_2$をc_1、c_2で微分して限界効用を求める。

$$MU_{c_1} = 1 \times c_1^{1-1} c_2 = c_2$$
$$MU_{c_2} = 1 \times c_1 c_2^{1-1} = c_1$$

よって、効用最大化条件$\left(\dfrac{MU_{c_1}}{MU_{c_2}} = \dfrac{c_1の価格}{c_2の価格} \right)$は、

$$\frac{c_2}{c_1} = \frac{1.05}{1}$$
$$\rightarrow \quad c_2 = 1.05c_1 \quad \cdots\cdots ④$$

となる。④を②″に代入してc_2を消去して$c_1 = \sim$にする。

$$1.05c_1 + (1.05c_1) = 210$$
$$\rightarrow \quad 2.1c_1 = 210$$
$$\rightarrow \quad c_1 = 100$$

よって、貯蓄$S = 120 - c_1$は、

$$S = 120 - 100 \quad \rightarrow \quad S = 20$$

となる。

よって、正解は肢5である。

【解法2：微分してゼロとおく解法】

　問題文に示された式群を再掲載すると、

　　　$c_1 = 120 - S$　……①　⇔　$S = 120 - c_1$

　　　$c_2 = 84 + 1.05 S$　……②

　　　$U = c_1 c_2$　……③　（効用関数）

である。①を $S = 120 - c_1$ と変形し、②に代入して整理すると、

　　　$c_2 = 84 + 1.05(120 - c_1)$

　　　$c_2 = 84 + 126 - 1.05 c_1$

　　　$c_2 = 210 - 1.05 c_1$　……④

となる。④を③の効用関数に代入して整理すると、

　　　$U = c_1 \cdot (210 - 1.05 c_1)$

　　　$U = 210 c_1 - 1.05 c_1{}^2$　……⑤

となる。次に、効用最大化により、⑤を c_1 で微分してゼロとおいて c_1 を求めると、

$$\frac{\Delta U}{\Delta c_1} = 1 \times 210 c_1{}^{1-1} - 2 \times 1.05 c_1{}^{2-1} = 0$$

$$\frac{\Delta U}{\Delta c_1} = 210 - 2.1 c_1 = 0$$

　　　→　$210 - 2.1 c_1 = 0$

　　　　　　$2.1 c_1 = 210$

　　　　　　　$c_1 = 100$　……⑥

となる。⑥の「$c_1 = 100$」を①に代入して貯蓄（S）を求めると、

　　　$100 = 120 - S$

　　　$S = 120 - 100$

　　　$S = 20$

　　よって、正解は肢5である。

【解法3：コブ＝ダグラス型効用関数の場合の公式を使う方法】(34ページ参照)

　効用関数が $U = c_1 c_2$ のように積のみで構成される効用関数であるときには、コブ＝ダグラス型効用関数の場合の公式が使える。すでにみたとおり、予算制約式は、

　　　$1.05 c_1 + c_2 = 210$　……②″　（再掲）

である。効用関数が $U = c_1 c_2$ であることから、

$$c_1 = \frac{1}{1 + 1} \cdot \frac{210}{1.05} = \frac{105}{1.05} = 100$$

となる。第1期の貯蓄（借入れ）は $y_1 - c_1 = 120 - 100 = 20$。よって、肢5が正解である。

正答 5

memo

❶ 2期間の無差別曲線

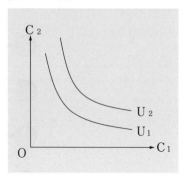

　ある消費者が、一定の所得を今期の消費C_1と来期の消費C_2に配分するとします。このとき、左図のように原点に対して凸な無差別曲線を描くことができます。

　このような原点に凸な無差別曲線の背景には、今期と来期のいずれか一方に極端に偏った支出をすることは、通常は効用が低いことがあります。

❷ 異時点間の予算制約

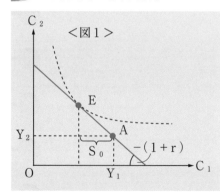

　今期の予算制約は、今期の所得Y_1を用いて、

$$S_1 = Y_1 - C_1 \quad \cdots\cdots①$$

と定義されます。S_1は貯蓄を表しますが、負の場合は借入れを表します。来期の予算制約は、消費C_2は来期の所得Y_2と今期の貯蓄S_1をもとにし、さらに利子率をrとすると、

$$C_2 = Y_2 + (1+r)S_1 \quad \cdots\cdots②$$

と表されます。②式のS_1に①式のS_1を代入して消去すると、以下のようになります。

$$C_2 = Y_2 + (1+r)(Y_1 - C_1)$$
$$\Rightarrow \quad C_2 = -(1+r)C_1 + (1+r)Y_1 + Y_2 \quad \cdots\cdots③$$

　③式が異時点間の**予算制約式**であり、今期の所得Y_1と来期の所得Y_2のもとで可能な今期の消費C_1と来期の消費C_2の組合せを表し、図では点$(Y_1、Y_2)$を通過する傾き$-(1+r)$の直線で表されます(図1の色つきの線)。

　最適消費点はE点であり、E点では限界代替率MRSが$(1+r)$に等しくなります。なお、この場合において、予算制約線上の点Aと最適消費点Eの横軸で図った距離であるS_0が貯蓄を表します。

INPUT

③ 利子率の変化と異時点間の最適消費（貯蓄主体の場合）

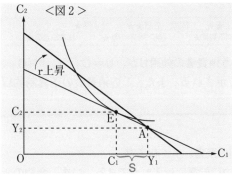

＜図2＞

図2のように、今期所得をY_1、来期所得をY_2、今期消費をC_1、来期消費をC_2とした場合、今期所得と今期消費を比較すると、今期消費よりも今期所得のほうが大きいので（$Y_1 > C_1$）、その差分（$Y_1 - C_1$）は貯蓄Sとみることができます。（逆に$Y_1 < C_1$の場合は、所得よりも消費が大きくなるため、借入れが生じることになります。）

図2において、利子率が上昇（下落）した場合、予算制約線の傾きが急（緩やか）になることから、予算制約線はY_1とY_2の組合せの点A（初期保有点）を中心に右回転（左回転）します。

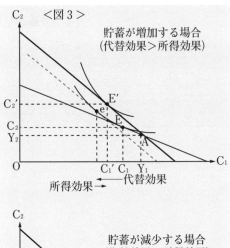

＜図3＞

貯蓄が増加する場合
（代替効果＞所得効果）

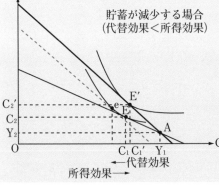

貯蓄が減少する場合
（代替効果＜所得効果）

この消費者が、今期所得と来期所得を2期間で消費するとした場合、貯蓄が生じると利息が増える分、来期の消費が増加します。このことから代替効果では必ず今期消費を減少させ、貯蓄が増加しますが、所得効果では実質所得が増加することによって、今期消費が増加し貯蓄が減少します。

それゆえ図3のように、全部効果でみた場合、代替効果と所得効果の大小関係によって、今期消費によって生じた貯蓄は増加する場合と減少する場合のいずれのケースも考えられます。

第4章 最適消費の応用

実践 問題 **40** 基本レベル

頻出度	地上★★	国家一般職★★	特別区★
	裁判所職員★	国税・財務・労基★	国家総合職★

問 今期と来期において最適消費を行う消費者の効用Uが、$U = C_1^{0.6} C_2^{0.4}$（C_1：今期の消費、C_2：来期の消費）で示される。また、この消費者の予算制約線は

$$C_1 + \frac{C_2}{1+r} = Y_1 + \frac{Y_2}{1+r}$$

（Y_1：今期の所得、Y_2：来期の所得、r：利子率）

で示され、消費者は利子率 r で自由に貯蓄や借入れができる。いま、今期の所得が350、来期の所得が420、利子率が5％であるとき、今期の消費はいくらか。

（労基2011）

1 ： 315
2 ： 375
3 ： 450
4 ： 500
5 ： 525

実践 問題 **40** の解説

〈異時点間の最適消費〉

【解法1：効用最大化条件を使った解法】

(1) 予算制約線

問題文中の $C_1 + \dfrac{C_2}{1+r} = Y_1 + \dfrac{Y_2}{1+r}$ 中の Y_1 に350、Y_2 に420、r に0.05を代入すると、

$$C_1 + \frac{C_2}{1+0.05} = 350 + \frac{420}{1+0.05}$$

となるので、今期の消費と来期の消費の予算制約線は、

$$C_1 + \frac{1}{1.05}C_2 = 1 \times C_1 + \frac{1}{1.05} \times C_2 = 750 \quad \cdots\cdots①$$

となる。なお、①式について、$1 \times C_1$ における1は「C_1 の価格」、$\dfrac{1}{1.05} \times C_2$ における $\dfrac{1}{1.05}$ は「C_2 の価格」、750は予算であると解釈できる。

(2) 限界代替率（MRS）

$U = C_1{}^{0.6} C_2{}^{0.4}$ での C_1 の限界効用を MU_1、C_2 の限界効用を MU_2 とすると、

$$MU_1 = 0.6 C_1{}^{0.6-1} C_2{}^{0.4} = 0.6 C_1{}^{-0.4} C_2{}^{0.4} = 0.6 \frac{C_2{}^{0.4}}{C_1{}^{0.4}}$$

$$MU_2 = 0.4 C_1{}^{0.6} C_2{}^{0.4-1} = 0.4 C_1{}^{0.6} C_2{}^{-0.6} = 0.4 \frac{C_1{}^{0.6}}{C_2{}^{0.6}}$$

である。限界効用の比 $MU_1 \div MU_2$ は限界代替率MRSである。つまり、

$$MRS = \frac{MU_1}{MU_2} = \frac{0.6 \dfrac{C_2{}^{0.4}}{C_1{}^{0.4}}}{0.4 \dfrac{C_1{}^{0.6}}{C_2{}^{0.6}}} = \frac{3}{2} \frac{C_2{}^{0.4} C_2{}^{0.6}}{C_1{}^{0.6} C_1{}^{0.4}} = \frac{3 C_2}{2 C_1} \quad \cdots\cdots②$$

である。

(3) 効用最大化条件

効用最大化条件は、$MRS = \dfrac{C_1 の価格}{C_2 の価格}$ であるので、$② = \dfrac{C_1 の価格}{C_2 の価格}$ として、

$$\frac{3 C_2}{2 C_1} = \frac{1}{\dfrac{1}{1.05}}$$

LEC東京リーガルマインド　2025-2026年合格目標 公務員試験 本気で合格！過去問解きまくり！　171
⑬ミクロ経済学

第4章 最適消費の応用

となり、これの両辺を$\frac{1}{1.05}$倍するなどの変形をすると効用最大化条件③を得る。

$$\frac{1}{1.05}C_2 = \frac{2}{3}C_1 \quad \cdots\cdots③ \quad （効用最大化条件）$$

⑷ 最適消費点の導出

③式を①式に代入してC_2を消去すると、$C_1 + \frac{2}{3}C_1 = 750$となるので、

$$C_1 = \frac{3}{5}\times750 = 450$$

と導かれる。

したがって、肢3が正解となる。

【解法2：コブ＝ダグラス型効用関数に着目した解法】

本問題では効用関数$U = C_1{}^{0.6}C_2{}^{0.4}$はコブ＝ダグラス型効用関数であり、異時点間の予算制約式である

$$C_1 + \frac{1}{1.05}C_2 = 750$$

はC_1とC_2の係数をそれぞれC_1とC_2の価格としてみれば、通常の効用最大化問題におけるコブ＝ダグラス型効用関数の特徴を活かした解法により、少ない計算量で解答することができる。

したがって、

$$C_1 = \frac{0.6}{0.6+0.4}\cdot\frac{750}{1} = 0.6\times750 = 450$$

よって、今期の最適消費は$C_1 = 450$である。

【ポイント】 コブ＝ダグラス型効用関数の場合の公式

効用最大化問題において効用関数が$U = x^a y^b$、予算制約式が$P_x x + P_y y = M$のとき最適消費点は、

$$x = \frac{a}{a+b}\cdot\frac{M}{P_x}, \quad y = \frac{b}{a+b}\cdot\frac{M}{P_y}$$

である。

正答 **3**

memo

実践 問題 **41** 基本レベル

頻出度	地上★★	国家一般職★	特別区★
	裁判所職員★	国税・財務・労基★	国家総合職★

問 図はある個人の現在の消費と将来の消費に関する無差別曲線と予算制約線を描いたものである。点Mはこの個人の現在の所得と将来の所得の組合せを表している。利子率の上昇の結果、最適消費計画が点Aから点Bへ移った。この個人の消費行動の変化に関する次の記述のうち正しいのはどれか。　　　(地上2008)

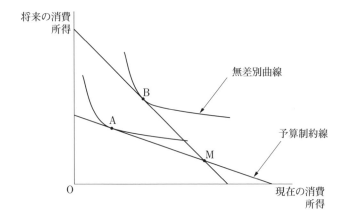

1：この個人は貯蓄を行い、代替効果は将来の消費を減少させるが、実質所得の増加は将来の消費を増加させる。所得効果が代替効果より大きいため、貯蓄は増加する。

2：この個人は貯蓄を行い、代替効果は現在の消費を減少させるが、実質所得の増加は将来の消費を増加させる。所得効果が代替効果より大きいため、貯蓄は減少する。

3：この個人は貯蓄を行い、代替効果、所得効果ともに現在の消費を増加させるため、貯蓄は減少する。

4：この個人は借入を行い、代替効果は現在の消費を増加させるが、実質所得の減少は現在の消費を減少させる。代替効果が所得効果より大きいため、借入は増加する。

5：この個人は借入を行い、代替効果、所得効果ともに将来の消費を増加させるため、借入は減少する。

直前復習

174　LEC東京リーガルマインド　2025-2026年合格目標 公務員試験 本気で合格！過去問解きまくり！
⑬ミクロ経済学

OUTPUT

実践 問題 **41** の解説

〈異時点間の最適消費〉

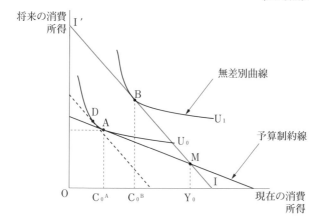

第4章 最適消費の応用

　図中で、$C_0{}^A$、$C_0{}^B$ はそれぞれ点A、Bでの現在の消費を、Y_0 は現在の所得を表している。まず、図から明らかなように、$Y_0 > C_0{}^B > C_0{}^A$ なので、点Aでも点Bでも借入れは行っていないことがわかる。よって、肢4、5は除外できる。

　次に、代替効果と所得効果について考える。利子率が上昇した場合の予算制約線（II′）に平行で、現在の無差別曲線 U_0 に接する補助線（図中の点線）を引き、現在の無差別曲線 U_0 に接する点を点Dとする。このとき、

　　代替効果：A点→D点　　現在の消費を減らし、将来の消費を増やす

　　所得効果：D点→B点　　現在の消費も将来の消費も増やす

というように分解できる。これより、将来の消費に関しては、代替効果でも、所得効果（実質所得の増加）でも増加することがわかる。

　最後に、貯蓄が増加するか、減少するかが問題となるが、これは代替効果と所得効果の大小関係により、現在消費が増加するか減少するかによって結論が異なる。ここでは、図より $C_0{}^B > C_0{}^A$ であることが明らかであるので、利子率の上昇により現在の消費は増加し、その結果、貯蓄は減少することになる。また、代替効果と所得効果の大小関係についても、このように現在消費が増加することから、所得効果のほうが代替効果より大きいことがわかる。

　よって、正解は肢2である。

正答 2

頻出度	地上★★	国家一般職★★	特別区★
	裁判所職員★	国税・財務・労基★	国家総合職★★

問 今期と来期の二期間で所得の全てを支出する、ある消費者の効用関数が、

$$U = 2C_1 \cdot C_2 \quad (U:効用水準、C_1:今期の消費額、C_2:来期の消費額)$$

であるとする。

この消費者は、今期に180の所得を得て、来期に231の所得を得るものとする。また、今期に貯蓄をすれば来期に5％の利子が得られるのに対して、今期に借入れをすれば来期に10％の利子を支払うものとする。

この消費者が、効用を最大化するために、今期にとる行動として妥当なのはどれか。 (国家一般職2017)

1：20の借入れを行う。

2：15の借入れを行う。

3：借入れも貯蓄も行わない。

4：15の貯蓄を行う。

5：20の貯蓄を行う。

OUTPUT

〈異時点間の最適消費〉

　貯蓄や借入れをSとおいて今期と来期の予算式を求め、それらを一本化してC_1とC_2で表し、効用関数の式に代入して効用最大化の計算をする。本問においては利子率が5％と10％のケースが想定されているので、それぞれのケースについて計算を進める。なお、今期と来期の所得をそれぞれY_1とY_2で、利子率をrで表すこととする。

(1)　**利子率が5％であるケース**(貯蓄Sは正の値になるケース)

　　　[今期の予算式] $S = Y_1 - C_1 = 180 - C_1$　……①

　　そして貯蓄Sには5％の利子が得られるので、

　　　$S + r \cdot S = (1 + r)S = (1 + 0.05)S = 1.05S$

　　であるから、

　　　[来期の予算式] $C_2 = 1.05S + Y_2 = 1.05S + 231$　……②

　　となる。そこで①式を②式に代入することによって異時点間の予算式が得られる。

　　　∴ $C_2 = 1.05(180 - C_1) + 231$

　　この式を効用関数Uに代入すると、

　　　$U = 2C_1C_2 = 2C_1\{1.05(180 - C_1) + 231\} = 2.1C_1(180 - C_1) + 462C_1$

　　　　$= 2.1 \times 180C_1 - 2.1C_1^2 + 462C_1$

　　そこで、このUを最大化するためにUをC_1で微分してゼロとおく。

　　　$\dfrac{\Delta U}{\Delta C_1} = 2.1 \times 180 - 2 \times 2.1C_1 + 462 = 840 - 4.2C_1 = 0$

　　　∴ $C_1 = 200$

　　　∴ $S = Y_1 - C_1$　(∵①式より)

　　　　　$= 180 - 200 = -20$

　　したがって−20の貯蓄、つまり20の借入れをすることになる。しかし、(1)は貯蓄Sが正の値になるものとして、予算式を作ったが、計算の結果貯蓄が正の値になっていないので、このケースは不適であることが確認できる。

(2)　**利子率が10％であるケース**(貯蓄Sが負の値になる(今期に借入れをする)ケース)

　　　[今期の予算式] $S = Y_1 - C_1 = 180 - C_1$　……①

　　そして借入れには10％の利子の支払いがあるので、

　　　$S + r \cdot S = (1 + r)S = (1 + 0.1)S = 1.1S$

であるから、

[来期の予算式] $C_2 = 1.1S + Y_2 = 1.1S + 231$　……②

となる。そこで①式を②式に代入することによって異時点間の予算式が得られる。

∴ $C_2 = 1.1(180 - C_1) + 231$

この式を効用関数Uに代入すると、

$U = 2C_1 C_2 = 2C_1\{1.1(180 - C_1) + 231\} = 2.2C_1(180 - C_1) + 462C_1$
$= 2.2 \times 180C_1 - 2.2C_1^2 + 462C_1$

そこで、このUを最大化するためにUをC_1で微分してゼロとおく。

$\dfrac{\Delta U}{\Delta C_1} = 2.2 \times 180 - 2 \times 2.2C_1 + 462 = 858 - 4.4C_1 = 0$

∴ $C_1 = 195$

∴ $S = Y_1 - C_1$　（∵①式より）

$= 180 - 195 = -15$

したがって−15の貯蓄、つまり15の借入れをすることになる。以上より、正解は肢2である。

正答 2

memo

第4章 最適消費の応用
SECTION ① 異時点間の消費

実践 問題 **43** 〈 応用レベル 〉

頻出度	地上★★	国家一般職★★	特別区★
	裁判所職員★	国税・財務・労基★	国家総合職★★

問 第1期と第2期の2期間を生きる消費者の効用Uが

$U = C_1 C_2$ （C_1：第1期の消費額、C_2：第2期の消費額）

で示されているとする。

　この消費者は、第1期に300の所得を得て、消費額C_1と貯蓄Sに振り分ける。また、第2期には210の所得を得て、この所得と貯蓄Sをもとに、消費額C_2を支出する。貯蓄Sにつく利子率をrとすると、r = 0.05である。この消費者は、効用Uが最大になるように、消費額C_1、C_2を決定する。

　いま、AとBの二つの場合を考える。

　　A：第1期にのみ10%の消費税がかかる場合

　　B：第1期も第2期も消費税がかからない場合

　このとき、Aの貯蓄とBの貯蓄に関する次の記述のうち、妥当なのはどれか。

（国家一般職2021）

1：Aの貯蓄の方が、Bの貯蓄より10多い。

2：Aの貯蓄の方が、Bの貯蓄より25多い。

3：Aの貯蓄の方が、Bの貯蓄より10少ない。

4：Aの貯蓄の方が、Bの貯蓄より25少ない。

5：Aの貯蓄とBの貯蓄は同額である。

OUTPUT

実践 問題 **43** の解説

〈異時点間の最適消費〉

本問は、「A：第1期にのみ10％の消費税がかかる場合」と「B：第1期も第2期も消費税がかからない場合」の両者のケースを計算するが、一般的な異時点間の最適消費の問題として解けるBのケースから計算していく。

(1) **B：第1期も第2期も消費税がかからない場合**

第1期の所得をY_1、第2期の所得をY_2とする。また、貯蓄がSとされていることから、第1期の予算制約式は、

$$S = Y_1 - C_1 \quad \cdots\cdots ①$$

となる。そして、貯蓄Sには利子率rの利子が付くことから、

$$S + r \times S = (1 + r)S$$

となり、第2期の予算制約式は、

$$C_2 = Y_2 + (1 + r)S \quad \cdots\cdots ②$$

となる。②式に①式を代入して、予算制約式をひとつにすると、

$$C_2 = Y_2 + (1 + r)(Y_1 - C_1)$$
$$C_2 = Y_2 + (1 + r)Y_1 - (1 + r)C_1$$
$$C_2 = -(1 + r)C_1 + (1 + r)Y_1 + Y_2$$

となる。これに問題文で提示されている$Y_1 = 300$、$Y_2 = 210$、$r = 0.05$を代入すると、

$$C_2 = -(1 + 0.05)C_1 + (1 + 0.05)300 + 210$$
$$C_2 = -1.05C_1 + 1.05 \times 300 + 210$$
$$C_2 = -1.05C_1 + 315 + 210$$
$$C_2 = -1.05C_1 + 525 \quad \cdots\cdots ③$$

となる。この予算制約式は、横軸にC_1、縦軸にC_2をとるグラフでは、傾き「-1.05」、縦軸切片525の右下がりの直線として表される。

次に、最適消費点を効用最大化条件「$MRS = 1 + r$」（「$1 + r$」は予算制約式の傾きの絶対値に相当する）を使って求める。

MRSは限界効用の比として表すことができるから、効用関数「$U = C_1 C_2$」から第1期の限界効用MU_1および第2期の限界効用MU_2を求めると、

$$MU_1 = \frac{\Delta U}{\Delta C_1} = C_2$$

$$MU_2 = \frac{\Delta U}{\Delta C_2} = C_1$$

となり、MRSは、

$$\mathrm{MRS} = \frac{\mathrm{MU}_1}{\mathrm{MU}_2} = \frac{C_2}{C_1}$$

と表される。これを効用最大化条件「$\mathrm{MRS} = 1 + r$」に代入し、$r = 0.05$も代入すると、

$$\frac{C_2}{C_1} = 1 + 0.05$$

$$\frac{C_2}{C_1} = 1.05$$

$$C_2 = 1.05\,C_1 \quad \cdots\cdots④$$

となる。④式を予算制約式の③式に代入すると第1期の消費額C_1は、

$$C_2 = -1.05\,C_1 + 525$$

$$1.05\,C_1 = -1.05\,C_1 + 525$$

$$2.1\,C_1 = 525$$

$$C_1 = 250$$

となる。第1期の消費額C_1が250と求められたことから、①式より貯蓄Sは、

$$S = Y_1 - C_1$$

$$S = 300 - 250$$

$$S = 50$$

となり、第1期も第2期も消費税がかからない場合の貯蓄は50となる。

(2) **A：第1期にのみ10%の消費税がかかる場合**

第1期の所得をY_1、第2期の所得をY_2とする。また、第1期の消費額C_1に10%の消費税が課されることを考慮すると、第1期の消費額C_1は$(1 + 0.1)C_1 = 1.1$ C_1となる。さらに、貯蓄がSとされていることから、第1期の予算制約式は、

$$S = Y_1 - 1.1\,C_1 \quad \cdots\cdots①$$

となる。そして、貯蓄Sには利子率rの利子が付くことから、

$$S + r \times S = (1 + r)S$$

となり、第2期の予算制約式は、

$$C_2 = Y_2 + (1 + r)S \quad \cdots\cdots②$$

となる。②式に①式を代入して、予算制約式をひとつにすると、

$$C_2 = Y_2 + (1 + r)(Y_1 - 1.1\,C_1)$$

$$C_2 = Y_2 + (1 + r)Y_1 - 1.1(1 + r)C_1$$

$$C_2 = -1.1(1 + r)C_1 + (1 + r)Y_1 + Y_2$$

となる。これに問題文で提示されている$Y_1 = 300$、$Y_2 = 210$、$r = 0.05$を代入すると、

$$C_2 = -1.1(1+0.05)C_1 + (1+0.05)300 + 210$$
$$C_2 = -1.1 \times 1.05C_1 + 1.05 \times 300 + 210$$
$$C_2 = -1.155C_1 + 315 + 210$$
$$C_2 = -1.155C_1 + 525 \quad \cdots\cdots\text{③}$$

となる。この予算制約式は、横軸にC_1、縦軸にC_2をとるグラフでは、傾き「-1.155」、縦軸切片525の右下がりの直線として表される。

次に、最適消費点を効用最大化条件「MRS＝予算制約式の傾きの絶対値」を使って求める。

（※一般的な異時点間消費の効用最大化条件は「MRS＝$1+r$」（r：利子率、「$1+r$」は予算制約式の傾きの絶対値に相当する）であるが、本問では消費税が課されるため、単純に「$1+r$」を効用最大化条件に適用できないことに注意。）

MRSは限界効用の比として表すことができるから、効用関数「$U = C_1 C_2$」から第1期の限界効用MU_1および第2期の限界効用MU_2を求めると、

$$MU_1 = \frac{\Delta U}{\Delta C_1} = C_2$$

$$MU_2 = \frac{\Delta U}{\Delta C_2} = C_1$$

となり、MRSは、

$$MRS = \frac{MU_1}{MU_2} = \frac{C_2}{C_1}$$

と表される。これを効用最大化条件「MRS＝予算制約式の傾きの絶対値」に代入すると、

$$\frac{C_2}{C_1} = 1.155$$
$$C_2 = 1.155C_1 \quad \cdots\cdots\text{④}$$

となる。④式を予算制約式の③式「$C_2 = -1.155C_1 + 525$」に代入すると第1期の消費額C_1は、

$$1.155C_1 = -1.155C_1 + 525$$
$$2.31C_1 = 525$$
$$C_1 = \frac{525}{2.31}$$

となる。第1期の消費額C_1が$\frac{525}{2.31}$と求められたことから、①式より貯蓄Sは、

$$S = Y_1 - 1.1C_1$$

$$S = 300 - 1.1 \times \frac{525}{2.31}$$

$$S = 300 - 250$$

$$S = 50$$

となり、第1期にのみ10%の消費税がかかる場合の貯蓄は50となる。

　以上より、問題で問われているAとBの2つの場合ともに貯蓄Sは50となって同額となることから、正解は肢5となる。

【別解】

　消費者の消費額について、たとえ消費税が課税されたとしても、その消費税率の大きさにかかわらず、消費者の効用関数や所得、利子率が、消費税が課税される場合と課税されない場合とで変化がない（同一）のであれば、消費税が課税される場合および課税されない場合の両者ともに第1期の消費額は同額となる（上記の計算を参照のこと。なお、消費財が課税される場合は課税されない場合に比べて財の消費量は減少することになる）。

　以上より、AとBの2つの場合ともに消費額が同じとなることから貯蓄Sは同額となり、正解は肢5となる。

正答 5

memo

実践 問題 **44** 〈応用レベル〉

頻出度	地上★★　国家一般職★★　特別区★ 裁判所職員★　国税・財務・労基★　国家総合職★★

問 ある消費者は、所得の全てを t ＝ 1 、 2 の 2 期間で支出し、その効用関数が

$$u = C_1^{0.5} C_2^{0.5}$$

で示されるとする。ここで、u は効用水準、C_1 は t ＝ 1 における消費量、C_2 は t ＝ 2 における消費量を表す。消費財の種類は 1 種類で、価格は両期間を通じて 1 とする。

　当初、この消費者は、t ＝ 1 には200の所得を、t ＝ 2 には420の所得を得て、効用を最大化するものとする。また、この消費者は t ＝ 1 に借入れをすることができ、その借り入れた金額は 5 ％の利子をつけて t ＝ 2 に返済するものとする。

　このとき、

　　①t ＝ 1 の所得が100増加し、300の所得を得た場合

　　②利子率が下落し、 0 ％となった場合

のそれぞれにおける、 t ＝ 1 での借入れの変化の組合せとして妥当なのはどれか。
（国家総合職2021）

	①	②
1 ：	150増加する。	110増加する。
2 ：	50増加する。	10増加する。
3 ：	50増加する。	10減少する。
4 ：	50減少する。	110増加する。
5 ：	50減少する。	10増加する。

OUTPUT

実践 問題 **44** の解説 ━━━━━━━━━━━━━━━━━━━━━━━━

〈異時点間の最適消費〉

第1期の所得をY_1、第2期の所得をY_2、利子率をrとすると、予算制約式は

$$Y_1 + \frac{1}{1+r}Y_2 = C_1 + \frac{1}{1+r}C_2 \quad \cdots\cdots(1)$$

である。効用関数をC_1とC_2で微分して比をとることで、MRSを求めると、

$$MRS = \frac{0.5\,C_1^{-0.5}\,C_2^{0.5}}{0.5\,C_1^{0.5}\,C_2^{-0.5}} = \frac{C_2}{C_1}となる。効用最大化条件は、$$

$$\frac{C_2}{C_1} = 1+r \quad \rightarrow \quad C_2 = (1+r)\,C_1 \quad \cdots\cdots(2)$$

となり、(1)に(2)を代入して、C_2を消去してC_1について解くことで、最適なC_1が(3)のように求められる。

$$Y_1 + \frac{1}{1+r}Y_2 = C_1 + \frac{1}{1+r}(1+r)\,C_1$$

$$\rightarrow \quad C_1 = \frac{1}{2}\left(Y_1 + \frac{1}{1+r}Y_2\right) \quad \cdots\cdots(3)$$

当初の状態では、$Y_1 = 200$、$Y_2 = 420$、$r = 0.05$なので、

$$C_1 = \frac{1}{2}\left(200 + \frac{1}{1.05}420\right) = 300$$

となり、以下のように借入額を求めることができる。

当初の第1期の借入額 $= C_1 - Y_1 = 300 - 200 = 100 \quad \cdots\cdots(4)$

①の状態では、$Y_1 = 300$、$Y_2 = 420$、$r = 0.05$なので、

$$C_1 = \frac{1}{2}\left(300 + \frac{1}{1.05}420\right) = 350$$

となり、

①の第1期の借入額 $= C_1 - Y_1 = 350 - 300 = 50 \quad \cdots\cdots(5)$

となる。よって、借入額は50減少する。これで肢4、5に限定される。

②の状態では、$Y_1 = 200$、$Y_2 = 420$、$r = 0$なので、

$$C_1 = \frac{1}{2}\left(200 + \frac{1}{1+0}420\right) = 310$$

となり、②の第1期の借入額 $= C_1 - Y_1 = 310 - 200 = 110 \quad \cdots\cdots(6)$

である。(4)と(6)を比較すると、借入額は10の増加となる。

よって、正解は肢5である。

正答 5

LEC東京リーガルマインド　2025-2026年合格目標 公務員試験 本気で合格！過去問解きまくり！　187
⑬ミクロ経済学

第4章 最適消費の応用

必修問題 セクションテーマを代表する問題に挑戦！

予算制約式は問題から自分で作れるように慣れてください。予算制約式が作れるようになれば解法は最適消費問題と同じです。

問 ある個人は、労働を供給して得た賃金所得と非労働所得のすべてをX財の購入に支出し、この個人の効用関数は、

U＝X（24－L）

〔U：効用水準、X：X財の消費量、L：労働供給量〕

で表され、X財の価格は2、賃金率が1、非労働所得が12であるとする。この個人が効用を最大化するときの労働供給量はいくらか。 (特別区2017)

1： 6
2： 9
3： 12
4： 15
5： 18

Guidance ガイダンス　最適労働供給量の決定

　　最適労働供給は最適消費の場合と同様に、無差別曲線と予算制約線の接点で効用が最大化し、労働供給量（余暇時間）と所得が決定される。

必修問題の解説 ———————————

〈最適労働供給〉

この個人が得る賃金所得は、労働を供給することによって得られるものであることから、労働供給量1単位(=1時間と考えてよい)あたりの賃金率Wと労働供給量Lの積であり、本問ではW=1であることから、

$$WL = 1 \times L = L$$

と表すことができる。

したがって、この個人が得るすべての所得は、賃金所得と非労働所得をあわせて、

賃金所得 + 非労働所得 = L + 12

となる。また、X財価格が$P_X = 2$であるから、X財への消費支出金額$P_X X$は、

$$P_X X = 2X$$

である。

そして問題文より、賃金所得と非労働所得のすべてをX財の購入に支出するので、予算制約式は、

$$L + 12 = 2X$$

となる。

$$\therefore L = 2X - 12 \quad \cdots\cdots①$$

そして、この①を効用関数に代入する。

$$U = X(24 - L) = X\{24 - (2X - 12)\} = X(36 - 2X) = 36X - 2X^2 \quad \cdots\cdots②$$

この効用Uを最大化するような消費量Xは、②のUをXで微分してゼロとおくことにより導出できる。そこで、

$$\frac{\Delta U}{\Delta X} = 36 - 4X = 0$$

$$\therefore X = 9$$

となるので、最適労働供給量Lは①より、

$$L = 2X - 12 = 2 \times 9 - 12 = 6$$

となる。

よって、正解は肢1である。

正答 **1**

1 ▶ 最適労働供給

私たちは24時間を労働時間と余暇時間に割り振っています。労働時間に応じて所得が生じるので、私たちは所得と余暇の選択をしているといえます。このような所得（労働）と余暇の選択を効用最大化により分析します。

所得と余暇の選択では、所得Yと余暇Lについて、通常のX財、Y財のような無差別曲線が存在すると仮定します。

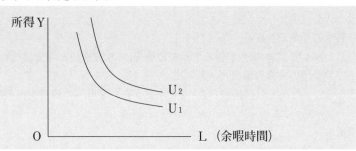

家計の所得Yが労働時間と賃金率wの積であるとする。24時間のうち、余暇時間をLとし、余暇以外の時間$(24-L)$を労働時間とすると、次の式が成立します。

$Y = w(24 - L)$　……①

（Y：所得、w：賃金率、L：余暇時間）

この①が予算制約式となります。①は、

$Y = -wL + 24w$

と変形できるので、①は、下図の直線ABのように、切片24w、傾き$-w$の直線となります。このAB線が、最適労働における予算線となります。

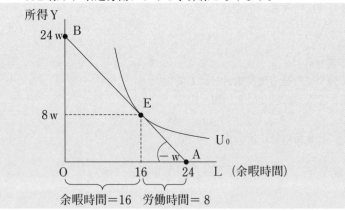

家計は予算線上の点のうちで、無差別曲線に接するE点で効用が最大になります。このときの効用最大化条件は「MRS＝w」となります。

② 最適労働供給の変化

　賃金率が上昇（下落）した場合、予算制約線は横軸切片を一定として上方（下方）に回転シフトします。図から明らかなように賃金上昇のとき、代替効果では労働供給を増加させますが、所得効果では実質所得増により余暇（上級財と仮定）を増加、すなわち労働供給を減少させるため、全部効果では労働供給は増減いずれのケースも考えられます。

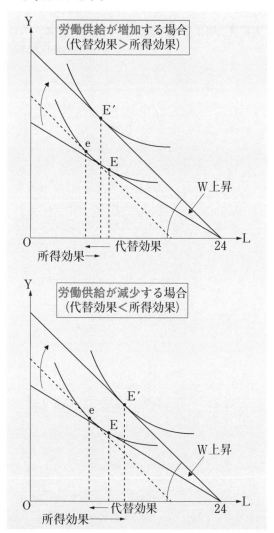

実践 問題 **45** 〈 基本レベル 〉

頻出度	地上★	国家一般職★★	特別区★
	裁判所職員★★	国税・財務・労基★★	国家総合職★★

問 ある個人は、1日の時間を全て余暇と労働に充て、この個人の効用関数が、

$$U = 8\sqrt{L} + Y \quad 〔U:効用水準、Y:所得、L:余暇時間〕$$

で示されるとき、この個人が効用最大化を図った場合の1日の労働時間として、妥当なのはどれか。ただし、実質賃金率は1時間当たり1であるとする。

(特別区2024)

1：7時間
2：7時間20分
3：7時間40分
4：8時間
5：8時間20分

OUTPUT

実践 ▶ 問題 **45** ▶ の解説

〈最適労働供給〉

労働者にとっての所得Yは、

　　Y＝実質賃金率×労働時間

と求めることができ、本問では、実質賃金率＝1であり、労働時間＝24時間－余暇時間L＝24－Lであることから、

$$Y = 1 \times (24 - L) = 24 - L \quad \cdots\cdots①$$

と表すことができる。そこで①式を効用関数に代入すると、

$$U = 8\sqrt{L} + Y = 8\sqrt{L} + (24 - L) = 8L^{\frac{1}{2}} + 24 - L \quad \cdots\cdots②$$

となり、この個人は②式を最大化するように余暇時間Lを決定するので、②式をLで微分してゼロとおき、方程式を解いてLを求めると、

$$\frac{\Delta U}{\Delta L} = 8 \times \frac{1}{2} \times L^{\frac{1}{2}-1} - 1 = 4L^{-\frac{1}{2}} - 1 = 0$$

$$4L^{-\frac{1}{2}} = 1 \quad \Rightarrow \quad \frac{4}{\sqrt{L}} = 1 \quad \Rightarrow \quad 4 = \sqrt{L} \quad \Rightarrow \quad L = 16$$

を得る。したがって、求める労働時間は、

　　24－16＝8

となる。

　よって、正解は肢4である。

正答 **4**

頻出度	地上★	国家一般職★★	特別区★
	裁判所職員★★	国税・財務・労基★★	国家総合職★★

問 ある個人は、労働の供給によってのみ所得を得ており、その効用関数が

$$U = 2ly + l^2 - 3y$$

であるとする。ただし、U は効用水準、y は所得、l は余暇時間を示す。また、この個人は、24時間を保有しており、それを労働時間か余暇時間のいずれかに充てる。

1時間当たりの賃金率が2であるとき、効用水準を最大化する労働時間はいくらか。 （国家一般職2018）

1：6時間

2：7時間

3：8時間

4：9時間

5：10時間

OUTPUT

実践 問題 **46** の解説

〈最適労働供給〉

賃金率をwとおくとw＝2であることから予算制約式は、

$$y = w(24 - \ell) = 2(24 - \ell) \quad \cdots\cdots①$$

であり、効用関数は、

$$U = 2\ell y + \ell^2 - 3y \quad \cdots\cdots②$$

であることから、①を②に代入して、

$$
\begin{aligned}
U &= 2\ell y + \ell^2 - 3y \\
&= 2\ell\{2(24 - \ell)\} + \ell^2 - 3\{2(24 - \ell)\} \\
&= 4\ell(24 - \ell) + \ell^2 - 6(24 - \ell) \\
&= 96\ell - 4\ell^2 + \ell^2 - 144 + 6\ell \\
&= 102\ell - 3\ell^2 - 144
\end{aligned}
$$

を得る。そこで、効用Uを最大化するので、Uを ℓ で微分してゼロとおくことで、効用を最大にする ℓ を求める。

$$\frac{\Delta U}{\Delta \ell} = 102 - 6\ell = 0$$

$$\therefore \ell = 17$$

以上より、求める最適な労働時間は、24－17＝7（時間）とわかる。

よって、正解は肢2である。

第4章 最適消費の応用

正答 **2**

実践 問題 **47** 〈応用レベル〉

頻出度 | 地上★ 国家一般職★★ 特別区★
裁判所職員★★ 国税・財務・労基★★ 国家総合職★★

問 余暇時間 Y と消費財の消費量 C に関して、効用関数 $U = Y^{\frac{1}{2}}C$ を持つ労働者が、効用を最大化するように、与えられた時間 T を労働時間と余暇時間に配分することを考える。この労働者は労働に対して支払われた賃金を全て消費財の購入に充てており、貯蓄することは考えない。時間当たり賃金 w、財の価格 p が所与であるとき、この労働者にとっての最適な労働時間として最も妥当なのはどれか。 (労基2023)

1 : $\dfrac{1}{4}T$

2 : $\dfrac{1}{3}T$

3 : $\dfrac{1}{2}T$

4 : $\dfrac{2}{3}T$

5 : $\dfrac{3}{4}T$

OUTPUT

実践 問題 **47** の解説 ——————————————————

〈最適労働供給〉

効用関数を$U = Y^{\frac{1}{2}}C$、時間あたり賃金をw、消費財価格をpとし、労働者に与えられた時間Tを労働時間と余暇時間に配分する。

効用関数が$u = x^a y^\beta$という定型の単項式で表されていることから、コブ＝ダグラス型効用関数の公式を使うことが可能である。

その公式とは、効用関数が$u = x^a y^\beta$というコブ＝ダグラス型の定型の単項式であり、かつ予算制約式が$M = p_x x + p_y y$（p_x：x財価格、p_y：y財価格）で表されるときは、最適なxとyでの各財への支出額は、指数a、βの比率にそれぞれ等しくなるというものである。

すなわち、効用最大化条件のもとでは、

$$p_x x = \frac{a}{a + \beta} M$$

$$p_y y = \frac{\beta}{a + \beta} M$$

となり、各財x、yの消費量

$$x = \frac{a}{a + \beta} \cdot \frac{M}{p_x}$$

$$y = \frac{\beta}{a + \beta} \cdot \frac{M}{p_y}$$

が得られる。

以上の公式を、本問に応用して解いていく（34ページ参照）。また、与えられた時間Tを労働時間と余暇時間Yに配分したうえ、労働に対して支払われた賃金をすべて消費財の購入に充てていることから、

$$w(T - Y) = pC \quad \Rightarrow \quad wT = wY + pC$$

が成立する。この式は、予算がwT、財Yの価格がw、財Cの価格がpの予算制約式であるとみなすことができる。コブ＝ダグラス型効用関数の公式を応用すると、以下のように最適余暇時間Y^*が導出される。

$$Y^* = \frac{\frac{1}{2}}{\frac{1}{2} + 1} \times \frac{w \cdot T}{w} = \frac{1}{3} T$$

よって、最適な労働時間L^*は、

$$L^* = T - Y^* = T - \frac{1}{3} T = \frac{2}{3} T$$

となる。

よって、正解は肢4である。

正答 **4**

第4章 最適消費の応用

実践 問題 **48** ＜応用レベル＞

頻出度	地上★　　　　国家一般職★★　　　特別区★ 裁判所職員★★　　国税・財務・労基★★　　国家総合職★★

問 効用を最大化する、ある個人の効用関数が以下のように示される。

$u = x(24 - L)$

（u：効用水準、x：X財の消費量、L：労働時間（単位：時間、$0 < L < 24$））

この個人は、労働を供給して得た賃金所得と非労働所得の全てをX財の購入に充てるものとし、1日（24時間）を労働時間か余暇時間のいずれかに充てるものとする。

X財の価格を2、非労働所得を60とするとき、この個人の労働供給関数として妥当なのはどれか。ただし、w（$w > 0$）は時間当たりの賃金である。

（国家一般職2019）

1 ： $L = \dfrac{24w}{w + 4}$

2 ： $L = \dfrac{24w}{w + 6}$

3 ： $L = 10 - \dfrac{30}{w}$

4 ： $L = 12 - \dfrac{30}{w}$

5 ： $L = 12 - \dfrac{60}{w}$

実践 問題 **48** の解説

〈最適労働供給〉

この個人が得る賃金所得は、労働を供給することによって得られるものであるため、時間あたりの賃金wと労働時間Lの積であり、

$$w \cdot L = wL$$

と表すことができる。また、この個人が得るすべての所得は、賃金所得と非労働所得の和であるため、

賃金所得＋非労働所得＝$wL + 60$

となる。一方、X財の支出金額は、X財の価格2とX財の消費量xであり、

$$2 \cdot x = 2x$$

と表すことができる。そして問題文より、賃金所得と非労働所得のすべてをX財の購入に充てるものとしているため、予算制約式は、

$$wL + 60 = 2x$$

となり、式変形すると、

$$x = \frac{1}{2}wL + 30 \quad \cdots\cdots ①$$

となる。そして、この①式を効用関数に代入すると、

$$U = x(24 - L)$$

$$U = \left(\frac{1}{2}wL + 30\right)(24 - L)$$

$$U = 12wL - \frac{1}{2}wL^2 + 30 \cdot 24 - 30L$$

となり、この効用Uを最大化するような労働時間Lは、UをLで微分してゼロとおくことにより導出できる。そこで、

$$\frac{\Delta U}{\Delta L} = 12w - wL - 30 = 0$$

$$wL = 12w - 30$$

$$L = 12 - \frac{30}{w}$$

と労働供給関数が導出される。

よって、正解は肢4である。

正答 **4**

実践 問題 **49** 〈応用レベル〉

頻出度	地上★	国家一般職★★	特別区★
	裁判所職員★★	国税·財務·労基★★	国家総合職★★

問 個人の効用関数が次のように与えられているとする。

$$u = (24 - L)^2 x$$

u：効用水準、 x：X財の消費量、 L：労働時間

　この個人は、労働により得た賃金所得のすべてをX財の購入に充て、賃金所得以外に所得はないものとする。また、1日(24時間)を労働時間か余暇時間のいずれかに充てるものとする。X財の価格を p、1時間あたりの賃金を w とするとき、この個人のX財の需要関数として妥当なものはどれか。

（裁事2024）

1 ： $x = 24 - \dfrac{12\,p}{w}$

2 ： $x = 12 - \dfrac{8\,w}{p}$

3 ： $x = 8$

4 ： $x = \dfrac{8\,w}{p}$

5 ： $x = \dfrac{12\,p}{w}$

OUTPUT

実践 問題 **49** の解説

〈最適労働供給〉

題意より、予算制約式を求め、以下のように変形する。

$$p\,x = w\,L \quad \Rightarrow \quad x = \frac{w}{p}L \quad \cdots\cdots ①$$

①を効用関数に代入すると、

$$u = (24 - L)^2 \frac{w}{p}L$$

$$u = (24^2 - 48L + L^2)\frac{w}{p}L$$

$$u = (24^2 L - 48L^2 + L^3)\frac{w}{p}$$

となる。効用が最大となる労働時間を、効用関数 u を L で微分してゼロとおくことによって求めると、

$$\frac{\Delta u}{\Delta L} = (24^2 - 96L + 3L^2)\frac{w}{p} = 0$$

$$3(8 \cdot 24 - 32L + L^2)\frac{w}{p} = 0$$

→ $(L - 24)(L - 8) = 0$ (w、p はゼロでなはい)

→ $L = 8$ (時間)(効用関数の式より、L＜24である)

となる。これを①に代入して、$x = \dfrac{8w}{p}$ を得る。

よって、正解は肢 4 である。

【別解】

本問は、余暇を y とおくと、$y = 24 - L$ となるので、効用関数を余暇 y を用いて書き直すと、

$$u = y^2 x$$

となり、予算制約式は、

$$p\,x = w\,L \quad \Rightarrow \quad p\,x = w(24 - y) \quad \Rightarrow \quad p\,x + w\,y = 24w$$

となるので、x の価格 p、y の価格 w、所得24w として x 財の需要関数を求めればよいことになる。効用関数がコブ＝ダグラス型となっているので、支出割合法の公式を用いて x 財の需要関数を求めると、

$$x = \frac{1}{1 + 2} \times \frac{24w}{p} = \frac{8w}{p}$$

を得る。よって、正解は肢 4 である。

正答 **4**

第**4**章 最適消費の応用

実践 問題 **50** 〈 基本レベル 〉

頻出度	地上★	国家一般職★★	特別区★
	裁判所職員★★	国税・財務・労基★★	国家総合職★★

問 ある個人は働いて得た賃金の全てをY財の購入に支出するものとする。この個人の効用関数が、

$$u = x^3 y^2$$

$$\left[\begin{array}{l} u \ :効用水準、\ x:1年間(365日)における余暇(働\\ \quad かない日)の日数、\\ y \ :Y財の消費量 \end{array} \right]$$

で示され、Y財の価格が2、労働1日当たりの賃金率が4であるとき、この個人の1年間(365日)の労働日数はいくらか。

ただし、この個人は効用を最大にするように行動するものとする。

(国税・財務・労基2013)

1：73
2：92
3：146
4：219
5：292

OUTPUT

実践 問題 **50** の解説

〈最適労働供給〉

【解法１：効用最大化条件を使う解法】

予算制約式を導出する。個人の労働日数は365－xで表せる。よって、賃金が4であるから年収は、

$$4(365-x) = 年収$$

となる。題意より、年収のすべてをY財への購入に充てることから、

$$4(365-x) = 2y$$

$$\Rightarrow \quad 730 = 2x + y \quad \cdots\cdots①$$

を得る。①が余暇とY財の予算制約式となり、X財の価格が2、Y財の価格が1、予算が730であると解釈することができる。

余暇の日数xやY財の消費量yに関する限界効用をそれぞれ求めると、

$$MU_x = 3x^{3-1}y^2 = 3x^2y^2$$

$$MU_y = 2x^3y^{2-1} = 2x^3y$$

であるから、これらを使って効用最大化条件$\dfrac{MU_x}{MU_y} = \dfrac{x財の価格}{y財の価格}$を求める。つまり、

$$\frac{MU_x}{MU_y} = \frac{3x^2y^2}{2x^3y} = \frac{2}{1} \quad \Rightarrow \quad \frac{3y}{2x} = \frac{2}{1} \quad \Rightarrow$$

$$y = \frac{4}{3}x \quad \cdots\cdots② \quad （効用最大化条件）$$

である。効用最大化条件②を予算制約式①に代入すると、

$$730 = 2x + \left(\frac{4}{3}x\right) \quad \Rightarrow \quad 2190 = 10x \quad \Rightarrow \quad x = 219$$

よって、余暇日数は219日である。問題では労働日数を答える必要があるから、

$$365 - 219 = 146日$$

が答えとなる。よって、正解は肢３である。

【解法２：コブ＝ダグラス型効用関数の場合の公式を使う解法】（34ページ参照）

本問では、効用関数は$u = x^3y^2$、予算式は$730 = 2x + y$である。効用関数が単項式で表されていることから、コブ＝ダグラス型効用関数の場合の公式を使うことが可能である。公式を使用すると、以下のようになる。

$$x = \frac{3}{3+2} \times \frac{730}{2} = \frac{3}{5} \times 365 = 3 \times 73 = 219（日）$$

よって、労働日数は$365 - 219 = 146（日）$となる。

正答 3

第4章 最適消費の応用

実践 問題 **51** 〈 基本レベル 〉

頻出度	地上★	国家一般職★★	特別区★
	裁判所職員★	国税・財務・労基★★	国家総合職★

問 ある労働者は、1時間当たりの賃金が900円のときに週40時間働き、1時間当たりの賃金が1,200円に上昇したときに週30時間働いたとする。この場合の余暇に関する記述として、妥当なのはどれか。

　　ただし、物価水準は一定であり、労働時間以外の時間を余暇とする。また、この労働者は、労働時間を自由に選択でき、自らの効用が最大になる選択をするものとする。

(特別区2013)

1：余暇は上級財であり、余暇の代替効果は所得効果よりも大きい。

2：余暇は上級財であり、余暇の代替効果は所得効果よりも小さい。

3：余暇は上級財であり、余暇の代替効果と所得効果の大きさは等しい。

4：余暇は下級財であり、余暇の代替効果は所得効果よりも大きい。

5：余暇は下級財であり、余暇の代替効果は所得効果よりも小さい。

OUTPUT

実践 問題 **51** の解説 ─────────────────

〈最適労働供給〉

問題文の数値を総合すると、以下のような位置関係の図が描ける。

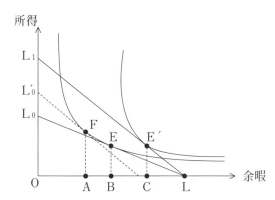

1時間あたりの賃金が900円のときの予算制約式を図のL L₀で表すとする。効用最大化点はE点である。ＢＬの長さが労働時間となって40(時間)である。

1時間あたりの賃金が1,200円に上昇したときには、予算制約式は、L L₀からL L₁へと回転シフトする。効用最大化点はE′点であり、ＣＬの長さが労働時間となって30(時間)である。

代替効果は変化後の賃金率で変化前の効用を実現する補助線(図の破線L′₀)と接点Ｆから求められる。線分ＡＢの長さが代替効果であり労働時間に正の効果がある。なお、代替効果では賃金が上昇すると労働時間は必ず増大する。

所得効果は補助線(図の破線L′₀)との接点Ｆから変化後の最適点E′への移動での労働時間の変化であり、線分ＡＣの長さのことを指す。賃金の上昇による実質所得の上昇により、通常は上級財となる余暇は増加し労働時間は減少するので、所得効果では、労働時間にマイナスの効果がある。

以上より、賃金の上昇によって、代替効果では労働時間が増加し、所得効果では労働時間が減少することがわかる。代替効果と所得効果をあわせた全部効果でみると、本問では賃金の上昇によって労働時間が週40時間から週30時間に減少しているので、代替効果より所得効果のほうが大きいことがわかる。

また、図でみると、

線分ＡＢの長さ(代替効果) ＜ 線分ＡＣの長さ(所得効果)

となる。

よって、正解は肢2である。

正答 2

実践 問題 **52** 応用レベル

頻出度	地上★	国家一般職★	特別区★★
	裁判所職員★	国税·財務·労基★	国家総合職★

問 効用が最大になるようにＸ財とＹ財の二つの財の消費の組合せを決定するある消費者を考える。この消費者は、図の予算制約(1)と予算制約(2)において、点Ａ～Ｅの五つの中からそれぞれ一つずつの点を選ぶものとする。

この消費者の効用に関する次の記述のうち、最も妥当なのはどれか。ただし、顕示選好の弱公理が成立しているとする。 (国家一般職2024)

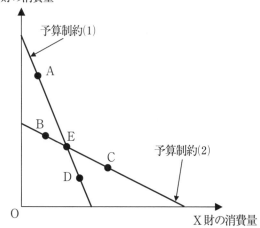

1：予算制約(1)のときに点Ａが、予算制約(2)のときに点Ｂが選ばれた。このとき、点Ａにおける効用は点Ｂにおける効用より必ず高いといえる。

2：予算制約(1)のときに点Ａが、予算制約(2)のときに点Ｃが選ばれた。このとき、点Ａにおける効用は点Ｃにおける効用より必ず高いといえる。

3：予算制約(1)のときに点Ａが、予算制約(2)のときに点Ｅが選ばれた。このとき、点Ｅにおける効用は点Ａにおける効用より必ず高いといえる。

4：予算制約(1)のときに点Ｄが、予算制約(2)のときに点Ｃが選ばれた。このとき、点Ｄにおける効用は点Ｃにおける効用より必ず高いといえる。

5：予算制約(1)のときに点Ｅが、予算制約(2)のときに点Ｃが選ばれた。このとき、点Ｅにおける効用は点Ｃにおける効用より必ず高いといえる。

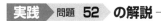

実践 問題 **52** の解説 ────────────────

〈顕示選好〉

　「顕示選好」とは、「予算制約線で表された消費可能領域において消費可能な点AとBが提示されたときに、消費者がたとえば、"点AよりもBを選択する"という選好の意思決定を顕示する（＝はっきりと示す）こと」である。さらに、「顕示選好の弱公理」とは、「予算制約線で表された消費可能領域における消費可能な点AとBから、消費者がひとたび"点AよりもBを選択する"という選好の意思決定を顕示すると、点AとBが消費可能領域の中にある状況が継続しているならば"点BよりもAを選択する"という逆の順位の選好を示すことはない」という経済学における考え方である。

　この考え方に基づいて、肢1〜5について検討する。

1 ○ 予算制約(1)のときに点Aが選ばれた。これは消費可能領域の中にある点A、E、D、Bのうち点Aで最も効用が高い、ということを意味するので、効用について、

　　　「A＞E、D、B」 ……①

であることがわかる。次に、予算制約(2)のときに点Bが選ばれた。これは消費可能領域の中にある点B、E、C、Dのうち点Bで最も効用が高い、ということを意味するので、効用について、

　　　「B＞E、C、D」 ……②

であることがわかる。そこで点AとBの効用について①と②より比較すると、①より「A＞B」がきちんと成立していることがわかるので、本肢が正解である。

2 × 予算制約(1)のときに点Aが選ばれた。これは消費可能領域の中にある点A、E、D、Bのうち点Aで最も効用が高い、ということを意味するので、効用について、

　　　「A＞E、D、B」 ……③

であることがわかる。次に、予算制約(2)のときに点Cが選ばれた。これは消費可能領域の中にある点B、E、C、Dのうち点Cで最も効用が高い、ということを意味するので、効用について、

　　　「C＞B、E、D」 ……④

であることがわかる。そこで点AとCの効用について③と④より比較すると、③と④の情報だけではどちらの効用のほうが高いか確認することはできないので、本肢は誤りである。

第4章 最適消費の応用

3✕ 予算制約(1)のときに点Aが選ばれた。これは消費可能領域の中にある点A、E、D、Bのうち点Aで最も効用が高い、ということを意味するので、効用について、

「A＞E、D、B」……⑤

であることがわかる。次に、予算制約(2)のときに点Eが選ばれた。これは消費可能領域の中にある点B、E、C、Dのうち点Eで最も効用が高い、ということを意味するので、効用について、

「E＞B、C、D」……⑥

であることがわかる。そこで点AとEの効用について⑤と⑥より比較すると、⑤より「A＞E」が成立していることがわかるので、本肢は誤りである。

4✕ 予算制約(1)のときに点Dが選ばれた。これは消費可能領域の中にある点A、E、D、Bのうち点Dで最も効用が高い、ということを意味するので、効用について、

「D＞A、E、B」……⑦

であることがわかる。次に、予算制約(2)のときに点Cが選ばれた。これは消費可能領域の中にある点B、E、C、Dのうち点Cで最も効用が高い、ということを意味するので、効用について、

「C＞B、E、D」……⑧

であることがわかる。そこで点DとCの効用について⑦と⑧より比較すると、⑧より「C＞D」が成立していることがわかるので、本肢は誤りである。

5✕ 予算制約(1)のときに点Eが選ばれた。これは消費可能領域の中にある点A、E、D、Bのうち点Eで最も効用が高い、ということを意味するので、効用について、

「E＞A、D、B」……⑨

であることがわかる。次に、予算制約(2)のときに点Cが選ばれた。これは消費可能領域の中にある点B、E、C、Dのうち点Cで最も効用が高い、ということを意味するので、効用について、

「C＞B、E、D」……⑩

であることがわかる。そこで点EとCの効用について⑨と⑩より比較すると、⑩より「C＞E」が成立していることがわかるので、本肢は誤りである。

【コメント】

　顕示選好の弱公理についてよく知らなかったとしても、本問の図を注意深く見れば解けると思われるので、落ち着いて対応したい問題である。

正答 1

memo

実践 問題 53 応用レベル

頻出度	地上★	国家一般職★	特別区★
	裁判所職員★	国税・財務・労基★	国家総合職★

問 次の図ア～エは、縦軸にY財を、横軸にX財をとり、ある家計が、予算線L^0のときには点Aを、予算線L^1のときには点Bを選択したことを表したものであるが、このうち顕示選好の弱公理と矛盾する行動をとっているものを選んだ組合せとして、妥当なのはどれか。ただし、点A及び点Bはそれぞれの予算線上にあるものとする。 (特別区2020)

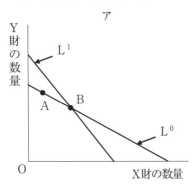

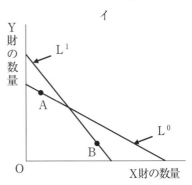

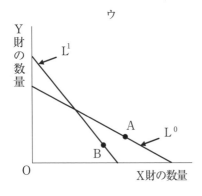

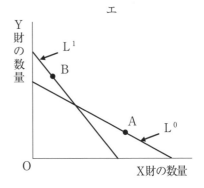

1：ア　イ
2：ア　ウ
3：ア　エ
4：イ　ウ
5：イ　エ

OUTPUT

実践 問題 **53** の解説

〈顕示選好〉

　「顕示選好」とは、「予算線で表された消費可能領域において消費可能な点Aと Bが提示されたときに、家計（消費者）がたとえば"点AよりもBを選択する"という 選好の意思決定を顕示する（＝はっきりと示す）こと」である。さらに、「顕示選好 の弱公理」とは、「予算線で表された消費可能領域における消費可能な点AとBから、 家計（消費者）がひとたび"点AよりもBを選択する"という選好の意思決定を顕示す ると、点AとBが消費可能領域の中にある状況が継続しているならば"点Bよりも Aを選択する"という逆の順位の選好を示すことはない」という経済学における考 え方である。

　この考え方に基づいて、ア～エの各図について検討する。

図ア　矛盾する。予算線L^0において（点Bよりも）点Aを選択したのであれば、予 　　　算線L^1になっても点AとBが消費可能領域の中にある状況が継続している 　　　ので（点Bよりも）点Aを選択するはずである。したがって、問題文に記述さ 　　　れたように予算線L^1のときに（点Aよりも）点Bを選択するのであれば、「顕 　　　示選好の弱公理」と矛盾する行動をとっていることになる。

図イ　矛盾する。予算線L^0において（点Bよりも）点Aを選択したのであれば、予 　　　算線L^1になっても点AとBが消費可能領域の中にある状況が継続している 　　　ので（点Bよりも）点Aを選択するはずである。したがって、問題文に記述さ 　　　れたように予算線L^1のときに（点Aよりも）点Bを選択するのであれば、「顕 　　　示選好の弱公理」と矛盾する行動をとっていることになる。

図ウ　矛盾しない。予算線L^0において（点Bよりも）点Aを選択した後に、予算線 　　　がL^1になると点Aは消費可能領域の外にある状況になったので点Aを選択 　　　することができなくなっている。したがって、問題文に記述されたように予 　　　算線L^1のときに点Bを選択するとしても、「顕示選好の弱公理」と矛盾する 　　　行動をとっていることにはならない。

図エ　矛盾しない。予算線L^0において点Aを選択した後に、予算線がL^1になると 　　　点Aは消費可能領域の外にある状況になったので点Aを選択することがで 　　　きなくなっている。したがって、問題文に記述されたように予算線L^1のと 　　　きに点Bを選択するとしても、「顕示選好の弱公理」と矛盾する行動をとっ 　　　ていることにはならない。

　以上より、「顕示選好の弱公理」と矛盾する行動をとっていること を表す図はアとイであるので、正解は肢1である。

第4章　最適消費の応用

正答 1

Q1 異時点間の最適消費では、無差別曲線と予算制約線の接点Eで消費者の効用は最大化し、今期消費量C_0と来期消費量C_1が決定するが、下図において、この消費者は貯蓄を全く行っていない個人であるといえる。なお、Y_0：今期所得、Y_1：来期所得とする。

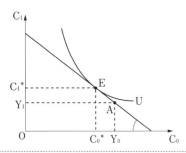

Q2 異時点間の最適消費の効用最大化条件は、利子率をrとすると、限界代替率と$(1+r)$が等しいことである。

Q3 利子率が上昇すると、予算制約線は今期所得と来期所得の組合わせの点を中心に、傾きが大きくなる。このとき、消費者は貯蓄を必ず増加させることとなる。なお、消費は上級財と仮定する。

Q4 代替効果よりも所得効果のほうが大きい場合、利子率が上昇すると、消費者の貯蓄は増加することとなる。

Q5 最適労働供給が達成されるときの効用最大化条件として、一般的に限界代替率と賃金率が等しくなることが挙げられる。

Q6 賃金率が上昇した場合、労働供給は必ず増加する。ただし、余暇は上級財と仮定する。

Q7 賃金率が上昇した場合、代替効果が所得効果より大きければ、労働供給は必ず増加する。ただし、余暇は上級財と仮定する。

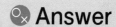

A1 × 図中の点Aは今期と来期の所得の組合せを表し、点Eは異時点間の最適消費の組合せを表す。このとき、下図のように貯蓄はS_0で表される。

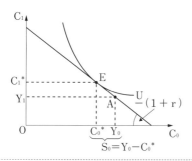

A2 ○ 上図からも明らかなように、点Eでは予算制約線の傾きと無差別曲線の接線の傾きが等しくなっている。縦軸を来期消費、横軸を今期消費の図において、予算制約線の傾きは$-(1+r)$である。よって、異時点間の最適消費における効用最大化条件は、$MRS = 1 + r$となる。

A3 × 前半は正しい。このとき、貯蓄をすれば利息が増えるので、その分来期の消費が増加することから代替効果では必ず今期消費を減少させ貯蓄を増加させるが、所得効果では実質所得増により今期消費を増加させ、貯蓄を減少させる。それゆえに、全部効果では代替効果と所得効果の大小関係により貯蓄は増減いずれのケースも考えられる。

A4 × このとき貯蓄は減少する。貯蓄が増加するのは、代替効果＞所得効果の場合である。

A5 ○ 1日を余暇Lと労働に分けることができると仮定すると、労働時間は1日24時間から余暇を引いた残り、そして賃金率をWとすると、$Y = W \times (24 - L)$という予算制約線が得られる。そして、無差別曲線と予算制約線の接点で消費者の効用は最大化し、この点において労働量（または余暇）と所得が決定する。このときMRSと予算制約線の傾きの絶対値、すなわち賃金率が等しくなっている。よって、最適労働供給が達成されるときの効用最大化条件はMRS＝Wとなる。

A6 × 賃金率が上昇した場合、予算制約線の傾きは大きくなる。このとき、代替効果によって労働供給が増加するが、所得効果によって実質所得増により余暇（上級財と仮定）が増加、すなわち労働供給が減少するため、全部効果では労働供給は増減いずれのケースも考えられる。

A7 ○ 6の解説参照のこと。

memo

ミクロ経済学

第2編
生産者理論

第**1**章

最適生産

SECTION

① 生産関数
② 費用最小化

第1章 最適生産

出題傾向の分析と対策

試験名	地 上			国家一般職			特別区			裁判所職員			国税・財務・労基			国家総合職		
年　度	16-18	19-21	22-24	16-18	19-21	22-24	16-18	19-21	22-24	16-18	19-21	22-24	16-18	19-21	22-24	16-18	19-21	22-24
出題数 セクション	2					2				1				2	1	1		
生産関数	★★									★				★	★			
費用最小化						★★								★		★		

(注) 1つの問題において複数の分野が出題されることがあるため、星の数の合計と出題数とが一致しないことがあります。

　第1章で論じる「生産関数」を用いた利潤最大化や、同関数を用いた「費用最小化」といったテーマは、大学テキストでは質、量ともにかなりの分量があります。しかしながら、出題頻度は高くありません。出題頻度の高さからいえば、第2章「費用曲線」に関するテーマのほうが重要です。

地方上級

　地方上級ではこの分野の出題は少なくなっていますが、過去には応用問題が出題されていました。応用問題に対応できるように、基礎的な内容を確認しましょう。

国家一般職

　近年では、利潤最大化・費用最小化に関する問題が出題されています。基本的な内容を問う問題が多いため、公式や条件の確認を行いましょう。

特別区

　東京都特別区では近年この分野の出題は少なくなっていますが、生産者理論は、経済学全般にわたって重要な概念なので、しっかりと学習しておきましょう。

裁判所職員

　過去には企業の利潤最大化に関する問題が出題されています。生産関数に関する基本的な式変形をできるようにしておきましょう。

国税専門官・財務専門官・労働基準監督官

　近年では企業の利潤最大化に関する問題が出題されています。企業の利潤最大化条件から計算をさせる傾向があるので、基本的な公式や条件の確認を行いましょう。

国家総合職

　過去には企業の利潤最大化に関する問題が出題されています。基本的な公式や条件を確認することはもちろんのこと、「共有地の悲劇」といった応用的な内容を含んだ問題も出題されるので、対応できるように多くの問題に触れておきましょう。

Advice 学習と対策
アドバイス

　第1編で学んだ最適消費の重要概念である個人の効用最大化が、企業の利潤最大化に変わっただけであることに気づけば、理解は進むと思います。多くの分野にかかわる理論ですので、しっかりと概念をとらえ、理解していくようにしましょう。

生産関数

必修問題 セクションテーマを代表する問題に挑戦！

生産関数の分野では、利潤最大化の条件を押さえておくことが何よりも重要となります。

問 ある企業は、労働からある財を生産しており、この企業の生産関数が

$$x = \sqrt{L} \quad 〔x：生産量、L：労働量〕$$

で表されるとする。財の価格を p、賃金を w、固定費用を 0 としたとき、この企業の労働需要量、財の供給量及び最大化された利潤の組合せとして最も適当なのはどれか。　　　　　　　　（裁事2007）

	労働需要量	財の供給量	最大化された利潤
1：	$\dfrac{p^2}{4w^2}$	$\dfrac{p}{4w}$	$\dfrac{p^2}{4w}$
2：	$\dfrac{p}{2w}$	$\dfrac{p}{2w}$	$\dfrac{p^2}{2w}$
3：	$\dfrac{p^2}{4w}$	$\dfrac{p^2}{2w}$	$\dfrac{p}{4w^2}$
4：	$\dfrac{p}{2w}$	$\dfrac{p}{4w}$	$\dfrac{p^2}{2w}$
5：	$\dfrac{p^2}{4w^2}$	$\dfrac{p}{2w}$	$\dfrac{p^2}{4w}$

Guidance ガイダンス

生産関数が

$$x = f(L) \quad （x：生産量、L：労働投入量）$$

で与えられているときに、企業の利潤 π は

$$\pi = Px - wL$$

$$\Rightarrow \quad \pi = Pf(L) - wL \quad （P：財の市場価格、w：賃金）$$

で表せる。利潤最大化条件は、

$$\frac{\Delta\pi}{\Delta L} = 0 \quad \Rightarrow \quad P \times \frac{\Delta f(L)}{\Delta L} = w$$

である。

の解説

〈生産関数〉

【解法1】

利潤式は次のとおりである。

$$\pi = p\sqrt{L} - wL \quad \cdots\cdots①$$

以下のように利潤式①をLで微分しゼロとおく。

$$\frac{\Delta\pi}{\Delta L} = \frac{1}{2}pL^{-\frac{1}{2}} - w = 0 \quad \cdots\cdots② \quad （利潤最大化条件）$$

②をLについて解くと③のような労働需要量が得られる。

$$L = \frac{p^2}{4w^2} \quad \cdots\cdots③$$

③より肢1、肢5に絞れる。

③を生産関数 $x = \sqrt{L}$ に代入してLを消去すると、財の供給量として以下の式を得る。

$$x = \sqrt{\frac{p^2}{4w^2}} = \frac{p}{2w} \quad \cdots\cdots④$$

よって、正解は肢5である。

また、③を①に代入すると、最大化された利潤を以下の⑤のように得る。

$$\pi = p\sqrt{\frac{p^2}{4w^2}} - w\frac{p^2}{4w^2}$$

$$= \frac{p^2}{4w} \quad \cdots\cdots⑤$$

⑤をみれば正解が肢5であることがさらに確かめられる。

【解法2】

労働の限界生産力 MP_L が実質賃金率 $\frac{w}{p}$ に等しいときに利潤は最大になる。

よって、利潤最大化条件は $\frac{\Delta x}{\Delta L} = \frac{1}{2}L^{-\frac{1}{2}} = \frac{w}{p}$ となり、

Lについて解けば、労働需要量③式が得られる。

正答 5

Step ステップ　生産関数にはいくつかの種類がある。コブ＝ダグラス型生産関数（$Y = K^{\alpha}L^{\beta}$）、レオンチェフ型生産関数（$Y = \min\{K、L\}$）などがその例である。

$\mathbb{S}$ ECTION $\textcircled{1}$ 第1章 最適生産 生産関数

1 生産関数と限界生産力

　企業が生産に投入する資本K・労働Lと生産量Qの対応関係を表す式が**生産関数**です。

（例）生産関数：$Q = K^{0.5} L^{0.5}$

　　$K = 4$台、$L = 16$人を投入　$\Rightarrow$　$Q = 4^{0.5} \times 16^{0.5} = 2 \times 4 = 8$

　労働の限界生産力MP_Lとは、労働を1単位増やしたときの生産量の増分を表します。労働の限界生産力MP_Lは生産関数の接線の傾きで表します。また、**資本の限界生産力**MP_Kは資本を1単位増やしたときの生産量の増分を表します。MP_L、MP_Kはともに生産関数をL、Kで微分して導出します。

（例）$Q = K^{0.5} L^{0.5}$

$$MP_L = \frac{\Delta Q}{\Delta L} = 0.5K^{0.5} L^{0.5-1} = 0.5K^{0.5} L^{-0.5} = 0.5 \left(\frac{K}{L} \right)^{0.5}$$

$$MP_K = \frac{\Delta Q}{\Delta K} = 0.5K^{0.5-1} L^{0.5} = 0.5K^{-0.5} L^{0.5} = 0.5 \left(\frac{K}{L} \right)^{-0.5}$$

　要素投入量の決定において資本投入量を変更できないような期間を**短期**といいます。短期では生産量は労働のみで決定されると仮定します。短期生産関数のグラフは下図のようにS字型であると仮定されます。なお、資本と労働の両方の投入量を変更できる期間を**長期**といいます。

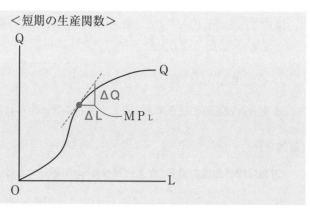

＜短期の生産関数＞

2 短期の利潤最大化

　短期の分析では企業は資本量Kを一定とし、労働Lのみで利潤πを最大化します。以下のような利潤式と生産関数において、

　　$\pi = PQ - wL - rK$　……（利潤式）

$$Q = K^{0.5} L^{0.5} \quad \cdots\cdots（生産関数）$$

（P：価格、w：賃金、r：資本価格）

ＰＱは総収入を表し、ｗＬは費用を表します。ｒＫは固定費用であり定数です。Ｑは生産関数で$K^{0.5} L^{0.5}$となっています。

通常、利潤πのグラフは山型をしており利潤最大化点はグラフの頂上となります。数式ではπをＬで微分してゼロとした式が利潤最大化条件です。

$$\frac{\Delta \pi}{\Delta L} = P\frac{\Delta Q}{\Delta L} - w = 0 \quad または \quad MP_L = \frac{w}{P}$$

労働の限界生産力MP_Lが実質賃金率$\frac{w}{P}$に等しくなるように労働Ｌを決定すると、利潤πが最大となります。

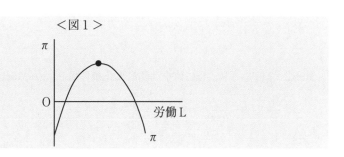

＜図１＞

3 長期の利潤最大化

長期では資本Ｋと労働Ｌの両方の投入量を選択できると考えます。長期の利潤関数は以下のように定義されます。

$$\pi = PQ - wL - rK \quad \cdots\cdots①$$
$$Q = F(K、L)$$

（P：価格、Q：生産関数、w：賃金、r：資本価格）

長期の利潤最大化をする労働Ｌと資本Ｋの量は利潤式①をＬおよびＫで微分してゼロとおいた２つの式で表されます。

$$\begin{cases} \dfrac{\Delta \pi}{\Delta L} = P\dfrac{\Delta Q}{\Delta L} - w = 0 \\[2mm] \dfrac{\Delta \pi}{\Delta K} = P\dfrac{\Delta Q}{\Delta K} - r = 0 \end{cases} \quad または \quad \begin{cases} MP_L = \dfrac{w}{P} \\[2mm] MP_K = \dfrac{r}{P} \end{cases}$$

4 生産関数での利潤最大化の計算

【例題】

以下のような生産関数を持つ企業がある。

$$Q = L^{\frac{1}{2}} \quad (L：労働投入量、Q：生産量)$$

生産する財の価格が2000円、賃金が時給500円であるときの利潤が最大になる労働投入量Lを求めよ。

【解法1：利潤最大化条件　$MPL = \dfrac{w}{P}$を用いる方法】

Step1.　生産関数をLで微分してMP$_L$を作ります。

$$MP_L = \frac{\Delta Q}{\Delta L} = \frac{1}{2}L^{-\frac{1}{2}}$$

Step.2　MP$_L$、P、wの値を利潤最大化条件$MP_L = \dfrac{w}{P}$に代入します。

$$\Rightarrow \quad \frac{1}{2}L^{-\frac{1}{2}} = \frac{500}{2000} \quad \Rightarrow \quad \frac{1}{L^{\frac{1}{2}}} = \frac{1}{2} \quad \Rightarrow \quad L^{\frac{1}{2}} = 2$$

$$\Rightarrow \quad L = 4$$

【解法2：利潤式（π）を微分してゼロとおく方法】

Step.1　本文に即して利潤πをLの式で表します。

$$\pi = PQ - wL \quad \Rightarrow \quad \pi = 2000Q - 500L$$

$$\Rightarrow \quad \pi = 2000L^{\frac{1}{2}} - 500L \quad \cdots\cdots①$$

Step.2　利潤式①をLで微分してゼロとおきます。

$$\frac{\Delta \pi}{\Delta L} = 2000 \times \frac{1}{2}L^{-\frac{1}{2}} - 500 = 0 \quad \Rightarrow \quad 1000L^{-\frac{1}{2}} - 500 = 0$$

$$\Rightarrow \quad L^{-\frac{1}{2}} = \frac{500}{1000} \quad \Rightarrow \quad \frac{1}{L^{\frac{1}{2}}} = \frac{1}{2} \quad \Rightarrow \quad L^{\frac{1}{2}} = 2$$

$$\Rightarrow \quad L = 4$$

memo

実践 問題 **54** 応用レベル

頻出度	地上★	国家一般職★	特別区★
	裁判所職員★	国税・財務・労基★	国家総合職★

問 生産物の産出量をY、資本量をK、労働量をLとし、ある企業の生産関数がY＝10K$^{0.6}$L$^{0.4}$で表されるものとする。

今、実質賃金率が48であるとしたとき、労働の平均生産性$\dfrac{Y}{L}$の値はどれか。

ただし、市場は完全競争市場で、資本量Kは固定されたものとする。

(特別区2015)

1： 40

2： 60

3： 80

4：120

5：160

実践 問題 **54** の解説

労働の限界生産力をMP_Lとし、生産関数$Y=10K^{0.6}L^{0.4}$をLで微分してMP_Lを求めると次のとおりとなる。

$$MP_L=0.4\times10K^{0.6}L^{0.4-1}=4K^{0.6}L^{-0.6}$$

実質賃金率とは、名目賃金を価格で割ったもの$\left(\dfrac{W}{P}\right)$であり、問題文では48と与えられている。また、労働の限界生産力MP_Lが実質賃金率$\dfrac{W}{P}$に等しいときに利潤は最大になるため、

$$MP_L=\frac{W}{P}\quad\cdots\cdots(\text{利潤最大化条件})$$

$$\rightarrow\quad 4K^{0.6}L^{-0.6}=48$$

$$\rightarrow\quad K^{0.6}L^{-0.6}=12\quad\cdots\cdots①$$

を得る。

労働の平均生産性$\dfrac{Y}{L}$は生産関数をLで割ることで導出される。

$$\frac{Y}{L}=10K^{0.6}L^{0.4}L^{-1}$$

$$\rightarrow\quad\frac{Y}{L}=10K^{0.6}L^{-0.6}$$

$$\rightarrow\quad\frac{Y}{L}=10\times12=120\quad(\because①)$$

よって、正解は肢4である。

正答 4

実践 問題 **55** 〈応用レベル〉

頻出度	地上★	国家一般職★	特別区★
	裁判所職員★	国税·財務·労基★	国家総合職★

問 ある地主が所有する土地のコメの生産量は、そこで働く労働者の「努力水準」に依存し、

$$y = \sqrt{x} \quad 〔y：コメの生産量、x：努力水準〕$$

で示されるとする。

労働者の効用関数は、この土地で働いた場合は報酬と努力水準に依存し、

$$u = w - x^2 \quad 〔u：効用水準、w：報酬、x：努力水準〕$$

で示されるが、他の仕事についた場合に得られる効用はu＝20であり、それを下回ると他へ移ってしまう。地主の利潤が最大になるような労働者の努力水準 x はいくらか。ただし、コメの価格は32であるものとする。　　　　（地上2007）

1：x = 1
2：x = 2
3：x = 3
4：x = 4
5：x = 5

実践 問題 **55** の解説 ─────────────

〈生産関数〉

　地主の利潤を π で表すと、利潤は売上32 y（米の生産量 y と米の価格32を掛けたもの）と報酬wの差であると考えられるから、

$$\pi = 32\,y - w$$

と表される。ここで生産関数が y ＝√x であるから、

$$\pi = 32\sqrt{x} - w \quad \cdots\cdots①$$

が地主の利潤関数であり、労働者の努力水準 x に応じて利潤 π が決定される。

　労働者の効用関数をみると、

$$u = w - x^2$$

となっており、報酬wは効用にプラスに働くが、努力水準 x の2乗に比例して効用が減少する。問題文にあるとおり労働者は20の効用を下回ると転職してしまうため、地主が労働者を雇用するためには、最低でも20の効用が実現するように報酬wを決める必要がある。すなわち、$20 = w - x^2$ が報酬を決定する。変形すると、

$$w = 20 + x^2 \quad \cdots\cdots②$$

を得る。②の条件を満たす努力水準 x と報酬wであれば、地主は労働者を雇用し続けることができる。①のwに②を代入すると、

$$\pi = 32\sqrt{x} - (20 + x^2) \quad \cdots\cdots③$$

となり、π を最大化するために、③を x で微分してゼロとおくと、

$$\frac{\Delta \pi}{\Delta x} = \frac{1}{2} \times 32\,x^{-0.5} - 2\,x = 16\,x^{-0.5} - 2\,x = 0$$

$$8\,x^{-0.5} - x = 0$$

となり、左辺第2項の「−x」を右辺に移項して、両辺を2乗すると、

$$64\,x^{-1} = x^2$$

となり、両辺に x を掛けると、

$$64 = x^3 \quad \Rightarrow \quad x = 4$$

を得る。

　よって、正解は肢4である。

正答 **4**

費用最小化

必修
問題 **セクションテーマを代表する問題に挑戦！**

一定の生産量を実現する生産要素の組合せはさまざまです。そして、費用が最小化される生産要素の移入量を求めます。

問 下図は、ある企業が2種類の生産要素 x_1 と x_2 を投入して生産物 y の生産を行っているときの等生産量曲線を示したものであるが、この図に関する記述として、妥当なのはどれか。ただし、y_1、y_2、y_3 は、それぞれ y の生産量を100、200、300としたときの等生産量曲線を示すとする。
(東京都2006)

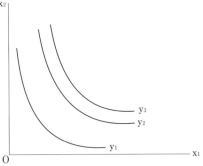

1 ：等生産量曲線は、無差別曲線と同じように、序数的な概念であり、可測的でないが、等生産量曲線間で生産量の大小の順序づけはできる。

2 ：x_1、x_2 の2生産要素間の限界代替率は、この等生産量曲線の傾きの絶対値であり、その値は、x_1、x_2 の2生産要素の限界生産力の比率に等しい。

3 ：この等生産量曲線は、曲線に沿って左上から右下に移動するにつれて、生産要素 x_2 の生産要素 x_1 に対する限界代替率が逓増していることを示している。

4 ：この等生産量曲線は、等生産量曲線間の幅の比率が生産水準の拡大の比率より小さく、規模に関して収穫逓減であることを示している。

5 ：x_1、x_2 の2生産要素の価格比が変化するとき、それに伴って等生産量曲線がシフトし、2つの等生産量曲線が交わる場合がある。

〈等生産量曲線〉

1 × 等生産量曲線は、特定の企業の技術的な制約（生産関数）のもとで、一定の生産量を実現するのに必要な 2 種類の生産要素量の組合せを表す点を結んだものであり、基数的な概念である。

2 ○ 本肢の記述のとおりである。生産要素間の限界代替率は、技術的限界代替率 MRTS とよばれ、等生産量曲線の接線の傾きの絶対値である。そして、生産要素 x_1 の限界生産力と生産要素 x_2 の限界生産力の比に等しい。

3 × 技術的限界代替率 MRTS は、横軸にとられた生産要素 x_1 の量が増加するにつれて、逓減していく。

4 × 本肢は、規模に関する収穫法則と等生産量曲線の間隔を問うものである。本肢では、等生産量曲線間の幅の比率について触れており、問題文中の図において、等生産量曲線 y_1 と y_2 の間、y_2 と y_3 の間の幅をみると、y_1 から y_2、y_2 から y_3 へとその幅は徐々に小さくなっている。一方、各等生産量曲線の生産量水準は、それぞれ $y_1 = 100$、$y_2 = 200$、$y_3 = 300$ となっており、生産量水準は100ずつ拡大している。生産量水準が同じ比率で増加しているものの、等生産量曲線の間隔が徐々に小さくなっているので、本問の図は「規模に関して収穫逓増」であることを示している。

5 × 要素価格比が変化することと等生産量曲線の形状や位置とは何の関係もない。特定の企業の技術水準が変化したとき（生産関数の形状が変化したとき）にのみ等生産量曲線はシフトする。また、等生産量曲線は互いに交わらない。

【規模に関する収穫法則】

規模に関する収穫法則とは、たとえば労働と資本のように 2 種類の生産要素を一定の比率で変化させたときに生産量がどれくらい変化するかを意味し、規模に関して「収穫一定」、「収穫逓増」、「収穫逓減」の態様がある。「規模に関して収穫一定」とは、2 種類の生産要素を一定の比率で増やしたとき、生産量も同じ比率で増える状態をいい、この場合の各等生産量曲線の間隔は同じ（等間隔）になる。「規模に関して収穫逓増」とは、2 種類の生産要素を一定の比率で増やしたとき、生産量はそれを上回る比率で増える状態をいい、この場合の各等生産量曲線の間隔は徐々に狭く（小さく）なっていく。また、「規模に関して収穫逓減」とは、2 種類の生産要素を一定の比率で増やしたとき、生産量はそれを下回る比率で増える状態をいい、この場合の各等生産量曲線の間隔は徐々に広く（大きく）なっていく。

正答 2

第 1 章

最適生産

費用最小化

1 生産関数と等量曲線

生産量Qと投入する生産要素（LとK）の関係を表す式が生産関数であり、たとえばQ＝K$^{0.5}$L$^{0.5}$のようなKとLの式で表されます。

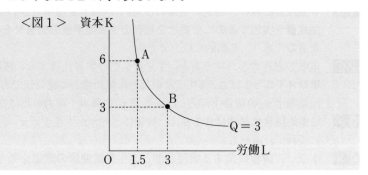

＜図1＞　資本K

等量曲線は、生産関数が上記のような場合、図1のように原点に凸な曲線として描かれ、ある一定の生産量を実現するKとLの組合せを表します。図1においてはA点とB点はともに生産量が3になります。

等量曲線上の点の接線の傾きは、労働を1単位増加させたときに減らすことができる資本の量を表し、技術的限界代替率（MRTS）といいます。技術的限界代替率は、数学的に、労働と資本の限界生産力（MP$_L$とMP$_K$）の比であることがわかっています。すなわち、

$$MRTS = \frac{MP_L}{MP_K}$$

となります。（＊MRTSはMarginal Rate of Technological Substitutionの略）

2 等費用線

生産のために資本や労働を投入すると費用が生じます。生産のために投入した資本をK、労働をLとすると、総費用TCは、次の式で表すことができます。

$$wL + rK = TC \quad \cdots\cdots①\quad （w：賃金率、\quad r：利子率または資本価格）$$

①をK＝〜の形にすると、

$$K = -\frac{w}{r}L + \frac{TC}{r}$$

となります。上の式のグラフを等費用線といいます。等費用線は、総費用TCを一定とした、切片が$\frac{TC}{r}$、傾きが$-\frac{w}{r}$の直線となります。

（例）賃金w＝2円、資本価格r＝4円のときの総費用TC＝12円の等費用線は、

$$2L + 4K = 12 \quad \rightarrow \quad 4K = 12 - 2L \quad \rightarrow \quad K = -\frac{2}{4}L + \frac{12}{4}$$

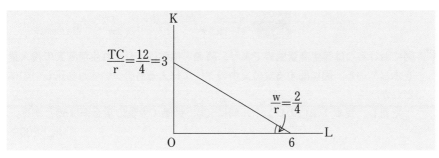

等費用線の切片は$\frac{TC}{r}$であることから、上方に位置する等費用線ほど高い費用を表します。

❸ 費用最小化と要素需要

次に、所与の生産量(図の数値例では3単位)を実現するための総費用TCが最小となる資本Kと労働Lの投入量を図から求めます。

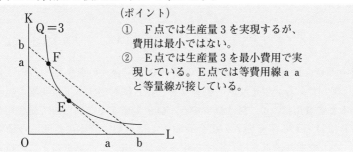

（ポイント）
① F点では生産量3を実現するが、費用は最小ではない。
② E点では生産量3を最小費用で実現している。E点では等費用線aaと等量線が接している。

生産量Q＝3の等量曲線と等費用線aaが接するE点が費用最小化点となります。F点においても生産量は3を実現できますが、F点を通る等費用線はbbであり、aa線よりも上にあるので、F点では費用が最小化されていません。

E点では、等量曲線と等費用線が接していることから、等量曲線の接線の傾き(MRTS)と等費用線の傾き$\left(\frac{w}{r}\right)$が等しくなります。つまり、**費用最小化条件**は、

$$MRTS = \frac{MP_L}{MP_K} = \frac{w}{r}$$

となります。

SECTION ② 最適生産 費用最小化

最適生産

実践 問題 **56** 〈基本レベル〉

頻出度	地上★	国家一般職★	特別区★
	裁判所職員★	国税・財務・労基★	国家総合職★

問 図におけるQは等生産量曲線であり、縦軸・横軸はそれぞれ生産要素の投入量を示している。図に関する次の文中のア〜エに入るものがいずれも正しいのはどれか。

ただし、**資本1単位のレンタル料は100、労働1単位の賃金率は50とする。**

(地上2008)

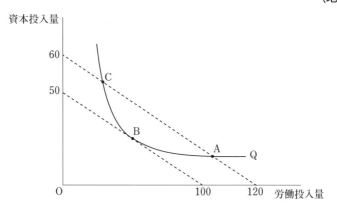

　図中の点Aに対応する生産要素の組合せの場合、Qを生産するのに必要な総費用は ア である。生産要素の組合せを、点Bに対応する生産要素の組合せへ変化させると総費用は イ だけ減少する。Qを生産するにあたって総費用が最小となる点Bに対応する生産要素の組合せの下では労働の資本に対する技術的限界代替率は ウ であり、点Cに対応する生産要素の組合せへ変えるとこの技術的限界代替率は上昇し、 エ を上回り、総費用は上昇する。

	ア	イ	ウ	エ
1 :	5000	200	1	要素の限界生産力の比
2 :	5000	500	1	要素の価格比
3 :	6000	500	0.5	要素の価格比
4 :	6000	1000	0.5	要素の価格比
5 :	8000	1000	0.5	要素の限界生産力の比

直前復習

OUTPUT

実践 問題 **56** の解説

〈等生産量曲線〉

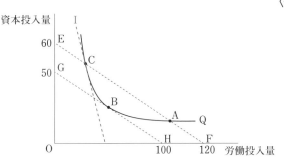

まず、図の点線が意味するものを考えよう。E、F、G、Hの各点をみていくと、E点では資本を60投入し労働は0を投入するので、総費用は、

60（資本投入量）×100（資本1単位のレンタル料）＝6000

F点では資本を0投入し労働を120投入するので、総費用は、

120（労働投入量）×50（労働1単位の賃金率）＝6000

G点では資本を50投入し労働は0投入するので、総費用は、

50×100＝5000

H点では資本を0投入し労働を100投入するので、総費用は、以下のとおりとなる。

100×50＝5000

このように、総費用が等しくなる点を結んだもののことを**等費用線**とよび、本問の図では点線で表されている。したがって、A、C点では6000、B点では5000の総費用がかかる。よって、空欄アと空欄イにはそれぞれ6000、1000が入る。

次に、空欄ウで問われている「点Bに対応する生産要素の組合せのもとでの労働の資本に対する**技術的限界代替率**」は、点Bで接している等費用線GHの傾きの絶対値に等しい。また、点Bでは総費用が最小になっているので、（生産要素の価格比）＝（技術的限界代替率）が成立しているはずである。

賃金率／資本のレンタル料＝$\dfrac{50}{100}$＝0.5

であるので、空欄ウは0.5となる。

最後に、点Cに接するように引いた線Iをみると、点Bに接する等費用線GHより傾きが急になっており、点Bでは要素の価格比と等しかった技術的限界代替率が、点Cにおいては上昇していることがわかる。そのため、空欄エには「要素の価格比」が入る。

よって、正解は肢4となる。

正答 **4**

実践 問題 **57** 〈基本レベル〉

頻出度	地上★	国家一般職★★	特別区★
	裁判所職員★	国税・財務・労基★	国家総合職★

問 ある企業の生産関数が

$$Y = K^{\frac{3}{4}} L^{\frac{1}{4}} \quad (Y:産出量、K:資本量、L:労働量)$$

で表されている。また、資本及び労働の要素価格はそれぞれ3、16である。この企業が産出量を40に固定したままで費用最小化を図った。この場合の最適資本量はいくらか。 (国Ⅱ2010)

1：60

2：65

3：70

4：75

5：80

直前復習

236 **LEC**東京リーガルマインド 2025-2026年合格目標 公務員試験 本気で合格！過去問解きまくり！
⑬ミクロ経済学

OUTPUT

実践 問題 **57** の解説 ────────

〈費用最小化〉

賃金をw、資本価格をrとすると、費用最小化条件は、

$$\frac{\mathrm{MP_L}}{\mathrm{MP_K}} = \frac{w}{r} \quad \cdots\cdots①$$

労働の限界生産力$\mathrm{MP_L}$と資本の限界生産力$\mathrm{MP_K}$は生産関数より以下のように計算できる。

$$\mathrm{MP_L} = \frac{\Delta Y}{\Delta L} = \frac{1}{4}K^{\frac{3}{4}}L^{-\frac{3}{4}} \quad \cdots\cdots②$$

$$\mathrm{MP_K} = \frac{\Delta Y}{\Delta K} = \frac{3}{4}K^{-\frac{1}{4}}L^{\frac{1}{4}} \quad \cdots\cdots③$$

ここで、$w=16$、$r=3$、②、③を①に代入すると、

$$\frac{\frac{1}{4}K^{\frac{3}{4}}L^{-\frac{3}{4}}}{\frac{3}{4}K^{-\frac{1}{4}}L^{\frac{1}{4}}} = \frac{16}{3} \;\Rightarrow\; \frac{1}{4} \cdot \frac{4}{3}K^{\frac{3}{4}}K^{\frac{1}{4}}L^{-\frac{3}{4}}L^{-\frac{1}{4}} = \frac{16}{3} \;\Rightarrow\; \frac{1}{3}KL^{-1} = \frac{16}{3}$$

$$\Rightarrow\; \frac{1}{3} \cdot \frac{K}{L} = \frac{16}{3} \;\Rightarrow\; K = 16L \;\Rightarrow\; L = \frac{K}{16} \quad \cdots\cdots④$$

となる$\left(\dfrac{1}{L^{\frac{1}{4}}} = L^{-\frac{1}{4}} 、 \dfrac{1}{K^{-\frac{1}{4}}} = K^{\frac{1}{4}} より\right)$。

④および$Y=40$を本問の生産関数$Y = K^{\frac{3}{4}}L^{\frac{1}{4}}$に代入すると、

$$40 = K^{\frac{3}{4}}\left(\frac{K}{16}\right)^{\frac{1}{4}} \quad \cdots\cdots⑤$$

となる。⑤より、

$$40 = K^{\frac{3}{4}} \cdot \frac{K^{\frac{1}{4}}}{16^{\frac{1}{4}}} \;\Rightarrow\; 40 = \frac{K}{16^{\frac{1}{4}}} \;\Rightarrow\; 40 = \frac{K}{(2^4)^{\frac{1}{4}}}$$

$$K = 80$$

となる。

よって、正解は肢5である。

正答 **5**

頻出度	地上★	国家一般職★★	特別区★
	裁判所職員★	国税·財務·労基★	国家総合職★★

問 完全競争市場の下で、ある企業の生産関数が以下のように示される。

$$Y = 4K^{0.25}L^{0.25} \quad (Y：生産量、K：資本投入量、L：労働投入量)$$

いま、生産物価格が32、資本1単位の価格が16、労働1単位の価格が1である。この企業の利潤が最大になる場合の生産量はいくらか。

(財務・国税2021)

1 : 4
2 : 8
3 : 16
4 : 24
5 : 32

実践 **問題 58** **の解説** ────────

〈費用最小化〉

利潤最大化では費用最小化も成り立つため、労働1単位の価格をw、資本1単位の価格をrとすると、費用最小化条件より、

$$\frac{MP_L}{MP_K} = \frac{w}{r} \quad \cdots\cdots ①$$

労働の限界生産力MP_Lと資本の限界生産力MP_Kは、生産関数より以下のように計算できる。

$$MP_L = \frac{\Delta Y}{\Delta L} = 4 \cdot \frac{1}{4} K^{\frac{1}{4}} L^{-\frac{3}{4}} \quad \cdots\cdots ②$$

$$MP_K = \frac{\Delta Y}{\Delta K} = 4 \cdot \frac{1}{4} K^{-\frac{3}{4}} L^{\frac{1}{4}} \quad \cdots\cdots ③$$

ここで、w = 1、r = 16、②および③を①に代入すると、

$$\frac{K}{L} = \frac{1}{16} \quad \Rightarrow \quad L = 16K \quad \cdots\cdots ④$$

となる。④を生産関数に代入すると、

$$Y = 4 K^{0.25} (16K)^{0.25} \quad \Rightarrow \quad Y = 8 K^{0.5}、K = \frac{1}{64} Y^2 \quad \cdots\cdots ⑤$$

⑤を④に代入して、

$$L = 16K$$

$$L = 16 \cdot \frac{1}{64} Y^2$$

$$L = \frac{1}{4} Y^2 \quad \cdots\cdots ⑥$$

ここで、総費用$TC = wL + rK$にw = 1、r = 16、⑤、⑥を代入する。

$$TC = \frac{1}{4} Y^2 + 16 \cdot \frac{1}{64} Y^2 = \frac{1}{4} Y^2 + \frac{1}{4} Y^2 = \frac{1}{2} Y^2 \quad \cdots\cdots ⑦$$

⑦を生産量Yについて微分すると、

$$限界費用MC = \frac{\Delta TC}{\Delta Y} = \frac{1}{2} \cdot 2 Y = Y \quad \cdots\cdots ⑧$$

となる。また、完全競争市場における利潤最大化条件は、価格＝限界費用MCである。

いま、生産物価格は32、⑧より限界費用MC = Yであるので、Y = 32を得る。

よって、正解は肢5である。

正答 **5**

頻出度	地上★★	国家一般職★★	特別区★
	裁判所職員★	国税・財務・労基★	国家総合職★★

問 同じ財を生産する二つの工場を持つ企業を考える。各工場の費用関数は以下のように示される。

$C_1 = y_1{}^2$ （C_1:工場1の生産費用、y_1:工場1の生産量、$y_1 \geqq 0$）

$C_2 = 600 y_2$ （C_2:工場2の生産費用、y_2:工場2の生産量、$y_2 \geqq 0$）

この企業は、総生産量 Y（$Y = y_1 + y_2$）の生産費用が最小となるように各工場での生産量を決めるものとする。

$Y = 200$ である場合の工場1での最適な生産量を $y_1{}^*$、$Y = 400$ である場合の工場1での最適な生産量を $y_1{}^{**}$ とするとき、$y_1{}^*$ と $y_1{}^{**}$ の値の組合せとして妥当なのはどれか。 （国家総合職2019）

	$y_1{}^*$	$y_1{}^{**}$
1 :	100	200
2 :	200	200
3 :	200	300
4 :	200	400
5 :	300	300

OUTPUT

実践 問題 **59** の解説

〈費用最小化〉

工場1と工場2の限界費用(MC_1およびMC_2)は、それぞれの費用関数より、

$MC_1 = 2y_1$

$MC_2 = 600$

と求められる。生産をする際には、限界費用の低い工場から生産が行われる。工場2の限界費用MC_2が600で一定となっているため、工場1の限界費用$MC_1(=2y_1)$が工場2の限界費用$MC_2(=600)$を下回っているうちは工場1で生産が行われる。つまり、

$MC_1 = 2y_1 \leq 600 \quad \Rightarrow \quad y_1 \leq 300$

となることから、y_1が300に達するまでは工場1で生産が行われ、$y_1 > 300$となった場合は、工場1の限界費用MC_1が600を超えることから、工場2で生産が行われる。

よって、$Y = 200$のときの工場の生産量は、

$$\begin{cases} y_1{}^* = 200 \\ y_2{}^* = 0 \end{cases}$$

である。$Y = 400$のときの工場の生産量は、

$$\begin{cases} y_1{}^{**} = 300 \\ y_2{}^{**} = 100 \end{cases}$$

であり、$y_1{}^* = 200$、$y_1{}^{**} = 300$なので、正解は肢3である。

正答 **3**

実践 問題 **60** 〈応用レベル〉

頻出度	地上★★	国家一般職★★	特別区★
	裁判所職員★	国税·財務·労基★	国家総合職★★

問 ある企業は労働と資本を用いて1種類の財を生産し、その生産関数が次のように与えられている。

$$Y = L^{\frac{1}{2}} K^{\frac{1}{2}}$$

ここでYは財の生産量、Lは労働投入量、Kは資本投入量を表す。賃金率が2、資本のレンタル価格が8であるとき、この企業の長期の総費用関数（TC）として正しいものはどれか。 　　　　　　　　　　　　　　　　　　　　　　　　　（国Ⅰ2009）

1 : $TC = Y$

2 : $TC = 2Y$

3 : $TC = 4Y$

4 : $TC = 8Y$

5 : $TC = 16Y$

OUTPUT

実践 問題 **60** の解説 ————————————————

〈長期総費用関数〉

　生産関数から費用関数を導出する問題については、解法が2通りある。

　理論上は解法1が正攻法であるが、計算量や時間の面からみて、解法2のほうが実用的である。

【解法1：LとKの要素需要関数から費用関数を導出する方法】

　所与のYを実現するのに必要なLとKを表す式が要素需要関数である。Lの要素需要関数はL＝「Yの式」、Kの要素需要関数はK＝「Yの式」で表される。

(1) 要素需要関数の導出

　生産関数

$$Y = L^{0.5} K^{0.5} \quad \cdots\cdots ①$$

をLとKで微分して労働の限界生産力MP_Lと資本の限界生産力MP_Kを求めると次のとおりとなる。

$$MP_L = 0.5 L^{0.5-1} K^{0.5} \quad \rightarrow \quad MP_L = 0.5 L^{-0.5} K^{0.5}$$

$$MP_K = 0.5 L^{0.5} K^{0.5-1} \quad \rightarrow \quad MP_K = 0.5 L^{0.5} K^{-0.5}$$

　賃金率をw、資本のレンタル価格をrとして、**費用最小化条件**を以下のようにして②、②′のように2通りに導出しておく。

$$\frac{MP_L}{MP_K} = \frac{w}{r} \quad \rightarrow \quad \frac{0.5 L^{-0.5} K^{0.5}}{0.5 L^{0.5} K^{-0.5}} = \frac{2}{8} \quad \rightarrow \quad \frac{0.5 K^{0.5} K^{0.5}}{0.5 L^{0.5} L^{0.5}} = \frac{2}{8}$$

$$\rightarrow \quad \frac{K}{L} = \frac{2}{8} \quad \rightarrow \quad K = \frac{1}{4} L \quad \cdots\cdots ②$$

$$\rightarrow \quad L = 4K \quad \cdots\cdots ②'$$

　生産関数①に②を代入してKを消去する。すなわち、

$$① \quad \rightarrow \quad Y = L^{0.5} \left(\frac{1}{4} L\right)^{0.5} \quad \rightarrow \quad Y = \frac{1}{2} L \quad \rightarrow \quad L = 2Y \quad \cdots\cdots ③$$

である。この③がLの要素需要関数である。

　生産関数①に②′を代入してLを消去する。すなわち、

$$② \quad \rightarrow \quad Y = K^{0.5} (4K)^{0.5} \quad \rightarrow \quad Y = 2K \quad \rightarrow \quad K = \frac{1}{2} Y \quad \cdots\cdots ④$$

である。この④がKの要素需要関数である。

第1章 SECTION 2 最適生産
費用最小化

(2) 要素需要関数から総費用関数を導出する

総費用関数とは、所与の生産量Yを実現する費用を表す関数であり、数式としては「TC＝Yの式」となる。

費用式は、

$$TC = 2L + 8K \quad \cdots\cdots ⑤$$

である。費用式にLとKの要素需要関数③、④を代入すると、

$$TC = 2 \times 2Y + 8 \times \frac{1}{2}Y \quad \rightarrow \quad TC = 8Y \quad （総費用関数）$$

よって、正解は肢4である。

【解法2：短期費用関数を微分する方法】

生産関数と費用式は、それぞれ、

$$Y = L^{0.5} K^{0.5} \quad \cdots\cdots ①$$

$$TC = 2L + 8K \quad \cdots\cdots ②$$

である。

(1) 短期総費用関数を導出する

①の両辺を2乗して項を整理して、次のようにL＝〜の形に変形する。

$$Y = L^{0.5} K^{0.5} \quad \rightarrow \quad Y^2 = LK \quad \rightarrow \quad L = \frac{Y^2}{K} \quad \cdots\cdots ①'$$

生産関数①′を②に代入してLを消去すると、

$$TC = 2 \times \frac{Y^2}{K} + 8K \quad \cdots\cdots ③ \quad （短期費用関数）$$

となる。③はKを一定として、生産量Yを実現する費用を表しており、このことから③は短期費用関数と解釈できる。

(2) 短期費用関数をKで微分してゼロとおく

長期においては、企業は資本も変化させることができる。また、企業は費用を最小化するような資本量を選ぶ。すなわち、短期総費用が最小となるKを決定することになる。よって、③をKについて微分しゼロとおくことで、Kの値が求められる。

③をKで微分してゼロとおくと、

$$\frac{\Delta T C}{\Delta K} = 0 \quad \rightarrow \quad -1 \times 2 \times Y^2 K^{-2} + 8 = 0$$

$$\rightarrow \quad 8 = 2 Y^2 K^{-2}$$

$$\rightarrow \quad 4 K^2 = Y^2$$

$$\rightarrow \quad K = \frac{1}{2} Y \quad \cdots\cdots ④$$

④は費用が最小になるKを与える式である。④を短期費用関数③のKに代入すると、

$$T C = 2 \times \frac{Y^2}{\frac{1}{2} Y} + 8 \times \frac{1}{2} Y$$

$$\rightarrow \quad T C = 4 Y + 4 Y$$

$$\rightarrow \quad T C = 8 Y \quad （長期費用関数）$$

よって、肢4が正解である。

正答 **4**

実践 問題 **61** 〈応用レベル〉

頻出度	地上★★	国家一般職★★	特別区★
	裁判所職員★	国税・財務・労基★	国家総合職★★

問 ある企業は労働と資本からある財を生産しており、その生産関数は以下のように与えられる。

$$Y = 8\sqrt{LK} \quad (L > 0,\ K > 0)$$

（Y：生産量、L：労働投入量、K：資本投入量）

賃金率が4、資本のレンタル率が12であるとき、完全競争下で生産した場合の、この企業の長期の総費用関数TCとして最も妥当なのはどれか。

(国家一般職2024)

1：$TC = \dfrac{\sqrt{3}}{3}Y$

2：$TC = \sqrt{3}\,Y$

3：$TC = 3\sqrt{3}\,Y$

4：$TC = \dfrac{\sqrt{3}}{3}Y^2 + \dfrac{\sqrt{3}}{3}Y$

5：$TC = 3Y^2 + 3\sqrt{3}\,Y$

OUTPUT

実践 問題 **61** の解説

〈長期総費用関数〉

　総費用関数は、任意の生産量を生産するときに費用が最小となるように資本Kと労働Lを決定したときの費用であるので、費用最小化条件 $\dfrac{MPL}{MPK} = \dfrac{w}{r}$ を用いて、KとLの要素需要を求め、それを生産関数に代入することによって求めることができる。問題文の生産関数、賃金率w = 4、資本のレンタル率 r = 12より、費用最小化条件は、

$$\frac{MPL}{MPK} = \frac{4\,K^{\frac{1}{2}} \cdot L^{-\frac{1}{2}}}{4\,K^{-\frac{1}{2}} \cdot L^{\frac{1}{2}}} = K \cdot L^{-1} = \frac{K}{L} = \frac{4}{12}$$

となり、これを変形して、K =〜、L =〜の形にすると、

$$K = \frac{1}{3}L \quad \cdots\cdots ① 、\quad L = 3K \quad \cdots\cdots ②$$

を得る。①を生産関数に代入すると、

$$Y = 8\,L^{\frac{1}{2}}\left(\frac{1}{3}L\right)^{\frac{1}{2}} = \frac{8}{\sqrt{3}}L \quad \Rightarrow \quad L = \frac{\sqrt{3}}{8}Y \quad \cdots\cdots ③$$

となり、②を生産関数に代入すると、

$$Y = 8\,(3K)^{\frac{1}{2}}K^{\frac{1}{2}} = 8\sqrt{3}K \quad \Rightarrow \quad K = \frac{1}{8\sqrt{3}}Y \quad \Rightarrow \quad K = \frac{\sqrt{3}}{24}Y \quad \cdots\cdots ④$$

を得る。③、④を総費用TC = 4L +12Kに代入すると、

$$TC = 4 \cdot \frac{\sqrt{3}}{8}Y + 12 \cdot \frac{\sqrt{3}}{24}Y = \sqrt{3}\,Y$$

を得る。

　よって、正解は肢2である。

【コメント】
　計算がやや面倒だがパターン問題なので、慣れておきたい。

正答 **2**

最適生産

❓Question

Q1 生産関数とは、価格の変化と、それに応じた生産要素(土地・資本・労働など)の投入量の関係を示した関数のことである。

Q2 限界生産力とは、ある生産要素を追加的に1単位増加させたときの生産量の増加分のことであるが、一般に生産要素投入量が増加するにつれて、限界生産力は小さくなっていく。

Q3 完全競争市場における企業の利潤最大化は、価格と総費用が等しいときの生産水準で達成される。

Q4 等生産量曲線とは、ある生産量を達成する2つの生産要素(資本Kと労働L)の組合せの集合である。

Q5 一方の生産要素を1単位変化させたとき、財の生産量を一定に保つために、他方の生産要素を何単位変化させる必要があるかを示す比率のことを技術的限界代替率(MRTS)といい、一方の生産要素の投入量が増加していくに従い、MRTSの値は大きくなっていく。

Q6 等費用線とは、同じ費用をもたらす資本Kと労働Lの組合せを表す。またこの線は、傾きがこの企業が生産する2財の製品価格の比を表し、右上方の等費用線ほど総費用が高いという特徴がある。

Q7 費用最小化点は下図の点Dである。なお、右下がりの直線は等費用線を、そして原点に対して凸の2つの曲線は等生産量曲線を表している。

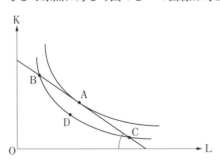

Q8 費用最小化条件は、MRTSと限界費用MCが等しいことで表される。

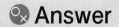

A1 × 生産関数とは、生産要素（土地・資本・労働など）の投入量とそれに応じた生産量の関係を示した関数である。

A2 ○ 問題の記述のとおりである。一般的に、限界生産力は生産要素の投入量が少ないうちは増加していくが、やがて減少していく。このことを、限界生産力逓減の法則という。

A3 × 利潤は式で表すと、利潤π＝売上げ－総費用（Total Cost：TC）＝価格 P×数量Q－総費用（TC）＝P・Q－TCとなる。利潤最大化は、この利潤式を生産量Qで微分してゼロとおくことで求められることから、$P = \dfrac{\Delta TC}{\Delta Q}$となる。この$\left(\dfrac{\Delta TC}{\Delta Q}\right)$は、生産量を1単位増やしたときの総費用の増加分、すなわち、限界費用（Marginal Cost：MC）を意味する。よって、完全競争市場での利潤最大化条件は、価格と限界費用が一致するように生産量を決定することとなる。

A4 ○ 問題の記述のとおりである。また、同一の等生産量曲線上では、生産量は同じであり、右上方ほど2つの生産要素が同時に多く使われていることから、生産量も多くなっている。

A5 × 問題の前半は正しい。MRTSを式で表すと、$MRTS = -\dfrac{資本Kの変化の大きさ}{労働Lの変化の大きさ} = -\dfrac{\Delta K}{\Delta L}$となり、これは等生産量曲線の接線の傾きの絶対値に等しい。また、MRTSは、一方の生産要素（この場合労働L）の投入量が増加していくに従い、逓減していく。このことを技術的限界代替率逓減法則という。

A6 × 総費用を式で表すと、総費用TC＝wL＋rK（w：賃金、L：労働、r：資本価格、K：資本）となる。この総費用の式を、K＝～の形に変形すると、$K = -\dfrac{w}{r}L + \dfrac{TC}{r}$となり、これが等費用線である。

この式から、等費用線の傾きの大きさは生産要素価格比$\left(\dfrac{w}{r}\right)$であることが明らかである。

A7 × 等生産量曲線と等費用線の接点が費用最小化点となる。よって、費用最小化点は点Aである。

A8 × 費用最小化点においては、MRTSと等費用線の傾きの絶対値、すなわち生産要素価格比$\left(\dfrac{w}{r}\right)$が等しい。

第1章

最適生産

memo

第2章

費用曲線

SECTION

① 費用曲線
② 損益分岐点と操業停止点
③ 短期と長期・長期均衡

第2章　費用曲線

出題傾向の分析と対策

試験名	地　上			国家一般職			特別区			裁判所職員			国税・財務・労基			国家総合職		
年　度	16-18	19-21	22-24	16-18	19-21	22-24	16-18	19-21	22-24	16-18	19-21	22-24	16-18	19-21	22-24	16-18	19-21	22-24
出題数　セクション	1	2	2	1	1	1	3	3	2	2	2	2	1	1	3		2	3
費用曲線	★	★★	★★	★			★	★★	★	★	★	★					★	★★
損益分岐点と操業停止点						★	★	★★	★	★	★	★	★	★	★★★		★	★
短期と長期・長期均衡					★													

（注）　1つの問題において複数の分野が出題されることがあるため、星の数の合計と出題数とが一致しないことがあります。

　「費用曲線」と、市場への参入・退出の基準となる「損益分岐点と操業停止点」の問題は、公務員試験のミクロ経済学分野で頻出テーマの1つです。これらの出題があった場合には、必ず得点できるように準備しておくことが肝要です。また、経済学的な短期と長期の概念に関する理解も重要です。「短期と長期の費用曲線」については、ここでは費用曲線に含まれる固定的な費用の調整の可否による違い、産業の長期均衡における個々の企業の市場参入の可否が、短期と長期を分けるポイントになります。

地方上級

　近年では、費用曲線の問題は、グラフや計算問題、文章題など出題形式が多岐にわたっており、頻出しています。限界費用や平均費用、平均可変費用など基本的な用語の意味をしっかりと理解し、どのような出題形式でも確実に解けるようにしておきましょう。

国家一般職

　近年、費用曲線の問題については、損益分岐点や操業停止点などの基本的な知識をグラフや計算問題で問うものが出題されています。基礎知識の確認を徹底しましょう。

特別区

　近年では、計算問題だけでなく、グラフを用いて損益分岐点や操業停止点などを問う問題も出題されています。グラフの理解はもちろんのこと、基本的な用語についても、どのような問われ方をされても対応できるようにしましょう。

裁判所職員

　裁判所職員では、費用曲線を用いた企業の利潤最大化の問題や、損益分岐点や操業停止点、長期費用曲線といった問題が多く出題されています。費用曲線を含んださまざまな問題に触れておきましょう。

国税専門官・財務専門官・労働基準監督官

　近年では、損益分岐点や操業停止点を問う計算問題や、長期の費用曲線に関する問題が出題されています。問題に数多く触れて、確実に解けるようにしておきましょう。

国家総合職

　以前の国家Ⅰ種に出題されていた問題では、生産関数から総費用関数を求める問題や、その後に限界費用関数や平均費用関数を求める問題などさまざまなバリエーションの問題が組み合わさり、出題される傾向にあります。基礎的な知識を徹底的に理解し、応用できるようにしましょう。

Advice アドバイス　学習と対策

　「費用曲線」については各費用曲線のグラフによる解釈、計算問題への慣れが重要になります。平均費用曲線と限界費用曲線、平均可変費用曲線など、似たようなものが出てきます。頻出分野である「損益分岐点と操業停止点」はこれらの曲線を組み合わせて考える分野ですので、しっかりとそれらの性質を押さえ、どのようなときにそれらを使うのかなどを意識していくことが重要です。

セクションテーマを代表する問題に挑戦！

費用関数を用いた利潤最大化問題の基本形です。限界費用を使いこなしましょう。

問 利潤最大化を行う、ある企業の短期の総費用関数が、

$$C(x) = x^3 - 6x^2 + 18x + 32$$

で示されるとする。ここで、$x(\geq 0)$ は生産量を表す。また、この企業は完全競争市場で生産物を販売しているとする。生産物の市場価格が54のとき、最適な生産量はいくらか。 （国家一般職2013）

1 ： 3
2 ： 4
3 ： 5
4 ： 6
5 ： 7

直前復習

必修問題の解説 ————————————————

〈費用曲線〉

第2章 費用曲線

費用関数を用いた利潤最大化についての出題である。

【解法1：利潤最大化条件P＝MCを使う解法】

利潤最大化点では、価格と限界費用が等しくなる。すなわち、P＝MCが成立する。

限界費用（MC）は生産量を1単位増大させたときの総費用の増分を表すので総費用関数を生産量で微分して導出する。すなわち、

$$MC = 3x^2 - 12x + 18$$

である。

一方、生産された財の市場価格は問題文より54である。すなわち、

$$P = 54$$

である。

したがって、P＝MCを満たすようなxは、次のとおりとなる。

$$54 = 3x^2 - 12x + 18$$
$$\Rightarrow \quad 3x^2 - 12x - 36 = 0$$
$$\Rightarrow \quad x^2 - 4x - 12 = 0$$
$$\Rightarrow \quad (x + 2)(x - 6) = 0$$
$$\Rightarrow \quad x = 6 \quad (x \geq 0)$$

よって、正解は肢4である。

【解法2：微分してゼロとおく解法】

利潤（π）は総収入（P×x）から総費用（TC）を差引いたもので、次のように表せる。

$$\pi = 54x - (x^3 - 6x^2 + 18x + 32) \quad \cdots\cdots ②$$

②をxについて整理し、xで微分してゼロ（＝0）とおくと、以下の式となる。

$$\frac{\Delta \pi}{\Delta x} = -3x^2 + 12x + 36 = 0 \quad \cdots\cdots ③$$

③を整理すると次のようになる。

$$x^2 - 4x - 12 = (x - 6)(x + 2) = 0$$

（x≧0）より、x＝6となる。

よって、正解は肢4である。

正答 **4**

1 費用の概念

　生産量Qと総費用（Total Cost）の関係を表す曲線が**総費用（ＴＣ）曲線**です。図１のように総費用曲線は逆Ｓ字型をしています。

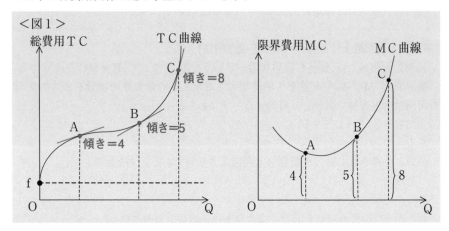

＜図１＞

　限界費用ＭＣ（Marginal Cost）とは、生産量を追加的に１単位増やしたときの総費用の増分のことです。総費用ＴＣを生産量Qで微分して求められます。

$$\frac{\Delta \mathrm{T C}}{\Delta \mathrm{Q}} = \mathrm{M C}$$

　図１のA点、B点、C点の接線の傾きの大きさを、タテ軸で表した曲線が右図のＭＣ曲線です。ＴＣ曲線は逆Ｓ字型であるため右図のようにＭＣ曲線はＵ字型になります。

　総費用ＴＣは、生産量Qの水準に応じて発生する費用である**可変費用ＶＣ**（Variable Cost）と、生産量Qとは無関係に発生する費用である**固定費用ＦＣ**（Fixed Cost）の合計からなり、

$$\mathrm{T C} = \mathrm{V C} + \mathrm{F C}$$

と表されます。図１のｆ点（ＴＣ曲線の切片）が固定費用ＦＣの大きさを表し、ｆ点より上が可変費用ＶＣの大きさを表します。

2 平均費用ＡＣと平均可変費用ＡＶＣ

　平均費用ＡＣ（Average Cost）は１個あたりの生産費用のことです。

$$\mathrm{A C} = \frac{\mathrm{T C}}{\mathrm{Q}}$$

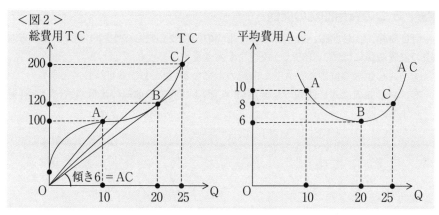

<図2>

　図2左のように原点を通る直線の傾きの大きさが平均費用を表します。また、原点を通る直線がTC曲線に接するB点においてACが最も低くなります。よって、右図に示されたAC曲線はB点を最低点とするU字型の曲線となります。

　平均可変費用AVC（Average Variable Cost）は1個あたりの可変費用を表します。

$$AVC = \frac{VC}{Q}$$

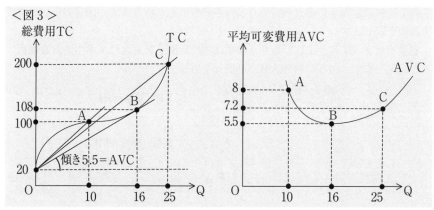

<図3>

　図3左のように切片を通る直線の傾きの大きさがAVCを表します。右図のようにAVCを縦軸に表した曲線がAVC曲線となります。

3 3つの費用曲線の関係

MC曲線、AC曲線、AVC曲線を1つの図に表したものが図4です。これら曲線の位置関係には①、②のような性質があります。

① AC曲線の位置は、AVC曲線の上になる(ただし、FC>0のとき)。

② MC曲線はAC曲線の最低点(F点)およびAVC曲線の最低点(G点)を通過する。

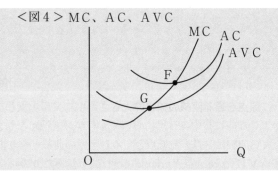

<図4> MC、AC、AVC

4 利潤最大化生産量の決定

企業の総収入TRは価格Pと生産量Qの積PQで表されます。完全競争市場のときのTR曲線は図5のTR線のように傾きPの直線となります。図5のTCは総費用曲線を表します。

利潤πはπ＝TR－TCであり、企業はこの利潤πを最大にする生産量を選択すると仮定します。図5の線分ABが利潤πを表します。

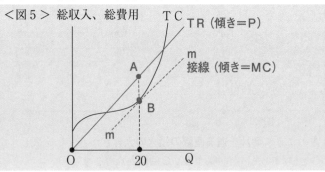

<図5> 総収入、総費用

B点ではTCの接線mmの傾き(限界費用MC)がTR曲線の傾き(価格P)と等しくTCの接線mmとTR線は平行になっています。このB点で利潤πの大きさが最大になっています。つまり、利潤最大化点では、

P＝MC

が成立しています。このP＝MCを完全競争市場における**利潤最大化条件**といいます。

5 MC曲線による利潤最大化

図6はMC曲線と価格P線で利潤最大化点を示した図です。

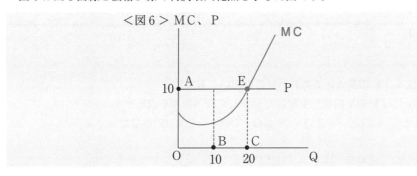

＜図6＞MC、P

E点ではP＝MCが成立し、利潤πが最大化されています。また、総収入TRの大きさは価格Pと生産量Qの積PQなので、四角形OAECの面積で表されます。

生産量Qが10のときにはP＞MCとなっていることがわかります。このようなときには生産量Qを増大することで総収入は10円増えるのに対して総費用はMC円だけ増大しますが、図で示されるとおり10＞MCなので、生産量を増やすことで利潤πが増えることから、利潤は最大になっていないことになります。

6 費用関数を用いた最適生産問題

【例題】

完全競争市場において、財の市場価格が6、総費用関数が$TC = Q^2 + 2Q + 1$のときの利潤が最大となる生産量を求めよ。

1. 1
2. 2
3. 3
4. 4
5. 5

【解法1：利潤最大化条件P＝MCを用いる方法】

Step.1　総費用関数を生産量で微分して限界費用を求めます。

$MC = 2Q^{2-1} + 2Q^{1-1} = 2Q + 2$　……①　（限界費用）

Step.2　限界費用①をP＝MCに代入して、Qについて解きます。

$2Q + 2 = 6$

$2Q = 4$

$Q = 2$

【解法2：利潤式（π）をQで微分してゼロとおく方法】

Step.1　利潤式$\pi = PQ - TC$を作ります。

$\pi = 6Q - (Q^2 + 2Q + 1)$

$= -Q^2 + 4Q - 1$　……②　（利潤式）

Step.2　利潤式②を生産量Qで微分してゼロとおき（＝0）、Qについて解きます。

$\dfrac{\Delta \pi}{\Delta Q} = -2Q^{2-1} + 4Q^{1-1} = 0$

$-2Q + 4 = 0$

$-2Q = -4$

$Q = 2$

memo

実践 問題 **62** 〈基本レベル〉

頻出度	地上★★　　国家一般職★　　特別区★★★
	裁判所職員★★　　国税·財務·労基★　　国家総合職★

問 完全競争市場において、財Xを生産し販売している、ある企業の平均可変費用が、

$$AVC = X^2 - 6X + 380 \quad \left(\begin{array}{l} AVC：平均可変費用 \\ X(X \geqq 0)：財Xの生産量 \end{array} \right)$$

で表されるとする。

　この企業の固定費用が20、完全競争市場における財Xの価格が416であるとき、この企業の利潤が最大となる財Xの生産量はいくらか。　　（特別区2019）

1： 2
2： 3
3： 4
4： 5
5： 6

OUTPUT

実践 問題 **62** の解説 ─────────────

〈費用曲線〉

第2章 費用曲線

　まず、この企業の総費用ＴＣは、

　　ＴＣ＝可変費用ＶＣ＋固定費用ＦＣ

　　　　＝平均可変費用ＡＶＣ×生産量Ｘ＋固定費用ＦＣ

　　　　＝$(X^2 - 6X + 380) \cdot X + 20$

　　　　＝$X^3 - 6X^2 + 380X + 20$

とわかる。また、完全競争市場においては、この企業は、利潤最大化条件「価格Ｐ＝限界費用ＭＣ」に従い生産量を決定することから、ＴＣを生産量Ｘで微分してＭＣを求める。

　　$MC = \dfrac{\Delta TC}{\Delta X} = 3X^2 - 12X + 380$

　したがって、「Ｐ＝ＭＣ」の利潤最大化条件より、

　　$416 = 3X^2 - 12X + 380$

　　$3X^2 - 12X - 36 = 0$

　　$X^2 - 4X - 12 = 0$

　　$(X - 6)(X + 2) = 0$

　　$X = 6 \quad (X \geqq 0)$

となる。

　よって、正解は肢5である。

正答 **5**

実践 問題 **63** 〈 基本レベル 〉

頻出度	地上★★	国家一般職★	特別区★
	裁判所職員★	国税・財務・労基★	国家総合職★

問 図は、ある企業の短期総費用曲線を表したものである。この企業は、可変的生産要素と固定的生産要素を用いて、ある財を生産している。この図に関する次の記述のうち、妥当なのはどれか。

なお、図において、短期総費用曲線は半直線である。 (国家一般職2012)

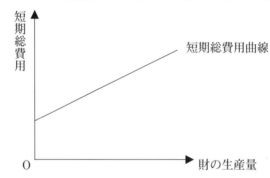

1：生産量がゼロのとき、平均費用と平均可変費用はそれぞれ最も小さくなっている。

2：生産量が増えるにしたがって、限界費用は逓増し、平均可変費用は逓減している。

3：生産量が増えるにしたがって、限界費用は逓減し、平均費用は逓増している。

4：生産量の大きさにかかわらず、限界費用は平均費用を上回っている。

5：生産量の大きさにかかわらず、限界費用は平均可変費用と等しい。

直前復習

OUTPUT

実践 問題 **63** の解説 ─────────

〈費用曲線〉

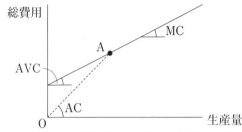

・ 限界費用MCは生産量を1単位追加したときの総費用の増分であり、グラフでは総費用曲線上の接線の傾きで表される。

　　図のケースでは、生産量にかかわらず限界費用は一定である（肢2、3が誤り）。

・ 平均費用ACは生産量1単位あたりの費用である。グラフでは、原点と総費用曲線上の点を結んだ直線の傾きの大きさで表される。

　　図のケースでは、生産量が増大すると平均費用は逓減する（肢1と肢3が誤り）。

・ 平均可変費用AVCは、生産量1単位あたりの可変費用のことである。グラフでは縦軸の切片と総費用曲線上の点を結んだ直線の傾きで表される。

　　図のケースでは、生産量にかかわらず平均可変費用は一定である（肢2が誤り）。

・本問題では、短期総費用曲線は直線なので、

　　$TC = aQ + b$

と1次式で表すことができ、MC、AC、AVCは以下のようになる。

$$MC = \frac{\Delta TC}{\Delta Q} = a \quad \cdots\cdots ①$$

$$AC = \frac{TC}{Q} = a + \frac{b}{Q} \quad \cdots\cdots ②$$

$$AVC = \frac{VC}{Q} = a$$

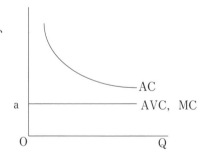

　①と②より、生産量の大きさにかかわらず、平均費用のほうが限界費用を上回っている。したがって肢4は大小関係の記述が誤りである。

　よって、正解は肢5である。

　（注）　半直線とは、片方の端が点で止まり、もう片方の端が無限に伸びている線のこと。

正答 **5**

S ECTION ① 費用曲線 費用曲線

第2章

実践 問題 **64** 基本レベル

頻出度	地上★★	国家一般職★	特別区★★
	裁判所職員★★	国税·財務·労基★	国家総合職★★

問 縦軸に費用、横軸に生産量をとったグラフ上に描かれた短期費用曲線に関するA〜Dの記述のうち、妥当なものを選んだ組合せはどれか。ただし、限界費用曲線はU字型とする。 (特別区2014)

A：限界費用曲線は、平均費用曲線の最低点及び平均可変費用曲線の最低点を通過する。

B：限界費用曲線の最低点は、平均費用曲線の最低点及び平均可変費用曲線の最低点より上方にある。

C：限界費用曲線の最低点における生産量は、平均可変費用曲線の最低点における生産量よりも小さい。

D：平均費用曲線の最低点における生産量は、平均可変費用曲線の最低点における生産量よりも小さい。

1：A B
2：A C
3：A D
4：B C
5：B D

OUTPUT

実践 問題 **64** の解説 ―――――――――――――――

〈短期費用曲線〉

第2章 費用曲線

　問題文の後半のただし書きにより、限界費用曲線はU字型である。

　このことから平均費用曲線と平均可変費用曲線もU字型となり、図1のような位置関係になる。

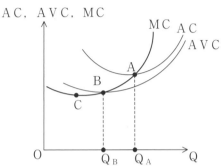

<図1>　AC，AVC，MC

　平均費用曲線(図ではAC)は生産量1単位あたりの費用を表す曲線でありU字型をしている。**平均可変費用曲線**(図ではAVC)は生産量1単位あたりの可変費用を表す曲線であり、これもU字型をしている。しかし、平均費用曲線と異なり固定費用を含まない分だけ費用が低いことから、平均可変費用曲線は平均費用曲線よりも下方に位置する。ただし、固定費がゼロの場合には、平均費用曲線と平均可変費用曲線は一致する。

　限界費用曲線(図ではMC)は、生産量を1単位追加したときに新たに発生する費用を表し、本問のように通常はU字型である。**限界費用曲線は、平均費用曲線の最低点（A点）、および、平均可変費用の最低点（B点）を通過する。**

A○　本記述のとおりである。図において限界費用曲線は平均費用曲線と平均可変費用曲線の最低点を必ず通過する。なお、A点は損益分岐点とよばれており、最適生産量がQ_Aになるときに企業の利潤がゼロになる。また、B点は操業停止点とよばれており、企業の総収入が可変費用と等しく、ゆえに固定費用だけの赤字が発生する。

B×　誤りである。本記述のような図は描くことができない。

C○　本記述のとおりである。

D×　図1より、平均費用の最低点であるA点は、平均可変費用の最低点であるB点より右方に位置する。よって、A点に対応する生産量は、平均可変費用の最低点に対応する生産量よりも大きい。

　以上より、妥当なものは記述A、Cとなるので、正解は肢2である。　　**正答 2**

S ECTION ① 費用曲線

第2章 費用曲線

実践 問題 **65** 基本レベル

頻出度	地上★★	国家一般職★	特別区★★
	裁判所職員★★	国税·財務·労基★	国家総合職★★

問 図のような逆S字型の形状である総費用曲線（ＴＣ）を持つ企業に関する次のＡ
〜Ｅの記述のうち、妥当なもののみを全て挙げているのはどれか。

　ただし、図において、ＯＯ′は固定費用を表す。また、ＴＣの接線の傾きは、
$x = x_1$のとき最小となり、xがx_1を超えて増加するにつれてその傾きは大き
くなる。さらに、点ｂ、ｃはそれぞれＯ′、Ｏを通る直線とＴＣとの接点である。

（国税・財務・労基2023）

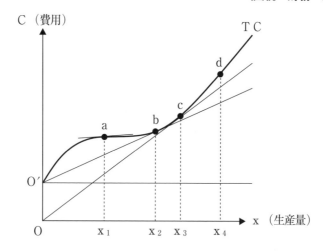

Ａ：$0 < x \leqq x_4$では、xが増加するにつれて、平均費用は逓減する。

Ｂ：点ａにおいて、限界費用は最小となる。

Ｃ：$x = x_2$のとき、平均可変費用は最大となる。

Ｄ：$x = x_3$のとき、平均費用が限界費用と等しくなる。

Ｅ：点ａ〜ｄのうち、平均固定費用は点ｄにおいて最小となる。

1：Ａ、Ｂ、Ｄ

2：Ａ、Ｃ

3：Ｂ、Ｄ、Ｅ

4：Ｃ、Ｅ

5：Ｄ、Ｅ

OUTPUT

実践 問題 **65** の解説

〈費用曲線〉

　問題文の図において、総費用曲線をTC、平均費用をAC、平均可変費用をAVC、固定費用をFCとすると、以下の図のように示すことができる。

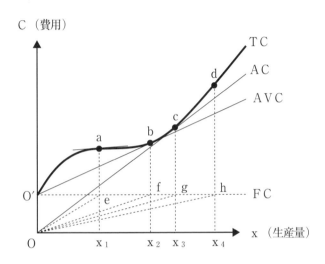

A ✕ 　ACは原点OとTC曲線上の点を結んだ直線の傾きの大きさとして表される。財生産量が増加するに従ってACの大きさを表す直線の傾きは小さくなり、ACは逓減していく。そして、同直線がTC曲線の接線となったときに同直線の傾きは最小となり、その後は財生産量が増加するに従って同直線の傾きは大きくなっていき、ACは逓増していく。図では点 c が原点Oを通る直線とTC曲線との接点であり、これ以上直線の傾きが小さくなると原点Oを通る直線はTC曲線との接点や交点を持たないため、点 c に対応する財生産量 x_3 においてACが最小となる(このとき、O c はTC曲線の接線となっている)。このため、$0 < x \leqq x_3$ ではACは逓減し、財生産量が x_3 を超えるとACは逓増していく。ゆえに、$x_3 \leqq x_4$ においてはACが逓増しているので、本記述は誤りとなる。

B ◯ 　本記述のとおりである。MCはTC曲線の接線の傾きの大きさとして表される。財生産量が増加するに従ってその傾きは小さくなってMCは逓減し

ていくが、ＴＣ曲線の変曲点（ＭＣが逓減から逓増へと変化する点）において最小となり、その後は財生産量の増加に従ってＭＣは逓増していく。問題文において x = x₁ のときＴＣの接線の傾きが最小となることが明示されていることから、ＭＣも x₁ のときに最小となり、点 a において最小となる。

C ✕ ＡＶＣはＴＣ曲線の縦軸切片 O′ とＴＣ曲線上の点を結んだ直線の傾きの大きさとして表され、財生産量が増加するに従ってＡＶＣの大きさを表す直線の傾き（ＡＶＣ）は逓減していき、同直線がＴＣ曲線の接線となった場合にＡＶＣは最小となり、その後は財生産量が増加するに従って同直線の傾きは大きくなってＡＶＣは逓増していく。問題文から、x₂ におけるＴＣ曲線上の点 b は O′ とＴＣ曲線上の点を結んだ直線の接点とされていることから、点 b においてＡＶＣを表す直線はＴＣ曲線の接線となっている。ゆえに、x₂ においてＡＶＣは最小となっていることから、本記述は誤りとなる。

D ○ 本記述のとおりである。ＭＣはＴＣ曲線の接線の傾きの大きさとして表され、ＡＣは原点 O とＴＣ曲線上の点を結んだ直線の傾きの大きさとして表される。x₃ におけるＴＣ曲線上の点 c では、ＡＣを表す直線がＴＣ曲線の接線となっているため（解説肢A参照）、ＭＣとＡＣが等しくなっている。

E ○ 本記述のとおりである。平均固定費用ＡＦＣは、固定費用ＦＣを財生産量で除したものであり、財1単位あたりのＦＣを表す。ＡＦＣは図において、原点 O とＦＣ曲線上の点を結んだ直線の傾きの大きさで表される。ＦＣは財生産量の増減にかかわらず一定となるため、図においては O′ の水準で横軸に平行な直線として描かれる。点 a ～ d に対応するＦＣ曲線上の点をそれぞれ e ～ h とし、原点 O と点 e ～ h のそれぞれとを結んだ直線の傾きをみると、点 h と原点 O とを結んだ直線の傾きが最も小さいので、ＡＦＣは点 a ～ d のうち点 d において最小となっている。

以上より、妥当なものはＢ、Ｄ、Ｅとなるので、正解は肢3である。

正答 3

memo

実践 問題 **66** 応用レベル

頻出度	地上★★	国家一般職★	特別区★★
	裁判所職員★★	国税·財務·労基★	国家総合職★★

問 ある企業が価格受容者であり、その企業の限界費用、平均費用、平均可変費用が下図のように表されているものとする。この場合、次のア～エの記述のうち、適当なもののみをすべて挙げているのはどれか。　　　　　　（裁事2009）

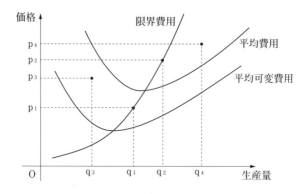

ア：固定費用が埋没費用（サンク・コスト）でない場合、財の価格がp_1であるならば、企業はq_1単位の財の生産を行うことによって利潤を最大にすることができる。

イ：固定費用が埋没費用である場合、財の価格がp_2であるならば、企業はq_2単位の財の生産を行うことによって利潤を最大にすることができる。

ウ：財の価格がp_3のときに、企業がq_3単位の財の生産を行った場合、企業の利潤は正となる。

エ：財の価格がp_4のときに、企業がq_4単位の財の生産を行った場合、企業の利潤は正となる。

1：ア、ウ
2：ア、エ
3：イ、ウ
4：イ、エ
5：ア、イ、エ

直前復習

OUTPUT

実践 問題 **66** の解説 ────────────────────

〈費用曲線〉

ア ✕ 固定費用がサンク・コストであるならば、$p_1 = MC$を満たす生産量q_1の生産を行うことで赤字であるものの利潤が最大になる。しかし、固定費用がサンク・コストでないため、生産量をゼロにすれば、固定費用は発生せず、利潤をゼロにすることができる。したがって、企業はq_1の生産ではなくゼロの生産(撤退)を行うことによって利潤を最大にすることができる。

イ ◯ 本記述のとおりである。財の価格がp_2であるならば、利潤最大化条件$p_2 = MC$に従って、生産量をq_2に決定する。このとき、価格p_2が平均費用を上回っているので、企業はプラスの利潤を得ることができる。

ウ ✕ 財の価格がp_3のとき、生産量をq_3に決定すると、価格p_3が平均費用を下回るため利潤は負になる。

エ ◯ 本記述のとおりである。財の価格がp_4のとき、生産量をq_4に決定すると、価格p_4が平均費用を上回るため利潤は正になる。ただし、利潤最大化は実現していない。

　以上より、適当なものはイ、エとなるので、正解は肢4である。

【補足】　サンク・コスト(埋没費用)

　企業が耐用年数10年の機械を借入れをして購入したものとする。すると、借入れに対する支払利子は固定費用となる。たとえば、企業が6年目から操業を停止しても借入れ利子は、その後、5年間に毎年発生する。このような固定費用は操業を停止しても発生するため回収不能であり埋没(サンク)となる。このように回収不能である固定費用をサンク・コストという。通常のミクロ経済学では固定費用を埋没費用であると暗黙に仮定している。

　次に、企業が営業用自動車を借入れをして購入したものとする。機械の場合と同様に借入れに対する支払利子は固定費用となるが、自動車は中古市場が発達しているため、操業を停止しても売却することで売却代金を支払利子に充てることができる。このような固定費用は操業停止して売却を行うことで埋没(サンク)せず、回収可能となる。

　したがって、固定費用が埋没費用でない場合には、固定費用は操業を停止して中古市場で売却すればゼロになる。つまり、埋没費用でない固定費用は生産量をゼロにすると発生せず、利潤はゼロになる。

正答 **4**

実践 問題 **67** 応用レベル

頻出度	地上★★	国家一般職★	特別区★★
	裁判所職員★★	国税・財務・労基★	国家総合職★★

問 図は完全競争下での企業の限界費用（MC）、平均費用（AC）、平均可変費用
（AVC）、平均固定費用（AFC）を表している。図のA、Bに当てはまる数
値として妥当なものは次のうちどれか。 （地上2010）

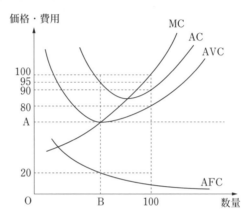

	A	B
1 :	55	50
2 :	65	40
3 :	65	45
4 :	75	45
5 :	75	50

OUTPUT

実践 問題 **67** の解説 ────────────

〈費用曲線〉

　まず、Aについて考える。Aは生産量がBのときのAVCの大きさに等しい。総費用は可変費用と固定費用に分けられることから、1個あたりの費用についても、AC＝AVC＋AFCが成立する。生産量がBのときAC＝95、AFC＝20であることから、AVC＝75となる。

　次に、Bについて考える。BはAFC＝20のときの生産量を表している。AFC×生産量が固定費用（FC）の大きさを表しており、FCは生産量の水準にかかわらず一定である。図より、生産量100のときのAFCは、

　　AFC＝AC－AVC＝90－80＝10

　これより、FC＝1000となる。

　ゆえに、

　　20B＝1000

　　∴B＝50

　よって、正解は肢5である。

正答 **5**

実践 問題 68 応用レベル

頻出度	地上★★	国家一般職★	特別区★★
	裁判所職員★★	国税・財務・労基★	国家総合職★★

問 ある財の生産量と総費用の関係を表している次の二つの総費用曲線を考える。

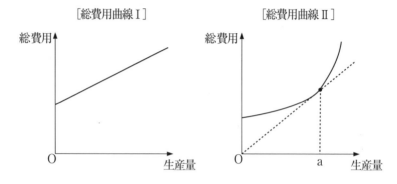

[総費用曲線Ⅰ]

[総費用曲線Ⅱ]

　各総費用曲線の平均費用（AC）曲線と限界費用（MC）曲線を考える。総費用曲線Ⅰに対応するものを以下の図の（ア）又は（イ）から、総費用曲線Ⅱに対応するものを以下の図の（ウ）～（オ）からそれぞれ選んだものの組合せとして妥当なのはどれか。　　　　　　　　　　　　　　　　　　　（国家総合職2022）

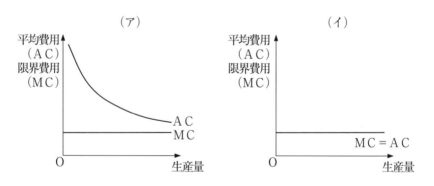

（ア）

（イ）

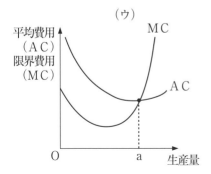

（ウ）

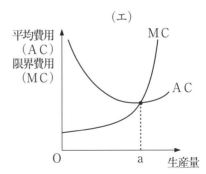

（エ）

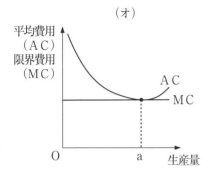

（オ）

	[総費用曲線Ⅰ]	[総費用曲線Ⅱ]
1 :	（ア）	（ウ）
2 :	（ア）	（エ）
3 :	（ア）	（オ）
4 :	（イ）	（ウ）
5 :	（イ）	（エ）

〈費用曲線〉

(1) 総費用曲線Ⅰ

総費用曲線Ⅰのグラフは右上がりの直線となっていることから、限界費用MCは一定となり、MC曲線は水平となる。平均費用は、グラフが縦軸切片を持つことから固定費用が存在しており、財の生産量が増えると平均固定費用が低下するので、AC曲線は右下がりになるはずである。よって、総費用曲線Ⅰに対応する図は(ア)である。

(2) 総費用曲線Ⅱ

総費用曲線Ⅱのグラフは、縦軸切片を持ち、財の生産量が増加するに伴って総費用も増加している(逓増)。また、総費用曲線Ⅱの接線についてみると、財の生産量が増加するに伴って接線の傾きが一様に増加していくグラフとなっている(接線の傾きが急になっていく)。限界費用MCは総費用曲線の接線の傾きの大きさで表されることから、限界費用MCも財の生産量の増加に伴って増加していく(逓増)。よって、総費用曲線Ⅱに対応するMC曲線は右上がりの形状となり、U字型にはならない。この段階で、総費用曲線Ⅱに対応するMC曲線の図は(エ)に確定する。

次に、AC曲線を導出する。平均費用ACの大きさは、原点と総費用曲線上の任意の点を結んだ直線の傾きの大きさで表される。これをもとに検討すると、財の生産量がaより小さい領域では財の生産量の増加に伴って平均費用ACは逓減し、aより大きい領域では平均費用ACは逓増しており、生産量がaのときに平均費用ACが最低となる。ゆえに、総費用曲線Ⅱに対応するAC曲線は、財の生産量がaまでは右下がりの形状、aを超えると右上がりの形状となるU字型の形状を描くこととなる。問題図の(ウ)、(エ)、(オ)のAC曲線はともにU字型の形状となっているので、AC曲線の形状からは総費用曲線Ⅱに対応するものを判断することができない。しかし、右上がりの形状となるMC曲線は(エ)のみとなるので、総費用曲線Ⅱに対応するMC曲線およびAC曲線の図は(エ)で確定する。

以上より、総費用曲線ⅠおよびⅡのMC曲線とAC曲線に対応するものは、それぞれ(ア)、(エ)となるので、正解は肢2である。

正答 2

memo

必修問題 **セクションテーマを代表する問題に挑戦!**

損益分岐点と操業停止点の関係を、さまざまな費用曲線の性質とともに覚えましょう。

問 図は、ある企業のそれぞれ短期の平均費用曲線、平均可変費用曲線、限界費用曲線を表したものであり、図中のA、B、Cには平均費用曲線、平均可変費用曲線、限界費用曲線のいずれかが当てはまる。この企業は完全競争市場の中で利潤を最大化するように行動しており、このとき、この図に関するA〜Fの記述のうち、妥当なもののみをすべて挙げているのはどれか。　　　　(国Ⅱ2006)

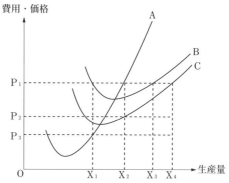

A：財の価格がP_1のとき、この企業はX_2だけ生産する。

B：財の価格がP_1のとき、この企業はX_3だけ生産する。

C：財の価格がP_2のとき、利潤が負となるため、この企業は生産を行わない。

D：財の価格がP_2のとき、利潤が負となるが、この企業は生産を行う。

E：財の価格がP_3のとき、この企業は生産を行わず、利潤はゼロである。

F：財の価格がP_3のとき、この企業は生産を行うが、利潤はゼロである。

1：A、D

2：A、F

3：B、C

4：B、E

5：D、F

頻出度	地上★	国家一般職★	特別区★★
	裁判所職員★★★	国税・財務・労基★★★	国家総合職★

必修問題の解説

〈損益分岐点と操業停止点〉

本問は企業の短期における**限界費用曲線・平均費用曲線・平均可変費用曲線**に関する問題である。

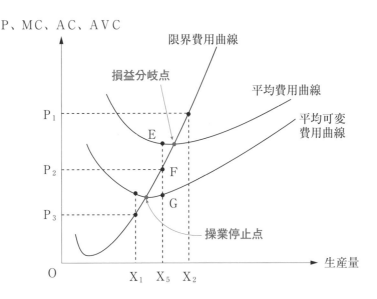

第2章 費用曲線

A・B 完全競争市場でプライステイカーとして行動する企業の利潤最大化条件は、価格P_1と限界費用MCとが一致するように生産量を決定することであるから、この企業はX_2だけ生産することになる。よって、記述Aが妥当であり、記述Bのように生産量をX_3とする動機を企業は持たない。

C・D 財の価格がP_2のとき、損益分岐点(限界費用曲線と平均費用曲線の交点)における価格より、低い価格が提示されている(つまり、価格P_2のもとで利潤を最大化する生産量X_5において平均費用(財1個あたりの総費用)が価格を上回っている)ために企業の利潤は負となる。実際、上図において生産量X_5における平均費用E点と財価格P_2の水準F点をみると、F点よりもE点のほうが高いことから生産量1単位あたりEFの赤字になる。しかし、価格P_2のもとで生産を行うことで、可変費用を回収することができ、さらに固定費用の一部も回収することができるため、企業の生産は続けられる。これはP_2が操業停止点(限界費用曲線と平均可変費用曲線の交点)における

価格よりも高い水準にあるからである。よって、記述Dが妥当である。

E・F 財の価格がP_3のとき、操業停止点における価格より、低い価格が提示されている(つまり、価格P_3のもとで利潤を最大化する生産量X_1において平均可変費用が価格を上回っている)。操業停止点における価格よりも財価格が低い場合、企業の総収入は可変費用の全額を回収できずに赤字が発生し、さらに固定費用の全額が回収できないことからこれも赤字となる。可変費用の一部および固定費用の全額が赤字となることから、企業の利潤も負となっており、「利潤はゼロである」とする記述はともに誤りである。また、企業が生産を行わない場合、可変費用は発生しないことから固定費用のみが赤字となるが、財価格がP_3、生産量X_1で生産活動を行うと、固定費用の全額と可変費用の一部が赤字となることから、生産活動を行うことのほうが不利となるため、企業は生産活動を行わない。

以上より、妥当なものはA、Dとなるので、正解は肢1である。

正答 1

memo

最適生産量から利潤の分析を行うと、企業の操業停止点と損益分岐点が導かれます。ここは費用曲線の図を用いて確認します。

1 最適生産量Q*の決定

企業のMC曲線、AC曲線、AVC曲線が図1のように与えられているとします。市場価格Pが図のP点の水準で与えられた場合、最適生産量はE点（P＝MCが成立する点）に対応するQ*に決まります。このとき□PEACの面積は最適生産量Q*における利潤πの大きさを表します。

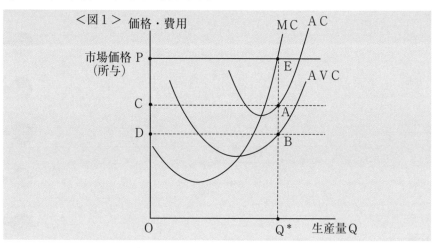

＜図1＞ 価格・費用

2 損益分岐点と操業停止点

損益分岐点とは企業の獲得する利潤が0となってしまう点です。一方、操業停止点とは企業が生産活動を停止する点です。これを図と数式で説明します。

企業の利潤は次のように表すことができます。

$$利潤（\pi）＝総収入（TR）－総費用（TC）$$
$$＝P \cdot Q － AC \cdot Q$$
$$＝(P － AC)Q \quad ……①$$

また、

$$利潤（\pi）＝P \cdot Q －(VC ＋ FC)$$
$$＝P \cdot Q － AVC \cdot Q － FC$$
$$＝(P － AVC)Q － FC \quad ……②$$

とも書き換えられます。

　完全競争市場で企業がプライステイカーとして生産活動しているなら、P＝MCが成り立ちます。図2のQ$_1$より生産量が多い範囲ではP（＝MC）＞ACであるから、①の値は正になります。価格が下落してきてP$_1$の値になったときは、P＝MC＝ACになるので①の値は0となり、これより価格が下がってしまうとP（＝MC）＜ACであるから、①の値は負になってしまいます。つまり、図2のA点が黒字経営か赤字経営かの分かれ目になっているのです。この点を**損益分岐点**といいます。

　価格がP$_1$より下がると企業経営は赤字になってしまいます。では、赤字になったら企業はすぐに操業を停止してしまうのでしょうか。②を見てください。固定費用FCは不変ですが、第1項の値（P－AVC）Qは価格によって変動します。価格がP$_1$とP$_2$の間にある場合、AC＞P（＝MC）＞AVCの関係が成り立つため、（P－AVC）Qの値は正になります。このとき全体の利潤は負ですが、固定費用を除いた経済活動は黒字になっています。価格がP$_2$の水準まで下落すると、P＝MC＝AVCであるから（P－AVC）Qは0となり、さらに価格が下がってしまうとP（＝MC）＜AVCより第1項の値（P－AVC）Qも負になってしまいます。このときは、操業を停止しているときの企業の利潤（－FC）よりも赤字幅が大きくなってしまうため、価格がP$_2$より下の範囲では生産活動を中止したほうが望ましくなります。この、企業が操業を継続するか停止するかの境目となる点Bを**操業停止点**といいます。

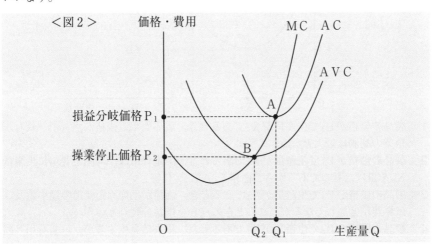

<図2>

頻出度	地上★★	国家一般職★	特別区★★
	裁判所職員★★★	国税・財務・労基★★★	国家総合職★

問 次の図は、短期の完全競争市場において、縦軸に単位当たりの価格・費用を、横軸に生産量をとり、ある企業が生産する製品についての平均費用曲線をAC、平均可変費用曲線をAVC、限界費用曲線をMCで表したものであるが、この図に関する記述として、妥当なのはどれか。ただし、点B、C及びDはそれぞれ平均費用曲線、平均可変費用曲線及び限界費用曲線の最低点である。

（特別区2020）

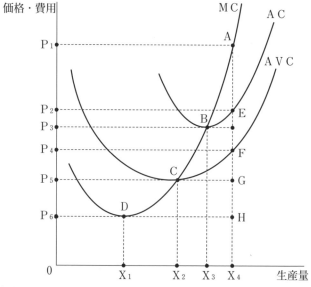

1：製品の価格がP₁で生産量がX₄であるとき、限界費用と価格が点Aで一致し、企業の利潤は最大となる。

2：製品の価格がP₁で生産量がX₄であるとき、固定費用は平均固定費用に生産量X₄を掛けたものであるから、面積P₁AEP₂に等しい。

3：製品の価格がP₃で生産量がX₃であるとき、価格が平均固定費用の最小値及び限界費用と等しくなるが、このときの点Bを損益分岐点という。

4：製品の価格がP₅で生産量がX₂であるとき、損失は発生するが、可変費用と固定費用の一部は賄うことができるので、企業は生産の継続を選択する。

5：製品の価格がP₆で生産量がX₁であるとき、企業の最適生産量はゼロになり、このときの点Dを操業停止点という。

実践 問題 **69** の解説

〈損益分岐点と操業停止点〉

1 ○ 本肢の記述のとおりである。短期の完全競争市場における利潤最大化条件は「価格P＝限界費用MC」なので、製品の価格がP_1のときには、限界費用MCと価格Pが点Aで一致し、利潤最大化生産量がX_4となり、企業にとって利潤が最大となっている。

2 ✕ 製品の価格がP_1で生産量がX_4であるとき、固定費用は平均固定費用EF（＝AC－AVC）に生産量X_4を掛けたものであることから、面積P_2EFP_4に等しい。

3 ✕ 製品の価格がP_3で生産量がX_3であるとき、価格が平均固定費用ではなく平均費用（＝平均総費用）の最小値および限界費用と等しくなっている。なお、このときの点Bは損益分岐点である。

4 ✕ 製品の価格がP_5で生産量がX_2であるとき、この企業にとって、P_5CX_2Oの面積が売上（＝価格×数量）であると同時に、可変費用VC（＝AVC×数量）になっていることから、売上によって可変費用VCは賄うことができているが、固定費FCは全く賄えていない。なお、このときの点Cは操業停止点である。

5 ✕ 肢4の解説で記述したとおり、点Cが操業停止点であり点Dではない。なお、製品の価格がP_6であるとき、操業停止点における価格よりも低い水準なので、企業の最適生産量はゼロになる。

第2章 費用曲線

正答 **1**

実践　問題 **70** ＜ 基本レベル ＞

頻出度	地上★★　　　国家一般職★　　　特別区★★
	裁判所職員★★★　国税・財務・労基★★★　国家総合職★★

問 図の太線は、縦軸にＸ財の価格をとり、横軸にＸ財の供給量をとったときの、ある企業の個別供給曲線を表している。また、この企業の固定費用は全てサンク費用であり、ゼロではないものとする。　　　　　　　　　　　　（国家総合職2020）

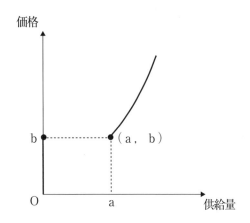

この個別供給曲線に関するＡ～Ｄの記述のうち、妥当なもののみを全て挙げているのはどれか。　　　　　　　　　　　　　　　　　　　　（国家総合職2020）

Ａ：ｂの大きさは固定費用に等しい。

Ｂ：点（ａ，ｂ）は、縦軸に限界費用（ＭＣ）、平均費用（ＡＣ）をとった場合の限界費用（ＭＣ）曲線と平均費用（ＡＣ）曲線の交点と一致する。

Ｃ：点（ａ，ｂ）は、縦軸に限界費用（ＭＣ）、平均可変費用（ＡＶＣ）をとった場合の限界費用（ＭＣ）曲線と平均可変費用（ＡＶＣ）曲線の交点と一致する。

Ｄ：Ｘ財の価格がｂのとき、この企業の利潤はゼロである。

1：Ｂ
2：Ｃ
3：Ａ、Ｂ
4：Ａ、Ｃ
5：Ｃ、Ｄ

OUTPUT

実践 問題 **70** の解説

〈損益分岐点と操業停止点〉

A × X財の価格をP、生産量(供給量)をQとおくと、グラフ上では、P≧bのときQ≧0となり、生産が開始されている。よって、点(a，b)は操業停止点であることがわかる。完全競争市場のもとで生産者が利潤の最大化を図っているとき、操業停止点では、P＝MC＝AVCが成り立つため、TC＝VC＋FCであることを踏まえると、利潤π＝PQ－TC＝－FCとなる。P≦AVCで操業を続けた場合の利潤は、操業を停止した場合の利潤(＝－FC)よりも小さくなっていくため、生産者は操業を停止する。

すなわち、操業停止点ではP＝MC＝AVCとなり、グラフ上のbの大きさは平均可変費用AVCまたは限界費用MCと等しくなる(縦軸を総費用とした場合に、bの大きさは供給量が0である場合もかかる費用である固定費用となる)。よって、誤り。

B × 肢Aの解説より、点(a，b)は操業停止点であるから、P＝MC＝AVCである。MC＝ACではないので、誤り。P＝MC＝ACとなる点は、利潤π＝PQ－TC＝0となることから、損益分岐点である。

C ○ 肢Aの解説のとおり、妥当である。なお、供給曲線は、操業停止点(a，b)より上の限界費用(MC)曲線と、Obである。

D × 肢Aの解説より、X財の価格がbのときの企業の利潤は、π＝－FCより、固定費用分の赤字となる(企業の利潤が0となるのは損益分岐点である)。よって、誤り。

第2章 費用曲線

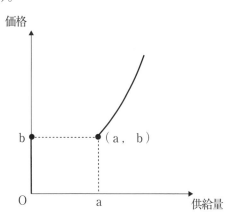

以上より、妥当なものはCのみとなるので、正解は肢2である。

正答 2

実践 問題 **71** 基本レベル

頻出度	地上★★　　国家一般職★★　　特別区★★
	裁判所職員★★★　国税·財務·労基★★★　国家総合職★

問 あるプライステイカーの企業の短期の総費用関数が、以下のように与えられる。

$$C(x) = x^3 - 6x^2 + 10x + 100 \quad (x > 0):生産量$$

固定費用はサンクコストとする。このとき、この企業における操業停止価格
（生産中止価格）として最も妥当なのはどれか。　　　　　　（国家一般職2023）

1 : 1
2 : 2
3 : 10
4 : 15
5 : 25

実践 問題 **71** の解説 —————————————

〈操業停止点〉

第2章 費用曲線

　問題文において、「あるプライステイカーの企業」とあることから、本問では完全競争市場を前提としていると考えられる。そのため、完全競争市場において操業停止点が実現するための条件は、財価格をPとすると、

　　P＝限界費用：ＭＣ＝平均可変費用：ＡＶＣ　……①

である。与えられた総費用関数の式よりＭＣおよびＡＶＣを計算すると、以下のようになる。

　Ｃ（ｘ）をｘで微分して、

$$MC = \frac{\Delta C(x)}{\Delta x} = 3x^2 - 12x + 10 \quad \cdots\cdots ②$$

を得る。また、Ｃ（ｘ）の式より固定費用：ＦＣ＝100であり、可変費用：ＶＣ（ｘ）＝$x^3 - 6x^2 + 10x$であることから、ＶＣをｘで割ってＡＶＣを求めると、

$$AVC = \frac{VC(x)}{x} = x^2 - 6x + 10 \quad \cdots\cdots ③$$

となり、①より操業停止点ではＭＣ＝ＡＶＣが成立しており、さらに②、③より、

　　$3x^2 - 12x + 10 = x^2 - 6x + 10$

が成立する。上記式を整理すると、

　　$x(x - 3) = 0$

となる。ｘ＝0、3となるが、問題文の条件に「ｘ＞0」とあることから、操業停止点における生産量は3（ｘ＝3）となる。

　この操業停止点における価格水準：Ｐを求めるためには、①の「Ｐ＝ＭＣ」を活用し、ｘが「3」であることから、これを②に代入して、

　　$P = MC = 3x^2 - 12x + 10 = 3 \cdot 3^2 - 12 \cdot 3 + 10 = 1$

と求めることができ、操業停止点における価格水準：Ｐは1とわかる。よって、正解は肢1である。

【別解】

　操業停止点は平均可変費用ＡＶＣの最小点であることから、「微分してゼロとおく」と（最大化だけでなく）最小化における数量も得られることを利用して、③より、

$$\frac{\Delta AVC}{\Delta x} = 2x - 6 = 0$$

　　$\therefore x = 3$

として操業停止点における生産量を求める方法もある。

正答 **1**

実践 問題 **72** 〈応用レベル〉

頻出度	地上★★　　国家一般職★　　特別区★★
	裁判所職員★★★　国税・財務・労基★★★　国家総合職★

問 ある企業の総費用関数が次のように与えられているとする。

$$TC(x) = x^3 - 2x^2 + 2x + 8$$

> TC：総費用、x：財の生産量（x＞0）

　この企業の損益分岐点と操業停止点における価格の組合せとして、最も妥当なものはどれか。　　　　　　　　　　　　　　　　　　　　　　（裁判所職員2022）

	損益分岐点	操業停止点
1：	2	1
2：	4	1
3：	4	2
4：	6	1
5：	6	2

OUTPUT

実践 問題 **72** の解説 ─────────

〈損益分岐点と操業停止点〉

　まず、操業停止点における価格を求める。操業停止点において価格Ｐは、Ｐ＝ＭＣ＝ＡＶＣとなることから、ＭＣ＝ＡＶＣを用いて操業停止点における生産量を求める。総費用関数が、

$$TC(x) = x^3 - 2x^2 + 2x + 8$$

と与えられているので、これを生産量 x で微分して、

$$MC = \frac{\Delta TC}{\Delta x} = 3x^2 - 4x + 2 \quad \cdots\cdots①$$

を得る。また、総費用関数から固定費(変数となる生産量 x が含まれない項の「＋８」が固定費となる)を引いて可変費用ＶＣを得て、さらに可変費用ＶＣを x で除して平均可変費用ＡＶＣを求めると、

$$VC = x^3 - 2x^2 + 2x$$

$$AVC = \frac{VC}{x} = x^2 - 2x + 2 \quad \cdots\cdots②$$

となり、①＝②として、

$$3x^2 - 4x + 2 = x^2 - 2x + 2$$

$$2x^2 - 2x = 0$$

$$2x(x - 1) = 0$$

となり、 x＝1となる(問題文の条件より x＞0)。

　x＝1を①(もしくは②)に代入して操業停止点における価格Ｐを求めると、

$$P = 3x^2 - 4x + 2$$

$$P = 3 \times 1^2 - 4 \times 1 + 2$$

$$P = 3 - 4 + 2$$

$$P = 1$$

となり、操業停止点における価格Ｐが１とわかる。

　次に、損益分岐点における価格Ｐ′を求める。まず、損益分岐点における生産量をＭＣ＝ＡＣにより求めると、ＭＣは①となり、ＡＣは総費用関数を x で除すと、

$$AC = \frac{TC}{x} = x^2 - 2x + 2 + \frac{8}{x} \quad \cdots\cdots③$$

となり、①＝③として、

$$3x^2 - 4x + 2 = x^2 - 2x + 2 + \frac{8}{x}$$

$$2\,x^2 - 2\,x - \frac{8}{x} = 0$$

となるが、上記式を解くために両辺に x を掛け、さらに 2 で除すと、

$$x^3 - x^2 - 4 = 0$$

を得る。「$x^3 - x^2 - 4 = 0$」は、「$x = 2$」のときに成立する（2 を x に代入すると 0 になる）ので、「$x^3 - x^2 - 4 = 0$」は「$x - 2$」で除すことができ、

$$(x - 2)(x^2 + x + 2) = 0$$

と因数分解できる。上記式の解として「$x = 2$」が当てはまるので、「$x = 2$」が求める損益分岐点の生産量であることが確認できる（$x^2 + x + 2 = 0$ は実数の解を持たない）。

「$x = 2$」を①（もしくは③）に代入して、損益分岐点における価格 P′ を求めると、

$$P' = 3\,x^2 - 4\,x + 2$$
$$P' = 3 \times 2^2 - 4 \times 2 + 2$$
$$P' = 12 - 8 + 2$$
$$P' = 6$$

となり、損益分岐点点における価格 P′ が 6 とわかる。

以上より、正解は肢 4 である。

【補足：3 次方程式の解法】

主に損益分岐点について問われている問題では、3 次方程式を解くことが必要になるケースもある。3 次方程式の一般的な形は、

$$a\,x^3 + b\,x^2 + c\,x + d = 0 \quad (a \neq 0)$$

というものであり、左辺を因数分解して解を求める。3 次方程式の実数解は最大で 3 つ存在するが、公務員試験における経済学では 1 つの解だけ求めれば正解を見つけられる場合が多い。以下、本問の式等を使用して確認していく。

損益分岐点においては MC = AC であるため、本問における MC = AC は以下のようになる。

$$MC = \frac{\Delta\,TC}{\Delta\,x} = 3\,x^2 - 4\,x + 2$$

$$AC = \frac{TC}{x} = x^2 - 2\,x + 2 + \frac{8}{x}$$

$$MC = AC \quad \Leftrightarrow \quad 3\,x^2 - 4\,x + 2 = x^2 - 2\,x + 2 + \frac{8}{x}$$

$$2\,x^2 - 2\,x - \frac{8}{x} = 0$$

$$x^3 - x^2 - 4 = 0 \quad \cdots\cdots ①$$

ここで、①の3次方程式の1つの解がわかれば多くの問題は解答できるので、本問では、①を因数分解し、

$$(x - a)(x^2 + bx + c) = 0 \quad \cdots\cdots ②$$

という形にするわけだが、重要なポイントは、②の「"a"の値をどのように求めるか」である。このaの値を見つけるためには、以下の2点に注意する。

・「-a」と「c」の積が定数項の「-4」になるのだから、「a」は4の約数である。
　　⇒ aの値の"候補"が「1、2、4」とわかる。

・②式の左辺をみれば、①式の方程式の解が少なくとも、「x = a」であることがわかるので、①式の左辺のxにaの値の"候補"「1、2、4」を順に代入して左辺の値がゼロになるものを探す。

①に x = 2 を代入すると、

$$2^3 - 2^2 - 4 = 0$$

となることから、aの値は2であることがわかる。そして、左辺の「$x^3 - x^2 - 4$」を「x - 2」で割る。割った結果、「$x^2 + x + 2$」が求められるので、因数分解の結果、

$$(x - 2)(x^2 + x + 2) = 0$$

と変形することができる。なお、「x - 2」で割るときの割り算は以下の筆算例を参照のこと。

以上より、x = 2 がこの方程式の解となるため、損益分岐点における生産量は2となる。

《参考：本問の3次方程式の筆算例》

```
                x² + x       + 2
        ┌─────────────────────────
x - 2   │ x³ - x²          - 4
          x³ - 2 x²
        ─────────────
               x² + 0
               x² - 2 x
        ─────────────
                    2 x - 4
                    2 x - 4
        ─────────────
                        0
```

正答 **4**

必修問題 ## セクションテーマを代表する問題に挑戦！

短期のときと長期のときの違いに注目して、問題を解きましょう。

問 縦軸に費用、横軸に生産量をとったグラフ上に描かれた短期及び長期の費用曲線に関する記述として、妥当なのはどれか。

(特別区2013)

1：ある生産量で費用最小化を実現する短期総費用曲線は、その生産量においては長期総費用曲線に接するが、他の生産量においては長期総費用曲線の下方に位置する。

2：長期平均費用曲線は、全ての生産要素を変化させることによって任意の生産量を最小の費用で生産するときの平均費用を示すものであり、無数の短期平均費用曲線の最低点を結んだものである。

3：ある生産量における長期平均費用は、その生産量における長期総費用曲線上の点と原点とを結ぶ直線の傾きに等しく、また、長期平均費用曲線は、短期平均費用曲線群の包絡線となる。

4：ある生産量における長期限界費用は、その生産量での長期総費用曲線上の点における傾きに等しく、また、長期限界費用曲線の傾きは、短期限界費用曲線のそれよりも常に大きい。

5：短期における限界費用曲線と平均費用曲線との関係と長期におけるそれとの相違は、短期限界費用曲線は、短期平均費用曲線の最低点を通過するが、長期限界費用曲線は、長期平均費用曲線の最低点を通過しないという点にある。

Guidance ガイダンス **短期費用曲線と長期費用曲線**

　ここでは、費用全般（TC、AC、MC）についてそれぞれ短期と長期の関係を学習していく。長期ではすべての生産要素が可変的となることから、固定費用は存在しない。したがって、生産量が0のとき費用は0になる。

必修問題の解説

〈短期と長期〉

第2章

費用曲線

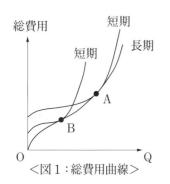

<図1：総費用曲線>

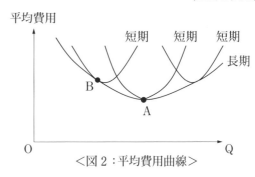

<図2：平均費用曲線>

1 ✕ 総費用曲線は図1のようになる。各短期の総費用曲線は、長期の総費用曲線と一点で接して、他の点では必ず短期のほうが上方に位置する。

2 ✕ 平均費用曲線は図2のようになる。B点やA点のように、短期の平均費用曲線は長期平均費用曲線と一点で接し、他の点では必ず短期の平均費用曲線のほうが高くなる。A点は長期平均費用曲線の最低点であり、A点では短期の平均費用曲線の最低点でもある。しかし、B点のように、一般には長期平均費用曲線は短期平均費用曲線の最低点を結んだ曲線ではないので誤り。

3 ◯ 本肢の記述のとおりである。なお、短期、長期を問わず総費用曲線上の点と原点を結ぶ直線の傾きの大きさは、平均費用の大きさに等しい。また、長期平均費用曲線は、短期平均費用曲線群の包絡線となる。

4 ✕ 本肢前半の記述は正しく、任意の生産量における長期限界費用の大きさは長期総費用曲線の傾きの大きさに等しい。一方、後半の記述が誤りとなる。図3は短期平均費用曲線：ＳＡＣ、短期限界費用曲線：ＳＭＣ、長期平均費用曲線：ＬＡＣ、長期限界費用曲線：ＬＭＣを描いたものである。図3における各々の生産量に注目すると、Q_1よりも生産量が大きいと「SMC_1の傾き＞ＬＭＣの傾き」、Q_2よりも生産量が大きいと「SMC_2の傾き＞ＬＭＣの傾き」、Q_3よりも生産量が大きいと「SMC_3の傾き＞ＬＭＣの傾き」となっており、「長期限界費用曲線の傾きは、短期限界費用曲線のそれよりも常に大きい」わけではない。

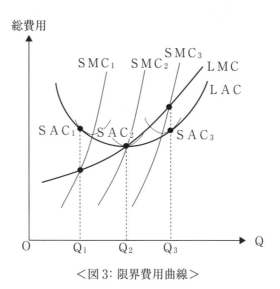

総費用

SMC_1　SMC_2　SMC_3　LMC

LAC

SAC_1　SAC_2　SAC_3

O　Q_1　Q_2　Q_3　Q

<図3: 限界費用曲線>

5 ✕　後半が誤り。長期の限界費用曲線も、長期の平均費用曲線の最低点を必ず通過する。

memo

1 短期と長期の費用曲線

　短期と長期で費用曲線が異なるのは、資本規模を変化させることができるかどうかによります。

　短期では、工場や機械のような資本設備の規模を拡大・縮小することが困難であるため、資本を固定費用として考えます。したがって、短期の総費用曲線（STC）は固定費用の大きさによって右図のように無数に存在します。各STCにおける縦軸との切片が固定費用の大きさを表しています。

　長期では資本規模が操作可能です。生産量を所与として、現在かかっている費用より、別のSTC上の費用のほうが小さい場合は、資本規模を調整することにより費用を小さくすることができます。したがってある生産量におけるそれぞれのSTCの中の最低点をつないだものが長期の総費用曲線（LTC）になります。これは、STCの包絡線になっています。また、長期の平均費用曲線（LAC）は総費用曲線と同様に、短期の平均費用曲線（SAC）の包絡線になります。

　生産規模がX_1のとき、企業は総費用や平均費用がSTC$_1$、SAC$_1$になるように資本規模を調整します。このとき、限界費用は生産水準X_1における短期限界費用曲線SMC$_1$上の価格になります。同様に、企業はそれぞれの生産規模に応じて資本を調整するので、各生産水準におけるSMCの点の集合が長期限界費用曲線（LMC）になります。そして、右図のように生産量X_2のときのみ、

　　　SAC＝LAC＝SMC＝LMC

が成立します。

【長期費用関数】
① 　長期平均費用曲線LACの最低点では、短期平均費用曲線SAC、短期限界費用曲線SMC、長期平均費用曲線LAC、長期限界費用曲線LMCのすべてが一致する。
② 　短期限界費用SMCと長期限界費用LMCが一致する生産量の水準で、短期平均費用SACと長期平均費用LACが一致する。

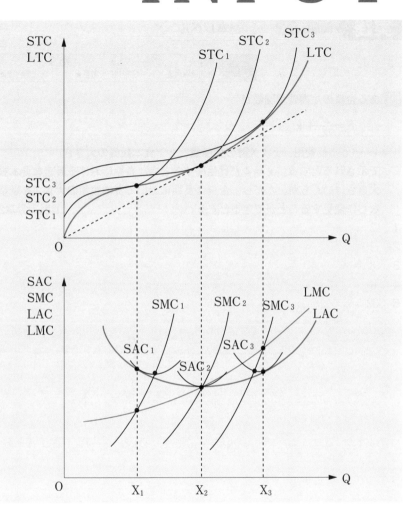

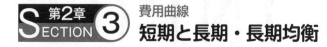
実践 問題 **73** 基本レベル

頻出度	地上★	国家一般職★	特別区★
	裁判所職員★	国税・財務・労基★	国家総合職★

問 ある企業の短期費用関数が

$$c = \frac{x^2}{k} + k$$

（c：総費用、x：X財の生産量、k：資本設備の大きさ）

で示されるとする。x＝4だけ生産するとき、長期における最適な資本設備の大きさはいくらか。ただし、企業は長期において資本設備の大きさを調整費用なしに変更することができるとする。　　　　　　　　　（国税・労基2011）

1：2

2：4

3：8

4：16

5：32

OUTPUT

実践 問題 **73** の解説

〈短期と長期〉

総費用関数は

$$c = \frac{x^2}{k} + k$$

である。本問においては、総費用 c は生産量 x と資本量 k によって決定されていることがわかる。題意に沿って、生産量を 4 とすると、費用関数は

$$c = \frac{16}{k} + k = 16 k^{-1} + k \quad \cdots\cdots ①$$

となる。①を k で微分してゼロとおくことで、c を最も低くする k の値が導出できる。

$$\frac{\Delta c}{\Delta k} = -16 \times k^{-1-1} + 1 = -16 k^{-2} + 1 = -\frac{16}{k^2} + 1 = 0$$

→ $k^2 = 16$

→ $k = 4$

よって、正解は肢 2 である。

第2章 費用曲線

正答 **2**

実践 問題 **74** 応用レベル

頻出度	地上★	国家一般職★	特別区★
	裁判所職員★	国税・財務・労基★	国家総合職★

問 ある企業は資本設備の大きさが k（＞0）のとき、短期の費用関数が

$$C = \frac{9x^2}{k} + k + 5 \quad （C：総費用、x：財の生産量）$$

で与えられているとする。

この企業の長期の費用関数として妥当なのはどれか。ただし、この企業は長期において、資本設備の大きさを調整費用なしで変更できるものとする。

（国家一般職2021）

1：$C = 6x + 5$
2：$C = 6.5x + 5$
3：$C = 10x + 5$
4：$C = 3x^2 + 8$
5：$C = 9x^2 + 6$

OUTPUT

実践 問題 **74** の解説 —————

〈長期の費用関数〉

第2章 費用曲線

企業は長期的には資本設備(規模)を変更することが可能であることから、費用C を最小にするように資本設備kの数値を決定する。したがって、短期の費用関数を Kで微分して0とおいて、費用が最小となるKを求めると、($C = \dfrac{9x^2}{k} + k + 5 = 9x^2 \cdot k^{-1} + k + 5$ と考えて)、

$$\frac{\Delta C}{\Delta k} = 9x^2 \cdot (-1) \cdot k^{-1-1} + 1$$

$$= -9x^2 k^{-2} + 1$$

$$= -\frac{9x^2}{k^2} + 1 = 0$$

$$\Rightarrow \quad \frac{9x^2}{k^2} = 1$$

$$\Rightarrow \quad 9x^2 = k^2$$

となり、平方根をとることによって、

$$\sqrt{9x^2} = \sqrt{k^2}$$

$$\therefore k = 3x \quad \cdots\cdots ①$$

を得る。したがって、長期の費用関数は、①を短期費用関数に代入して、

$$C = \frac{9x^2}{k} + k + 5$$

$$C = \frac{9x^2}{3x} + 3x + 5$$

$$C = 3x + 3x + 5$$

$$C = 6x + 5$$

となる。

よって、正解は肢1である。

正答 **1**

実践 問題 **75** 〈 応用レベル 〉

頻出度	地上★	国家一般職★	特別区★
	裁判所職員★	国税・財務・労基★	国家総合職★

問 ある生産物の生産関数が次の式で示されている。

$$Y = K^{0.3} L^{0.7}$$

> Y ：生産量、K：資本投入量、L：労働投入量

この生産関数に関する次のア～エの記述のうち、適当なもののみを全て挙げているものはどれか。 (裁判所職員2017)

ア：このような、指数の値の合計が1になる生産関数をレオンチェフ型生産関数という。

イ：この生産関数では、代替の弾力性が1である。

ウ：この生産関数では、規模に関して収穫不変(一定)であり、資本の限界生産力と労働の限界生産力は共に逓減する。

エ：この生産関数では、資本の分配率は0.7、労働の分配率は0.3であり、消費促進のためには労働分配率の引き上げが求められる。

1：ア、イ
2：ア、エ
3：イ、ウ
4：イ、エ
5：ウ、エ

実践 問題 75 の解説

〈コブ＝ダグラス型生産関数〉

ア× 本問のような形式で指数の値の合計が1となるのは、コブ＝ダグラス型生産関数である。レオンチェフ型生産関数では、資本と労働が非代替的なL字型の等量曲線となる。

イ○ コブ＝ダグラス型の生産関数において、資本と労働の代替の弾力性は1である。生産要素価格比の変化率に対する生産要素投入比率の変化率の割合を「代替の弾力性」といい、これは生産要素間の代替性の程度を表している。代替の弾力性と等量曲線の形状の関係は、次のように分類される。結果だけ覚えておけば十分である。

　　①代替の弾力性＝∞…直線的な等量曲線（完全代替的）
　　②代替の弾力性＝1…原点に対して滑らかに凸な等量曲線（コブ＝ダグラス型生産関数）
　　③代替の弾力性＝0…L字型の等量曲線（レオンチェフ型生産関数）

ウ○ 指数の合計値が1であれば、規模に関して収穫不変（一定）となる。なお、労働の限界生産力MP_Lと資本の限界生産力MP_Kは生産関数より以下のように計算できる。

$$MP_L = \frac{\Delta Y}{\Delta L} = 0.7K^{0.3}L^{0.7-1} = 0.7K^{0.3}L^{-0.3} = 0.7\left(\frac{K}{L}\right)^{0.3}$$

$$MP_K = \frac{\Delta Y}{\Delta K} = 0.3K^{0.3-1}L^{0.7} = 0.3K^{-0.7}L^{0.7} = 0.3\left(\frac{L}{K}\right)^{0.7}$$

以上より、労働の限界生産力MP_Lは労働Lが増加すれば逓減し、資本の限界生産力MP_Kは資本Kが増加すれば逓減する。

エ× 資本の分配率と労働の分配率は、それぞれの指数の値に一致する。したがって、資本の分配率は0.3、労働の分配率は0.7である。

　以上より、適当なものはイ、ウとなるので、正解は肢3である。

第2章　費用曲線

正答 3

実践 問題 **76** 〈応用レベル〉

頻出度	地上★	国家一般職★	特別区★	
	裁判所職員★	国税·財務·労基★		国家総合職★

問 ある企業の生産関数が次のように与えられている。

$$x = L^{\frac{2}{3}} K^{\frac{2}{3}}$$

ここで、x は生産量、L は労働投入量、K は資本投入量を表す。労働の価格は w（＞0）、資本の価格は r（＞0）であり、また生産物価格は p（＞0）であるとする。これに関するア～エの記述のうち、妥当なもののみをすべて挙げているのはどれか。 （国Ⅱ2011）

ア：労働の限界生産性は逓減している。

イ：生産関数は規模に関して収穫逓増である。

ウ：資本が $\overline{K}$ で固定されている短期の場合において、短期供給関数は、

$$x = \frac{2 p \overline{K}}{3 w} \text{である。}$$

エ：資本が $\overline{K}$ で固定されている短期の場合において、操業停止点では、$r \overline{K}$ の損失が発生している。

1：ア、イ
2：ウ、エ
3：ア、イ、ウ
4：ア、イ、エ
5：イ、ウ、エ

OUTPUT

実践 問題 **76** の解説 ─────────────────

〈コブ=ダグラス型生産関数〉

コブ=ダグラス型の生産関数を実例として生産関数についての概念を包括的に問う問題である。用語の意味だけでなく、実際に $x = L^{\frac{2}{3}} K^{\frac{2}{3}}$ を使って検討するところまで要求している。

ア○ 労働の限界生産性逓減とは、限界生産性の大きさが労働投入量の増大とともに低下することである。生産関数をLで微分して労働の限界生産性MP_Lを求める。

$$MP_L = \frac{2}{3} L^{\frac{2}{3}-1} K^{\frac{2}{3}} = \frac{2}{3} L^{-\frac{1}{3}} K^{\frac{2}{3}}$$

$$= \frac{2}{3} K^{\frac{2}{3}} \frac{1}{L^{\frac{1}{3}}} \quad \cdots\cdots①$$

①ではLが分母にあることから、Lが大きくなるとMP_Lは小さくなることがわかる。よって、労働の限界生産性は逓減している。

イ○ コブ=ダグラス型生産関数 $x = L^a K^b$ の**規模の収穫**はaとbの和で決まる。

$a + b < 1 \Rightarrow$ LとKをn倍するとxはn倍未満に増える（規模に関して収穫逓減）

$a + b = 1 \Rightarrow$ LとKをn倍するとxはn倍に増える（規模に関して収穫一定）

$a + b > 1 \Rightarrow$ LとKをn倍するとxはn倍以上に増える（規模に関して収穫逓増）

本問では、指数の和をとると、$\frac{4}{3}$ になるから規模に関して収穫逓増になることがわかる。

ウ✕ 資本を固定した生産関数 $x = L^{\frac{2}{3}} \overline{K}^{\frac{2}{3}}$ をL＝〜にすることで労働需要関数を導出する。

$$x = L^{\frac{2}{3}} \overline{K}^{\frac{2}{3}} \Rightarrow \frac{x}{K^{\frac{2}{3}}} = L^{\frac{2}{3}} \Rightarrow \left(\frac{x}{K^{\frac{2}{3}}}\right)^{\frac{3}{2}} = (L^{\frac{2}{3}})^{\frac{3}{2}}$$

$$\Rightarrow L = \frac{x^{\frac{3}{2}}}{K} \quad \cdots\cdots②（労働需要関数）$$

②の労働需要関数とは、所与の生産量xを達成するのに必要な労働投入量

Lを表す。

②を用いて費用C＝wL＋r$\overline{K}$のLを消去して、Cをxの式として表す。つまり、

$$C = w\frac{x^{\frac{3}{2}}}{\overline{K}} + r\,\overline{K}$$

$$C = w\frac{1}{\overline{K}}x^{\frac{3}{2}} + r\,\overline{K} \quad \cdots\cdots③（短期総費用関数）$$

供給曲線とは市場価格pと利潤最大化生産量xとの関係を表す曲線であり、P＝MCから導かれる。

$$MC = \frac{3}{2}w\frac{1}{\overline{K}}x^{\frac{3}{2}-1} = p$$

$$\frac{3}{2}w\frac{1}{\overline{K}}x^{\frac{1}{2}} = p$$

$$x^{\frac{1}{2}} = \frac{2\,p\,\overline{K}}{3\,w}$$

$$x = \left(\frac{2\,p\,\overline{K}}{3\,w}\right)^2$$

したがって、記述ウの供給関数は誤りとなる。

エ○ 利潤関数は

$$\pi = p\,x - wL - r\,\overline{K}$$

である。操業停止点とは生産量xをゼロにする点であるので、生産関数x＝$L^{\frac{2}{3}}\overline{K}^{\frac{2}{3}}$が0になる必要がある。資本は$\overline{K}$で固定されているため、L＝0となる。よって、x＝0、L＝0を利潤関数に代入すると、$\pi = -r\,\overline{K}$となる。

以上より、妥当なものはア、イ、エとなるので、正解は肢4である。

正答 4

memo

Q1 総費用曲線（ＴＣ）とは、財の生産量と総生産費用との関係を表したもの
で、生産量とは関係なくかかる固定費用と、生産量の増加に伴い高まる
限界費用（ＭＣ）から構成される。

Q2 平均費用（ＡＣ）とは、生産1単位あたりの費用のことであり、平均可変
費用（ＡＶＣ）を下回ることはない。

Q3 平均費用、平均可変費用、限界費用の大小関係について、平均費用の最
低点で平均費用と限界費用は等しくなり、また平均可変費用の最低点で
平均可変費用と限界費用は等しくなる。

Q4 完全競争市場を仮定した場合、企業の総収入曲線は右上がりの直線で表
される。

Q5 総費用曲線と総収入曲線の交点が利潤最大化を達成する生産水準である。

Q6 損益分岐点とは、赤字経営か黒字経営か
の分かれ目であり、右図の点Ｂの状態で
あり、このときの価格P₂を損益分岐価格
という。

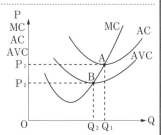

Q7 企業は赤字になっても、操業を継続するか、停止するかの分かれ目であ
る操業停止点までは操業するが、操業停止条件は価格、限界費用、平均
可変費用が等しい状態である。

Q8 右図の短期費用曲線（ＳＴＣ₂）と長期費
用曲線（ＬＴＣ）の接点において、長期と
短期の平均費用および限界費用はすべ
て等しくなっている。

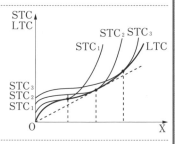

A1 × 総費用曲線とは、財の生産量と総生産費用との関係を表したもので、生産量とは関係なくかかる費用(固定費用：ＦＣ)と、生産量の増加に伴い高まる費用(可変費用：ＶＣ)から構成される。

A2 ○ 平均可変費用(Average Variable Cost：ＡＶＣ)とは、生産1単位あたりの可変費用のことであり、平均費用を上回ることはない。

A3 ○ 平均費用は総費用曲線上の点と原点を結ぶ直線の傾き、平均可変費用は総費用曲線上の点と切片を結ぶ直線の傾き、そして限界費用は総費用曲線の接線の傾きに等しい。

A4 ○ 完全競争市場では、プライステイカーの仮定より、財価格は一定とされている。よって、総収入曲線は原点を通る右上がりの直線として表される。

A5 × 総費用曲線の接線の傾きが総収入線の傾きと同じになることが利潤最大化の条件である(下図参照)。

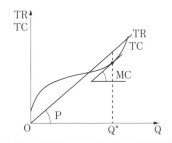

A6 × 損益分岐点とは、赤字経営か黒字経営かの分かれ目であり、図の点Ａの状態である。いま市場価格P_1のとき、利潤最大化の生産量はQ_1で、このとき市場価格＝平均費用となっており、超過利潤が消滅(赤字でも黒字でもない)している。このときの価格P_1を損益分岐価格とよぶ。

A7 ○ 操業停止点の価格を操業停止価格とよぶ。

A8 ○ 平均費用(ＡＣ)は総費用曲線上の点と原点を結ぶ直線の傾き、また、限界費用(ＭＣ)は総費用曲線の接線の傾きに等しい。そしてＳＴＣ$_2$とＬＴＣの接点を通る接線の傾きの大きさと原点とその接点を結ぶ直線の傾きが等しいので、長期と短期の平均費用および限界費用はすべて等しくなっている。

memo

ミクロ経済学

第3編
市場理論

第1章

完全競争市場

SECTION

① 市場の安定性
② 市場均衡・経済政策
③ パレート最適

出題傾向の分析と対策

試験名	地 上			国家一般職			特別区			裁判所職員			国税・財務・労基			国家総合職		
年 度	16-18	19-21	22-24	16-18	19-21	22-24	16-18	19-21	22-24	16-18	19-21	22-24	16-18	19-21	22-24	16-18	19-21	22-24
出題数 セクション	1	1	3	2	2	1	3	2	4	2	1	3	2	3	2	5	4	3
市場の安定性				★			★★	★	★★									
市場均衡・経済政策	★	★	★★★	★	★	★	★	★	★	★	★		★★★	★★★	★★	★★★	★	
パレート最適				★				★	★	★		★				★★★	★★	★★★

（注）1つの問題において複数の分野が出題されることがあるため、星の数の合計と出題数とが一致しないことがあります。

　需要曲線と供給曲線の交点の性質を論じる「市場の安定性」および「市場均衡」は公務員試験では頻出分野です。国家総合職以外では難易度は標準からやや平易ですがトピックの数が多いので、具体的な政策のストーリーをイメージしながら1つひとつマスターしていきましょう。

　「パレート最適」は理論の展開は複雑ですが出題パターンは限られています。難解ですが、まずは図をマスターし、余裕があれば計算へと進んでください。

地方上級

　過去に出題された分野は偏っていますが、問題のレベルは高いです。どこの分野から出題されるにしても応用レベルの問題が解けるように気を引き締めて学習しましょう。

国家一般職

　需要曲線、供給曲線に絡めた出題がみられます。どのようなときに市場が安定するのか、税金が課されたときに市場でどのような変化が起きるのか説明できるように理解を深めてください。

特別区

市場の安定性に関しては頻出であり、またパレート最適、資源配分を変えるような政策の効果に関する出題もされており、用語の意味や基本的な計算が問われています。難易度は高くないのでしっかり得点できるように学習しましょう。

裁判所職員

市場均衡からの出題が多くみられ、近年は、パレート最適からの出題もあります。問題の難易度は決して高くないので、典型的な問題を得点できるように演習を繰り返しましょう。

国税専門官・財務専門官・労働基準監督官

市場均衡に関して若干応用力を必要とする問題の出題がみられます。基本的な概念に加え、やや発展的な用語、定理についても触れておきましょう。

国家総合職

概念自体を問われる問題より、パレート最適な資源配分の具体的な値を求めさせる問題など、計算問題の出題が多くなっています。基本的なことは十分理解して、計算問題を繰り返し演習しましょう。

$\mathbf{A}^{\text{dvice}}_{\text{アドバイス}}$ 学習と対策

「市場の安定性」に関しては、考え方の概念と、判別するための公式を押さえることが得点への道となります。「市場均衡」については、余剰分析の考え方を応用する問題が出題されており、作図能力もしくは図から条件を読み取る能力が求められます。「パレート最適」に関しては、性質を問う問題と計算させる問題との両方が出題されることがあるので、公式を覚えて問題演習しながら慣れていくことが重要です。

必修
問題
セクションテーマを代表する問題に挑戦！

市場の安定性を学習することにより、財の取引が行われる仕組みがわかります。

問 次の図ア〜エは、縦軸に価格を、横軸に需要量・供給量をとり、市場におけるある商品の需要曲線をDD、供給曲線をSSで表したものであるが、このうちワルラス的調整過程において均衡が安定であるものを選んだ組合せとして、妥当なのはどれか。　（特別区2007）

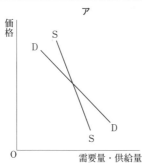

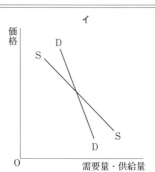

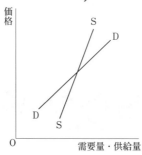

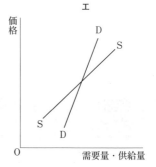

1：ア、イ
2：ア、ウ
3：ア、エ
4：イ、ウ
5：イ、エ

直前復習

必修問題 の解説

〈市場の安定性〉

(1) 図ア、イのケース

下の図アにおいてP₀のような均衡点よりも低い価格において需要量が供給量より大きいことがわかる。つまり超過需要が生じている（D＞S）。超過需要が生じると市場価格は上昇するので、E点に到達することができる。よって、図アはワルラス的調整過程において均衡が安定的である。

一方、図イの場合には、価格がP₀となった場合に、超過供給が生じている（D＜S）。超過供給が生じると市場価格は下落するので、E点から離れていく。よって、図イはワルラス的調整過程において均衡が不安定である。

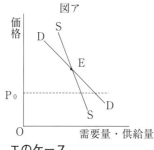

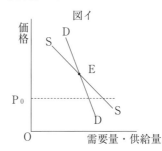

(2) 図ウ、エのケース

図ウにおいて、価格がP₀のときには超過供給が生じている（D＜S）。超過供給の場合には市場価格は下落するために、E点から離れていく。よって、図ウはワルラス的調整過程において均衡が不安定である。

図エにおいて、価格がP₀のときには超過需要が生じている（D＞S）。超過需要のときには市場価格は上昇するからE点に到達することができる。よって、図エはワルラス的調整過程において均衡が安定的である。

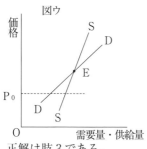

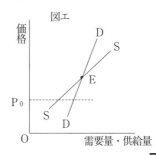

よって、正解は肢3である。

正答 3

S ECTION 1

第1章 ①

完全競争市場

市場の安定性

1 市場の安定性

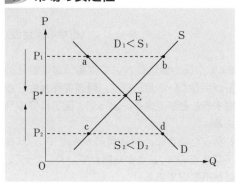

ワルラス安定条件

$$\frac{1}{供給曲線 S の傾き} > \frac{1}{需要曲線 D の傾き}$$

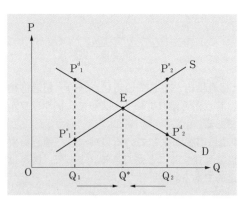

マーシャル安定条件

S の傾き ＞ D の傾き

(1) ワルラス調整過程

ワルラス調整過程では超過需要（D＞S）のときに価格が上昇し、超過供給（S＞D）のときに価格が下落します。そして、市場価格が均衡から外れたときに、価格調整により均衡を回復できるとき、その市場はワルラス的に均衡が安定的であるといいます。

(2) マーシャル調整過程

マーシャル調整過程では超過需要価格（$P^d＞P^s$）のときには生産量が増大し、超過供給価格（$P^d＜P^s$）のときには生産量が減少します。生産量が均衡から外れたときに、数量調整により均衡を回復できるとき、その市場はマーシャル的に均衡が安定的であるといいます。

【完全競争市場の意義】
① 消費者と生産者が多数（無数）存在する
② 生産物は同質である
③ 情報の完全性がある
④ 市場への参入・退出は自由である

(3) クモの巣調整過程

クモの巣市場は、企業の供給調整が一期遅れるような市場で、農産物市場などが該当します。このような市場では、供給曲線の傾きの絶対値が需要曲線の傾きの絶対値より大きいときに市場均衡は安定的になります。

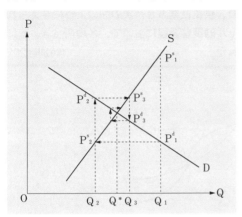

（図の見方について）

企業の生産量がQ_1のとき、需要価格が供給価格を下回っている（$P^d_1 < P^s_1$）ために、企業は生産量をQ_1から減少させます。その際に企業は、需要価格（P^d_1）と次期の供給価格（P^s_2）が一致するように生産量を一期遅れで調整するために、次の生産量はQ_2となります。ところが、今度は供給価格が需要価格を下回っている（$P^s_2 < P^d_2$）ために、企業は生産量を増加させることになります。その際に企業は、需要価格（P^d_2）と次期の供給価格（P^s_3）が一致するように生産量を一期遅れで調整するために、次の生産量はQ_3となります。このように、クモの巣市場では、供給量は均衡生産量Q^*を中心に減少・増加を繰り返すこととなり、市場が安定的ならば、最終的に均衡生産量Q^*に近づき、反対に市場が不安定ならば、徐々に均衡生産量Q^*から遠ざかっていくことになります。

クモの巣安定条件

｜供給曲線Sの傾き｜ ＞ ｜需要曲線Dの傾き｜

実践 問題 **77** 基本レベル

頻出度	地上★	国家一般職★	特別区★★★
	裁判所職員★	国税・財務・労基★	国家総合職★

問 ある市場において、需要曲線DD、供給曲線SSが次の図のように与えられているとする。このとき、マーシャル的調整過程において、各均衡点a、bに関する記述として、妥当なのはどれか。 (特別区2024)

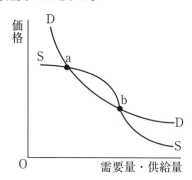

1：a点は、左方に対しても、右方に対しても不安定である。

2：a点は、左方に対しても、右方に対しても安定である。

3：a点は、左方に対しては安定であり、右方に対しては不安定である。

4：b点は、左方に対しては不安定であり、右方に対しては安定である。

5：b点は、左方に対しては安定であり、右方に対しては不安定である。

OUTPUT

実践 問題 **77** の解説 ─────────

〈市場の安定性〉

　図中の各均衡点 a、b におけるすぐ右側と左側において超過供給価格になっているか超過需要価格になっているかを確認してマーシャル的調整過程として安定か不安定かを判断する。

　　・a 点　⇒均衡点のすぐ左側の部分において超過需要価格になっているので、生産者は生産量を増加させるから経済は均衡点に収束して、マーシャル的調整として安定である。

　　　　　　⇒均衡点のすぐ右側の部分において超過供給価格になっているので、生産者は生産量を減少させるから経済は均衡点に収束して、マーシャル的調整として安定である。

　　・b 点　⇒均衡点のすぐ左側の部分において超過供給価格になっているので、生産者は生産量を減少させるから経済は均衡点に収束せず、マーシャル的調整として不安定である。

　　　　　　⇒均衡点のすぐ右側の部分において超過需要価格になっているので、生産者は生産量を増加させるから経済は均衡点に収束せず、マーシャル的調整として不安定である。

　以上より、正解は肢 2 である。

正答 **2**

実践 問題 78 基本レベル

頻出度	地上★	国家一般職★	特別区★★★
	裁判所職員★	国税・財務・労基★	国家総合職★

問 次の図は、縦軸に価格を、横軸に需要量・供給量をとり、市場におけるある財の需要曲線をD（破線）、供給曲線をS（実線）で表したものである。各均衡点A、B、Cに関する記述として妥当なのはどれか。 　　　　　　　　　　（国家一般職2017）

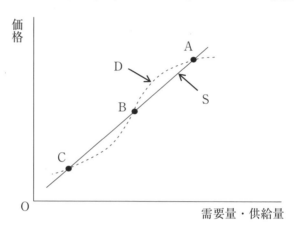

1：均衡点Aは、ワルラス的には安定だが、マーシャル的には不安定である。

2：均衡点Bは、ワルラス的には不安定だが、マーシャル的には安定である。

3：均衡点Cは、ワルラス的にもマーシャル的にも安定である。

4：均衡点A及びBは、いずれもワルラス的に安定である。

5：均衡点A及びCは、いずれもマーシャル的に安定である。

実践 問題 **78** の解説

〈市場の安定性〉

　ワルラス調整過程においては、均衡点のすぐ上の部分において超過供給になっていれば安定であり、マーシャル調整過程においては、均衡点のすぐ右側の部分において$p_D < p_S$になっていれば安定である（p_D：需要価格、p_S：供給価格）。

　そこで、各点の状況について検討する。

- 均衡点A、C　⇒均衡点のすぐ上の部分において超過需要であるからワルラス的に不安定

　均衡点のすぐ右側の部分において$p_D < p_S$であるからマーシャル的に安定

- 均衡点B　⇒均衡点のすぐ上の部分において超過供給であるからワルラス的に安定

　均衡点のすぐ右側の部分において$p_D > p_S$であるからマーシャル的に不安定

〈均衡点AおよびC付近〉　　　　〈均衡点B付近〉

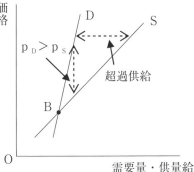

　以上より、正解は肢5である。

第1章
SECTION 1 完全競争市場
市場の安定性

実践 問題 79 基本レベル

頻出度	地上★	国家一般職★	特別区★★★
	裁判所職員★	国税・財務・労基★	国家総合職★

問 次の文は、クモの巣理論に関する記述であるが、文中の空所A～Cに該当する語又は語群の組合せとして、妥当なのはどれか。 (特別区2012)

クモの巣理論では、農産物にみられるように、 A 量は価格に対して即時に反応するが、 B 量の調整には一定の時間がかかるとする。この理論においては、需要曲線（ＤＤ）と供給曲線（ＳＳ）との関係で、均衡が安定的になる場合と不安定になる場合とがあり、下図のうち均衡が安定的となるのは C である。

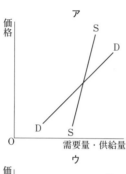

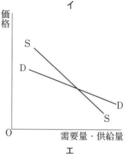

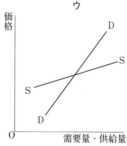

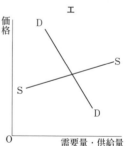

	A	B	C
1：	供給	需要	ア、イ
2：	供給	需要	ウ、エ
3：	供給	需要	イ、ウ
4：	需要	供給	ア、イ
5：	需要	供給	ウ、エ

直前復習

実践 問題 **79** の解説 ―――――――

〈市場の安定性〉

　クモの巣理論においては、農産物にみられるように、需要(空所A)量は価格に対して即時に反応するが、供給(空所B)量の調整には一定の時間がかかるとする。

　この理論においては、均衡が安定的になるための条件は、

　　「供給曲線の傾きの絶対値＞需要曲線の傾きの絶対値」

である。

　以上の考え方を用いて、均衡が安定であるといえるものは図ア、イ(空所C)である。

　よって、正解は肢4である。

正答 **4**

実践 問題 **80** 　〈基本レベル〉

頻出度	地上★　　　　国家一般職★　　　特別区★★★
	裁判所職員★　　国税・財務・労基★　　国家総合職★

問 次の図は、縦軸に価格を、横軸に需要量・供給量をとり、市場におけるある商品の需要曲線をDD、供給曲線をSSとし、その2つの曲線の交点をそれぞれ点A、点B、点Cで表したものであるが、この図に関する記述として、妥当なのはどれか。

(特別区2020)

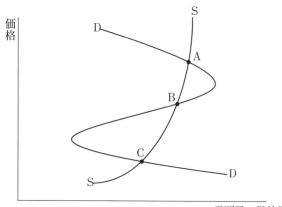

1 ： A点の市場均衡は、ワルラス的調整過程では不安定、マーシャル的調整過程では不安定、クモの巣の調整過程では安定である。

2 ： A点の市場均衡は、ワルラス的調整過程では安定、マーシャル的調整過程では安定、クモの巣の調整過程では不安定である。

3 ： B点の市場均衡は、ワルラス的調整過程では不安定、マーシャル的調整過程では安定、クモの巣の調整過程では安定である。

4 ： C点の市場均衡は、ワルラス的調整過程では不安定、マーシャル的調整過程では安定、クモの巣の調整過程では安定である。

5 ： C点の市場均衡は、ワルラス的調整過程では安定、マーシャル的調整過程では不安定、クモの巣の調整過程では不安定である。

OUTPUT

実践 問題 **80** の解説

〈市場の安定性〉

　ワルラス調整過程とマーシャル調整過程はそれぞれ、各均衡点の上側に水平に、そして各均衡点の右側に垂直に補助線を引き、補助線と需要曲線ＤＤと供給曲線ＳＳとの交点の位置関係をみることで、各点が安定のケースであるか不安定のケースであるかを判断できる。なお、ワルラス調整過程は、均衡点のすぐ上の部分において超過供給になっていれば安定であり、マーシャル調整過程は均衡点のすぐ右側の部分において超過供給価格になっていれば安定である。

　次に、クモの巣の調整過程の安定条件は、「供給曲線の傾きの絶対値 ＞ 需要曲線の傾きの絶対値」であることから、需要曲線と供給曲線の傾きを比較して、(右上がりであるか右下がりであるかは関係なく)供給曲線のほうが需要曲線よりも急な傾きの形状である場合に安定である。

　そこで、各点の状況について検証する。

A　点　交点(均衡点)のすぐ上の部分において超過供給になっているのでワルラス的に安定となる。また、交点(均衡点)のすぐ右側の部分において超過供給価格になっているのでマーシャル的に安定となる。さらに、供給曲線のほうが需要曲線よりも急な傾きであることからクモの巣の調整として安定となる。

B　点　交点(均衡点)のすぐ上の部分において超過需要になっているのでワルラス的に不安定となる。また、交点(均衡点)のすぐ右側の部分において超過供給価格になっているのでマーシャル的に安定となる。さらに、供給曲線のほうが需要曲線よりも急な傾きであることからクモの巣の調整として安定となる。

C　点　交点(均衡点)のすぐ上の部分において超過供給になっているのでワルラス的に安定となる。また、交点(均衡点)のすぐ右側の部分において超過供給価格になっているのでマーシャル的に安定となる。さらに、供給曲線のほうが需要曲線よりも急な傾きであることからクモの巣の調整として安定となる。

　以上より、正解は肢3となる。

正答 **3**

実践 問題 **81** 〈応用レベル〉

頻出度	地上★	国家一般職★	特別区★
	裁判所職員★	国税·財務·労基★	国家総合職★

問 クモの巣モデルが次のように与えられている。

需要曲線：$D_t = aP_t + 7$

供給曲線：$S_t = bP_{t-1} - 2$

需給均衡：$D_t = S_t$

ここで、D_t は t 期の需要量、S_t は t 期の供給量、P_t は t 期の価格を表し、a、b はパラメータである。このとき、クモの巣調整過程が安定となる a 及び b の値の組合せとして正しいのはどれか。 （国税·労基2009）

	a	b
1 :	− 3	1
2 :	− 2	2
3 :	− 1	3
4 :	1	2
5 :	2	3

実践 問題 **81** の解説

〈市場の安定性〉

需要曲線と供給曲線がともに直線である場合、クモの巣安定条件は、以下のようになる。

｜供給曲線の傾き｜＞｜需要曲線の傾き｜

本問では、需要曲線が$D_t = aP_t + 7$、供給曲線が$S_t = bP_{t-1} - 2$と与えられている。

これらを$P = \sim$の形に変形し、需要曲線を$P_t = \dfrac{1}{a}D_t - \dfrac{7}{a}$、供給曲線を$P_{t-1} = \dfrac{1}{b}S_t + \dfrac{2}{b}$とすると、供給曲線の傾き$= \dfrac{1}{b}$、需要曲線の傾き$= \dfrac{1}{a}$であるから、クモの巣安定条件は以下のように表現できる。

$$\left| \frac{1}{b} \right| > \left| \frac{1}{a} \right|$$

両辺が絶対値であることから、変形すると、

｜a｜＞｜b｜となる。

この条件を満たすのは、肢1のa＝－3、b＝1だけである。

よって、正解は肢1である。

【ポイント】

需要曲線・供給曲線の傾きをみるとき、式が与えられている場合は、

$P = aD + b$、$P = cS + d$

の形にし、a、cを傾きとする。

正答 1

必修
問題

セクションテーマを代表する問題に挑戦！

余剰の考え方を理解し、死荷重の計算について学びましょう。

問 完全競争市場において、需要関数と供給関数が以下のように与えられているとする。

$$D = 120 - 2p$$
$$S = 3p$$

D：需要量、S：供給量、p：価格

この市場に政府が介入し、上限価格を20に設定したときに生じる死荷重（厚生損失）の大きさとして妥当なものはどれか。

(裁事2024)

1：60
2：90
3：120
4：150
5：180

Guidance
ガイダンス
市場需要曲線と市場供給曲線

　市場全体の需要曲線は、各消費者の需要曲線を水平方向に合計することで導出できる。同様に、市場全体の供給曲線は、各生産者の供給曲線を水平方向に合計することで導出できる。なお、公共財の需要曲線を導出するときは、垂直方向への合計となる。違いに注意しよう。

必修問題の解説

〈余剰分析〉

　与えられた式をD＝Sとして連立すると、市場均衡での価格Pは24、数量D＝S
は72となる。このとき総余剰は図の△OAEとなる。上限価格を20に設定すると、
供給関数より供給量Sは60となる。このとき総余剰は□OAGFとなるので、供給
量（＝取引量）60を需要関数に代入してG点の価格30を求めて死荷重（余剰損失）を
計算すると、

　　　$\triangle EFG = (30-20) \times (72-60) \div 2 = 60$

を得る。

　よって、正解は肢1である。

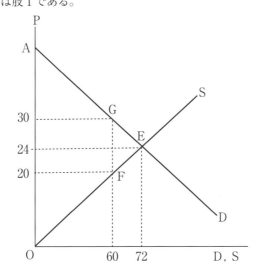

正答 1

S_{tep}ステップ　この分野では余剰を考えていくが、総余剰は規制や課税により減
　　　　少する（この減少分を死荷重という）。どのように死荷重が発生す
るかを理解しよう。

1 市場需要曲線

　下の左図は個人Aの需要曲線x_A、中央の図は個人Bの需要曲線x_Bを表します。右図は市場需要曲線を表し、市場需要曲線は個別需要曲線x_Aとx_Bの水平和となります。

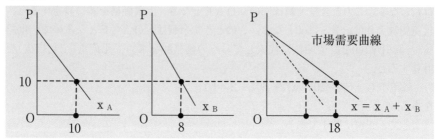

2 市場供給曲線

　下の左図と中央図は個別企業の供給曲線MC_1、MC_2を表します。右図の市場供給曲線Sは、個別企業の供給曲線MC_1とMC_2の水平和となります。なお、新規参入により企業数が増大すると、市場供給曲線は右にシフトします。

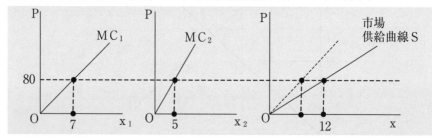

3 短期の市場均衡

　次の図のE点は短期の市場均衡を表しています。短期とは市場の企業の数が一定であるという意味です。

　市場均衡点E点において均衡価格P^*が決定されると、次に各企業は市場価格$P^*=10$を所与として$P=MC$となる生産量x_1、x_2、…を決定します。下図の□ＡＢＣＤ$(=3×10=30)$の大きさが均衡における個別企業の利潤πの大きさであり超過利潤とよびます。

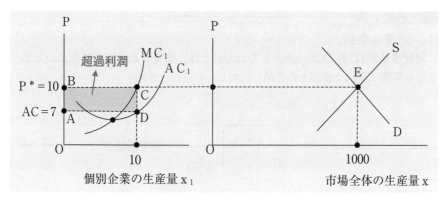

個別企業の生産量 x_1　　　　市場全体の生産量 x

④ 長期の市場均衡

　長期では短期における超過利潤を誘引として企業の新規参入が生じます。企業数の増加により市場供給曲線SがS′へとシフトすると、市場価格Pが下落していきます。

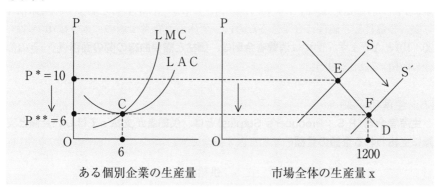

ある個別企業の生産量　　　　市場全体の生産量 x

　F点まで価格が低下すると、左図のC点のように企業ではLAC＝Pとなり、超過利潤がゼロになります。F点が企業の新規参入が停止する長期均衡です。F点では、

　　　LAC＝LMC＝P

が成立します。

5 余剰分析

⑴ 消費者余剰

消費者余剰（ＣＳ：Consumer's Surplus）とは、消費者が支払ってもよいと思う金額と実際に支払う金額との差額の総和として定義されます。

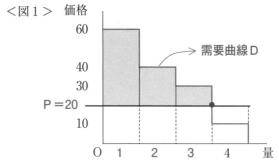

＜図１＞ 価格

図１では価格20のもとで需要量が３個となっています。このとき、１個目の財は、本来であれば60円でも購入されるものが、実際には20円で購入できていることになります。このときの差額である40円が１個目の財からの消費者余剰です。同様の計算が、２個目と３個目にもできるために、全体の消費者余剰の大きさは70（＝40＋20＋10）となります。図では消費者余剰は、価格と需要曲線の間の面積（色つきの部分の面積）で表されます。

⑵ 生産者余剰

生産者余剰（ＰＳ：Producer's Surplus）とは、供給者が支払ってほしい金額と実際に支払われる金額の差額の総和を表す概念です。

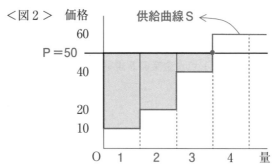

＜図２＞ 価格

図２では価格50のもとで供給量が３個になります。このとき、１個目の財は価格が10であっても売られたはずですが、実際には市場では価格50で販売できています。

解答かくしシート

このときの差額である40円が1個目の財からの生産者余剰です。同様の計算が、2個目と3個目にもできるために、全体の生産者余剰の大きさは80(＝40＋30＋10)となります。図では生産者余剰の大きさは供給曲線(限界費用曲線)と価格の間の面積(色つきの部分の面積)で表されます。

(3) 総余剰

　総余剰(ＴＳ:Total Surplus)とは市場で生じる余剰の合計であり、消費者余剰ＣＳと生産者余剰ＰＳの合計です。ただし、総余剰では、経済政策などにより利益や費用が加わる場合には、これら経済政策などの効果も総余剰に含めます。よって、一般には、

　　総余剰＝消費者余剰＋生産者余剰＋経済政策などの効果
と表現されます。

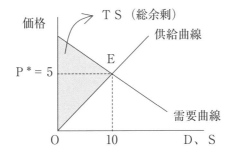

　図は完全競争市場における総余剰を表しています。Ｅ点で総余剰が最大になっています。このことから完全競争市場は効率的であるといわれます。

　反対に、総余剰が最大でないときには、その市場には死荷重(あるいは厚生損失)が存在します。各種の経済政策が行われると、死荷重が発生したり、あるいは、もともと存在していた死荷重が減少したりします。

実践 問題 **82** 〈 基本レベル 〉

頻出度	地上★★	国家一般職★	特別区★
	裁判所職員★	国税・財務・労基★	国家総合職★

問 ある財の市場の需要関数と供給関数は以下のように与えられる。

$D = 450 - P$

$S = 2P - 100$

（D：需要、S：供給、P：価格）

　いま、この財の市場価格が150以下になるように、政府が企業の供給に対して1単位当たりTの補助金を与えるとする。このとき、Tの最小値として最も妥当なのはどれか。 （国家一般職2024）

1：0

2：20

3：50

4：75

5：100

OUTPUT

実践 問題 **82** **の解説**

〈市場均衡〉

問題文の需要曲線：D＝450－P、供給曲線：S＝2P－100を用いてグラフを描くと以下のようになる。

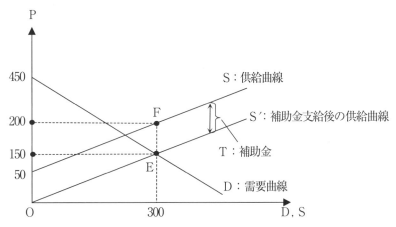

本問で問われているのは、財の市場価格が150以下となるような補助金の最小値である。補助金の額が大きくなれば、より市場価格が低下するので、市場価格が150以下となるような補助金の最小値は、市場価格が150となるときとなる。需要曲線D＝450－PにP＝150を代入して市場価格が150のときの需要量を求めると、D＝450－150＝300となる。一方、この財が300供給されるときの価格を供給曲線S＝2P－100にS＝300を代入して求めると、P＝200となる。よって、財1単位あたり図のEFに相当する額の補助金の給付が行われれば点Eの需要量＝供給量＝300、価格150において均衡することとなり、

EF＝200－150＝50

を得る。

よって、正解は肢3である。

正答 **3**

実践 問題 **83** 〈 基本レベル 〉

頻出度	地上★★	国家一般職★	特別区★
	裁判所職員★	国税・財務・労基★	国家総合職★

問 家計Aと家計Bの需要曲線が、それぞれ $x_A = 20 - p$（ただし、$p > 20$では $x_A = 0$）、$x_B = 40 - 5p$（ただし、$p > 8$では $x_B = 0$）で示されているとする。ただし、x_A はAの需要量、x_B はBの需要量、p は価格である。

このとき、この二つの家計の需要量を足し合わせた需要量を X としたときの需要関数として正しいのはどれか。ただし、$p \geqq 0$ とする。

（国家一般職2015）

1 : $X = \begin{cases} 0 & p > 10 \\ 60 - 6p & p \leqq 10 \end{cases}$

2 : $X = \begin{cases} 0 & p > 20 \\ 20 - p & 5 \leqq p \leqq 20 \\ 40 - 5p & p < 5 \end{cases}$

3 : $X = \begin{cases} 0 & p > 10 \\ 30 - 3p & p \leqq 10 \end{cases}$

4 : $X = \begin{cases} 0 & p > 20 \\ 20 - p & 8 \leqq p \leqq 20 \\ 60 - 6p & p < 8 \end{cases}$

5 : $X = \begin{cases} 0 & p > 20 \\ 60 - 6p & 8 \leqq p \leqq 20 \\ 20 - p & p < 8 \end{cases}$

直前復習

OUTPUT

実践 問題 **83** の解説

〈市場均衡〉

市場需要曲線は、個別需要曲線の水平和である。つまり、市場需要量Xは家計Aの需要量X_Aと家計Bの需要量X_Bの和になる。

しかし、家計Aの需要曲線と家計Bの需要曲線はpの範囲により変化する。具体的には、家計Aの需要量は価格pが20を超える（p＞20）とき$X_A = 0$、価格pが20以下（p≦20）のとき$X_A = 20 - p$となる。家計Bの需要量は価格pが8を超える（p＞8）とき$X_B = 0$、価格pが8以下（p≦8）のとき$X_B = 40 - 5p$となる。

ここで、各選択肢のpの範囲と、家計Bの需要曲線の式「$X_B = 40 - 5p$」よりp＝8のとき$X_B = 0$となることを考慮して市場需要曲線を、①p＜8、②8≦p≦20、③p＞20の3つの範囲に分けて検討する。

①p＜8のとき、家計Aの需要量$X_A = 20 - p$、家計Bの需要量$X_B = 40 - 5p$となるので、

$$X = X_A + X_B = (20 - p) + (40 - 5p)$$
$$= 60 - 6p$$

となる。

②8≦p≦20のとき、家計Aの需要量$X_A = 20 - p$、家計Bの需要量$X_B = 0$となるので、

$$X = X_A + X_B = (20 - p) + 0$$
$$= 20 - p$$

となる。

③p＞20のとき、家計Aの需要量$X_A = 0$、家計Bの需要量$X_B = 0$となるので、

$$X = X_A + X_B = 0 + 0$$
$$= 0$$

となり、右図の太線部分が市場需要曲線に対応する。

上記、①~③のケースにおける価格pの範囲と需要関数を照らしあわせると、肢4が正解である。

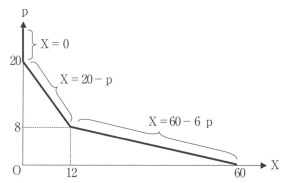

正答 **4**

実践 問題 **84** 〈基本レベル〉

頻出度	地上★★ 国家一般職★★★ 特別区★
	裁判所職員★ 国税・財務・労基★ 国家総合職★

問 完全競争市場の下にある産業において各企業の長期費用関数が

$$C = 2x^3 - 24x^2 + 120x \quad (C：総費用、x：生産量)$$

で示され、全ての企業で同一であるとする。ただし、生産量 x は 0 より大きいものとする。

このとき、この産業の長期均衡価格はいくらか。　　　　　（国家一般職2018）

1：48

2：50

3：56

4：66

5：72

OUTPUT

実践 問題 **84** の解説 ─────────

〈完全競争市場の長期均衡〉

　完全競争市場における長期均衡では、長期均衡価格をP、限界費用をMC、平均費用をACとすると、P＝MC＝ACが成立することから、まず、"MC＝AC"の部分を用いて長期均衡における生産量を求める。

$$MC = \frac{\Delta C}{\Delta x} = 6x^2 - 48x + 120$$

$$AC = \frac{C}{x} = 2x^2 - 24x + 120$$

$\therefore$ "MC＝AC"より、

$$6x^2 - 48x + 120 = 2x^2 - 24x + 120$$
$$4x^2 - 24x = 0$$
$$x^2 - 6x = 0$$
$$x(x - 6) = 0$$

$\therefore x = 6$ 　（$\because x > 0$より）

　したがって、求める長期均衡価格Pは、"P＝MC"より、

$$P = MC$$
$$= 6 \cdot 6^2 - 48 \cdot 6 + 120$$
$$= 216 - 288 + 120$$
$$= 48$$

と求められる。

　よって、正解は肢1である。

正答 1

実践 問題 **85** 〈応用レベル〉

頻出度	地上★★	国家一般職★★★	特別区★
	裁判所職員★	国税・財務・労基★	国家総合職★

問 完全競争市場において、ある財 X を複数の企業が供給している。全ての企業の総費用関数は同一で

$$C = x^3 - 2x^2 + 3x$$

で表されるものとする。ただし、C は各企業の総費用、x は各企業の財 X の生産量であり、x＞0 である。

また、財 X に対する市場全体の需要曲線は

$$D = 16 - 2p$$

で示されるとする。ただし、D は市場全体の財 X の需要量、p は財 X の価格である。

ここで、この市場へは自由に参入退出が可能であるとき、長期均衡において、企業の数はいくつになるか。 (国家一般職2015)

1：12

2：14

3：16

4：18

5：20

OUTPUT

実践 問題 **85** の解説 ─────────────

〈完全競争市場の長期均衡〉

　完全競争市場における長期均衡では、長期均衡価格をP、限界費用をMC、平均費用をACとすると、P＝MC＝ACが成立することから、まず、"MC＝AC"の部分を用いて長期均衡における個別企業の生産量を求める。

$$MC = \frac{\Delta C}{\Delta x} = 3x^2 - 4x + 3$$

$$AC = \frac{C}{x} = x^2 - 2x + 3$$

∴ "MC＝AC"より、

$$3x^2 - 4x + 3 = x^2 - 2x + 3$$

$$2x^2 - 2x = 0$$

$$x^2 - x = 0$$

$$x(x - 1) = 0$$

∴ $x = 1$（∵ $x > 0$ より）

　上記から個別企業のx財生産量は「1」となり、長期均衡価格Pは"P＝MC"より、

$$P = 3x^2 - 4x + 3$$

$$P = 3 \times 1^2 - 4 \times 1 + 3$$

$$P = 3 - 4 + 3$$

$$P = 2$$

となり、長期均衡価格が「2」と求められたので、このときの市場全体の需要量Dは、

$$D = 16 - 2P$$

$$D = 16 - 2 \times 2$$

$$D = 12$$

となって、市場全体の需要量Dは「12」と求められた。この市場全体の需要量Dは個別企業の財生産量の合計であることから、「12」を個別企業の財生産量である「1」で割ることで、市場における個別企業の数を求めることができる。すなわち、

$$D \div x = 12 \div 1 = 12$$

となり、市場における個別企業数は「12」となる。

　よって、正解は肢1となる。

【別解】

　長期均衡では、個別企業は平均費用ＡＣの最低点で生産し、市場価格は平均費用の最低点で決定される。

　平均費用は以下のとおりである。

$$AC = \frac{C}{x} = x^2 - 2x + 3 \quad \cdots\cdots①$$

平均費用の最低点を①から以下のように導出する。

$$\frac{\Delta AC}{\Delta x} = 2x - 2 = 0$$

$$x = 1$$

①に $x = 1$ を代入して、

$$AC = 1 - 2 + 3$$

$$\rightarrow \quad AC = 2$$

を得る。すなわち、$P = 2$ が市場価格である。

　$P = 2$ のときの市場全体の需要量は

$$D = 16 - 2p$$

$$D = 12$$

となる。個別企業は平均費用ＡＣの最低点で生産するため、１社あたりの生産量は１となる。すると、長期均衡においては、12単位の需要を１社あたり１単位の生産量で満たすので、長期均衡における企業数は12である。

　よって、正解は肢１である。

正答　1

memo

問 以下のように、Aタイプの消費者とBタイプの消費者についてそれぞれ需要曲線が与えられ、また、1本の供給曲線が与えられているとする。

$$\begin{cases} D_A(P)=-P+20 & (P<20) \\ D_A(P)=0 & (P\geqq20) \end{cases}$$

$$\begin{cases} D_B(P)=-3P+15 & (P<5) \\ D_B(P)=0 & (P\geqq5) \end{cases}$$

$$S(P)=20P$$

このとき、Aが5人、Bが10人いたとすると、以下の選択肢のうち、誤りはどれか。

(地上2003)

1：P＝3のとき超過需要が発生する

2：P＝5のとき消費者と生産者の余剰が最大になる

3：P＝10のとき消費はAのみが行う

4：P＝15のとき超過供給が発生する

5：S（P）＝10PのときBの行動は市場に影響しない

OUTPUT

実践 問題 **86** の解説

チェック欄		
1回目	2回目	3回目

〈余剰分析〉

　市場全体の需要曲線は、個人の需要曲線の水平和により示される。

　Aタイプの消費者の個別需要曲線はP＜20のときD$_A$(P)＝－P＋20であり、このときの市場全体のAタイプの消費者（5人）の需要曲線はX$_A$＝5D$_A$(P)＝－5P＋100となる。なお、P≧20のときはX$_A$＝0である。

　また、Bタイプの消費者の個別需要曲線はP＜5のときD$_B$(P)＝－3P＋15であり、このときの市場全体のBタイプの消費者（10人）の需要曲線はX$_B$＝10D$_B$(P)＝－30P＋150となる。またP≧5のとき、X$_B$＝0である。

　したがって、AタイプとBタイプをあわせた市場全体の需要曲線X＝X$_A$＋X$_B$は、

$$\begin{cases} X = 0 & (P \geq 20) \\ X = -5P + 100 & (5 \leq P < 20) \\ X = -35P + 250 & (P < 5) \end{cases}$$

となり、これを図示すると下図のようになる。つまり、Xは5≦P＜20のときAの消費だけで構成され、P＜5のときはAおよびBの消費で構成される。

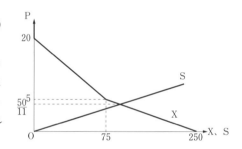

　以上を前提として、各肢を検討する。

1 ○ 図より、P＝3のとき需要量（X＝145）が供給量（S＝60）を上回り、超過需要が発生している。

2 × 図より、P＝$\frac{50}{11}$のとき消費者余剰と生産者余剰が最大となる。

3 ○ 5≦P＝10＜20のときにはAのみが財を消費し、Bの消費量はゼロである。

4 ○ 図より、P＝15のとき供給量（S＝300）が需要量（X＝25）を上回り、超過供給が発生している。

5 ○ S(P)＝10Pのとき、均衡価格は5≦P＝$\frac{20}{3}$＜20である。このときXはAタイプの消費者による消費量のみで構成される。したがって、Bタイプの消費者の行動は影響を与えない。

正答 **2**

実践 問題 **87** 〈 基本レベル 〉

頻出度	地上★★ 　　国家一般職★★ 　　特別区★★ 裁判所職員★★ 　国税・財務・労基★★★ 　国家総合職★★

問 完全競争市場において、需要曲線D＝－$\frac{2}{3}$P＋200、供給曲線S＝P－50〔D：

需要量、S：供給量、P：価格〕が与えられている。

　このとき、供給される生産物に対して1単位当たり10の従量税が課された場合、課税後の均衡において、従量税10のうち買い手の負担は生産物1単位当たりいくらになるか。 　　　　　　　　　　　　　　　　　　　　　　　　　（国Ⅱ2006）

1： 4

2： 5

3： 6

4： 7

5： 8

OUTPUT

実践 問題 **87** の解説 ──────────────

〈従量税〉

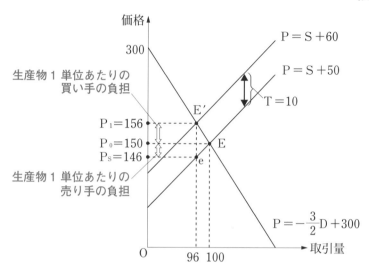

価格

300

生産物1単位あたりの買い手の負担

$P = S + 60$

$P = S + 50$

$T = 10$

$P_1 = 156$　E′

$P_0 = 150$　　E

$P_S = 146$

生産物1単位あたりの売り手の負担

e

$P = -\dfrac{3}{2}D + 300$

O　96　100　取引量

　課税前の供給曲線はP＝S＋50であるから、均衡において需給が一致し、その取引量をQとすれば、

$$Q + 50 = -\frac{3}{2}Q + 300$$

$$Q = 100$$

が均衡取引量であり、このときの均衡価格は、$P_0 = 150$となる。

　課税後の供給曲線は従量税率がT＝10なので、P＝（S＋50）＋T＝S＋60であるから、均衡では、

$$Q + 60 = -\frac{3}{2}Q + 300$$

$$Q = 96$$

が取引量であり、このときの均衡価格は、$P_1 = 156$となる。このとき、税抜きの価格は$P_S = 146$であることに注意しよう。

　課税による市場価格（需要価格）の上昇分が生産物1単位あたりの買い手の税負担分であると考えられるので、156－150＝6となる。

　よって、正解は肢3である。

正答 3

問 完全競争市場において、ある財の需要曲線と供給曲線がそれぞれ

$$d = 50 - \frac{1}{4}p$$

$$s = p - 20 \quad (d：需要量、\ s：供給量、\ p：価格)$$

で与えられている。

　ここで、この財の取引に1単位当たり30の従量税が課されるとき、課税の結果として発生する死荷重はいくらか。

　なお、納税義務者は企業(供給者)とする。　　　　　　(国税・財務・労基2014)

1：50

2：60

3：70

4：80

5：90

OUTPUT

実践 問題 **88** **の解説** ─────

〈従量税〉

はじめに課税前の均衡を求める。均衡条件はd＝sであるから、

$$p-20=50-\frac{1}{4}p \quad \Rightarrow \quad \frac{5}{4}p=70$$

$$\Rightarrow \quad p=56$$

よって、均衡需給量はd＝s＝56−20＝36となり、図のE点が均衡である。なお、図においてはdおよびsともにQで表す。

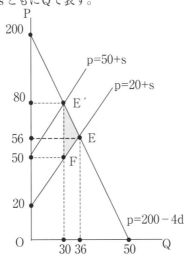

次に、課税後の均衡を求める。課税後の需要曲線と供給曲線は、財の取引に1単位あたり30の従量税が課されるから、納税義務者が企業（供給者）であることを踏まえると、

$$\begin{cases} d=50-\dfrac{1}{4}p' \\ s=p'-50 \\ d=s \end{cases}$$

となり、式中のp′は課税後の税込価格を表す。上の連立方程式からp′を消去して、課税後の均衡点であるE′点において、Q＝30、p′＝80となる。また、当初の供給曲線上にある点Fに対応する価格はp＝50となる。

以上より死荷重は△EFE′で表されるので、

$$死荷重 \triangle EFE' = \frac{(80-50) \times 6}{2} = 90$$

となる。よって、正解は肢5である。

正答 5

問 完全競争市場において、ある財の需要関数及び供給関数がそれぞれ以下のように示される。

$$d = 220 - p$$
$$s = p - 20$$

$$\begin{pmatrix} d : 財の需要量 \\ p : 財の価格 \\ s : 財の供給量 \end{pmatrix}$$

この財に納税義務者を財の需要者とする従量税を課したとき、税収が最大となる場合における当該税収の大きさはいくらか。　　　　　(国税・財務2019)

1 : 2,500

2 : 3,000

3 : 4,500

4 : 5,000

5 : 7,500

OUTPUT

実践 問題 **89** の解説

〈従量税〉

　問題文の需要関数 d = 220 − p を変形すると、p = 220 − d となる。

　ここで、納税義務者を財の需要者とする従量税の税額を t とする。この税は、財の需要者に課税されるので、生産者の販売価格に影響を与えないが、需要者は、販売価格と税額の合計である税込み価格をもとに購入量を決定するので、課税後の需要価格を p′ とすると、課税後の需要関数は、税額 t だけ下にシフトし、

　　　p′ = 220 − d − t

となる。供給関数 s = p − 20 を変形し、p = s + 20 として課税後の均衡点を求めると、

　　　p′ = p 、 d = s = Q（均衡点における取引量）

として、

　　　220 − Q − t = Q + 20

　　　　　　　2Q = 200 − t

　　　　　　　　Q = 100 − 0.5t

となる。このときの税収 T は、

　　　T = t × Q

　　　T = t × (100 − 0.5t)

　　　T = 100t − 0.5t²

となり、税収が最大となる税額 t は、この式を t で微分してゼロとおくことにより求められるから、

$$\frac{\Delta T}{\Delta t} = 100 - t = 0$$

　　　　　　　　t = 100

となる。

　これを、課税後の均衡点における取引量 Q = 100 − 0.5t に代入すると、

　　　Q = 100 − 0.5 × 100 = 50

となるので、税収の大きさは、

　　　T = t × Q = 100 × 50 = 5,000

となる。

　よって、正解は肢4である。

正答 **4**

実践 問題 **90** 基本レベル

頻出度	地上★★	国家一般職★★	特別区★★
	裁判所職員★★	国税・財務・労基★★★	国家総合職★★

問 完全競争市場において、ある財の需要関数と供給関数が、それぞれ以下のように示されている。

$$D = -\frac{3}{4}P + 60$$

（ D：需要量、S：供給量、P：価格）

$$S = \frac{3}{5}P$$

この財に納税義務者を企業として政府が20％の従価税をかけた場合の税収はいくらか。

（国税・財務2021）

1：172
2：180
3：192
4：204
5：210

直前復習

358　LEC東京リーガルマインド　2025-2026年合格目標 公務員試験 本気で合格！過去問解きまくり！
⑬ミクロ経済学

OUTPUT

実践 問題 **90** の解説 ────────────────

〈従価税〉

問題文の需要曲線と供給曲線を「P = 〜」の形に変形する。

需要曲線：$D = -\dfrac{3}{4}P + 60 \Rightarrow P = -\dfrac{4}{3}D + 80$ ……①

供給曲線：$S = \dfrac{3}{5}P \qquad\qquad \Rightarrow P = \dfrac{5}{3}S$ ……②

ここで、企業に政府が20％の従価税をかけた場合は、供給価格が1.2倍となるので、課税後の価格P′は、P′ = 1.2P となるので、課税後の供給曲線は、

$$P' = 1.2P = 1.2 \times \dfrac{5}{3}S = 2S \quad ……③$$

となる。課税後の均衡取引量と均衡価格は、課税後の価格P′で需要されるので、①、③式を連立してP = P′、D = S = Qとすると、

$$2Q = -\dfrac{4}{3}Q + 80 \Rightarrow \dfrac{10}{3}Q = 80 \Rightarrow Q = 24$$

となり、このときの価格Pは、①か③にQ = 24を代入して、P = 48となる。価格48のうちの税額は、課税後の価格48から、Q = 24のときの税抜き価格である40を引き、48 − 40 = 8 となる。よって、税収は、

$$8 \times 24 = 192$$

となる。

よって、正解は肢3である。

正答 **3**

実践 問題 91 基本レベル

| 頻出度 | 地上★★　　国家一般職★★　　特別区★★
裁判所職員★★　　国税・財務・労基★★★　国家総合職★★ |

問 ある財の市場の需要曲線と供給曲線がそれぞれ

$$d = 180 - p$$
$$s = 0.8p$$

で示されるとする。ここで、d は需要量、p は価格、s は供給量を表す。政府がこの財に20%の従価税を賦課したとき、経済厚生の損失の大きさはいくらか。

(国家一般職2013)

1： 45
2： 72
3： 90
4：144
5：180

OUTPUT

実践 問題 **91** **の解説**

〈従価税〉

　本問では、従価税の納税義務者について、供給者(生産者)と需要者(消費者)のどちらになるかを明示していない。従価税の賦課による経済厚生損失の大きさは、供給者(生産者)と需要者(消費者)のどちらが納税義務者となっても同じとなる。

　以下では、両者それぞれのケースでの解法を紹介する。

【解法1：納税義務者が供給者(生産者)のケース】

　需要量 d と供給量 s はともに X で表すものとする。問題文より課税前の市場の需要曲線と供給曲線は次の式で表せる。

$$\begin{cases} X = 180 - p & \cdots\cdots ①(需要曲線)、(\Leftrightarrow p = -X + 180) \\ X = 0.8p & \cdots\cdots ②\left(課税前の供給曲線\right)、\left(\Leftrightarrow p = \frac{1}{0.8}X\right) \end{cases}$$

①、②を連立させると、

$$180 - p = 0.8p$$
$$p = 100$$

p の値を、①に代入すると、

$$X = 180 - 100 = 80$$

　よって、課税前の均衡は図の E 点、X = 80、p = 100 で表せる。

　次に、20%の従価税が供給者(生産者)に賦課されるため、供給曲線における価格が税抜価格 p から税込価格 p′ = (1 + 0.2)p = 1.2p へと変化する。このため課税後の供給曲線は、課税前の供給曲線$\left(p = \frac{1}{0.8}X\right)$および p′ = 1.2p から、

$$p′ = 1.2 \times \frac{1}{0.8}X$$

$$p′ = \frac{1.2}{0.8}X \quad \cdots\cdots ③(課税後の供給曲線)、\left(\Leftrightarrow X = \frac{0.8}{1.2}p′\right)$$

となる。したがって、従価税が課された場合の供給曲線は、縦軸は変わらず反時計回りにシフトする(図の p から p′ へシフトする)。

　ここで、課税前の総余剰は図の △OAE となり、課税後の総余剰は、消費者余剰 = △ABF、生産者余剰 = △ODG、納税額 = □BFGD となるので、点 E、点 F、点 G のそれぞれにおける価格 p と数量 X を求めることで、経済厚生の損失の大きさ (= △EFG) を求めることができる。

　課税後の供給曲線(p′)と需要曲線との均衡点 F を求めるため、①、③を連立させて、X を求めると、

$$-X + 180 = \frac{1.2}{0.8}X$$

$X = 72$ となり、課税後の供給曲線にXの値を代入すると、

$$p' = \frac{1.2}{0.8} \times 72 = 108$$

となるため、F点は $p = 108$、$X = 72$ となる。

　次に、G点を求めるために、$X = 72$ を課税前の供給曲線②へ代入すると、

$$p = \frac{1}{0.8} \times 72 = 90$$

となるため、G点は $p = 90$、$X = 72$ となる。以上より、経済厚生の損失は、

　　$\triangle EFG = (108 - 90)(底辺) \times (80 - 72)(高さ) \div 2 = 72$

となる。よって、正解は肢2である。

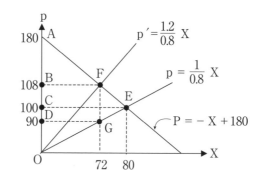

【解法2：納税義務者が需要者（消費者）のケース】

　需要量dと供給量sはともにXで表すものとする。問題文より課税前の市場の需要曲線と供給曲線は次の式で表せる。

$$\begin{cases} X = 180 - p & \cdots\cdots ①（課税前の需要曲線）、(\Leftrightarrow p = -X + 180) \\ X = 0.8p & \cdots\cdots ②（供給曲線）、\left(\Leftrightarrow p = \frac{1}{0.8}X\right) \end{cases}$$

　①、②を連立させると、

　　$180 - p = 0.8p$

　　$p = 100$

　pの値を、①に代入すると、

　　$X = 180 - 100 = 80$

　よって、課税前の均衡は図のE点、$X = 80$、$p = 100$ で表せる。

次に、20％の従価税が需要者（消費者）に賦課されるため、需要曲線における価格が税抜価格 p から税込価格＝（1＋0.2）p ＝1.2 p へと変化する。このため課税後の需要曲線は、

$$X = 180 - 1.2p \quad \cdots\cdots③（課税後の需要曲線）, \left(\Leftrightarrow p = -\frac{1}{1.2}X + 150\right)$$

となる。したがって、従価税が課された場合の需要曲線は、横軸切片は変わらず反時計回りにシフトする（図の①から③へシフトする）。

ここで、課税前の総余剰は図の△OAEとなり、課税後の総余剰は、消費者余剰＝△ABD、生産者余剰＝△OCF、納税額＝□BDFCとなるので、点F、点D、点Eのそれぞれにおける価格 p と数量 X を求めることで、経済厚生の損失の大きさ（＝△DEF）を求めることができる。

課税後の需要曲線（③）と供給曲線（②）との均衡点Fを求めるため、②、③を連立させて、Xを求めると、

$$-\frac{1}{1.2}X + 150 = \frac{1}{0.8}X$$

X ＝72となり、課税後の需要曲線（③）にXの値を代入すると、

$$p = -\frac{1}{1.2} \times 72 + 150 = 90$$

となるため、F点は p ＝90、X ＝72となる。

次に、D点を求めるために、X ＝72を課税前の需要曲線（①）へ代入すると、

$$p = -72 + 180 = 108$$

となるため、D点は p ＝108、X ＝72となる。以上より、経済厚生の損失は、

$$\triangle FDE = (108 - 90)（底辺） \times (80 - 72)（高さ） \div 2 = 72$$

となる。よって、正解は肢2である。

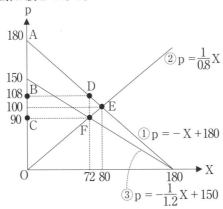

正答 **2**

実践 問題 **92** 基本レベル

頻出度	地上★★	国家一般職★	特別区★
	裁判所職員★	国税・財務・労基★	国家総合職★

問 ある農産物の需要関数と供給関数がそれぞれ以下のように示される。

$d = 150 - 2p$、　$s = 3p$　　（d：需要量、s：供給量、p：価格）

いま、政府は農産物を40の価格で生産者から買い上げ、買い上げた量と需要量が一致する価格で消費者に売却する政策を実施した。この場合における(1)政府の負担額、(2)死荷重の大きさの組合せとして妥当なのはどれか。

（国家総合職2019）

	(1)	(2)
1 :	2250	375
2 :	2250	525
3 :	3000	375
4 :	3000	525
5 :	3000	625

直前復習

364　LEC東京リーガルマインド　2025-2026年合格目標 公務員試験 本気で合格！過去問解きまくり！
⑬ミクロ経済学

OUTPUT

実践 問題 **92** の解説

〈二重価格制度〉

問題文の需要関数と供給関数は、

d ＝ 150 － 2 p，　s ＝ 3 p

である。政府が40の価格でこの農産物を買い上げるときの生産者の供給量は、価格40を供給関数に代入して、

s ＝ 3 × 40 ＝ 120

となる。政府が買い上げた120の農産物と消費者の需要量が一致する価格で販売するので、需要関数に需要量120を代入して、

120 ＝ 150 － 2 p　⇒　p ＝ 15

を得る。以上から、政府は生産者から価格40で、この農産物を120購入して、消費者に価格15で販売することになるので、政府の負担額は、

（40 － 15）× 120 ＝ 3000

となる。また、死荷重は、（政策実施前の総余剰 － 政策実施後の総余剰）である。

以下の図において、政策実施後の総余剰は、

政策実施後の総余剰 ＝ 政策実施後の消費者余剰 ＋ 政策実施後の生産者余剰 －
政府の負担

＝（①＋②＋⑤＋⑥＋⑦）＋（②＋③＋⑦＋⑧）－（②＋③＋④＋⑤＋⑥＋⑦）

＝①＋②＋⑦＋⑧－④

となり、政策実施前の総余剰は、

政策実施前の総余剰 ＝ 政策実施前の消費者余剰 ＋ 政策実施前の生産者余剰

＝（①＋②）＋（⑦＋⑧）＝①＋②＋⑦＋⑧

を得る。したがって、死荷重は、

（①＋②＋⑦＋⑧）－（①＋②＋⑦＋⑧－④）＝④

となり、その面積④は、

（40 － 15）×（120 － 90）× $\frac{1}{2}$ ＝ 375

である。よって、正解は肢3である。

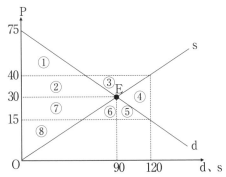

正答 **3**

実践 問題 **93** **基本レベル**

頻出度	地上★★	国家一般職★	特別区★
	裁判所職員★	国税·財務·労基★	国家総合職★

問 以下のような需要曲線と供給曲線が与えられている農作物の市場において、政府が価格下限規制を設けた場合の効果に関する以下の記述中の空欄 ア ～ ウ に当てはまる語の組み合わせとして妥当なのはどれか。 (地上2017)

$D = 1000 - p$ （D：需要量、S：供給量、p：価格）

$S = p - 200$

政府が下限価格を800円とすると、生産者の生産量は政府介入を行う前に比べて ア 単位増大する。この場合、売れ残った農作物を政府が全て買い上げたとすると、政府の支出は イ 万円となり、生産者の総収入は政府介入を行わなかった場合と比べて ウ 万円増加する。

	ア	イ	ウ
1	200	16	12
2	200	32	12
3	200	32	24
4	400	16	12
5	400	32	24

OUTPUT

実践 問題 **93** の解説

第1章 完全競争市場

〈市場均衡・経済政策〉

政府が市場に介する前は、市場均衡では D = S となるから、

$1000 - p = p - 200$

→　$p = 600$

→　$D = S = 400$

であり、これは図のE点で表される。

いま、政府が価格規制を $p = 800$ とすると、供給量と需要量はそれぞれ、

$S = 800 - 200 = 600$

$D = 1000 - 800 = 200$

となる。よって、介入前の生産量 $S = 400$ と比べると、供給量は介入により200単位増大している。

この段階で、正解は肢1、2、3に限定される。

ここで、SとDの差である400単位が売れ残りである。したがって、政府が売れ残った農作物をすべて買い取るときの政府の支出額は、

$800(円) \times 400(単位) = 320,000円$

となるので、正解は肢2、3にさらに限定される。

次に、企業の総収入を考える。

規制前の総収入 $= 600(円) \times 400(単位) = 240,000円$

規制後の総収入 $= 800(円) \times 600(単位) = 480,000円$

よって、総収入の増分は24万円であるから、正解は肢3である。

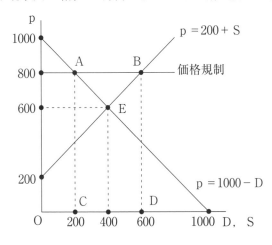

正答 **3**

パレート最適

直前復習

パレート最適は資源配分を考えるうえで重要な概念です。必ず身につけましょう。

問 次の図は、2人の消費者A、Bと第1財、第2財の二種類の財からなる経済のエッジワースのボックス・ダイアグラムであるが、この図の説明として、妥当なのはどれか。ただし、U_1、U_2、U_3、U_4は、消費者Aの無差別曲線を表し、V_1、V_2、V_3、V_4は、消費者Bの無差別曲線を表すものとする。 (特別区2006)

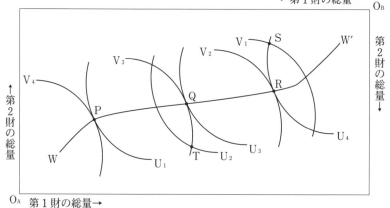

1：点P、点Q、点Rは、いずれもパレート最適な状態であり、これらの点の軌跡である曲線W−W′を効用可能曲線という。

2：点Tでは、消費者Aの効用と消費者Bの効用が等しくなるため、消費者Aと消費者Bの限界代替率は等しくなる。

3：点P、点Q、点Rは、いずれもパレート最適な状態であり、これらの点において、資源配分の効率性かつ所得分配の公平性が実現される。

4：点Sから点Rへの移行は、消費者Bの効用が増加し、消費者Aの効用が不変であることから、パレート改善である。

5：点P、点Q、点Rは、いずれもパレート最適な状態であるが、これらの点のうち、消費者A、Bともに効用が最も高いのは、点Qである。

必修問題の解説

〈パレート最適〉

　パレート最適と契約曲線の関係や、資源配分の効率性と公平性の違いなど、いずれも規範的経済学の重要概念を問う出題である。

1× 点P、点Q、点Rでは、いずれも消費者A、Bの2人の無差別曲線が接している。よって、パレート最適な状態である。しかし、このような点の集合であるWW′は効用可能曲線ではなく契約曲線という。よって、問題肢後半が誤り。

2× 点Tでは、消費者Aの無差別曲線U_2と消費者Bの無差別曲線V_3が交差しており、U_2とV_3は接していないので、2人の限界代替率は異なる。また、2人の限界代替率が等しくなるのは、点Tではなく、点P、点Q、点Rのような契約曲線上の点のみである。

3× 肢1でみたとおり点P、点Q、点Rは、いずれもパレート最適な点である。よって問題肢前半は正しい。また、パレート最適な点では資源配分が効率的である。しかし、点Pのように消費者Aの配分が少ない点や、点Rのように消費者Bの配分が少ない点など、配分が不公平な点がパレート最適な点には含まれている。よって、パレート最適点は効率的であるが必ずしも公平ではない。よって、「公平性が実現される」という記述が誤り。

4○ 点Sから点Rへの移行したときの2人の効用の変化をみる。

　　　点S：　個人AはU_4、個人BはV_1
　　　点R：　個人AはU_4、個人BはV_2　（＊$V_2 > V_1$）

よって、点Sから点Rへの移行により、個人Aの効用を減少させることなく、個人Bが効用を増大させていることがわかる。このように他者の効用を下げることなく、自身の効用を高めるような資源配分の改善をパレート改善という。

5× 肢1でみたとおり点P、点Q、点Rは、いずれもパレート最適な点である。よって、問題肢前半は正しい。しかし、消費者Aにとって効用が最も高い点は点Rである。また、消費者Bにとって効用が最も高い点は点Pである。なお、契約曲線上の点について、ある点から別の点に移動すると、一方の消費者の効用は必ず上昇し、他方の消費者の効用は必ず低下する。

正答 **4**

ボックス・ダイアグラムでは2人の個人の間における2つの財の資源配分を分析して社会的に望ましい配分を明らかにします。

1 エッジワースのボックス・ダイアグラムと資源配分

① エッジワースのボックス・ダイアグラム

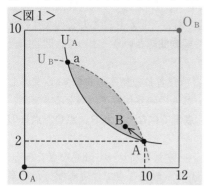

＜図1＞

図1はx財が12個、y財が10個だけ存在する社会を表します。

A点は初期保有点を表し、個人Aはx財を10個、y財を2個保有しています(個人BはO_Bを原点にX財を2個、Y財を8個保有しています)。

無差別曲線のU_AおよびU_BはA点での個人Aと個人Bの効用水準を表します。

パレート改善とは他者の効用を低下させることなく自身の効用を高められるような資源配分の改善です。たとえばA点からB点への移動はパレート改善です。実際にはB点に限らずA aを頂点とする半月領域内の点への移動であれば、a点への移動を除けば、すべてパレート改善です。

② パレート最適と契約曲線

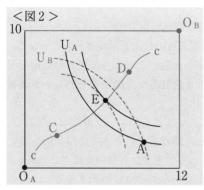

＜図2＞

図2のA点からE点に移動すると、E点では上述した半月領域がなく、もはや自分の効用を高めるには他人の効用を下げるほかありません。このような配分をパレート最適な配分といいます。また、パレート最適であることを資源配分が効率的であるともいいます。

パレート最適点では2人の無差別曲線が接していることから、

$$MRS_A = MRS_B$$

が成立しています。これがパレート最適条件です。

図の曲線ccは無差別曲線が接する点であるパレート最適点の集合を表し、契約曲線とよばれます。なお、C点はE点と比べると個人Aの効用が著しく低い不平等な点ですがパレート最適点です。パレート最適点は効率的ですが、不平等や格差

は排除できません。

2 厚生経済学の第1基本定理

① 市場取引と予算線

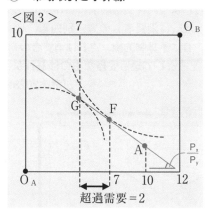

<図3>

超過需要＝2

図3の色つきの線は市場でx財をP_x円、y財をP_y円で売買したときに実現できる消費点を表す予算線です。予算線は初期保有点を通る傾き$\dfrac{P_x}{P_y}$の直線になります。

個人AはF点、個人BはG点が最適消費点です。x財の需要量は2人の合計で14個となり、x財が2個だけ需要超過です。

② 厚生経済学の第1定理

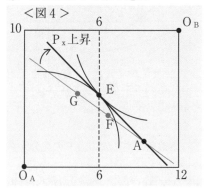

<図4>

P_x上昇

図3の状態ではx財への超過需要があるのでx財の価格P_xが上昇します。予算線はA点を中心に右に回転し、E点で超過需要がゼロになります。E点がボックス・ダイアグラムでの競争均衡です。

E点では各個人の無差別曲線と予算線が接しています。よって、

$$MRS_A = MRS_B = \frac{P_x}{P_y}$$

が成立します。よって、すべての競争均衡はパレート最適（厚生経済学の第1基本定理）です。

③ 厚生経済学の第2基本定理

なお、任意のパレート最適な点（契約曲線上の点）は、適当に初期配分点を移動させれば競争均衡として実現できます。これが厚生経済学の第2定理です。

実践 問題 **94** 〈基本レベル〉

頻出度	地上★	国家一般職★	特別区★★
	裁判所職員★	国税・財務・労基★	国家総合職★★

問 次の図は、2財（X、Y）2消費者（A、B）による純粋交換経済におけるエッジワースのボックス・ダイアグラムである。U_Aは消費者Aの無差別曲線、U_Bは消費者Bの無差別曲線、Cは契約曲線、Dは予算制約線、点Eは消費者の初期保有点を表している。この図に関する記述として最も妥当なものはどれか。

(裁事2023)

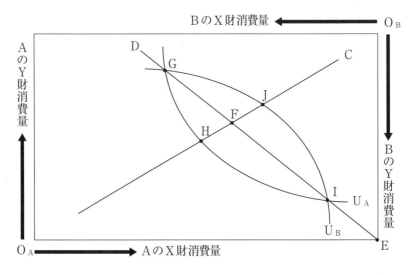

1：点Hの配分から点Jの配分への移行はパレート改善であるが、点Fの配分から点Iの配分への移行はパレート改善ではない。

2：点Gの配分では消費者AとBの限界代替率が等しいため、この点の配分は市場均衡として実現できる。

3：点Jの配分では消費者AとBの限界代替率が等しくないため、この点で市場均衡は実現しない。

4：点Fの配分は市場均衡であるが、点Jの配分のほうが消費者Aにとって望ましいため、パレート効率的ではない。

5：この市場ではX財のすべてを消費者Aが供給し、Y財のすべてを消費者Bが供給する。

OUTPUT

実践 問題 94 の解説

〈パレート最適〉

1✕ パレート改善とは、他者の効用を低下させることなく、自身の効用を高められるような資源配分の改善のことをいう。点Hの配分から点Jの配分への移行は、消費者Aの効用は高くなるが、消費者Bの効用が低下するので、パレート改善ではない。また、点Fの配分から点Iの配分への移行は、両消費者の効用が低下するのでパレート改善ではない。

2✕ 点Gの配分では、消費者AとBの無差別曲線が交わっているので、その接線の傾きである限界代替率は等しくない。また、市場均衡とは、すべての消費者の限界代替率と財の価格比が一致しており、パレート効率的な配分が達成されている状況のことをいう(厚生経済学の第1基本定理)。いま、点Gの配分は予算制約線上にあるが、消費者Aと消費者Bの限界代替率は一致しておらず、パレート効率的な配分でもない。この場合、両消費者がX財、Y財をその価格比によって交換することによって、点Fにおいて両消費者の限界代替率が一致し、パレート効率的な配分となる。よって、点Gにおいて市場は均衡しない。

3✕ 点Jの配分は、契約曲線上にあり、パレート効率的(最適)であるので、消費者AとBの限界代替率は等しい。よって、点Jで市場均衡は実現するため、本肢の記述は妥当ではない。

4✕ 「点Fの配分は市場均衡であるが、…パレート効率的ではない」との記述が誤り。点Fの配分は契約曲線上にあり、パレート効率的(最適)である。ただし、点Jの配分のほうが消費者Aにとって望ましいとの記述は正しい。

5○ 本肢の記述のとおりである。初期保有点Eがボックス・ダイアグラムの右下の角にあるため、当初は、消費者AがX財をすべて保有し、消費者BがY財をすべて保有しているので、この市場においては、X財は消費者Aから供給され、Y財は消費者Bから供給されると考えることができる。

正答 5

第1章 ③ 完全競争市場
パレート最適

実践 問題 **95** 基本レベル

頻出度	地上★ 国家一般職★ 特別区★
	裁判所職員★ 国税・財務・労基★ 国家総合職★★

問 2人の個人A、Bのみから成る経済があり、個人A、Bは代替可能な2財X、Yをそれぞれ$(X_A, Y_A)(X_B, Y_B)$だけ消費しているものとする。

2人の効用関数が、それぞれ

$U_A = X_A \cdot Y_A$

$U_B = X_B^{\frac{1}{2}} \cdot Y_B$

であり、経済におけるX、Yの総生産量がそれぞれ15、10であるとき、パレート最適を実現する個人A、BそれぞれのX、Yの消費量の組合せとして正しいのはどれか。

(労基2001)

	(X_A, Y_A)	(X_B, Y_B)
1 :	(12, 4)	(3, 6)
2 :	(10, 5)	(5, 5)
3 :	(9, 5)	(6, 5)
4 :	(6, 4)	(9, 6)
5 :	(5, 4)	(10, 6)

OUTPUT

実践 問題 **95** の解説

〈パレート最適〉

まず、問題文より、財の総生産量が明らかであるから、次の関係が成立する。

$X_A + X_B = 15$ ……①

$Y_A + Y_B = 10$ ……②

また、パレート最適においては、各個人の限界代替率がそれぞれ等しいから、$MRS_A = MRS_B$ となる。

$$MRS_A = \frac{MU_{X_A}}{MU_{Y_A}} = \frac{Y_A}{X_A}$$

$$MRS_B = \frac{MU_{X_B}}{MU_{Y_B}} = \frac{\frac{1}{2}Y_B \cdot X_B^{-\frac{1}{2}}}{X_B^{\frac{1}{2}}} = \frac{\frac{1}{2}Y_B}{X_B^{\frac{1}{2}} \cdot X_B^{\frac{1}{2}}} = \frac{\frac{1}{2}Y_B}{X_B} = \frac{Y_B}{2X_B}$$

$$\frac{Y_A}{X_A} = \frac{Y_B}{2X_B} \quad \cdots\cdots③$$

が成立する。

ここで、本問の変数は X_A、X_B、Y_A、Y_B の4つであるのに対し、条件式は3つのみであるので、計算によってパレート最適な配分を求めることはできない。したがって、選択肢の中から①～③までの条件をいずれも満たす配分を選択する方法によることになる。

そこで、肢1から肢5までをみると、いずれも①と②の条件は満たしている。しかし、③の条件を満たすのは、肢2のみである。

よって、正解は肢2である。

正答 2

実践 問題 **96** 応用レベル

頻出度	地上★	国家一般職★	特別区★
	裁判所職員★	国税·財務·労基★	国家総合職★★

問 次の図は、ある純粋交換経済におけるエッジワース・ダイアグラムである。横軸は財Xの数量、縦軸は財Yの数量を示し、左下のO_A点は主体Aの原点、右上のO_B点は主体Bの原点を表す。O_A点に向かって凸に描かれている曲線は主体Aの無差別曲線であり、O_B点に向かって凸に描かれている曲線は主体Bの無差別曲線である。H点は両主体の初期保有量を表す。また、線分LMは、J点で無差別曲線UUに接している。

この図に関する次の記述のうち、最も妥当なものはどれか。

（裁判所職員2018）

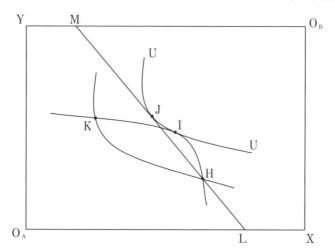

1：H点からK点への移行は、主体A、主体Bの効用水準をともに増加させる。

2：初期保有量を適切に再配分すれば、市場メカニズムによって点Iを実現できる。

3：I点は主体Aのオファー曲線上にある。

4：J点は契約曲線上にある。

5：線分LMの傾きの大きさは、完全競争市場において実現する価格比に等しい。

OUTPUT

実践 ▶ 問題 **96** ▶ の解説 ────────────

〈パレート最適〉

1 ✕ H点からK点に移動しても、主体Aも主体Bも同じ無差別曲線上にあるため、効用水準はともに変化しない。

2 ○ 本肢の記述のとおりである。厚生経済学の第2定理より、任意のパレート最適な配分は、適当に初期保有量を再配分して得られる経済の市場均衡として達成される。

3 ✕ オファー曲線とは、財の価格が変化した場合の最適消費点の軌跡である。現在の予算線LMにおいて、主体Aの無差別曲線UUは点Jで接している。よって、I点は主体Aの最適消費点とはなっておらず、主体Aのオファー曲線上にはない。

4 ✕ 契約曲線上にあるためには、パレート最適が実現できていなければならない。パレート最適である点は、2人の無差別曲線が接するI点である。J点では無差別曲線が接していないのでパレート最適ではない。よって、J点は契約曲線上にはない。

5 ✕ 厚生経済学の第1定理より、完全競争の市場均衡であればパレート最適が達成される。線分LMの価格比においては、点Jで2人の無差別曲線が接していないため、パレート最適は実現できていない。よって、LMの傾きの大きさは、完全競争市場において実現する価格比ではない。

正答 **2**

実践 問題 **97** 〈応用レベル〉

頻出度	地上★	国家一般職★	特別区★
	裁判所職員★	国税・財務・労基★	国家総合職★

問 三つの財（第1財、第2財、第3財）の市場から構成される経済において、第1財と第2財の市場における超過需要（需要－供給）が

$$Z_1 = \frac{-10P_1 + 6P_2 + 4P_3}{P_1} \quad \left(\begin{array}{l} Z_i：第 i 財の超過需要（i = 1、2、3）\\ P_i：第 i 財の価格 \end{array}\right)$$

$$Z_2 = \frac{3P_1 - 8P_2 + 5P_3}{P_2}$$

であることが分かっているものとする。

この経済の第3財の超過需要として妥当なのはどれか。 （地上2004）

1： $Z_3 = \dfrac{4P_1 + 3P_2 - 7P_3}{P_3}$

2： $Z_3 = \dfrac{6P_1 + 3P_2 - 9P_3}{P_3}$

3： $Z_3 = \dfrac{7P_1 + 2P_2 - 9P_3}{P_3}$

4： $Z_3 = \dfrac{7P_1 + 4P_2 - 11P_3}{P_3}$

5： $Z_3 = \dfrac{9P_1 + 2P_2 - 11P_3}{P_3}$

OUTPUT

実践 問題 **97** の解説

〈ワルラス法則〉

一般均衡分析モデルにおいては、経済に存在するnの市場のうちn－1の市場が均衡しており、超過需要や超過供給が存在していないならば、残りの市場についても必ず需給が均衡せざるをえない。これをワルラス法則という。また、ワルラス法則を踏まえて、どこかの市場で超過供給があるときは必ず別の市場で超過需要があることを、セイ法則とよぶことがある。

さて、ここで本問の3つの市場からなる経済について考える。どこかの市場で超過供給があれば必ず別の市場で超過需要があることになるから、すべての市場で金額表示した超過需要を合計すれば、これがゼロになるはずである。これを式で表すと、次のように表せる。

$$P_1 Z_1 + P_2 Z_2 + P_3 Z_3 = 0$$

したがって、

$$
\begin{aligned}
P_3 Z_3 &= -(P_1 Z_1 + P_2 Z_2) \\
&= -(-10 P_1 + 6 P_2 + 4 P_3 + 3 P_1 - 8 P_2 + 5 P_3) \\
&= -(-7 P_1 - 2 P_2 + 9 P_3) \\
&= 7 P_1 + 2 P_2 - 9 P_3
\end{aligned}
$$

$$\therefore Z_3 = \frac{7 P_1 + 2 P_2 - 9 P_3}{P_3}$$

となる。

よって、正解は肢3である。

正答 **3**

Q1 Dは需要曲線、Sは供給曲線、Qは取引量、Pは財価格を表すとき、右図はワルラスの意味で安定である。

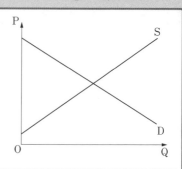

Q2 マーシャルの意味で安定とは、均衡生産量Q*より生産量が少ないときに超過供給価格が生じ、生産量が多いときに超過需要価格が生じていれば、最終的に生産量はQ*で安定することをいう。

Q3 クモの巣市場とは、企業の供給調整が一期遅れるような市場で、農産物市場などが該当する。このような市場では、需要曲線の傾きの絶対値が供給曲線の傾きの絶対値より大きいときに市場は安定的になる。

Q4 生産者余剰と利潤は異なり、生産者余剰は可変費用が含まれる分だけ利潤よりも大きい。

Q5 パレート最適とは、ある状態から別の状態への移行によって、だれの効用も低下させることなく、だれかの効用が高まるというパレート改善がもはや不可能な状態のことをいうが、このとき、所得の公平な分配が実現する。

Q6 下図のボックス・ダイヤグラムにおける点a、b、c、d、Eを比較すると、点Eが社会的厚生の観点からみて、最も望ましい。

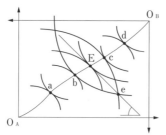

点e：初期保有点
点E：競争均衡点
曲線$O_A O_B$：契約曲線
点a、b、E、c、dはすべて
パレート最適

Q7 完全競争市場における均衡配分では、各消費者の効用最大化条件より、価格比＝限界代替率が成立していることから、必ずパレート最適(資源の効率的配分)が達成されることになる。

😊×**Answer**

A1 ⃝ 均衡価格P^*より価格が高い（P_1）ときに超過供給（$D_1 < S_1$）が生じ、価格が低い（P_2）ときに超過需要（$S_2 < D_2$）が生じていれば、最終的に価格はP^*で安定する。これをワルラスの意味で安定という。

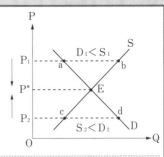

A2 × マーシャルの意味で安定とは、均衡生産量Q^*より生産量が少ない（Q_1）ときに超過需要価格（$P^s_1 < P^d_1$）が生じ、生産量が多い（Q_2）ときに超過供給価格（$P^d_2 < P^s_2$）が生じていれば、最終的に生産量はQ^*で安定することをいう。

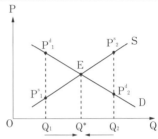

A3 × クモの巣市場では、供給曲線の傾きの絶対値が需要曲線の傾きの絶対値より大きいときに市場は安定的になる。

A4 × 生産者余剰は、固定費用が含まれる分だけ利潤より大きい。実際、生産余剰は、総収入TRー可変費用$VC = TR -$（総費用TCー固定費用FC）＝利潤$\pi + FC$となる。

A5 × パレート最適が実現しているとき、資源の効率的配分は達成されるが、所得の公平な分配は考慮されていない。

A6 × 契約曲線状上のすべての点はパレート最適が実現しているが、その中のいずれの点が社会的厚生の観点からみて、最も望ましいのかをボックス・ダイヤグラムだけで判断することはできない。

A7 ⃝ 厚生経済学の第1基本定理の内容である。各個人の効用最大化により、$MRS_A = \left[\dfrac{P_x}{P_y}\right] = MRS_B$であり、結果、各個人の限界代替率が一致し、パレート最適な状態となる。

memo

第2章

不完全競争市場

SECTION

① 独占
② 複占・寡占

出題傾向の分析と対策

試験名	地 上			国家一般職			特別区			裁判所職員			国税・財務・労基			国家総合職		
年 度	16〜18	19〜21	22〜24	16〜18	19〜21	22〜24	16〜18	19〜21	22〜24	16〜18	19〜21	22〜24	16〜18	19〜21	22〜24	16〜18	19〜21	22〜24
出題数 セクション	2	1	2	3		2	3	3	2	3	2	2	2	3	2	3	3	7
独占	★★	★	★★	★			★	★★	★★	★★	★★	★	★		★	★		★★
複占・寡占				★★		★★	★★	★	★		★		★	★	★★★ ★	★★★	★★★	★×5

（注） 1つの問題において複数の分野が出題されることがあるため、星の数の合計と出題数とが一致しないことがあります。

　不完全競争市場は全般的にたいへんよく出題される範囲です。不完全競争市場の議論では、利潤を最大にする生産量を決定する「最適生産」の理解が必須ですので、不得手にしている人は復習しておきましょう。中でも特に「独占」からの出題は頻出であり、必ず解けるようにしておきたいテーマです。なお、「独占」の理解は、市場の失敗の「費用逓減産業」のところでも要求されます。

地方上級

　独占からの出題のほか、頻度は低いですが複占市場における計算問題が過去に出題されています。それぞれの場合において企業が最適行動をとったときの結果が計算できるように演習を繰り返して実力をつけましょう。

国家一般職

　出題範囲は独占分野の中で多岐にわたっており、独特なクセがある出題もあります。解法パターンも多彩なため、すべてを本書に収録することができないほどです。難易度も易から難まで多彩です。この分野は、基本を固めて多くの問題に触れるよう心掛けてください。

特別区

　計算問題だけでなく、過去にはグラフから判断する問題も出題されています。限界費用曲線、平均費用曲線と限界利潤の関係などをグラフで確認しながら学習を進めましょう。また、複占の計算問題も出題されているので、練習が必要です。

裁判所職員

　この分野からの出題は頻出です。複占市場における計算問題まで出題されているので、典型的な計算問題が解けるように勉強しましょう。

国税専門官・財務専門官・労働基準監督官

　毎年のように出題されています。理解しやすい分野ですし、計算過程が長くなることはありますが問題の派生パターンも少ないですので、じっくり取り組んで必ず得点できるようになりましょう。

国家総合職

　毎年のように出題されています。独占企業に関する問題も出題されていますが、クールノー競争、ベルトラン競争からの出題も増えています。どのような計算問題も解けるように問題演習を積みましょう。

Advice アドバイス 学習と対策

　不完全競争市場における最適生産条件の公式を覚えれば、得点源になる分野です。問題演習を繰り返し、計算問題を落とさないようにしましょう。

セクションテーマを代表する問題に挑戦！

独占市場における均衡を問う問題です。利潤最大化条件に留意して検討しましょう。

問 一企業により独占的に供給されるある財の価格をP、生産量をQとすると、その企業の

総費用曲線が、$TC = Q^3 - 5Q^2 + 15Q + 80$

需要曲線が、$P = 90 - 5Q$

で表されるとき、この企業の利潤を最大にする財の価格はどれか。

（特別区2010）

1 ： 5
2 ： 25
3 ： 45
4 ： 65
5 ： 85

Guidance ガイダンス 独占が生じている市場においては、企業がプライスメイカーとなっているため、企業の生産量によって価格が変動する。よって、企業は価格変化を考慮した利潤最大化を行い、MR=MCとなるように生産量を設定する。

必修問題の解説

〈独占〉

第2章 不完全競争市場

【解法1：利潤最大化条件を使う方法】

独占における利潤最大化条件はMR＝MCである。

総収入は価格×生産量に等しい。すなわち、TR＝PQであることから、

$$TR = (90 - 5Q)Q$$
$$→ \quad TR = 90Q - 5Q^2 \quad ……①$$

①をQで微分して限界収入を導出する。

$$MR = 90 - 10Q \quad ……②$$

問題文の総費用関数

$$TC = Q^3 - 5Q^2 + 15Q + 80$$

をQで微分して限界費用を導出する。

$$MC = 3Q^2 - 10Q + 15 \quad ……③$$

②と③を利潤最大化条件MR＝MCに代入して、Qについて解けば利潤が最大となる場合の生産量が求められる。

$$90 - 10Q = 3Q^2 - 10Q + 15$$
$$→ \quad 75 = 3Q^2$$
$$→ \quad 25 = Q^2$$
$$→ \quad Q = 5 \quad (独占生産量)$$

最適生産量であるQ＝5を需要関数P＝90－5Qに代入して独占価格を求める。

$$P = 90 - 5 × 5 = 65 \quad (独占価格)$$

よって、正解は肢4である。

【解法2：利潤式を微分してゼロとおく解法】

利潤πは総収入と総費用の差（π＝TR－TC）であるから、

$$π = PQ - TC \quad ……④$$
$$→ \quad π = (90 - 5Q)Q - (Q^3 - 5Q^2 + 15Q + 80)$$
$$→ \quad π = 90Q - 5Q^2 - Q^3 + 5Q^2 - 15Q - 80$$
$$→ \quad π = -Q^3 + 75Q - 80 \quad ……⑤$$

⑤をQで微分してゼロとおき、Qについて解く。

$$\frac{Δπ}{ΔQ} = -3Q^2 + 75 = 0$$
$$→ \quad Q^2 = 25$$
$$→ \quad Q = 5$$

よって、Q＝5で利潤が最大になる。以降は、解法1と同じである。

正答 4

1 総収入（ＴＲ）曲線と限界収入（ＭＲ）曲線

① 総収入（ＴＲ）曲線

独占では1社の生産量Qがそのまま市場全体の生産量になります。

図1においてQが2のときPは8なので総収入ＴＲ（＝ＰＱ）は16であり、これは、図の需要曲線の内側の色つきの長方形で表すことができます。

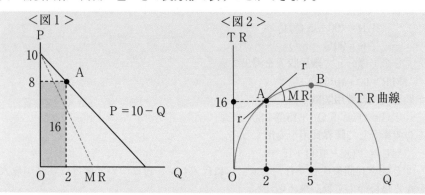

＜図1＞　＜図2＞

図2の山形をしたＴＲ曲線は生産量Qと総収入ＴＲの大きさを表す曲線です。ＴＲ曲線は図1の色つきの長方形の面積（たとえば16）を図2の縦軸に表すように導出されています。

② 限界収入（ＭＲ）曲線

生産量Qを1単位増したときの総収入ＴＲの増分を限界収入ＭＲといいます。図2では、ＴＲ曲線の接線の傾きでＭＲは表されます。この限界収入ＭＲを表す曲線がＭＲ曲線であり図1の青い線で表されています。

2 独占での最適生産量

① ＴＲ曲線とＴＣ曲線による利潤最大化

図3は独占企業のＴＲ曲線とＴＣ曲線を重ねた図です。線分ＦＧの長さが利潤 π を表します。企業はこの利潤が最大になるように生産量Qを決定し、図ではQ＝2.5で利潤が最大になっています。

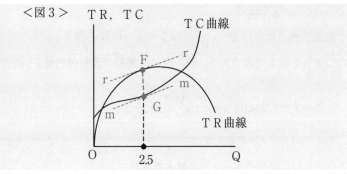

＜図３＞

利潤πが最大化されているときにはＴＲの接線の傾き（ｒｒ線の傾き）とＴＣの接線の傾き（ｍｍ線の傾き）が等しく、ｒｒ線とｍｍ線は平行であることから、ＭＲとＭＣが等しくなっています（ＭＲ＝ＭＣ）。

利潤最大化条件：ＭＲ＝ＭＣ

② ＭＲ曲線とＭＣ曲線による利潤最大化

図４は企業のＭＲ曲線とＭＣ曲線を表した図です。

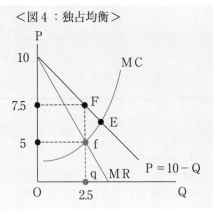

＜図４：独占均衡＞

企業がＱを2.5（ｑ点）にすると、ＭＲとＭＣはともに５となります（ｆ点）。このＱ＝2.5が利潤最大化生産量です。Ｑ＝2.5のときの市場価格は、需要曲線上のＦ点で決まり、Ｐ＝10－ＱにＱ＝2.5を代入して、

　　⇒　Ｐ＝10－2.5＝7.5円

となります。

③ ラーナーの独占度

最適生産量における$\dfrac{P-MC}{P}$はラーナーの独占度とよばれ、市場での価格支配力の強さを示す指標であり、数学的には需要の価格弾力性E_dの逆数と等しいことが知られています。

ラーナーの独占度$L = \dfrac{P-MC}{P} = \dfrac{1}{E_d}$

図4でのラーナーの独占度は$\dfrac{Fq-fq}{Fq} = \dfrac{7.5-5}{7.5} = \dfrac{1}{3}$です。なお、完全競争市場では$P=MC$なのでラーナーの独占度はゼロです。

3 独占利潤最大化生産量の計算 ·······

―【例題】―

独占市場の需要関数が$P=10-Q$、総費用関数が$TC=Q^2$であるときの利潤が最大になる生産量として正しいものはどれか。

1. 1.0
2. 2.0
3. 2.5
4. 3.0
5. 3.5

以下のように式に番号をつけておきます。
- 需要関数　　$P=10-Q$　……①
- 総費用　　　$TC=Q^2$　……②
- 利潤式　　　$\pi = TR-TC$、または$\pi = PQ-TC$　……③
①～③を用いて利潤πの値が最大になるようなQを求めます。

【解法1：利潤最大化条件　MR＝MCを使う方法】
Step1．MRを作ります。
　　総収入TRは、$P=10-Q$、および$TR=PQ$より、
　　　$TR=(10-Q)Q$　……④
で表せます。
　　総収入④をQで微分してMRを求めます（ただし、次のページ【公式】も参照）。

$\dfrac{\Delta TR}{\Delta Q} = MR = 10 - 2Q^{2-1} = 10 - 2Q$　……⑤

INPUT

【公式】　右下がりの直線の需要曲線P＝〜は、傾きを2倍にするとMR曲線となる。
　　　　　（例）P＝10－Qのとき、MR＝10－2Qとなる。

Step2．MCを作ります。

$$\frac{\Delta T C}{\Delta Q} = 2Q = MC \quad \cdots\cdots⑥$$

Step3．⑤＝⑥、つまりMR＝MCとおきます。

$$10 - 2Q = 2Q$$
$$Q = 2.5 \quad となります。$$

【解法2：利潤式を微分してゼロとおく方法】

Step1．①と②を③に代入してπをQの式で表します。

$$\pi = PQ - TC = (10 - Q)Q - Q^2$$
$$\rightarrow \quad \pi = 10Q - 2Q^2 \quad \cdots\cdots⑦（利潤式）$$

Step2．利潤式⑦を微分してゼロとおき、Qについて解きます。

$$\frac{\Delta \pi}{\Delta Q} = 10 - 4Q = 0 \quad \cdots\cdots⑧$$
$$Q = 2.5$$

よって、正解はQ＝2.5となります。

4 ▶ 差別独占

① 差別独占と利潤最大化

　独占企業が単一の製品について日本市場とアメリカ市場のように分断された2つの市場において独占状態にあるとします。このような2つの独立した市場における独占状態が差別独占です。

　独占企業は2つの市場で利潤を最大化する生産量Q_AとQ_Bを決めます。

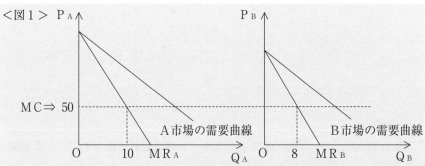

＜図1＞

図1において、MCは50で表されています。このMCの値はA市場とB市場の供

給量の合計（$Q_A + Q_B$）によって決定されたものとします。MR_AとMR_Bは各市場の限界収入曲線です。

このときに、2つの市場から生じる利潤の合計が最大になる条件は、

$$\begin{cases} MR_A = MC \\ MR_B = MC \end{cases} \quad \cdots\cdots ①$$

$$\begin{pmatrix} MC：A市場とB市場の供給量の合計から計算されるMC \\ MR_A：A市場の限界収入、MR_B：B市場の限界収入 \end{pmatrix}$$

となります。①より、$MR_A = MR_B$も成立し、利潤最大化点では2つの市場の限界収入が必ず等しくなることを表します。

② 差別独占と需要の価格弾力性

差別独占では需要の価格弾力性が低い市場で高い価格が設定されることが知られています。つまり、以下の関係があります。

$$E_d{}^A < E_d{}^B \quad ならば \quad P_A > P_B$$

5 独占的競争市場

ブランド品のメーカーは自社のブランドの供給については独占的な位置にありますが、一方で、類似品やライバルのブランドとは競争的な位置にあります。このような製品差別化などが原因で独占的性質と競争的性質を併せ持った市場を独占的競争市場といいます。

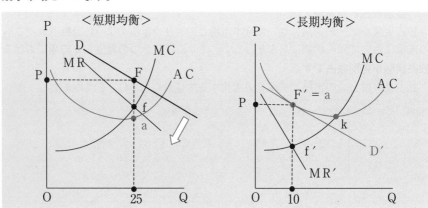

① 短期均衡

左図は独占的競争の短期均衡を表します。D線は需要曲線ですが、市場全体の需要ではなく自社製品に対する需要曲線を表します。

　図のf点でMR＝MCが成立し生産量が25です。このとき線分Faが生産量1単位あたりの独占利潤です。この独占利潤は、ライバルが類似品で新規参入する要因となります。

②　長期均衡

　右図のF′点は長期均衡を表します。図は、超過利潤による新規参入の結果として、需要曲線が下方シフトした結果、需要曲線がAC曲線に接するようにD′曲線が描かれています。

・f′点でMR′＝MCとなり利潤が最大
・F′点で需要曲線D′がAC曲線に接するために利潤がゼロ

　また、k点は最も低い平均費用で生産できる点ですが、この企業はk点で生産をしていません。これを**過剰能力**といいます。

第2章 不完全競争市場

SECTION ① 独占

実践 問題 **98** 〈 **基本レベル** 〉

頻出度	地上★★	国家一般職★	特別区★
	裁判所職員★	国税·財務·労基★	国家総合職★

問 ある製品の需要は、

$$D = -\frac{1}{2}P + 40 \quad (D：需要量、P：価格)$$

で示されている。また、この市場は、1社によって、独占的に財が供給されており、その費用関数は、

$$C = \frac{1}{2}x^2 + 20 \quad (C：総費用、x：生産量)$$

で示されている。独占の均衡点における生産者余剰の大きさとして、最も妥当なものはどれか。 (裁事2021)

1：480
2：560
3：640
4：720
5：800

直前復習

OUTPUT

実践 問題 **98** の解説 ────────────

〈独占〉

第2章 不完全競争市場

　まず、独占企業の利潤最大化条件から独占の均衡点を求める。

　需要関数：$D = -\frac{1}{2}P + 40$ を「$P = \sim$」に変形して逆需要関数とすると、

　　$P = -2D + 80$

となる。これはグラフで表すと右下がりの直線となるため、限界収入MRは逆需要関数の傾きを2倍にして、

　　$MR = -4D + 80$

となり、独占市場の均衡においては$D = x$となるため、需要量Dを生産量xで置き換えて、

　　$MR = -4x + 80$

を得る。一方、限界費用MCは、費用関数$C = \frac{1}{2}x^2 + 20$をxで微分して、

　　$MC = \frac{\Delta C}{\Delta x} = x$

となる。独占企業の利潤最大化条件「$MR = MC$」より、

　　$x = -4x + 80$

　　$x = 16$

を得る。このときの価格は$x = 16$を需要曲線に代入すると、$P = 48$となる。

　以上より、生産者余剰は下図の色つきの部分となり、その大きさは、

　　$\{48 + (48 - 16)\} \times 16 \times \frac{1}{2} = 640$

となる。よって、正解は肢3である。

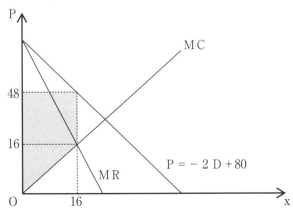

正答 **3**

実践 問題 **99** 〈 基本レベル 〉

頻出度	地上★★	国家一般職★	特別区★
	裁判所職員★	国税·財務·労基★	国家総合職★

問 ある企業が独占的にある財を供給しているとする。この独占企業が直面している需要関数が、

 Q＝60－2P （Q：需要量、P：価格）

であるとする。また、この独占企業の総費用関数が、

 C＝X²＋6X＋8 （C：総費用、X：生産量）

であるとする。このとき、独占市場の均衡における総余剰の大きさはいくらか。

（国家一般職2017）

1： 16

2： 96

3：112

4：128

5：208

OUTPUT

実践 問題 **99** の解説

〈独占〉

第2章 不完全競争市場

需要関数を$P = \sim$の形に変形して$P = 30 - \frac{1}{2}Q$とする。

総収入$TR = PQ = \left(30 - \frac{1}{2}Q\right)Q = 30Q - \frac{1}{2}Q^2$となり、限界収入$MR = \frac{\Delta TR}{\Delta Q}$ $= 30 - Q$となる。

また、総費用$C = X^2 + 6X + 8$より、限界費用$MC = \frac{\Delta C}{\Delta X} = 2X + 6$となる。

この状況を図にすると以下のようになる。なお、MCは限界費用曲線、Dは需要曲線、MRは限界収入曲線を表している。

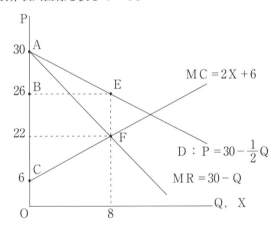

独占市場における利潤最大化条件はMR＝MCであり、図のF点で生産量が決まる。また、価格はF点での生産量に対する需要で決まるため図のE点で決まる。

したがって、均衡価格は26、均衡数量は8であり、余剰は、以下のようになる。

消費者余剰：三角形ABE

生産者余剰：台形BCFE

⇒総余剰：消費者余剰＋生産者余剰＝三角形ABE＋台形BCFE＝台形ACFE

$$= \frac{1}{2} \times \{(30 - 6) + (26 - 22)\} \times 8 = 112$$

以上より、肢3が正解となる。

正答 **3**

実践 問題 100 基本レベル

頻出度	地上★★	国家一般職★	特別区★
	裁判所職員★	国税・財務・労基★	国家総合職★

問 次の図は、縦軸にある財の価格を、横軸にその生産量をとり、需要曲線をD、限界費用曲線をMC、その交点をIで表したものである。今、この財の市場が、完全競争市場から、財が独占企業によって供給される独占市場となり、限界収入曲線がMRで表される場合のこの図の説明として、妥当なのはどれか。

(特別区2014)

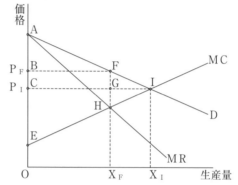

1 : 独占市場になると、生産量は X_F から X_I へと拡大し、価格は P_F から P_I へ下落する。

2 : 独占市場になると、厚生損失を表す面積は、三角形FHIから三角形FGIとなる。

3 : 独占市場になると、消費者余剰を表す面積は、三角形ABFから三角形ACIとなる。

4 : 独占市場になると、生産者余剰を表す面積は、三角形CEIから四角形BEHFとなる。

5 : 独占市場になると、社会的余剰を表す面積は、三角形AEIから四角形BEHFとなる。

OUTPUT

実践 問題 **100** の解説 ───────

〈独占〉

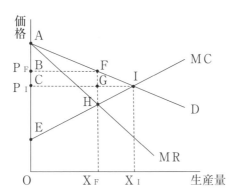

完全競争市場においては企業の限界費用曲線と需要曲線の交点が均衡となる。図ではⅠ点がこれにあたる。市場価格はP_I、生産量はX_Iとなる。余剰分析は、次のとおり。

(完全競争市場)　消費者余剰　△ACI
　　　　　　　　生産者余剰　△CEI
　　　　　　　　社会的余剰　△AEI　……①

独占市場になった場合には、企業の限界費用曲線と限界収入曲線が等しくなる点(MR＝MCとなる点)に生産量が決まる。生産量がX_FのときにH点でMR＝MCが成立し、市場価格は独占生産量に対応する需要曲線上の点FによりP_Fに決定される。余剰分析は、次のとおり。

(独占市場)　　消費者余剰　△ABF
　　　　　　　生産者余剰　□BEHF
　　　　　　　社会的余剰　□AFHE　……②
　　　　　　　厚 生 損 失　△FHI(＝①－②)

以上より、肢4に示された、完全競争から独占になると生産者余剰は△CEIから□BEHFになるが正しい。

1 ✕　独占になると、生産量はX_IからX_Fへと減少するはずであるので誤り。

2 ✕　独占になると、厚生損失はゼロから△FHIに拡大するはずであるので誤り。

3 ✕　独占になると、消費者余剰は、△ACIから△ABFへと減少するので誤り。

4 ○　本肢の記述のとおりである。

5 ✕　独占になると、社会的余剰は△AEIから□AEHFに減少する。

正答 4

実践 問題 **101** 〈**基本レベル**〉

頻出度	地上★★	国家一般職★	特別区★
	裁判所職員★	国税・財務・労基★	国家総合職★

問 次の図は、ある独占企業の需要曲線（D）、限界収入曲線（MR）、平均費用曲線（AC）、限界費用曲線（MC）を示している。この図に関する記述として最も適当なものはどれか。 （裁判所職員2016）

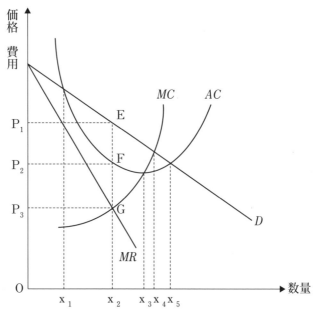

1 ：生産量が x_2 から増えるにつれ利潤は増加し、 x_4 で利潤最大化が達成され、 x_4 から生産量が増えるにつれ利潤は減少していく。

2 ：MR＝MCとなる生産量 x_2 で利潤最大化が達成されるが、その最大利潤は四角形 $P_1 E G P_3$ で示される。

3 ：MR＞MCである生産量 x_2 未満では生産量が増えるにつれ、利潤は減少していくが、生産量 x_2 を超えてMC＞MRのときに生産量が増えていくと、利潤は増加していく。

4 ：利潤最大化が達成されるとき、可変費用は四角形 $P_2 F x_2 O$ で示される。

5 ：DとACの2つの交点の生産量 x_1 、 x_5 では、利潤がゼロであるが、 x_1 と x_5 の間の生産量では利潤が発生している。

チェック欄		
1回目	2回目	3回目

実践 問題 **101** の解説

〈独占〉

1 ✕ 生産量が x_2 から増えるにつれて利潤は減少する。なぜならば、G点より右ではMR＜MCが成立しているからである。よって、誤り。また、G点においてMR＝MCが成立していることから利潤最大化が達成されるのは x_4 ではなく x_2 である。この点も誤り。

2 ✕ 確かに、MR＝MCとなる生産量 x_2 で利潤は最大である。しかし、その最大利潤は四角形 P_1 EG P_3 でなく、四角形 P_1 EF P_2 である。よって、利潤の大きさが誤り。

3 ✕ MR＞MCである生産量 x_2 未満では生産量が増えるにつれ、利潤は増加する。よって、「利潤は減少していく」が誤り。
また、2行目についても、生産量 x_2 を超えてMC＞MRのときに生産量が増えていくと、利潤は減少していくはずである。よって、「利潤は増加していく」が誤り。

4 ✕ 四角形 P_2 F x_2 Oは可変費用ではなく総費用を表しているので誤り。

5 ◯ 本肢の記述のとおりである。利潤を π とすると、

$\pi = (P - AC) x$ ……①

と表すことができる。x_1 と x_5 ではDとACの交点であるので、P＝ACが成立することから①より $\pi = 0$ となる。よって、本肢の記述は正しい。また、x_1 と x_5 の間の生産量では、P＞ACが成立していることが図から読み取れるので、$\pi > 0$ となる。

第2章 不完全競争市場

正答 **5**

実践 問題 **102** 〈基本レベル〉

頻出度	地上★	国家一般職★	特別区★
	裁判所職員★	国税・財務・労基★	国家総合職★

問 次のグラフは、ある財を生産する企業の生産量と総収入・総費用との関係を表したものである。いずれか一方のグラフが独占企業の場合を表し、他方が完全競争下の企業の場合を表したものであるとき、各々の企業の利潤が最大になる生産量として妥当なもののみを挙げているのはどれか。 (国税2004)

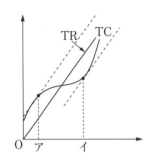
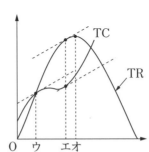

縦軸：総収入、総費用
横軸：生産量
ＴＲ：総収入曲線
ＴＣ：総費用曲線
点線：各点における接線

	独占企業	完全競争下の企業
1：	ア	ウ
2：	イ	エ
3：	イ	オ
4：	エ	イ
5：	オ	ア

直前復習

OUTPUT

実践 問題 **102** の解説

〈独占〉

(1) **完全競争下の企業の場合：左図**

完全競争下では、市場均衡で決定された財価格Pを所与として行動する。これを、プライステイカーの仮定という。したがって、企業の総収入曲線TRは、生産量をQとすると、TR＝P・Qとなる。すなわち、横軸に生産量Q、縦軸に総収入TRをとったとき、曲線TRは、原点Oを通り、傾きが価格Pに等しい右上がりの直線として描かれる。よって、問題の左図が完全競争の場合を示している。完全競争下の利潤最大化条件は、「価格P＝限界費用MC」であるから、利潤最大化をもたらす生産量は、TR曲線の傾き（すなわち価格P）と総費用曲線TCの接線の傾き（すなわち限界費用MC）が一致する点に対応することとなり、本問の左図においては、「ア」、「イ」において、TRの傾き（P）とTCの傾き（MC）が一致している。しかし、「ア」においては、TRよりTCのほうが上方にあるので、総費用を総収入が上回り赤字となっていることがわかる。一方、「イ」では、総収入が総費用を上回り、この点において利潤が最大となっていることがわかる。

(2) **独占企業の場合：右図**

問題の右図は独占企業の場合を示している。独占企業の利潤最大化条件は、「限界収入MR＝限界費用MC」であるから、利潤最大化をもたらす生産量は、TR曲線の接線の傾き（すなわち限界収入MR）と総費用曲線TCの接線の傾き（すなわち限界費用MC）が一致する点に対応する「エ」である。そしてこのとき、TR曲線とTC曲線の垂直差で計測される利潤が最大になっていることがわかる。

よって、正解は肢4である。

正答 4

実践 ＞ 問題 **103** ＜ **基本レベル**

頻出度	地上★★　　国家一般職★★　　特別区★★
	裁判所職員★★　　国税・財務・労基★★　　国家総合職★★

問 ある財を独占的に供給する独占企業の直面する市場需要関数が、

$$x = 120 - p$$

で示されるとする。また、その独占企業の総費用関数が、

$$c = x^2$$

で示されるとする。ここで、x は数量、p は価格、c は総費用である。独占均衡において、ラーナーの独占度（需要の価格弾力性の逆数と等しい。）はいくらか。

(国家一般職2014)

1 ： $\dfrac{1}{3}$

2 ： $\dfrac{1}{2}$

3 ： 1

4 ： 2

5 ： 3

直前復習

OUTPUT

実践 ▶ 問題 **103** の解説

〈ラーナーの独占度〉

　需要関数は $P = 120 - x$ と表すことができる。また、総収入TRは価格と生産量の積であるから、総収入は $TR = Px = (120 - x)x$ と表される。総収入TRを生産量 x で微分すると限界収入MRは、

$$\frac{\Delta TR}{\Delta x} = MR = 120 - 2x$$

となる。一方、総費用TCは、$TC = x^2$ であるから、限界費用MCは、

$$\frac{\Delta TC}{\Delta x} = MC = 2x$$

となる。

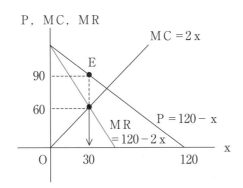

　以下のように、利潤最大化条件 $MR = MC$ より x について解くと、

　　$120 - 2x = 2x \quad \Rightarrow \quad x = 30$

を得る。さらに独占均衡における生産量 $x = 30$ を需要関数 $P = 120 - x$ に代入すると、独占均衡における価格は、

　　$P = 120 - x = 120 - 30 = 90 \quad \Rightarrow \quad P = 90$

となる。よって、独占均衡における財の価格Pおよび財の生産量 x は、

$$\begin{cases} x = 30 \\ P = 90 \end{cases}$$

ということである。次に、独占均衡点Eにおけるラーナーの独占度をLとし、その大きさを求める。

　独占均衡における価格をP、限界費用をMC、需要の価格弾力性を E_d とすると、

$$L = \frac{P - MC}{P} = \frac{1}{E_d}$$

と表される。なお、需要の価格弾力性E_dは、$E_d = -\dfrac{\Delta x}{\Delta P} \cdot \dfrac{P}{x}$である。

また、市場需要関数$x = 120 - P$を価格Pで微分すると、$\dfrac{\Delta x}{\Delta P} = -1$となる。これを踏まえて、需要の価格弾力性$E_d$の定義に$\dfrac{\Delta x}{\Delta P}$、x、Pの各値を代入すると、

$$E_d = -\frac{\Delta x}{\Delta P} \cdot \frac{P}{x} = -(-1) \cdot \frac{90}{30} = 3 \quad \Rightarrow \quad \frac{1}{E_d} = \frac{1}{3}$$

となる。ラーナーの独占度（需要の価格弾力性E_dの逆数）は$\dfrac{1}{3}$となり、肢1が正解となる。

【別解：利潤関数を生産量で微分してゼロとおく方法】

独占企業の利潤をπとすると、総収入と総費用の差、すなわち、$\pi = TR - TC$であるから、

$$\pi = Px - TC = (120 - x)x - x^2 \quad \Rightarrow \quad \pi = 120x - 2x^2 \quad \cdots\cdots①$$

となる。①式は利潤πの大きさを表す関数であるが、これは2次関数であり上に凸の放物線となる。縦軸に利潤π、横軸に財の生産量xをとると、上記の放物線について、接線の傾き$\dfrac{\Delta \pi}{\Delta x}$がゼロになるとき利潤$\pi$が最大になることが知られている。

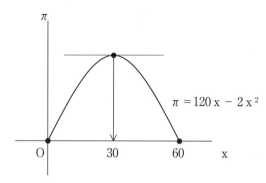

利潤式πを生産量xで微分してゼロとおくと利潤が最大となる生産量は、

$$\frac{\Delta \pi}{\Delta x} = 0 \quad \Rightarrow \quad 120 - 4x = 0 \quad \Rightarrow \quad x = 30$$

となる。さらに独占均衡における生産量$x = 30$を市場需要関数$P = 120 - x$に代入すると、独占均衡における財の価格は、

$$P = 120 - x = 120 - 30 = 90 \quad \Rightarrow \quad P = 90$$

となる。なお、$x = 30$のときの限界費用は$MC = 2x$より、60となる。

　このとき、ラーナーの独占度を求めると

$$L = \frac{P - MC}{P} = \frac{90 - 60}{90} = \frac{30}{90} = \frac{1}{3}$$となる。

　したがって、肢1が正解となる。

正答 1

実践 問題 **104** 基本レベル

頻出度	地上★★	国家一般職★★	特別区★★
	裁判所職員★★	国税·財務·労基★★	国家総合職★★

問 ある独占企業において供給されるある財の生産量をＱ、価格をＰ、平均費用を
ＡＣとし、この財の需要曲線が、

　　　Ｐ＝16－2Ｑ

で表され、また、平均費用曲線が、

　　　ＡＣ＝Ｑ＋4

で表されるとする。この独占企業が利潤を最大化する場合のラーナーの独占度
の値はどれか。 (特別区2021)

1 : $\dfrac{1}{3}$

2 : $\dfrac{2}{3}$

3 : $\dfrac{1}{4}$

4 : $\dfrac{3}{4}$

5 : $\dfrac{1}{6}$

OUTPUT

実践 問題 **104** の解説

〈ラーナーの独占度〉

限界費用をMCとおくと、ラーナーの独占度は$\dfrac{P-MC}{P}$と表されることから、PとMCを求めてラーナーの独占度を導出する。

独占企業の利潤最大化条件は、「限界収入MR＝限界費用MC」なので、まず、MRとMCを求める。需要曲線を表す式が、P＝16－2Qであることより、限界収入MRは以下のようになる。

総収入　TR＝P・Q＝(16－2Q)・Q＝16Q－2Q^2

限界収入　MR＝$\dfrac{\Delta TR}{\Delta Q}$＝16－4Q　……①

次に、AC＝Q＋4であることから、限界費用MCは以下のようになる。

総費用　TC＝Q・AC＝Q・(Q＋4)＝Q^2＋4Q

限界費用　MC＝$\dfrac{\Delta TC}{\Delta Q}$＝2Q＋4　……②

ここで、①、②式を利潤最大化条件「限界収入MR＝限界費用MC」に当てはめると、

16－4Q＝2Q＋4

Q＝2　……③

を得る。これを需要曲線の式に代入すると価格Pを求めることができる。

P＝16－2Q＝16－2・2＝12　……④

そして、③の結果を②に代入して、

MC＝2Q＋4＝2・2＋4＝8　……⑤

となる。

④、⑤より、求めるラーナーの独占度は

$$\dfrac{P-MC}{P}=\dfrac{12-8}{12}=\dfrac{1}{3}$$

となる。

よって、正解は肢1である。

正答 **1**

実践 問題 105 基本レベル

頻出度 地上★★　国家一般職★★　特別区★★
裁判所職員★★　国税·財務·労基★★　国家総合職★★

問 独占市場において、ある財の需要関数が、以下のように示される。

$$x_D = -\frac{1}{6}p + \frac{50}{3} \quad (x_D：需要量、p：価格)$$

また、独占企業の総費用関数は、以下のように示される。

$$TC(x_S) = 2x_S^2 + 20x_S + 5 \quad (x_S：供給量)$$

この市場の均衡における、①超過負担(死荷重)と②ラーナーの独占度の組合せとして妥当なのはどれか。 (財務・労基2022)

	①	②
1 ：	45	$\frac{3}{7}$
2 ：	45	$\frac{4}{7}$
3 ：	45	1
4 ：	90	$\frac{3}{7}$
5 ：	90	$\frac{4}{7}$

OUTPUT

実践 問題 **105** の解説 ―――

〈ラーナーの独占度〉

与えられた需要関数から逆需要関数を求めると、

$$x_D = -\frac{1}{6}p + \frac{50}{3} \quad \Rightarrow \quad p = -6x_D + 100$$

を得る。また、独占企業の総費用関数を x_S で微分して限界費用MCを求めると、

$$MC = \frac{TC(x_S)}{x_S} = 4x_S + 20$$

となる。以上より、以下の図が描ける。ここで、逆需要関数の傾きを2倍にして限界収入MRを求めると、

$$MR = -12x_D + 100$$

となる。独占市場の均衡における生産量を $x_D = x_S = x$ として、MR＝MCにより求めると、

$$-12x + 100 = 4x + 20 \quad \Rightarrow \quad 80 = 16x \quad \Rightarrow \quad x = 5$$

となり、これを逆需要関数に代入すると、$p = 70$ を得る。

次に、死荷重を求めるために以下の図のa点の生産量、b点の限界費用を求めると、a点は、逆需要関数と限界費用MCを $x_D = x_S = x$ として連立すると、

$$4x + 20 = -6x + 100 \quad \Rightarrow \quad 10x = 80 \quad \Rightarrow \quad x = 8$$

となり、b点の限界費用は、$MC = 4x_S + 20$ に独占市場の均衡における生産量5を代入して、

$$MC = 4 \times 5 + 20 = 40$$

となる。このとき死荷重は、図の△eabとなり、その大きさは、

$$(70 - 40) \times (8 - 5) \times \frac{1}{2} = 45$$

となり、また、ラーナーの独占度は、

$\frac{P - MC}{P}$ で計算することができ、

$$\frac{P - MC}{P} = \frac{70 - 40}{70} = \frac{3}{7}$$

を得る。

よって、正解は肢1である。

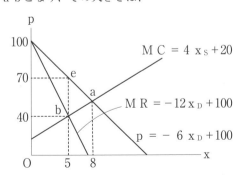

正答 **1**

実践 問題 **106** ＜ 応用レベル ＞

頻出度	地上★	国家一般職★	特別区★
	裁判所職員★	国税・財務・労基★	国家総合職★

問 ラーナーの独占度に関する記述として、妥当なのはどれか。 （特別区2013）

1：ラーナーの独占度は、供給の価格弾力性の逆数に等しく、独占企業の市場支配力を示す尺度である。

2：ラーナーの独占度は、独占企業の直面する需要曲線が垂直な場合、その値は無限大となる。

3：ラーナーの独占度は、独占企業が利潤最大化を達成している生産量で需要の価格弾力性が小さければ小さいほど、その値は大きくなる。

4：ラーナーの独占度とは、独占企業が平均費用に一定率の上乗せをして製品価格を決定する場合の加算の割合のことである。

5：ラーナーの独占度とは、独占市場において価格が平均費用から乖離する度合いのことであり、独占利潤の程度を表す指標である。

OUTPUT

実践 問題 **106** の解説

〈ラーナーの独占度〉

　ラーナーの独占度とは限界費用で測ったマージン（P－MC）が価格Pに占める割合であり、以下の①式で定義される（したがって、肢4と肢5は誤り）。

$$L = \frac{P - MC}{P} \quad \cdots\cdots ①$$

　完全競争均衡ではP＝MCが成立するので、①式より完全競争均衡ではL＝0となる。

　また、ラーナーの独占度は、需要の価格弾力性E_dを用いて表すと、

$$L = \frac{1}{E_d} \quad \cdots\cdots ②$$

　②の定義ではLは需要の価格弾力性E_dの逆数で表せるので、肢1は誤りとなる。

　なお、独占企業が直面する需要曲線が垂直である場合、需要の価格弾力性はゼロである。このとき、独占企業におけるラーナーの独占度の値は確かに大きくなるが、限界費用MCはゼロ以下にはならないのでラーナーの独占度の上限は1である（肢2が誤り）。

　したがって、肢3が正解となる。

正答 **3**

実践 問題 107 応用レベル

頻出度	地上★	国家一般職★	特別区★
	裁判所職員★	国税・財務・労基★	国家総合職★

問 ある財の市場の逆需要曲線が$P(Q)=10-2Q$（Qは需要量）で示されるとする。企業1は、この財を生産する独占企業であり、企業1の財生産における限界費用を2、固定費用を0とした場合、次の説明文中のア～オの空欄に入る数字の組合せとして最も適当なのはどれか。 （裁事2008）

企業1の利潤を最大にする生産量は（ア）であり、そのときの価格は（イ）である。その結果、実現する総余剰は（ウ）となる。もし企業1が完全価格差別を行うことができるならば、企業1の最大化された利潤は（エ）となり、その結果、総余剰は（オ）となる。

	ア	イ	ウ	エ	オ
1：	2	6	12	12	16
2：	3	4	8	10	10
3：	2	6	12	16	16
4：	3	2	12	16	14
5：	2	2	8	8	16

実践 問題 **107** の解説 ————————————————

〈独占〉

逆需要曲線の傾きを2倍して、限界収入曲線MRを求めると、

$$MR = 10 - 4Q$$

となる。

限界費用MC＝2であることに注意して、独占企業の利潤最大化条件、MR＝MCより、

$$10 - 4Q = 2$$

となる。よって、利潤最大化をもたらす生産量は、$Q^* = 2$ である。この段階で肢2と肢4を排除できる。$Q^* = 2$ を逆需要曲線に代入すると、独占価格は、$P^* = 6$ となる。この段階で肢5を排除できる。この状況を図示してみよう。

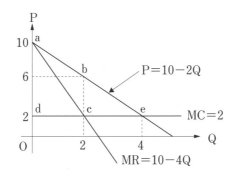

残された肢1と肢3の違いは空欄エだけである。ここで、**完全価格差別**とは、消費者の財に対する最大限の支払い用意額をそのまま売り手価格として販売するものであり、消費者が支払ってもよいと考える価格と需要量の組合せを表す需要曲線上で、価格が決定される。その結果、完全競争市場の場合における**消費者余剰**をすべて生産者が奪い取ってしまうこととなる。また、生産者余剰は利潤と固定費用の和であるが、固定費用が0であるため、完全価格差別のもとでの企業1の利潤は△aedの面積となる。

$$△aedの面積 = 4 \times 8 \div 2 = 16$$

したがって、空欄エは16が入るので肢1が排除される。ちなみに、総余剰も△aedの面積となることから、空欄オも16となる。

よって、正解は肢3である。

正答 3

実践 問題 108 基本レベル

頻出度	地上★	国家一般職★	特別区★
	裁判所職員★	国税·財務·労基★	国家総合職★

問 図は独占的競争の短期均衡を示している。図に関する次の記述のうち正しいのはどれか。 (地上2008)

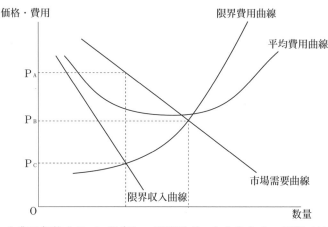

1：企業は価格をP_Aに設定し、利潤はゼロとなるため、長期では新規企業の参入や既存企業の退出は生じない。

2：企業は価格をP_Aに設定し、利潤はプラスとなるため、長期では新規企業の参入が起こる。

3：企業は価格をP_Bに設定し、利潤はゼロとなるため、長期では新規企業の参入や既存企業の退出は生じない。

4：企業は価格をP_Bに設定し、利潤はプラスとなるため、長期では新規企業の参入が起こる。

5：企業は価格をP_Cに設定し、損失が生じるため、長期では既存企業の退出が起こる。

OUTPUT

実践 ▶ 問題 **108** の解説

〈独占的競争市場〉

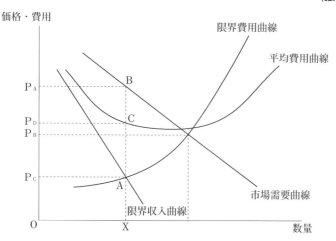

本問は、独占的競争の短期均衡の状態に関するものであるため、企業は、独占企業と同じように行動し、

限界収入（ＭＲ）＝限界費用（ＭＣ）

となるＡ点で供給量Ｘを設定する。ただし、供給量Ｘに対する市場の需要価格が決定されるのはＢ点であるため、企業は価格を P_A に設定する。ここで平均費用曲線に着目すると、この状態では、既存企業は□P_AＢＣP_D だけの超過利潤を得ることになる。

一方、長期的には既存企業の利潤がプラスである限り、新規企業が参入してくることになる。これは利潤がゼロになるまで続く。

よって、正解は肢2である。

正答 2

実践 問題 **109** 〈基本レベル〉

頻出度	地上★★	国家一般職★	特別区★
	裁判所職員★	国税·財務·労基★	国家総合職★

問 独占企業が市場を分割し、同一財に対して市場ごとに異なった価格を付ける差別独占に関する次の記述のうち、妥当なのはどれか。　　　　　（国Ⅱ2000）

1：差別独占の場合、利潤最大化のためにはその企業が生産物を販売する小市場ごとに限界収入が異なることが前提となる。

2：利潤最大化を求めて価格差別化を行う場合には、各市場における需要の価格弾力性が等しいことが必要となる。

3：価格差別化が行われるためには、その企業の生産物市場がそれぞれ分離独立した小市場に分割され、生産物が各市場間で自由に転売可能であることが条件となる。

4：各市場間で価格差別化が行われる場合、需要の価格弾力性が小さい市場ほど高い価格が設定される。

5：価格差別化は市場ごとの費用条件の違いに基づいてなされるので、限界費用が高い市場ほど高い価格が設定される。

OUTPUT

実践 ▶ 問題 **109** の解説

〈差別独占〉

差別独占は以下の①〜③のすべての前提がなければ価格差別を実施できず、価格差別により利潤最大化を達成することはできない。

①需要の価格弾力性の異なる消費者が市場に存在すること

②生産者が需要の価格弾力性の異なる消費者を識別可能であること

③分割後の小市場間での財の転売(再販売)が禁止されていること

1 ✕ 差別独占の場合、利潤最大化を求める企業は、生産物を販売する市場ごとに限界収入が一致するように生産量を決定する。なお、このときの限界収入は限界費用にも一致する。

2 ✕ ①の条件より、利潤最大化を求めて**価格差別化**を行う場合、各市場における需要の価格弾力性が等しいことは必要でない。一般に、利潤最大化行動の結果、需要の価格弾力性が大きい市場ほど、低い価格を設定することになる。

3 ✕ ③の条件より、**価格差別化**が行われるためには、その企業の生産物市場がそれぞれ分離独立した小市場の間で転売が不可能であることが条件となる。なぜなら、転売が可能な場合には、独占企業が安い価格を設定した市場から生産物を購入し、高い価格を設定した市場において安い価格で転売する企業が参入することができるため、差別価格が成り立たなくなるからである。

4 ○ 本肢の記述のとおりである。一般に、利潤最大化行動の結果、需要の価格弾力性が小さい市場ほど、高い価格を設定することになる。

5 ✕ 価格差別化を行う独占企業であっても、その費用条件は市場ごとで異ならない。

【ポイント】

独占企業が財を2つの異なる市場(たとえば、自国と外国)で販売する場合、需要の価格弾力性が大きい市場では安い価格を、需要の価格弾力性が小さい市場では高い価格をつける(価格差別または差別価格)ことにより、利潤最大化を実現する。

正答 **4**

実践 問題 **110** 〈基本レベル〉

頻出度	地上★★	国家一般職★	特別区★
	裁判所職員★	国税・財務・労基★	国家総合職★

問 次の文章中の空欄ア〜ウに当てはまるものの組合せのうち妥当なのはどれか。

(地上2019)

利潤最大化を図る独占企業がある財を市場A、市場Bに供給している。

$X_A = 200 - 2P$

$X_B = 160 - P$

〔X_A：市場Aにおける需要量、X_B：市場Bにおける需要量、P：価格〕

また、この独占企業はこの財を生産する場合には以下の費用を要する。

$C = 60X$

市場A、市場Bが分離していない場合には、価格差別を行うことが出来ないため、独占企業が設定する価格は ア となる。

市場A、市場Bが分離されている場合には、価格差別が可能であるため、市場Aの価格を イ とし、市場Bの価格を ウ と設定する。

	ア	イ	ウ
1：	90	60	90
2：	90	70	100
3：	90	80	110
4：	100	60	120
5：	100	80	130

実践 問題 **110** の解説 ————————————

〈独占と差別独占〉

問題文の条件式を再掲すると、以下のようになる。

$X_A = 200 - 2P$ ……市場Aの需要関数

$X_B = 160 - P$ ………市場Bの需要関数

$C = 60X$ ……独占企業の費用関数

市場が分離してないときは、市場Aにいる消費者と市場Bにいる消費者がともに同じ市場にいることとなる。つまり、市場全体の需要曲線（需要関数：X_{AB}）は、市場Aの需要曲線（需要関数）と市場Bの需要曲線（需要関数）の水平和となるため、市場全体の需要曲線（需要関数：X_{AB}）は、

$$X_{AB} = X_A + X_B = (200 - 2P) + (160 - P)$$
$$= 360 - 3P$$

となる。また、この独占企業の費用関数は、$C = 60X$であるので、限界費用MCは、

$$MC = \frac{\Delta C}{\Delta X} = 60$$

となる。ここで、市場全体の需要曲線X_{AB}から、限界収入MRを導出するため、$X_{AB} = 360 - 3P$を変形して、

$$P = 120 - \frac{1}{3}X_{AB}$$

とし、上記式の傾きを2倍にすることで、限界収入MRが求められ、

$$MR = 120 - \frac{2}{3}X_{AB}$$

を得る。独占市場の利潤最大化条件であるMR＝MCより、利潤最大化生産量が、

$$120 - \frac{2}{3}X_{AB} = 60$$
$$X_{AB} = 90$$

として得られる。これを需要関数$X_{AB} = 360 - 3P$に代入すると、P＝90が得られ、空欄アには「90」が当てはまる。

次に、市場が分離しているときには、この独占企業は、市場Aと市場Bについて価格差別を行い、それぞれの市場における限界収入MRと限界費用MCが等しくなるように生産量を決定する。

市場A、市場Bにおける需要関数をP＝〜の形に変形し、

$$X_A = 200 - 2P_A \quad \Rightarrow \quad P_A = 100 - \frac{1}{2}X_A$$

$$X_B = 160 - P_B \quad \Rightarrow \quad P_B = 160 - X_B$$

を得る。これらの傾きを2倍にして市場Aの限界収入MR_Aと市場Bの限界収入MR_Bを求めると、

$$MR_A = 100 - X_A$$

$$MR_B = 160 - 2X_B$$

となる。また、独占市場の利潤最大化条件の$MR = MC$より、これらのMR_A、MR_Bは独占企業の限界費用$MC = 60$と等しくなるので、

$$MR_A = 100 - X_A = 60 \quad \Rightarrow \quad X_A = 40$$

$$MR_B = 160 - 2X_B = 60 \quad \Rightarrow \quad X_B = 50$$

を得る。これらをそれぞれの市場の需要関数に代入することで、市場Aおよび市場Bにおける財価格が得られ、

$$P_A = 100 - \frac{1}{2} \times 40 = 80$$

$$P_B = 160 - 50 = 110$$

市場Aの価格P_Aが「80」、市場Bの価格P_Bが「110」となる。

以上から空欄アには「90」、イには「80」、ウには「110」が当てはまり、正解は肢3となる。

正答 **3**

memo

実践 問題 111 基本レベル

頻出度	地上★★	国家一般職★	特別区★
	裁判所職員★	国税・財務・労基★	国家総合職★

問 ある独占企業が、市場をAとBの2つに分割し、同一財にそれぞれの市場で異なる価格をつけて販売する場合において、それぞれの市場における需要曲線が、

$D_A = 24 - P_A$　（D_A：A市場における需要量、P_A：A市場における価格）

$D_B = 32 - 2P_B$　（D_B：B市場における需要量、P_B：B市場における価格）

で示されるとする。

　この企業の総費用曲線が、

$TC = 28 + X^2$　〔TC：総費用、X：生産量〕

として示されるとき、それぞれの市場における利潤が最大となる価格の組合せとして、妥当なのはどれか。ただし、この財の市場間での転売はできないものとする。

(特別区2023)

	A市場	B市場
1 :	5	2
2 :	10	4
3 :	13	9
4 :	14	14
5 :	19	15

直前復習

実践 問題 **111** の解説

〈差別独占〉

本問の独占企業は、A市場およびB市場の2つの市場において、独占市場の利潤最大化条件である「限界収入(MR)＝限界費用(MC)」を実現させる。したがって、A市場における限界収入をMR_A、B市場における限界収入をMR_Bとすると、それぞれの市場における利潤最大化条件は以下のようになる。

A市場での利潤最大化条件：$MR_A = MC$ ……①

B市場での利潤最大化条件：$MR_B = MC$ ……②

両市場における上記の条件式が同時に実現することで、利潤が最大となる生産量および価格が求められる。まず、独占企業の総費用曲線の式(TC)を生産量のXで微分して、限界費用(MC)を求めると、「$TC = 28 + X^2$」より、

$$MC = \frac{\Delta TC}{\Delta X} = 2X = 2(D_A + D_B) = 2D_A + 2D_B \quad ……③$$

※ $X = D_A + D_B$

となる(この独占企業は、それぞれの市場へ供給する数量の合計分の財を生産していることから、「$X = D_A + D_B$」となることに注意しておきたい)。

次に、A市場の需要曲線が「$D_A = 24 - P_A$」と与えられており、これをP_Aについて整理すると、

$$P_A = 24 - D_A \quad ……④$$

と表せるので、A市場における総収入TR_Aは、

$$TR_A = P_A \cdot D_A = (24 - D_A)D_A = 24D_A - D_A^2$$

となり、上記式をD_Aで微分することで、A市場の限界収入MR_Aを求めると、

$$MR_A = \frac{\Delta TR_A}{\Delta D_A} = 24 - 2D_A$$

となる。したがって、①のA市場での利潤最大化条件「$MR_A = MC$」および③より、

$$24 - 2D_A = 2D_A + 2D_B$$

$$2D_A + D_B = 12 \quad ……⑤$$

とわかる。同様に、B市場の需要曲線が「$D_B = 32 - 2P_B$」と与えられており、これをP_Bについて整理すると、

$$P_B = 16 - \frac{1}{2}D_B \quad ……⑥$$

と表せるので、B市場における総収入TR_Bは、

$$TR_B = P_B \cdot D_B = \left(16 - \frac{1}{2}D_B\right)D_B = 16D_B - \frac{1}{2}D_B^2$$

となり、上記式をD_Bで微分することで、B市場の限界収入MR_Bを求めると、

$$MR_B = \frac{\Delta TR_B}{\Delta D_B} = 16 - D_B$$

となる。したがって、②のB市場での利潤最大化条件「$MR_B = MC$」および③より、

$$16 - D_B = 2D_A + 2D_B$$

$$2D_A + 3D_B = 16 \quad \cdots\cdots⑦$$

とわかる。⑤および⑦を連立させて解くことで、A市場およびB市場のそれぞれにおける利潤最大化生産量が求められる。⑦－⑤より、

$$2D_B = 4$$

$$D_B = 2$$

となる。さらに⑤より、

$$2D_A + 2 = 12$$

$$2D_A = 10$$

$$D_A = 5$$

そこで、各市場における価格を求める。④より、

$$P_A = 24 - D_A = 24 - 5 = 19$$

となってP_Aが求まり、続いて⑥より、

$$P_B = 16 - \frac{1}{2}D_B = 16 - \frac{1}{2} \times 2 = 16 - 1 = 15$$

となってP_Bが求められる。

よって、正解は肢5である。

正答 5

memo

実践 問題 **112** 〈 応用レベル 〉

頻出度	地上★★	国家一般職★	特別区★
	裁判所職員★	国税・財務・労基★	国家総合職★

問 市場が分断されているA国とB国に同一の製品を供給する独占企業を考える。この企業は、両国から得られる利潤の合計を最大化するように行動する。また、独占企業の供給量を y で表すと、独占企業の費用C、この製品に対するA国での需要D_A、B国での需要D_Bはそれぞれ以下の関数で示される。

$C = 20y + 100$

$D_A = 120 - P_A$

$D_B = 80 - P_B$

ここで、P_Aはこの製品のA国での価格、P_Bはこの製品のB国での価格を示している。

独占企業が各国において自由に価格設定できる場合の、この企業の総利潤はいくらか。

なお、関税や輸送費等は考えないものとする。 （国家総合職2022）

1 ： 3000

2 ： 3100

3 ： 3200

4 ： 3300

5 ： 3400

実践 問題 **112** の解説

〈差別独占〉

本問で与えられているA国の需要関数D_AおよびB国の需要関数D_Bについて、それぞれ逆需要関数（P＝〜）に直すと、

$$P_A = 120 - D_A \quad \cdots\cdots①$$
$$P_B = 80 - D_B \quad \cdots\cdots②$$

となる。また、総収入TRは、財価格Pに財需要量Dを掛けることで求められるから、A国およびB国の総収入TR_AおよびTR_Bは、

$$TR_A = P_A \cdot D_A = (120 - D_A)D_A = 120D_A - D_A{}^2$$
$$TR_B = P_B \cdot D_B = (80 - D_B)D_B = 80D_B - D_B{}^2$$

と求められる。A国およびB国の総収入TR_A、TR_Bを財需要量D_A、D_Bで微分して限界収入MR_A、MR_Bを求めると、

$$MR_A = \frac{\Delta TR_A}{\Delta D_A} = 120 - 2D_A$$

$$MR_B = \frac{\Delta TR_B}{\Delta D_B} = 80 - 2D_B$$

となる。また、本問の独占企業の費用関数が「$C = 20y + 100$」であるから、限界費用MCは、

$$MC = \frac{\Delta C}{\Delta y} = 20$$

となる。差別独占の利潤最大化条件は「$MR_A = MC$、かつ、$MR_B = MC$」となるので、

$$MR_A = MC \Rightarrow 120 - 2D_A = 20 \Rightarrow D_A = 50$$
$$MR_B = MC \Rightarrow 80 - 2D_B = 20 \Rightarrow D_B = 30$$

となる。独占企業の利潤πは「$\pi = TR_A + TR_B - C$」と表され、「$TR_A = P_A \cdot D_A$」、「$TR_B = P_B \cdot D_B$」、「$D_A = 50$」、「$D_B = 30$」、「$P_A = 120 - D_A$」、「$P_B = 80 - D_B$」、また供給量yはA国およびB国の需要量（$D_A + D_B$）に等しいことから、

$$\pi = TR_A + TR_B - C$$
$$\pi = P_A \cdot D_A + P_B \cdot D_B - (20y + 100)$$
$$\pi = P_A \cdot D_A + P_B \cdot D_B - 20(D_A + D_B) - 100$$
$$\pi = (120 - 50) \times 50 + (80 - 30) \times 30 - 20(50 + 30) - 100$$
$$\pi = 3500 + 1500 - 1600 - 100$$
$$\pi = 3300$$

となる。

よって、正解は肢4である。

正答 **4**

実践 問題 **113** 応用レベル

頻出度	地上★	国家一般職★	特別区★
	裁判所職員★	国税・財務・労基★	国家総合職★

問 ある商品について、x＝pという供給曲線に直面している買い手独占企業がある。ここで、xは数量、pは価格を表す。この企業は、売り手から買ったこの商品を海外で転売すれば、80という価格でいくらでも販売できるとする。このとき、買い手独占によって生じる厚生の損失はいくらか。

なお、厚生の損失とは、社会的にみて最大化されている総余剰の大きさと、買い手独占における総余剰の大きさとの差のことである。

(国税・財務・労基2013)

1： 800
2：1000
3：1200
4：1400
5：1600

OUTPUT

実践 問題 **113** の解説

〈買手独占〉

需要曲線は海外市場価格である80で水平である。一方、国内の供給曲線が $x = p$ である。よって、生産量を80にすればE点が実現し、総余剰は社会的にみて最大になる。△AE0の面積が総余剰であるから、最大化された余剰は、$80 \times 80 \div 2 = 3200$ となる。

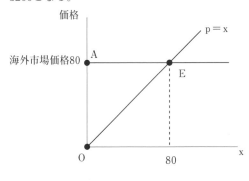

買い手独占企業の利潤関数は次のようになる。

$$\pi = 80x - px \quad \cdots\cdots①$$

右辺第1項は海外での総収入であり、第2項はx財の仕入れ費用である。第2項の仕入れ価格は市場供給曲線 $p = x$ により決定されるので、①式に $p = x$ を代入する必要がある。よって、①式は次のようになる。

$$\pi = 80x - x^2 \quad \cdots\cdots②$$

②式をxで微分してゼロとおき、利潤が最大となるときのxの生産量を求める。

$$\frac{\Delta\pi}{\Delta x} = 80 - 2x = 0$$

利潤最大化生産量は $x = 40$ となる。

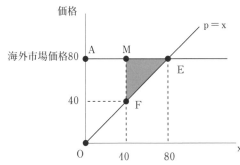

生産量が40となると総余剰は台形AMFOの大きさになる。したがって、厚生損失は△MEFの大きさで表せるので、$40 \times 40 \div 2 = 800$ となる。

よって、肢1が正解となる。

正答 **1**

実践 問題 **114** 応用レベル

頻出度	地上★	国家一般職★	特別区★
	裁判所職員★	国税·財務·労基★	国家総合職★

問 電力送電設備を全て保有する電力送電会社が、電力生産会社より電力を買取価格 P_s で独占的に買占め、その電力を販売価格 P_d で電力消費者に独占的に販売することにした。

電力の供給関数と電力の需要関数が以下のように与えられている場合には、電力送電会社の利潤が最大となる買取価格 P_s と販売価格 P_d の組み合わせはどれか。

電力需要： $d = 120 - P_d$

電力供給： $s = 2P_s$

（d：電力需要量、s：電力供給量）

なお、供給費用は一定のものとする。 （地上2015）

1 ： $P_s = 10$、 $P_d = 100$
2 ： $P_s = 20$、 $P_d = 80$
3 ： $P_s = 30$、 $P_d = 60$
4 ： $P_s = 40$、 $P_d = 40$
5 ： $P_s = 50$、 $P_d = 20$

OUTPUT

実践 問題 **114** の解説 ─────────

〈双方独占〉

双方独占についての出題である。

簡単化のために需要dと供給sをともにQで表すと、

販売価格：$P_d = 120 - Q$　……①

買取価格：$P_s = \dfrac{1}{2}Q$　……②

である。電力送電会社の利潤は、

$\pi = P_d Q - P_s Q$

→　$\pi = (120 - Q) \times Q - \dfrac{1}{2}Q \times Q$

→　$\pi = 120Q - Q^2 - \dfrac{1}{2}Q^2$

利潤関数をQで微分してゼロとおくと、

$\dfrac{\Delta \pi}{\Delta Q} = 120 - 3Q = 0$　→　$Q = 40$　……③

を得る。③を①と②に代入すると、

$P_d = 120 - 40 = 80$

$P_s = \dfrac{1}{2} \times 40 = 20$

を得る。

よって、正解は肢2である。

正答 2

第2章 不完全競争市場

第2章 2 不完全競争市場
SECTION 複占・寡占

セクションテーマを代表する問題に挑戦！

クールノー均衡に関する典型的な問題です。

複数企業の生産におけるイメージをつかみましょう。

問 同じ財Xを生産する企業１、企業２からなる複占市場において、Xの需要関数が、

$$X = 60 - 2P$$

$$\begin{pmatrix} X：財Xの需要量 \\ P：財Xの価格 \end{pmatrix}$$

で表されるとする。また、総費用関数は企業１、企業２ともに

$$TC_i = 6Q_i \quad (i = 1、2 \quad Q_i：企業iの生産量)$$

で表されるとする。

このとき、クールノー均衡における財Xの価格と、企業１、企業２のそれぞれの生産量の組合せとして、妥当なのはどれか。

（特別区2018）

	財 X の価格	企業１の生産量	企業２の生産量
1：	21	9	9
2：	16	12	16
3：	14	16	16
4：	9	18	24
5：	6	24	24

Guidance ガイダンス 複占

複占市場で行われる競争には、代表的なものとして、相手企業の生産量を所与として生産競争を行うクールノー競争、企業が先導者と追随者に分かれて生産量を決めるシュタッケルベルク競争、相手企業の財価格を所与として価格競争を行うベルトラン競争の３つがある。国家総合職以外ではベルトラン競争は出題頻度が低いため、クールノー競争とシュタッケルベルク競争の違いを押さえておこう。

左余白：直前復習

第2章 不完全競争市場

必修問題の解説

〈複占〉

　市場全体の供給量を2社の生産量Q_1とQ_2で表すと$X = Q_1 + Q_2$である。よって、需要関数は次のように変形できる。

$$X = 60 - 2P$$

$$\rightarrow \quad P = 30 - \frac{1}{2}X$$

$$\rightarrow \quad P = 30 - \frac{1}{2}Q_1 - \frac{1}{2}Q_2 \quad \cdots\cdots①$$

【解法1：利潤最大化条件を用いる解法】

　企業1の総収入TR_1を需要関数①を使いながら展開し、②を導出する。それをQ_1で微分することで限界収入MR_1を③のとおり導出する。

$$TR_1 = PQ_1$$

$$\rightarrow \quad TR_1 = \left(30 - \frac{1}{2}Q_1 - \frac{1}{2}Q_2\right)Q_1$$

$$\rightarrow \quad TR_1 = 30Q_1 - \frac{1}{2}Q_1{}^2 - \frac{1}{2}Q_1Q_2 \quad \cdots\cdots②$$

$$\rightarrow \quad MR_1 = 30 - Q_1 - \frac{1}{2}Q_2 \quad \cdots\cdots③$$

　次に、利潤最大化条件$MR_1 = MC_1$を作り、それをQ_1について解き、④を導出する。$MC_1 = 6$より

$$30 - Q_1 - \frac{1}{2}Q_2 = 6 \quad \cdots\cdots(利潤最大化条件)$$

$$\rightarrow \quad 24 - Q_1 - \frac{1}{2}Q_2 = 0$$

$$\rightarrow \quad Q_1 = 24 - \frac{1}{2}Q_2 \quad \cdots\cdots④ \quad (企業1の最適生産量)$$

企業2についても同様の計算により限界収入を導出する。

$$TR_2 = \left(30 - \frac{1}{2}Q_1 - \frac{1}{2}Q_2\right)Q_2$$

$$\rightarrow \quad TR_2 = 30Q_2 - \frac{1}{2}Q_2{}^2 - \frac{1}{2}Q_1Q_2$$

$$\rightarrow \quad MR_2 = 30 - Q_2 - \frac{1}{2}Q_1$$

次に、$MR_2 = MC_2$を作り、Q_2について解く。$MC_2 = 6$より

$$30 - Q_2 - \frac{1}{2}Q_1 = 6$$

$$\rightarrow \quad 24 - Q_2 - \frac{1}{2}Q_1 = 0$$

$$\rightarrow \quad Q_2 = 24 - \frac{1}{2}Q_1 \quad \cdots\cdots⑤ \quad （企業2の最適生産量）$$

企業1と企業2の最適生産量を決定する式を再掲すると、以下のとおりである。なお、クールノー競争モデルでは、最適生産量のことを「最適反応」といい、それを決める規則を「反応関数」という。

$$Q_1 = 24 - \frac{1}{2}Q_2 \quad \cdots\cdots④ \quad （企業1の反応関数）$$

$$Q_2 = 24 - \frac{1}{2}Q_1 \quad \cdots\cdots⑤ \quad （企業2の反応関数）$$

④と⑤の連立方程式の解がクールノー均衡である。

$$Q_1 = Q_2 = 16$$

したがって、需要関数の式①より財Xの価格は、

$$P = 30 - \frac{1}{2}Q_1 - \frac{1}{2}Q_2 = 30 - \frac{1}{2}(16 + 16) = 14$$

となる。

よって、正解は肢3である。

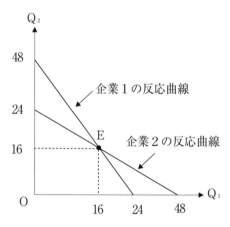

【解法2：利潤関数を生産量で微分してゼロとおく解法】

企業1の利潤π_1は$\pi_1 = PQ_1 - TC_1$であり、企業2の利潤は$\pi_2 = PQ_2 - TC_2$であるから、π_1は②式、π_2は③式のとおり表される。

$$\pi_1 = PQ_1 - TC_1 = \left\{30 - \frac{1}{2}(Q_1 + Q_2)\right\}Q_1 - 6Q_1$$

$$\Rightarrow \quad \pi_1 = 30Q_1 - \frac{1}{2}Q_1{}^2 - \frac{1}{2}Q_1Q_2 - 6Q_1 = 24Q_1 - \frac{1}{2}Q_1{}^2 - \frac{1}{2}Q_1Q_2$$

$$\cdots\cdots②$$

$$\pi_2 = PQ_2 - TC_2 = \left\{30 - \frac{1}{2}(Q_1 + Q_2)\right\}Q_2 - 6Q_2$$

$$\Rightarrow \quad \pi_2 = 30Q_2 - \frac{1}{2}Q_2{}^2 - \frac{1}{2}Q_1Q_2 - 6Q_2 = 24Q_2 - \frac{1}{2}Q_2{}^2 - \frac{1}{2}Q_1Q_2$$

$$\cdots\cdots③$$

各企業は利潤最大化行動をとるので以下の式が成立することになる。

$$\frac{\Delta\pi_1}{\Delta Q_1} = 24 - Q_1 - \frac{1}{2}Q_2 = 0 \quad \Rightarrow \quad Q_1 = 24 - \frac{1}{2}Q_2 \quad \cdots\cdots④$$

$$\frac{\Delta\pi_2}{\Delta Q_2} = 24 - Q_2 - \frac{1}{2}Q_1 = 0 \quad \Rightarrow \quad Q_2 = 24 - \frac{1}{2}Q_1 \quad \cdots\cdots⑤$$

④式と⑤式を連立してQ_1、Q_2について解いた解(下図のE点)がクールノー均衡である。なお、④、⑤を反応関数という。

④式と⑤式を連立して解くと、

$$Q_1 = Q_2 = 16$$

したがって、需要関数の式①より財Xの価格は、

$$P = 30 - \frac{1}{2}Q_1 - \frac{1}{2}Q_2 = 30 - \frac{1}{2}(16 + 16) = 14$$

となる。

よって、正解は肢3である。

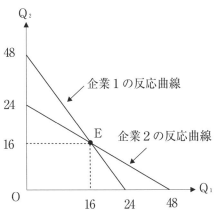

正答 3

LEC東京リーガルマインド　2025-2026年合格目標 公務員試験 本気で合格！過去問解きまくり！　437
⑬ミクロ経済学

1 複占

　複占とは、**市場に企業が2社しか存在しない状態**のことです。ここではクールノー均衡とシュタッケルベルク均衡について説明します。

　クールノーモデルとは、相手企業の生産量を所与として、各企業が自分の生産量を決定していく複占市場分析のことをいいます。

　両企業の生産量は相手企業に影響を受けますから、計算問題では相手企業の生産量に対する**各企業の反応関数**をまず求めます。反応曲線とは、自社生産量とライバル企業生産量の組合せの軌跡を描いた曲線です。複占市場の場合、市場のパイを2社で分け合うので、ライバル企業が多く生産した場合、もし自社も同様に多く生産すると、価格が暴落し、共倒れしてしまうので、自社にとっては少ない生産が最適となります。このため、反応曲線は下図のように右下がりとなります。このとき、クールノー均衡は、両企業の反応曲線の交点Eで成立します。このときの各企業の生産量$Q_1{}^*$および$Q_2{}^*$は、両企業の反応関数を連立して解けば求められます。

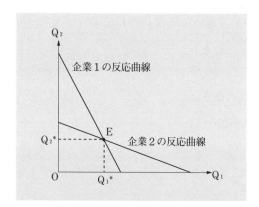

　これに対して、**シュタッケルベルクモデルとは、複占市場において、一方の企業が先導者(リーダー)となり、もう一方の企業が追随者(フォロワー)となるという想定に基づく複占市場分析のこと**をいいます。クールノー均衡との違いについて説明すると、先導者は追随者の行動を知っているために、追随者の反応関数上で自己の利潤を最大化できます。それゆえに、クールノー均衡と比べて、先導者の生産量が多く、追随者の生産量が少ない状態で均衡します。

　たとえば、第1企業が先導者であり、第2企業が追随者である場合、シュタッケルベルクモデルにおいて、第1企業は自分の定める生産量q_1に対して、第2企業が必ずその反応曲線上の点を選ぶことを前提として、第2企業の反応曲線上から一方的に自分の利潤を最大にするような点を選ぶことになります。その結果、シュ

タッケルベルク均衡は、追随者である第２企業の反応曲線と第１企業の等利潤線
（第１企業にとって一定の利潤を与えるような、q_1とq_2との組合せ）とが接する点
Sで示されることになります（下図）。

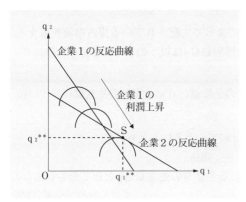

２ 寡占

　複占は企業が２社の場合ですが、**３社以上の少数の企業が競争しているものの、
完全競争状態ではない市場のことを、寡占市場**といいます。

　寡占市場は、本質的には複占企業と同じになります。ここではクールノー均衡の
場合について考えます。複占市場において、各企業が相手企業の生産量を所与と
して自分の生産量を決定するのと同様に、寡占市場においては他の企業すべての生
産量を所与として自分の生産量を決定します。これによって決定された反応関数を
連立することで、各企業の生産量を求めることができます。

実践 問題 **115** 基本レベル

頻出度	地上★★	国家一般職★★	特別区★★
	裁判所職員★★	国税·財務·労基★★	国家総合職★★

問 ある財を生産する企業Aと企業Bによって支配されている複占市場を考える。企業Aの費用関数C_Aと企業Bの費用関数C_Bは以下のように与えられる。

$$C_A = \frac{1}{6} q_A{}^2$$

（ q_A：企業Aの生産量、 q_B：企業Bの生産量）

$$C_B = \frac{1}{2} q_B{}^2$$

また、この財の市場の需要関数は以下のように与えられる。

$Q = 90 - P$ （Q：需要量、P：価格）

このとき、クールノー均衡における企業Bの生産量q_Bとして最も妥当なのはどれか。

（国税・財務・労基2024）

1 : 10
2 : 20
3 : 30
4 : 40
5 : 50

直前復習

440 ᴸᴱᶜ東京リーガルマインド 2025-2026年合格目標 公務員試験 本気で合格！過去問解きまくり！
⑬ミクロ経済学

OUTPUT

実践 問題 **115** の解説 ────────

〈クールノー均衡〉

クールノー均衡においては、市場全体の需要量は企業A、企業Bの生産量の合計となるので、$Q = q_A + q_B$を市場の需要関数$P = 90 - Q$に代入すると、

$$P = 90 - (q_A + q_B) = 90 - q_A - q_B$$

となり、企業A、Bのそれぞれの利潤式をπ_A、π_Bとすると、

$$\pi_A = P \cdot q_A - C_A = (90 - q_A - q_B) \cdot q_A - \frac{1}{6}q_A^2$$

$$= 90q_A - q_A^2 - q_A q_B - \frac{1}{6}q_A^2$$

$$\pi_B = P \cdot q_B - C_B = (90 - q_A - q_B) \cdot q_B - \frac{1}{2}q_B^2$$

$$= 90q_B - q_B^2 - q_A q_B - \frac{1}{2}q_B^2$$

となる。

各企業は利潤を最大化させるように自社の生産量を決定するから、各企業の利潤式を微分してゼロとおき、反応関数を求める。

企業1の反応関数：$\dfrac{\Delta \pi_A}{\Delta q_A} = 90 - 2q_A - q_B - \dfrac{1}{3}q_A = 0$

$\Rightarrow \quad \dfrac{7}{3}q_A + q_B = 90 \quad \cdots\cdots①$

企業2の反応関数：$\dfrac{\Delta \pi_B}{\Delta q_B} = 90 - 2q_B - q_A - q_B = 0$

$\Rightarrow \quad q_A + 3q_B = 90 \quad \cdots\cdots②$

①と②を連立させてq_Bを求めると、

$$q_B = 20$$

となる。（参考までに$q_A = 30$となる。）

よって、正解は肢2である。

正答 2

実践 問題 **116** ＜**応用レベル**＞

頻出度	地上★★ 国家一般職★★ 特別区★
	裁判所職員★★ 国税・財務・労基★★ 国家総合職★★

問 企業Aと企業Bの2社から成る市場があり、企業A、企業Bは、ある財を生産する。

財に対する逆需要関数は

$p = 500 - X$ （p：価格）

とする。Xは企業A、企業Bの生産量の和であり、企業Aの生産量をx_A、企業Bの生産量をx_Bと表すと、$X = x_A + x_B$となる。また、企業A、企業Bの費用関数は、それぞれ

$C_A = x_A{}^2$, $C_B = x_B{}^2$

である。

このとき、各企業が同時に利潤の最大化を目的に自社の生産量を決定する場合のクールノー均衡における財の価格p^*は、両企業がプライス・テイカーとして行動した場合の市場均衡価格p^{**}と比較するとどのような関係になるか。

（国家総合職2020）

1 ： $p^* = p^{**} + 100$
2 ： $p^* = p^{**} + 50$
3 ： $p^* = p^{**}$
4 ： $p^* = p^{**} - 50$
5 ： $p^* = p^{**} - 100$

OUTPUT

実践 問題 **116** の解説 ―――――――――

〈複占〉

第2章 不完全競争市場

まず、クールノー均衡価格 p^* を求める。各企業の利潤関数は、

$\pi_A = (500 - x_A - x_B) x_A - x_A{}^2$

$\pi_B = (500 - x_A - x_B) x_B - x_B{}^2$

である。企業Aと企業Bの利潤最大化条件は、それぞれ、微分してゼロ（= 0）とおくことで求められ、

$$\frac{\Delta \pi_A}{\Delta x_A} = 500 - 4 x_A - x_B = 0 \quad \cdots\cdots①$$

$$\frac{\Delta \pi_B}{\Delta x_B} = 500 - x_A - 4 x_B = 0 \quad \cdots\cdots②$$

である。②を x_A について解いて、①に代入することで、企業Bのクールノー均衡生産量を求めると、

$500 - 4 (500 - 4 x_B) - x_B = 0$

→ $-1500 + 15 x_B = 0$

→ $x_B = 100$

となる。企業Aのクールノー均衡生産量は、「$x_B = 100$」を①に代入することで求められ、

$x_A = 100$

となる。よって、クールノー均衡価格 p^* として、逆需要関数のXに企業Aと企業Bのクールノー均衡生産量を代入すると、

$p^* = 500 - 100 - 100 = 300 \quad \cdots\cdots③$

を得る。

次に、プライス・テイカーとして行動した場合の市場均衡価格 p^{**} を求める。

プライス・テイカーとして行動した場合、各企業は、完全競争市場における利潤最大化条件に従って生産量を決定する行動をとる。利潤最大化条件は、価格と限界費用が等しくなること（$P = MC$）である。つまり、

$$p = \frac{\Delta C_A}{\Delta x_A} = \frac{\Delta C_B}{\Delta x_B} \quad \rightarrow \quad p = 2 x_A = 2 x_B$$

→ $500 - x_A - x_B = 2 x_A = 2 x_B \quad \cdots\cdots④$

となる。上の連立方程式④を x_A、x_B について解くことで、$x_A = x_B = \dfrac{500}{4} = 125$

を得る。よって、プライス・テイカーとして行動した場合の市場均衡価格 p^{**} は、

$p^{**} = 500 - 125 - 125 = 250 \quad \cdots\cdots⑤$

である。③と⑤を比較すると、$p^* = p^{**} + 50$ である。

よって、正解は肢2である。

正答 2

問 ある財について、価格 P に対して、市場全体の需要曲線が $D = 900 - P$ で示される。その財を生産するのは三つの企業だけであり、クールノー競争を行っている。また、各企業 i（$i = 1$、2、3）の総費用は、その生産量 y_i に対して $C_i = 100 y_i$ で表される。この財の均衡での価格はいくらか。　（労基2019）

1：200

2：300

3：400

4：500

5：600

OUTPUT

実践 問題 **117** の解説 ────────

〈クールノー均衡〉

市場全体の需要量Dは、3つの企業の財の生産量の合計であるため、次のように表せる。

$$D = y_1 + y_2 + y_3 = 900 - P$$

これをP＝〜の形に変形すると、

$$P = 900 - y_1 - y_2 - y_3 \quad \cdots\cdots ①$$

を得る。ここで、代表的企業として、企業1の利潤を導出すると、

$$\pi_1 = P \times y_1 - C_1$$

となり、Pに①と、$C_1 = 100\,y_1$を代入すると、

$$\pi_1 = (900 - y_1 - y_2 - y_3) \times y_1 - 100\,y_1 \quad \cdots\cdots ②$$

となる。②をy_1で微分してゼロ（＝0）とおき、利潤最大化解を導出すると、以下のようになる。

$$\frac{\Delta \pi_1}{\Delta y_1} = 900 - 2\,y_1 - y_2 - y_3 - 100 = 0$$

$$\therefore 800 = 2\,y_1 + y_2 + y_3 \quad \cdots\cdots ③$$

本問のような同一の需要曲線に直面し、かつ同一の費用関数を持つ企業群のクールノー競争において、各企業の生産量は同一になるため、

$$y_1 = y_2 = y_3 \quad \cdots\cdots ④$$

である。

④を③に代入して、

$$4\,y_1 = 800$$

$$\therefore y_1 = 200 \quad \cdots\cdots ⑤$$

となり、

$$y_1 = y_2 = y_3 = 200$$

であることがわかる。これを①に代入して、

$$P = 900 - 200 - 200 - 200 = 300$$

を得る。

よって、正解は肢2である。

正答 **2**

実践 問題 **118** 〈 応用レベル 〉

頻出度	地上★★ 　　国家一般職★★ 　　特別区★
	裁判所職員★★ 　国税·財務·労基★★ 　国家総合職★★

問 複占市場において、二つの企業が同質の財を生産しており、その財の需要関数が、以下のように示される。

$$p = 42 - (q_1 + q_2)$$

$\begin{pmatrix} p：財の価格、\ q_1：企業1の生産量、\\ q_2：企業2の生産量 \end{pmatrix}$

また、各企業の総費用関数は同じ形であり、以下のように示される。

$$TC(q_i) = q_i{}^2 \quad (i = 1、2) \quad (TC：総費用)$$

企業1がリーダーである場合、シュタッケルベルク均衡における企業1の生産量はいくらか。

(国税・財務・労基2019)

1 : 8
2 : 9
3 : 10
4 : 11
5 : 12

OUTPUT

実践 問題 **118** の解説

〈シュタッケルベルク均衡〉

【解法1：MR＝MCを使う解法】

市場需要曲線の式を変形するとともに、各企業の限界費用（MC）を導出する。

$$p = 42 - (q_1 + q_2)$$
$$p = 42 - q_1 - q_2 \quad \cdots\cdots ①$$

各企業の限界費用MCを問題の条件「$TC(q_i) = q_i{}^2$」より導出すると、

$$MC_1 = 2q_1$$
$$MC_2 = 2q_2$$

となる。次に、追随者（フォロワー）である企業2の反応関数を導出する。①（需要曲線式）におけるq_2の傾きを2倍にしして、MR_2を導出すると、

$$MR_2 = 42 - q_1 - 2q_2$$

となる。さらに、利潤最大化条件（MR＝MC）を使って企業2の反応関数を導出する。

$$MR_2 = MC_2$$
$$42 - q_1 - 2q_2 = 2q_2$$
$$4q_2 = 42 - q_1$$
$$q_2 = \frac{42}{4} - \frac{1}{4}q_1$$
$$q_2 = \frac{21}{2} - \frac{1}{4}q_1 \quad \cdots\cdots ②（企業2の反応関数）$$

次に、①式（市場需要曲線の式）に②式を代入して、企業1が企業2の行動を考慮したうえでの需要曲線の式を導出すると、

$$p = 42 - q_1 - \left(\frac{21}{2} - \frac{1}{4}q_1\right)$$
$$p = 42 - q_1 - \frac{21}{2} + \frac{1}{4}q_1$$
$$p = -\frac{3}{4}q_1 + \frac{63}{2} \quad \cdots\cdots ③$$

となる。③式の傾きを2倍して企業1の限界収入（MR_1）を求めると、

$$MR_1 = -\frac{3}{2}q_1 + \frac{63}{2}$$

となり、利潤最大化条件を使って企業1の反応関数を導出すると、

$$MR_1 = MC_1$$

$$-\frac{3}{2}q_1 + \frac{63}{2} = 2q_1$$

$$2q_1 + \frac{3}{2}q_1 = \frac{63}{2}$$

$$\frac{7}{2}q_1 = \frac{63}{2}$$

$$q_1 = \frac{63}{2} \times \frac{2}{7}$$

$$q_1 = 9$$

となり、q_1を求めることができ、正解は肢2となる。

【解法2：微分してゼロとおく解法】

問題文の需要関数 $p = 42 - (q_1 + q_2)$ を整理すると、

$$p = 42 - q_1 - q_2 \quad \cdots\cdots①$$

となる。シュタッケルベルク均衡を求めるには、先にフォロワーである企業2の反応関数を導出する。まず、企業2の利潤π_2を求めると、

$$
\begin{aligned}
\pi_2 &= pq_2 - TC(q_2) \\
&= (42 - q_1 - q_2)q_2 - q_2{}^2 \\
&= 42q_2 - q_1q_2 - 2q_2{}^2
\end{aligned}
$$

となる。q_1を所与として、企業2の利潤が最も大きくなる企業2の生産量は、π_2をq_2で微分してゼロ（= 0）とおくことによって求められるので、

$$\frac{\Delta\pi_2}{\Delta q_2} = 42 - q_1 - 4q_2 = 0$$

$$q_2 = \frac{21}{2} - \frac{1}{4}q_1 \quad \cdots\cdots②$$

②式が企業2の反応関数であり、これを需要関数①式に代入すると、

$$p = 42 - q_1 - \left(\frac{21}{2} - \frac{1}{4}q_1\right)$$

$$p = \frac{63}{2} - \frac{3}{4}q_1 \quad \cdots\cdots③$$

となる。企業2の行動を踏まえた価格である③式を用いて、企業1の利潤を計算すると、

$$
\begin{aligned}
\pi_1 &= p \times q_1 - TC(q_1) \\
&= \left(\frac{63}{2} - \frac{3}{4}q_1\right)q_1 - q_1{}^2
\end{aligned}
$$

$$= \frac{63}{2} q_1 - \frac{7}{4} q_1{}^2$$

となる。企業1の利潤が最大になる生産量を求めるために、π_1をq_1で微分してゼロ（= 0）とおくと、

$$\frac{\Delta \pi_1}{\Delta q_1} = \frac{63}{2} - \frac{7}{2} q_1 = 0$$
$$q_1 = 9$$

となる。

　よって、正解は肢2である。

正答 2

実践 問題 **119** 応用レベル

頻出度	地上★★	国家一般職★★	特別区★
	裁判所職員★★	国税·財務·労基★★	国家総合職★★

問 同質的な財Xを生産する企業1、企業2からなる複占市場において、Xの需要関数が、

$$D = 32 - P$$

D：財Xの需要量	
P：財Xの価格	

で表されるとする。また、企業1、企業2の費用関数はそれぞれ、

$C_1 = 2Q_1 + 10$（C_1：企業1の総費用　Q_1：企業1の生産量）

$C_2 = 4Q_2$　　（C_2：企業2の総費用　Q_2：企業2の生産量）

で表されるとする。

企業1が先導者、企業2が追随者として行動するとき、シュタッケルベルク均衡における企業1、企業2のそれぞれの生産量の組合せとして、妥当なのはどれか。

(特別区2020)

	企業1の生産量	企業2の生産量
1：	6	11
2：	9	10
3：	12	7
4：	16	6
5：	19	3

OUTPUT

実践 問題 **119** の解説

〈シュタッケルベルク均衡〉

　シュタッケルベルクのモデルでは、追従者の反応関数を先に導出したうえで、追従者の反応関数を先導者の利潤関数に代入して均衡を導出する。

【解法1：MR＝MCを使う解法】

　企業2が追随者であるから、まず企業2の反応関数を導出する。

　需要曲線を逆需要関数($P = \sim$の形)に変形すると、

$$P = -D + 32$$

→ $\quad P = -Q_1 - Q_2 + 32 \quad \cdots\cdots①$

　企業2の総収入をTR_2とすると、

$$
\begin{aligned}
TR_2 &= P \cdot Q_2 \\
&= (-Q_1 - Q_2 + 32) \cdot Q_2 \\
&= -Q_1 Q_2 - Q_2{}^2 + 32 Q_2
\end{aligned}
$$

　よって、企業2の限界収入曲線MR_2は、総収入TR_2の式をQ_2で微分することで求められるので、

$$MR_2 = -Q_1 - 2Q_2 + 32 \quad \cdots\cdots②$$

となる。また、費用関数より、企業2の限界費用MC_2は、

$$MC_2 = 4 \quad \cdots\cdots③$$

となり、企業2の反応関数は②＝③より、

$$-Q_1 - 2Q_2 + 32 = 4$$

$$\therefore Q_2 = -\frac{1}{2}Q_1 + 14 \quad \cdots\cdots④$$

　これを、①に代入すると、

$$P = -Q_1 - \left(-\frac{1}{2}Q_1 + 14\right) + 32$$

$$P = -\frac{1}{2}Q_1 + 18$$

　すると、企業1の総収入TR_1は、

$$
\begin{aligned}
TR_1 &= P \cdot Q_1 \\
&= \left(-\frac{1}{2}Q_1 + 18\right) \cdot Q_1 \\
&= -\frac{1}{2}Q_1{}^2 + 18 Q_1
\end{aligned}
$$

となり、企業1の限界収入曲線MR_1は、総収入TR_1の式をQ_1で微分することで求められるので、

$MR_1 = -Q_1 + 18$ ……⑤

となる。また、費用関数より、企業1の限界費用MC_1は、

$MC_1 = 2$ ……⑥

となり、企業1の利潤最大化を実現する生産量は⑤＝⑥より、

$-Q_1 + 18 = 2$

$\therefore Q_1 = 16$

となり、利潤最大化を実現する企業1の生産量$Q_1 = 16$を得る。さらに、これを④に代入することで、$Q_2 = 6$を得る。

よって、正解は肢4である。

【解法2：微分してゼロとおく解法】

企業1が先導者で企業2が追随者であることから、まず、追随者である企業2の利潤式を求め、微分してゼロとおいて反応関数を求める。市場の需要曲線が、

$P = 32 - D = 32 - (Q_1 + Q_2) = 32 - Q_1 - Q_2$

であることより、企業2の利潤π_2は、

$\pi_2 = 売上TR_2 - 総費用TC_2$

$\quad = P \cdot Q_2 - C_2 = (32 - Q_1 - Q_2) \cdot Q_2 - 4Q_2$

$\quad = 32Q_2 - Q_1 \cdot Q_2 - Q_2{}^2 - 4Q_2$

$\therefore \pi_2 = 28Q_2 - Q_1 \cdot Q_2 - Q_2{}^2$

となる。企業2は利潤最大化を実現させることから、π_2をQ_2で微分してゼロとおいて企業2の反応関数を求めると、

$\dfrac{\Delta \pi_2}{\Delta Q_2} = 28 - Q_1 - 2Q_2 = 0$

$\therefore Q_2 = 14 - \dfrac{1}{2}Q_1$ ……①

となる。

次に、先導者である企業1の利潤π_1を求める。

$\pi_1 = TR_1 - TC_1$

$\quad = P \cdot Q_1 - C_1 = (32 - Q_1 - Q_2) \cdot Q_1 - (2Q_1 + 10)$

$\therefore \pi_1 = 30Q_1 - Q_1{}^2 - Q_2 \cdot Q_1 - 10$

ここで、この式に企業2の反応関数である①式を代入する。

$$\pi_1 = 30Q_1 - Q_1{}^2 - \left(14 - \frac{1}{2}Q_1\right)\cdot Q_1 - 10$$

$$\therefore \pi_1 = 16Q_1 - \frac{1}{2}Q_1{}^2 - 10 \quad \cdots\cdots ②$$

企業1も利潤最大化を実現させることから、π_1をQ_1で微分してゼロとおいてQ_1を求める。②式を用いて、

$$\frac{\Delta \pi_1}{\Delta Q_1} = 16 - Q_1 = 0 \quad \Rightarrow \quad \therefore Q_1 = 16 \quad \cdots\cdots ③$$

そして、追随者である企業2の反応式である①式に③式の結果を代入して、

$$Q_2 = 14 - \frac{1}{2}Q_1 = 14 - \frac{1}{2}\cdot 16 = 6 \quad \Rightarrow \quad \therefore Q_2 = 6$$

を得る。よって、正解は肢4である。

正答 **4**

問 企業1と企業2は類似した製品を販売しており、2企業の製品の需要曲線がそれぞれ

$$d_1 = 160 - 4p_1 + 2p_2$$
$$d_2 = 400 + p_1 - 3p_2$$

（d_i：企業iの製品の需要量　p_i：企業iの製品価格（$i=1$、2））

また、2企業の費用関数は、

$$c_1 = 20x_1 + 100$$
$$c_2 = 10x_2 + 200$$

（c_i：企業iの総費用、x_i：企業iの製品生産量（$i=1$、2））

で示されるとする。各企業は、他の製品価格を所与として、自己の製品価格を利潤最大化となるよう決定するとき、均衡における2企業の製品価格はそれぞれいくらか。

(地上1995)

	企業1	企業2
1：	80	110
2：	70	100
3：	60	90
4：	50	80
5：	40	70

実践 問題 **120** の解説 ─────────────

〈ベルトラン価格競争〉

需要関数を再掲したものが①、②である。簡単化のため、変数 d_1、d_2 は x_1、x_2 に統一してある。

$$x_1 = 160 - 4p_1 + 2p_2 \quad \cdots\cdots ①$$
$$x_2 = 400 + p_1 - 3p_2 \quad \cdots\cdots ②$$

企業1の利潤関数を③のようにおく。続いて、需要関数①を代入して、x_1 を消去して、p_1、p_2 だけを残した利潤関数③′を導出する。そのうえで、③′を p_1 で微分してゼロ（$=0$）とおく。そして、$p_1 = \sim$ の形に変形したものが企業1の反応関数である。

$$\pi_1 = p_1 x_1 - (20x_1 + 100) \quad \cdots\cdots ③（利潤関数）$$

$\rightarrow \quad \pi_1 = p_1(160 - 4p_1 + 2p_2) - 20(160 - 4p_1 + 2p_2) - 100 \quad \cdots\cdots ③′$

$$\frac{\Delta \pi_1}{\Delta p_1} = 160 - 8p_1 + 2p_2 + 80 = 0$$

$\rightarrow \quad 240 + 2p_2 = 8p_1$

$\rightarrow \quad 30 + \dfrac{1}{4}p_2 = p_1 \quad \cdots\cdots ④ \quad$（企業1の反応関数）

企業2についても、企業1と同様に利潤関数から企業2の最適反応関数である⑤を導出する。

$$\pi_2 = p_2 x_2 - (10x_2 + 200)$$

$\rightarrow \quad \pi_2 = p_2(400 + p_1 - 3p_2) - 10(400 + p_1 - 3p_2) - 200$

$$\frac{\Delta \pi_2}{\Delta p_2} = 400 + p_1 - 6p_2 + 30 = 0$$

$\rightarrow \quad 430 + p_1 = 6p_2$

$\rightarrow \quad \dfrac{430}{6} + \dfrac{1}{6}p_1 = p_2 \quad \cdots\cdots ⑤ \quad$（企業2の反応関数）

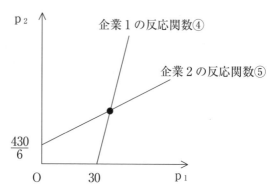

④、⑤という2つの企業の反応関数の交点がベルトラン均衡となる。

④のp_2に⑤を代入すると、

$$p_1 = 30 + \frac{1}{4}\left(\frac{430}{6} + \frac{1}{6}p_1\right)$$

→ $p_1 = 30 + \frac{430}{24} + \frac{1}{24}p_1$

→ $24p_1 = 720 + 430 + p_1$

→ $23p_1 = 1150$

→ $p_1 = 50$

⑤に$p_1 = 50$を代入すると、 $p_2 = \frac{430+50}{6} = 480 \div 6 = 80$

よって、$p_1 = 50$、$p_2 = 80$を得る。

したがって、肢4が正解となる。

【参考】

・ベルトラン価格競争モデル → 各企業は価格p_iを決定するモデル
反応関数は$p_i = \sim$の形

・クールノー数量競争モデル → 各企業は生産量x_iを決定するモデル
反応関数は$x_i = \sim$の形

正答 4

memo

実践 問題 **121** 〈応用レベル〉

頻出度	地上★	国家一般職★	特別区★
	裁判所職員★	国税・財務・労基★	国家総合職★

問 ある財の需要関数が次によって与えられているとする。

$$D = 180 - 2p$$

D：需要量、p：価格

また、この財を生産する企業1と企業2の費用関数は次のとおりである。

$$C_1 = 2(x_1)^2$$
$$C_2 = 2(x_2)^2$$

C_1：企業1の総費用、C_2：企業2の総費用、
x_1：企業1の生産量、x_2：企業2の生産量

この2つの企業が協力して、利潤の合計が最大になるようにそれぞれの生産量を決定したとき、均衡における財の価格はどれか。 (裁事2024)

1：50
2：75
3：100
4：125
5：150

OUTPUT

実践 ▶ 問題 121 の解説

〈生産量カルテル〉

需要関数：$D = 180 - 2P$を、$D = x_1 + x_2$と置き換えて、以下のように変形する。

$$P = 90 - \frac{1}{2}D \quad \Rightarrow \quad P = 90 - \frac{1}{2}(x_1 + x_2) \quad \Rightarrow \quad P = 90 - \frac{1}{2}x_1 - \frac{1}{2}x_2$$

企業1と企業2のそれぞれの利潤を、π_1、π_2とすると、

$$\pi_1 = P x_1 - C_1 = \left(90 - \frac{1}{2}x_1 - \frac{1}{2}x_2\right)x_1 - 2x_1{}^2$$

$$\pi_2 = P x_2 - C_2 = \left(90 - \frac{1}{2}x_1 - \frac{1}{2}x_2\right)x_2 - 2x_2{}^2$$

企業1と企業2の利潤の合計をπとすると、

$$\pi = \left(90 - \frac{1}{2}x_1 - \frac{1}{2}x_2\right)x_1 - 2x_1{}^2 + \left(90 - \frac{1}{2}x_1 - \frac{1}{2}x_2\right)x_2 - 2x_2{}^2$$

となる。この企業は協力により、πを最大化するようにx_1、x_2の両方を決定する。

利潤最大化条件は、x_1およびx_2による偏微分がゼロになること、すなわち、

$\dfrac{\Delta \pi}{\Delta x_1} = 0$、かつ、$\dfrac{\Delta \pi}{\Delta x_2} = 0$である。

$$\frac{\Delta \pi}{\Delta x_1} = 90 - x_1 - \frac{1}{2}x_2 - 4x_1 - \frac{1}{2}x_2 = 0 \quad \rightarrow \quad 5x_1 + x_2 = 90 \quad \cdots\cdots①$$

$$\frac{\Delta \pi}{\Delta x_2} = -\frac{1}{2}x_1 + 90 - \frac{1}{2}x_1 - x_2 - 4x_2 = 0 \quad \rightarrow \quad 5x_2 + x_1 = 90 \quad \cdots\cdots②$$

となる。①＋②より、$6(x_1 + x_2) = 180$、$(x_1 + x_2) = 30 = D$である。

需要関数の式に代入して、$P = 90 - \dfrac{1}{2} \times 30 = 75$となる。

よって、正解は肢2である。

第2章 不完全競争市場

正答 **2**

実践 問題 **122** 応用レベル

頻出度	地上★	国家一般職★	特別区★
	裁判所職員★	国税・財務・労基★	国家総合職★

問 次の図は、縦軸に企業Aの供給量、横軸に企業Bの供給量をとり、企業Aの反応曲線をAA′、企業Bの反応曲線をBB′、企業Aの等利潤曲線をそれぞれΠ_A、$\Pi_A{}'$、$\Pi_A{}''$、企業Bの等利潤曲線をそれぞれΠ_B、$\Pi_B{}'$、$\Pi_B{}''$で表している。また、AA′とBB′の交点をC、Π_AとΠ_Bの交点をD、AA′と$\Pi_B{}''$の接点をEとし、EにおいてAA′は同時にΠ_Aと交差する。$\Pi_A{}''$と$\Pi_B{}''$の交点をF、BB′と$\Pi_A{}''$の接点をGとし、GにおいてBB′は同時にΠ_Bと交差する。今、企業Aが先導者であり企業Bが追随者である場合、企業Aの利潤を最大化する均衡点はどれか。

(特別区2002)

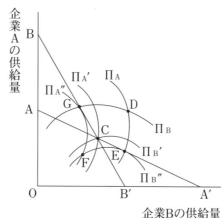

1：C
2：D
3：E
4：F
5：G

OUTPUT

実践 問題 **122** の解説

〈複占〉

第2章 不完全競争市場

　まず、各企業の等利潤曲線の意味を説明する。等利潤曲線とは、利潤が等しい各企業の供給量の組合せの軌跡をいう。企業Aの供給量を縦軸にとった場合、企業Aの等利潤曲線は図1のように描くことができる。

図1
企業Aの等利潤曲線

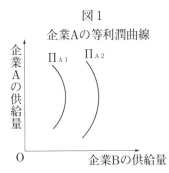

　また、企業Aの等利潤曲線は、左方にある等利潤曲線ほど利潤が大きいことに留意する必要がある。図1においては、$\Pi_{A1} > \Pi_{A2}$ が成立する。

　次に、企業Bの供給量を横軸にとった場合、企業Bの等利潤曲線は図2のように描くことができる。

図2
企業Bの等利潤曲線

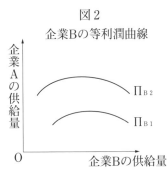

　また、企業Bの等利潤曲線は、下方にある等利潤曲線ほど利潤が大きいことに留意する必要がある。図2においては、$\Pi_{B1} > \Pi_{B2}$ が成立する。

　ここで、企業Aと企業Bがいずれも追随者である場合には、両企業の反応曲線の交点で均衡する。これがクールノー均衡である。これに対し、企業Aが先導者、企業Bが追随者というように、いずれか一方が先導者となるときに実現する均衡を、シュタッケルベルク均衡という。シュタッケルベルク均衡においては、追随者は反

応曲線上で供給量を決定し、先導者は、追随者のこのような行動を考慮に入れて、自己の利潤を最大にするように供給量を決定する。本問では、追随者である企業Bは反応曲線上で供給量を決定し、これを前提として、先導者である企業Aは、できる限り左方にある等利潤曲線上で供給量を決定する。したがって、企業Bの反応曲線と企業Aの等利潤曲線の接点であるG点が、この市場の均衡となる。これがシュタッケルベルク均衡である。

よって、正解は肢5である。

【ポイント】

・**クールノー均衡**…両企業の反応曲線の交点(左下図の点N)
・**シュタッケルベルク均衡**…追随者の反応曲線上の点(右下図の点S)
  →先導者に有利

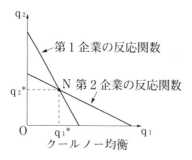

クールノー均衡

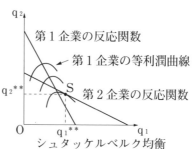

シュタッケルベルク均衡

(第1企業が先導者、第2企業が追随者の場合)

正答 5

memo

Q1 （供給）独占とは、生産者が1社の状態のことを指す。このとき、生産者はプライステイカーとなる。

Q2 生産量を1単位増やしたときの総収入の増加分を限界収入（MR）というが、不完全競争市場において、MRは生産物の市場価格Pに等しい。

Q3 不完全競争市場では、企業の利潤最大化が実現する生産量はMR＝MCとなる水準で、そのときの価格Pは需要曲線上の点となる。

Q4 クールノー均衡とは、相手企業の生産量を所与として、各企業が自分の生産量を決定したときに達成される市場均衡のことである。

Q5 シュタッケルベルク均衡とは、一方の企業が先導者となり、もう一方の企業が追随者という想定に基づく複占市場で実現する均衡を指す。このとき、先導者の行動を見たうえで追随者は自らの行動を決定することから、クールノー均衡と比べて、追随者の生産量が多く、先導者の生産量が少ない状態で市場均衡する。

Q6 先導者（リーダー）は、追随者の反応関数を知ったうえで、利潤最大化を行い、追随者（フォロワー）は先導者の行動を所与として、利潤最大化を行う。

Q7 下図は第1企業が先導者であり、第2企業が追随者である場合のシュタッケルベルク均衡（点S）を表しており、上に凸の3つの曲線は等利潤線を表している。この等利潤線は上に行くほど利潤が大きいことから、均衡状態における第1企業の利潤はクールノー均衡に比べて小さくなっている。

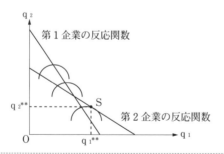

Q8 独占的競争市場とは、企業が多数存在する競争的性質と、製品差別化が行われている独占的性質の双方が並存している状況で、財の同質性以外については完全競争の条件が満たされている。

A1 × （供給）独占とは、生産者が1社の状態のことを指し、このとき、生産者はプライスメイカー（価格決定者）となる。しかし、いたずらに高すぎる価格を設定したら誰も財を購入しなくなることから、結局、企業は市場全体の需要曲線上で価格を設定することになる。

A2 × 限界収入の定義についての記述は正しいが、後半の記述は完全競争市場の場合の内容である。

A3 ○ 参考までに、市場需要曲線が右下がりの直線（例：$P = a - bQ$）の場合、限界収入MR曲線は、傾きが2倍で切片は同じになる。試験では役に立つので覚えておこう。

A4 ○ グラフで表すと、クールノー均衡は、両企業の反応曲線の交点Eで成立し、このときの各企業の生産量Q_1^*およびQ_2^*は、両企業の反応関数を連立して解けば求められる。

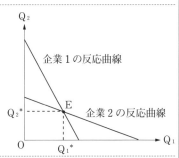

A5 × 前半は正しい。しかし、クールノー均衡との違いについて説明すると、先導者は追随者の行動を知っているために、追随者の反応関数上で自己の利潤を最大化できる。それゆえに、クールノー均衡と比べて、先導者の生産量が多く、追随者の生産量が少ない状態で均衡する。

A6 ○ 5の説明参照のこと。

A7 × 図の等利潤線は下に行くほど利潤が大きくなる。また、第1企業は自分の定める生産量q_1に対して、第2企業が必ずその反応曲線上の点を選ぶことを前提として、第2企業の反応曲線上から一方的に自分の利潤を最大にするような点を選ぶことになる。その結果、シュタッケルベルク均衡は、追随者である第2企業の反応曲線と第1企業の等利潤線とが接する点Sで示され、このときクールノー均衡に比べて、企業1の利潤は大きくなる。

A8 ○ この市場では、独占市場と異なり企業がプラスの利潤を得ている限り、新規参入が生じるため、企業間の競争が激しくなり、長期的には利潤がゼロ、すなわち価格と平均費用が等しくなる水準のところで均衡する。

memo

第3章

ゲーム理論および
その他の不完全競争理論

SECTION

① ゲーム理論
② その他の不完全競争理論

出題傾向の分析と対策

試験名	地　上		国家一般職		特別区		裁判所職員		国税・財務・労基		国家総合職	
年　度	16～18	19～21	22～24	16～18	19～21	22～24	16～18	19～21	22～24	16～18	19～21	22～24	16～18	19～21	22～24
出題数　　セクション	1	1	1	1	2	1		1	2	1	1	1		2		2
ゲーム理論		★	★	★	★	★★	★		★	★★	★	★	★		★★		★★
その他の不完全競争理論																

（注）　1つの問題において複数の分野が出題されることがあるため、星の数の合計と出題数とが一致しないことがあります。

　「ゲーム理論」は特殊な分野であるため抵抗を抱く人も多くいますが、頻出分野といえます。利得表から均衡を求める問題が大部分を占めていますので、こうした問題に正確に解答することが鍵となります。

地方上級

　単純なナッシュ均衡を問われる問題のほかに、戦略の組ごとに利得を計算させる問題も出題されています。各プレイヤーの最適反応を求められるようにじっくり取り組んでください。

国家一般職

　ナッシュ均衡を求める問題など、ゲーム理論からの基本的な問題が出題されています。ナッシュ均衡やマクシミン戦略について十分理解したうえで練習を積みましょう。

特別区

　ナッシュ均衡を求める問題など、ゲーム理論からの基本的な問題が出題されています。素直な出題が多いですので、基本的な項目を重点的に固めていきましょう。

裁判所職員

　過去には混合戦略によるナッシュ均衡など高度な出題が行われたこともありますが、近年は基本的な問題が出題されています。ベーシックなナッシュ均衡を中心にマスターしましょう。

国税専門官・財務専門官・労働基準監督官

　ゲーム理論は今後も出題が予想されます。まずはナッシュ均衡を確実にマスターしましょう。本試験では、比較的難易度の高い問題が出題されることもあるかもしれませんが、驚かずに冷静に対処するようにしましょう。

国家総合職

　不確実性が絡むゲーム、トリガー戦略が最適解になる条件を求める問題など、ゲーム理論の中からも幅広く出題されています。問題演習を数多くこなして、さまざまなパターンに対応できるようになりましょう。

Advice アドバイス　学習と対策

　ゲーム理論は解き方さえ覚えてしまえば得点源となる科目です。ナッシュ均衡やマクシ・ミン原理についてしっかり理解したうえで練習を積み、準備しておきましょう。売上高最大化仮説やフルコスト原理、屈折需要曲線の理論に関しても、頻出とはいえませんが出題がみられますので、問われたときに確実に解けるように最低限の項目でよいので覚えておきましょう。

必修
問題

セクションテーマを代表する問題に挑戦！

ナッシュ均衡はゲーム理論の基本です。必ずマスターして確実に
得点できるようにしましょう。

問 次の利得行列で表される戦略型ゲームの純戦略ナッシュ均衡点の
みを全て挙げているのはどれか。なお、枠内の数値のうち、左側
の数値はプレイヤーAの利得、右側の数値はプレイヤーBの利得
を示す。 (地上2019)

		プレイヤーB		
		戦略Ⅰ	戦略Ⅱ	戦略Ⅲ
プレイヤーA	戦略1	9，7	4，3	2，6
	戦略2	3，4	3，8	8，3
	戦略3	7，3	5，4	7，2

1 ：（戦略1，戦略Ⅰ）

2 ：（戦略1，戦略Ⅰ）、（戦略3，戦略Ⅱ）

3 ：（戦略2，戦略Ⅱ）、（戦略3，戦略Ⅰ）

4 ：（戦略2，戦略Ⅲ）、（戦略3，戦略Ⅱ）

5 ：（戦略1，戦略Ⅰ）、（戦略2，戦略Ⅱ）、（戦略3，戦略Ⅱ）

の解説

〈ゲーム理論〉

　プレイヤーAおよびBは、互いに相手の戦略を所与として、自己の利得が最大となるように自己の戦略を決定する。プレイヤーAおよびBが互いの戦略に対して最適反応となっている戦略の組合せはナッシュ均衡となる。以下、プレイヤーAおよびBが採用する戦略について、個別にみていく。

【プレイヤーAの戦略】（下図において □ で囲んである数値）
(1)　プレイヤーBが「戦略Ⅰ」を選択した場合
　　プレイヤーAは自己が選択できる戦略のうち、利得が「9」で最も高い「戦略1」を選択する。
(2)　プレイヤーBが「戦略Ⅱ」を選択した場合
　　プレイヤーAは自己が選択できる戦略のうち、利得が「5」で最も高い「戦略3」を選択する。
(3)　プレイヤーBが「戦略Ⅲ」を選択した場合
　　プレイヤーAは自己が選択できる戦略のうち、利得が「8」で最も高い「戦略2」を選択する。

【プレイヤーBの戦略】（下図において ▨ で囲んである数値）
(1)　プレイヤーAが「戦略1」を選択した場合
　　プレイヤーBは自己が選択できる戦略のうち、利得が「7」で最も高い「戦略Ⅰ」を選択する。
(2)　プレイヤーAが「戦略2」を選択した場合
　　プレイヤーBは自己が選択できる戦略のうち、利得が「8」で最も高い「戦略Ⅱ」を選択する。
(3)　プレイヤーAが「戦略3」を選択した場合
　　プレイヤーBは自己が選択できる戦略のうち、利得が「4」で最も高い「戦略Ⅱ」を選択する。

		プレイヤーB		
		戦略Ⅰ	戦略Ⅱ	戦略Ⅲ
プレイヤーA	戦略1	9, 7	4, 3	2, 6
	戦略2	3, 4	3, 8	8, 3
	戦略3	7, 3	5, 4	7, 2

　上記から、プレイヤーAおよびBが、互いの戦略に対して最適反応となっている戦略の組合せは、（戦略1，戦略Ⅰ）および（戦略3，戦略Ⅱ）の2つの組合せとなり、正解は肢2となる。

正答 2

ゲーム理論は、自分の得る利得が自分自身の選択だけでなく他人の選択にも依存する状況での意思決定の性質を分析する学問です。

1 戦略形ゲーム

図1は戦略形（行列形）とよばれる行列を用いたゲームの表現です。

A国は戦略「上」か「下」のいずれか、B国は戦略「右」か「左」のいずれかを選択できるものとします。各マスの中の左側の数字はA国の利得を表し、右側の数字はB国の利得を表します。たとえばA国が「上」を選択しB国が「左」を選択すると、A国は10、B国は5の利得となります。

＜図1：戦略形ゲーム＞

A国＼B国	左	右
上	10,　5	5,　8
下	15, − 5	0,　0

図1のような戦略形ゲームからどのマスが実現するかについてマキシミン原理やナッシュ均衡といった概念からマスを特定します。

2 マキシミン原理

マキシミン原理では各プレイヤーは、ある戦略を選択すると最悪になるほうの利得が実現すると予想したうえで、最適な戦略を選択します。

＜図2：A国のマキシミン戦略＞

A国＼B国	左	右
上	10,　5	5,　8
下	15, − 5	0,　0

＜図3：B国のマキシミン戦略＞

A国＼B国	左	右
上	10,　5	5,　8
下	15, − 5	0,　0

・A国のマキシミン戦略

　　上　→　10でなく5が実現すると予想する（図2の上の の比較）

　　下　→　15でなく0が実現すると予想する（図2の下の の比較）

0 < 5なので、「上」がA国のマキシミン戦略となります。

・B国のマキシミン戦略

　　左　→　5でなく − 5が実現すると予想する（図3の左の の比較）

　　右　→　8でなく0が実現すると予想する（図3の右の の比較）

− 5 < 0なので、「右」がB国のマキシミン戦略となります。

A国が「上」、B国が「右」を選択するので、（A国の戦略, B国の戦略）＝（上, 右）がマキシミン均衡となります。

INPUT

3 ナッシュ均衡と反応関数

ナッシュ均衡は手順としては、まずA国とB国の最適反応（反応関数）を導出します。

<図4：A国の最適反応>

A国＼B国	左	右
上	10,　5	5,　8
下	15,　−5	0,　0

<図5：B国の最適反応>

A国＼B国	左	右
上	10,　5	5,　8
下	15,　−5	0,　0

A国は、もしB国の戦略が「左」だとすると、利得は10か15なのでA国は「下」の戦略を選び、もしB国が「右」だとすると利得は5か0なので「上」の戦略を選択するのが最適な反応です。よって、A国の最適反応は、

$$\begin{cases} 左 \Rightarrow 下 & \cdots\cdots ① \\ 右 \Rightarrow 上 & \cdots\cdots ② \end{cases}$$

と書くことができます。

B国は、もしA国の戦略が「上」だとすると、利得は5か8なのでB国は「右」の戦略を選び、もしA国の戦略が「下」だとすると、利得は−5か0なので「右」の戦略を選ぶのが最適な反応です。よって、B国の最適反応は、

$$\begin{cases} 上 \Rightarrow 右 & \cdots\cdots ③ \\ 下 \Rightarrow 右 & \cdots\cdots ④ \end{cases}$$

以上、①から④の反応を踏まえて、互いに最適反応を繰り返すとします。

②よりB国が「右」を選ぶとA国は「上」で反応しますが、これに対して③よりA国の「上」に対してはB国は「右」で反応するので、（上、右）は永遠に続きます。この（上、右）がA国とB国の両者が最適に反応した点でありナッシュ均衡です。いいかえるならばナッシュ均衡は、互いに戦略をこれ以上変更する誘因を持たない状況であるといえます。

4 支配戦略

図6において、A国が「上」を選択しても「下」を選択しても、B国は「右」を選択してくことで必ず「左」を選択したときよりも高い利得が実現できます。つまり、A国が「上」なら5＜8なので「右」が最適反応となり、A国が「下」であっても−5＜0なので「右」が最適反応となり、A国の選択はB国の意思決定に影響を与えないのです。このときに「右」を支配戦略といいます。

<図6：戦略形ゲーム>

A国＼B国	左	右
上	10,　5	5,　8
下	15,　−5	0,　0

実践 問題 **123** 〈基本レベル〉

頻出度	地上★★	国家一般職★★	特別区★
	裁判所職員★★	国税・財務・労基★★	国家総合職★★

問 2つの企業Ａ、Ｂが、同じ財を生産しているとする。企業Ａ、Ｂは労働者を訓練して生産するか、訓練しないで生産するかを選択する。訓練をしない場合に、相手企業が訓練を行っていたら、訓練後の労働者を引き抜いて生産する。訓練された労働者を投じると、企業の収益を増加させることができるものとする。

いま、このときの利得表が次のように表されている。ただし、この利得表の括弧内の数字は、(企業Ａの利得, 企業Ｂの利得)を表している。たとえば、この利得表の2行1列目は(8, 0)となっている。このとき、企業Ａは訓練をせず、企業Ｂから訓練された労働者を採用して生産を行っているために、企業Ａは生産費が削減され、企業Ｂよりも優位に立ち、高い収益を上げることができるが、企業Ｂは大きな損害を受けることを表している。この表から確実にいえることとして、最も妥当なものはどれか。ただし、両企業は相手企業の戦略を事前に知ることはできず、相手企業の行動を所与として最適な行動を選択することとする。 (裁判所職員2021)

		企業Ｂの戦略	
		訓練する	訓練しない
企業Ａの戦略	訓練する	(5, 5)	(0, 8)
	訓練しない	(8, 0)	(2, 2)

1：両方の企業とも「訓練する」を選択し、その組合せはパレート最適となっている。

2：この戦略において、ナッシュ均衡は存在しない。

3：企業Ａが労働者を訓練することを所与としたとき、企業Ｂは「訓練しない」を選択し、企業Ａが労働者を訓練しないことを所与としたとき、企業Ｂは「訓練する」を選択する。

4：両方の企業とも「訓練する」がナッシュ均衡であり、かつ、パレート最適な組合せとなり、この状況は囚人のディレンマとよばれる。

5：両方の企業とも「訓練しない」を選択し、その組合せはパレート最適ではない。

直前復習

OUTPUT

実践 ▶ 問題 **123** の解説 ─────────

〈ゲーム理論〉

企業A、企業Bはともに、相手企業の行動を所与として最適な行動をとる。このようなお互いの戦略に対して最適反応となっている戦略の組はナッシュ均衡であり、本問はナッシュ均衡となる戦略の組を求めることになる。

【企業Aの戦略】

①企業Bが「訓練する」場合

　企業Aが「訓練する」⇒利得5

　企業Aが「訓練しない」⇒利得8

企業Aは企業Bが「訓練する」場合には、「訓練しない」という戦略をとる。

②企業Bが「訓練しない」場合

　企業Aが「訓練する」⇒利得0

　企業Aが「訓練しない」⇒利得2

企業Aは企業Bが「訓練しない」場合には、「訓練しない」という戦略をとる。

以上より、企業Aは企業Bが「訓練する」「訓練しない」のいずれの場合においても「訓練しない」という戦略が最適反応となる。

【企業Bの戦略】

①企業Aが「訓練する」場合

　企業Bが「訓練する」⇒利得5

　企業Bが「訓練しない」⇒利得8

企業Bは企業Aが「訓練する」場合には、「訓練しない」という戦略をとる。

②企業Aが「訓練しない」場合

　企業Bが「訓練する」⇒利得0

　企業Bが「訓練しない」⇒利得2

企業Bは企業Aが「訓練しない」場合には、「訓練しない」という戦略をとる。

以上より、企業Bは企業Aが「訓練する」「訓練しない」のいずれの場合においても「訓練しない」という戦略が最適反応となる。

企業A、企業Bともに、相手の戦略が「訓練する」「訓練しない」のいずれの場合においても「訓練しない」という戦略が最適反応となるので、両者ともに「訓練しない」がナッシュ均衡となる。また、このときの利得は(企業A，企業B)＝(2，2)であり、両者が訓練することによって利得が(企業A，企業B)＝(5，5)となりえるので、このナッシュ均衡の戦略の組はパレート最適ではない。

よって、正解は肢5である。

正答 5

第3章　ゲーム理論およびその他の不完全競争理論

実践　問題124　基本レベル

頻出度	地上★★　　国家一般職★★　　特別区★
	裁判所職員★★　　国税・財務・労基★★　　国家総合職★★

問　次の表は、企業A、B間のゲームについて、企業Aが戦略S、T、U、V、企業Bが戦略W、X、Y、Zを選択したときの利得を示したものである。表中の括弧内の左側の数字が企業Aの利得、右側の数字が企業Bの利得である場合のナッシュ均衡に関する記述として、妥当なのはどれか。ただし、両企業が純粋戦略の範囲で戦略を選択するものとする。　　　（特別区2022）

		企業B			
		戦略W	戦略X	戦略Y	戦略Z
企業A	戦略S	（1，4）	（4，1）	（3，5）	（9，3）
	戦略T	（4，1）	（1，4）	（5，6）	（1，9）
	戦略U	（3，3）	（3，5）	（7，8）	（8，1）
	戦略V	（3，6）	（9，7）	（5，6）	（2，5）

1：ナッシュ均衡は、存在しない。

2：ナッシュ均衡は、企業Aが戦略U、企業Bが戦略Wを選択する組合せのみである。

3：ナッシュ均衡は、企業Aが戦略V、企業Bが戦略Xを選択する組合せのみである。

4：ナッシュ均衡は、企業Aが戦略U、企業Bが戦略Yを選択する組合せ及び企業Aが戦略V、企業Bが戦略Xを選択する組合せの2つである。

5：ナッシュ均衡は、企業Aが戦略S、企業Bが戦略Zを選択する組合せ、企業Aが戦略T、企業Bが戦略Yを選択する組合せ及び企業Aが戦略U、企業Bが戦略Wを選択する組合せの3つである。

直前復習

OUTPUT

実践 **問題 124** **の解説** ―――――――――――――

〈ゲーム理論〉

　ナッシュ均衡とは、各プレイヤーが相手のプレイヤーの戦略(意思決定)に対して、最適な戦略(自分の利得が最大となるような戦略)を決定し、その結果達成される均衡である。そこで、企業A、Bが相手のプレイヤーの戦略に対して自分の利得が最大になるように、どのような対応を決定するかを確認する。

　企業Aの対応
　　・企業Bが戦略Wを選択したとき　⇒　戦略T
　　・企業Bが戦略Xを選択したとき　⇒　戦略V
　　・企業Bが戦略Yを選択したとき　⇒　戦略U
　　・企業Bが戦略Zを選択したとき　⇒　戦略S

　企業Bの対応
　　・企業Aが戦略Sを選択したとき　⇒　戦略Y
　　・企業Aが戦略Tを選択したとき　⇒　戦略Z
　　・企業Aが戦略Uを選択したとき　⇒　戦略Y
　　・企業Aが戦略Vを選択したとき　⇒　戦略X

以上より、各企業からの対応が繰り返されるとすると、ナッシュ均衡は(戦略U，戦略Y)および(戦略V，戦略X)であることがわかる。

　よって、正解は肢4である。

第3章

ゲーム理論およびその他の不完全競争理論

正答 **4**

実践 問題 **125** ＜基本レベル＞

頻出度	地上★★　　国家一般職★★　　特別区★
	裁判所職員★★　　国税・財務・労基★★　　国家総合職★★

問 個人Ｘ、Ｙがそれぞれ三つの戦略を持つゲームが以下の表のとおり示されるとする。この表で示された状況に関するＡ～Ｄの記述のうち、妥当なもののみを全て挙げているのはどれか。

ただし、表の（　）内の左側の数字は個人Ｘの利得を、右側の数字は個人Ｙの利得をそれぞれ示しており、各個人は純粋戦略をとるものとする。

（財務・労基2014）

		個人Ｙ		
		戦略 y_1	戦略 y_2	戦略 y_3
個人Ｘ	戦略 x_1	（3，8）	（6，3）	（5，3）
	戦略 x_2	（5，2）	（3，4）	（9，2）
	戦略 x_3	（6，5）	（5，4）	（4，2）

Ａ：(戦略 x_1, 戦略 y_2)はナッシュ均衡であり、この組合せはパレート効率的である。

Ｂ：(戦略 x_3, 戦略 y_1)はナッシュ均衡であり、この組合せはパレート効率的である。

Ｃ：マクシ・ミン戦略では、個人Ｘは戦略 x_2 を選び、個人Ｙは戦略 y_1 を選ぶ。

Ｄ：マクシ・ミン戦略では、個人Ｘは戦略 x_3 を選び、個人Ｙは戦略 y_2 を選ぶ。

1：A、B
2：A、C
3：A、D
4：B、C
5：B、D

OUTPUT

実践 問題 **125** の解説 ─────────────

〈ゲーム理論〉

肢A、肢Bはナッシュ均衡に関する肢である。

個人Xの反応関数

$$\begin{cases} y_1 \Rightarrow x_3 & \cdots\cdots① \\ y_2 \Rightarrow x_1 & \cdots\cdots② \\ y_3 \Rightarrow x_2 & \cdots\cdots③ \end{cases}$$

個人Yの反応関数

$$\begin{cases} x_1 \Rightarrow y_1 & \cdots\cdots④ \\ x_2 \Rightarrow y_2 & \cdots\cdots⑤ \\ x_3 \Rightarrow y_1 & \cdots\cdots⑥ \end{cases}$$

この①から⑥のいずれかから始めて最適反応を繰り返していくと、①の$y_1 \Rightarrow x_3$、⑥の$x_3 \Rightarrow y_1$で互いに同じ最適反応が繰り返される。よって、ナッシュ均衡は(x_3, y_1)である。

よって、肢Bが正しい。

次に、マクシ・ミン戦略を求める。

個人Xのx_1、x_2、x_3のそれぞれについての実現しうる最低の利得は、

$$x_1 \rightarrow 3$$
$$x_2 \rightarrow 3$$
$$x_3 \rightarrow 4$$

となる。よって、個人Xのマクシ・ミン戦略はx_3である。

個人Yのy_1、y_2、y_3についての最低の利得は、

$$y_1 \rightarrow 2$$
$$y_2 \rightarrow 3$$
$$y_3 \rightarrow 2$$

となることがわかる。よって、個人Yのマクシ・ミン戦略はy_2である。

よって、マクシ・ミン均衡は(x_3, y_2)であり、肢Dが正しい。

以上より、妥当なものはB、Dとなるので、正解は肢5である。

第3章

ゲーム理論およびその他の不完全競争理論

正答 **5**

実践 問題 **126** 応用レベル

頻出度	地上★★	国家一般職★★	特別区★
	裁判所職員★★	国税・財務・労基★★	国家総合職★★

問 企業Pは戦略①又は戦略②を採ることができ、企業Qは戦略③又は戦略④を採ることができるものとする。

また、企業Pと企業Qの採る戦略とそれぞれの利得の関係は、次の表で与えられるものとする。

ただし、表の（　）内の左側が企業Pの利得であり、右側が企業Qの利得である。

		企業Q	
		戦略③	戦略④
企業P	戦略①	(a , 50)	(20, b)
	戦略②	(40, c)	(d , 60)

このとき、(戦略①、戦略③)が支配戦略均衡となる場合の(a、b、c、d)の条件の組合せとして妥当なのはどれか。 (国家一般職2022)

1 : (a >20,　b <60,　c >50,　d <40)
2 : (a >20,　b <60,　c <50,　d >40)
3 : (a >20,　b <50,　c >60,　d <40)
4 : (a >40,　b <50,　c >60,　d <20)
5 : (a >40,　b <60,　c <50,　d >20)

OUTPUT

実践 問題 **126** の解説 —————————————

〈ゲーム理論〉

　ナッシュ均衡として戦略を決定した結果、(戦略①，戦略③)が支配戦略均衡になった、ということは、「企業Pにとって戦略①が支配戦略である(←事象Aとする)」および「企業Qにとって戦略③が支配戦略である(←事象Bとする)」が同時に成立している、ということである。

　そこで、事象Aと事象Bが同時に成立するためにはどのような条件が必要になるのかを整理してみる。

　◎事象Aが成立するためには、企業Pにとって以下のようになっていなければならない。
　　・企業Qが戦略③を選択したとき　⇒　戦略②ではなく①を選択する
　　　　⇒　そのためには、$a > 40$でなければならない　……条件⑤とする
　　・企業Qが戦略④を選択したとき　⇒　戦略②ではなく①を選択する
　　　　⇒　そのためには、$20 > d$でなければならない　……条件⑥とする

　◎事象Bが成立するためには、企業Qにとって以下のようになっていなければならない。
　　・企業Pが戦略①を選択したとき　⇒　戦略④ではなく③を選択する
　　　　⇒　そのためには、$50 > b$でなければならない　……条件⑦とする
　　・企業Pが戦略②を選択したとき　⇒　戦略④ではなく③を選択する
　　　　⇒　そのためには、$c > 60$でなければならない　……条件⑧とする

　以上より、事象Aと事象Bが同時に成立するためには上記の条件⑤、⑥、⑦、⑧がすべて成立することが必要になるので、正解は肢4である。

第3章 ゲーム理論およびその他の不完全競争理論

正答 **4**

実践 問題 127 応用レベル

頻出度	地上★ 裁判所職員★	国家一般職★ 国税・財務・労基★	特別区★ 国家総合職★★

問 表は、プレイヤーⅠとプレイヤーⅡがそれぞれ二つの戦略を持つゼロサムゲームの利得行列を示したものである。利得行列の各要素は、プレイヤーⅠの利得、言い換えれば、プレイヤーⅡの損失を表すものとする。また、両プレイヤーは純粋戦略を採るものとする。このゲームに関するA～Dの記述のうち、妥当なもののみを全て挙げているのはどれか。 (財務・労基2016)

		プレイヤーⅡ	
		戦略③	戦略④
プレイヤーⅠ	戦略①	10	5
	戦略②	− 4	− 3

A：ナッシュ均衡が一つ存在し、それはパレート最適である。

B：ナッシュ均衡が一つ存在し、それは支配戦略均衡である。

C：プレイヤーⅠが先に戦略を決定し、それを知った後にプレイヤーⅡが戦略を決定する場合、戦略の組(①, ④)は部分ゲーム完全均衡である。

D：ミニ・マックス戦略に従うと、プレイヤーⅠは戦略①を、プレイヤーⅡは戦略③を選択する。

1：A、C

2：A、D

3：B、C

4：A、B、C

5：A、C、D

実践 ▶ 問題 **127** ▶ の解説 ─────────────

〈ゲーム理論〉

A ○ 本記述のとおりである。プレイヤーⅠ、プレイヤーⅡの反応関数は次のとおりである。

プレイヤーⅠの反応関数 ｜ プレイヤーⅡの反応関数

$$\begin{cases} ③ ⇒ ① \\ ④ ⇒ ① \end{cases}$$ ｜ $$\begin{cases} ① ⇒ ④ \\ ② ⇒ ③ \end{cases}$$

上表よりプレイヤーⅠは③、④のいずれに対しても必ず①を選択する。よって、①は支配戦略である。プレイヤーⅡは、支配戦略である①への最適な反応として④を選択するはずである。よって、(①，④)がナッシュ均衡である。

次に、パレート最適性を検討する。(①，④)から他のマス目に移動すると、必ず、ⅠまたはⅡのいずれかの利得が低下する。よって、(①，④)は他人の利得を低下させることなく自身の利得を高めることができないパレート最適点であることがわかる。

B × 支配戦略均衡はすべてのプレイヤーが支配戦略を選択している均衡である。本ゲームでは、プレイヤーⅡは支配戦略を持たないので支配戦略均衡は存在しない。

C ○ 本記述のとおりである。ゲームの木を用いてゲームを表現すると、次のようになる。

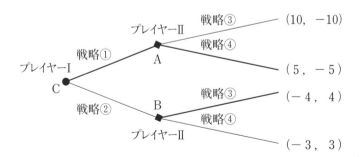

右端のカッコ内の左の数値はプレイヤーⅠの利得、右の数値はプレイヤーⅡの利得を表している。部分ゲーム完全均衡はゲームの木の下方にあるAとBの最適反応を求め、次に、上方にあるCでの最適反応を求めることで導出できる。

A点においてはプレイヤーⅡは戦略④（なぜならば－10＜－5だから）を選択し、B点ならば戦略③を選択する（なぜならば3＜4だから）。A点およびB点の選択を所与として、プレイヤーⅠはC点において戦略①を選択する（なぜならば5＞－4だから）。したがって、部分ゲーム完全均衡は(①，④)となり、均衡利得は(5，－5)となる。

D ✕ ミニ・マックス戦略においては、各プレイヤーの戦略に対し、そのとき起こりうる自分にとって最悪の利得を表す保証水準について考える。例えば、プレイヤーⅠを最大化プレイヤー、プレイヤーⅡを最小化プレイヤーと呼ぶと、最大化プレイヤーの保証水準は戦略①では5、戦略②では－4である。ゼロサムゲームにおいては最小化プレイヤーにとって、自分の保証水準は相手の利得の最大値であり、保証水準を最大化することは相手の利得の最大値を最小化することである。そのような戦略をミニ・マックス戦略といい、そのときの相手の利得をミニ・マックス値という。

プレイヤーⅡ プレイヤーⅠ	戦略③	戦略④
戦略①	(10，－10)	(5，－5)
戦略②	(－4，4)	(－3，3)

上の表のようなゼロサムゲームにおいては、最小化プレイヤーの保証水準は戦略③では－10、戦略④では－5である。

ここで、前者における最大化プレイヤーの利得は10，後者においては5となり、それぞれの戦略における最大化プレイヤーの利得を最大化させていることが分かる。よって、ゼロサムゲームにおいては「最小化プレイヤーの保証水準を最大化させる＝最小化プレイヤーの利得の最大値を最小化させる」であることが確認できる。

本問においては、－5＞－10よりミニ・マックス戦略はナッシュ均衡と同じ(①，④)であり、ミニ・マックス値は5となる。

以上より、妥当なものはA、Cとなるので、正解は肢1である。

正答 1

memo

実践 問題 **128** 〈応用レベル〉

頻出度	地上★★	国家一般職★★	特別区★
	裁判所職員★★	国税・財務・労基★★	国家総合職★★

問 表は、プレイヤー1がA又はBの戦略を、プレイヤー2がⅠ又はⅡの戦略をとった場合の、プレイヤー1及びプレイヤー2の受け取る利得水準を示している。表の（ ）内の左側の数字はプレイヤー1の利得、右側の数字はプレイヤー2の利得である。これに関する次の記述のうち、妥当なのはどれか。

ただし、両プレイヤーは協調行動をとらず、互いに相手の戦略を予想しながら、自己の利得が最大となるような戦略を選ぶものとする。 （国Ⅱ2010）

		プレイヤー2	
		戦略Ⅰ	戦略Ⅱ
プレイヤー1	戦略A	(a, b)	$(-5, 8)$
	戦略B	$(7, -6)$	$\left(\dfrac{a}{2}, \dfrac{b}{2}\right)$

1：$a=6$、$b=6$のとき、戦略の組合せ[B，Ⅱ]はナッシュ均衡であり、かつ、パレート効率的な状態である。

2：$a=6$、$b=6$のとき、戦略の組合せ[A，Ⅰ]及び戦略の組合せ[B，Ⅱ]はどちらもナッシュ均衡である。

3：$a=8$、$b=10$のとき、戦略の組合せ[B，Ⅱ]はナッシュ均衡であり、かつ、パレート効率的な状態である。

4：$a=8$、$b=10$のとき、戦略の組合せ[A，Ⅰ]及び戦略の組合せ[B，Ⅱ]はどちらもナッシュ均衡である。

5：$a=-12$、$b=10$のとき、戦略の組合せ[B，Ⅱ]はナッシュ均衡であり、かつ、パレート効率的な状態である。

実践 問題 **128** の解説

〈ゲーム理論〉

【a＝6、b＝6のケース（肢1，2）】

		プレイヤー2	
		戦略Ⅰ	戦略Ⅱ
プレイヤー1	戦略A	（6， 6）	（－5， 8）
	戦略B	（7， －6）	（3， 3）

1 ✕ プレイヤー1をP1、プレイヤー2をP2とする。上記の利得表により、ナッシュ均衡を導出する。まず、P1の行動から考える。P2が戦略Ⅰを選択している場合に、P1は戦略Aを選択すると6の利得、戦略Bを選択すると7の利得となるので、P1は戦略Bを選択する。同様に、P2が戦略Ⅱを選択している場合に、P1は戦略Aを選択すると－5の利得、戦略Bを選択すると3の利得となるので、P1は戦略Bを選択する。よって、P1にとって、戦略Bは支配戦略となる。次に、P2の行動について考える。P1が戦略Aを選択している場合に、P2は戦略Ⅰを選択すると6の利得、戦略Ⅱを選択すると8の利得となるので、P2は戦略Ⅱを選択する。同様に、P1が戦略Bを選択している場合に、P2は戦略Ⅰを選択すると－6の利得、戦略Ⅱを選択すると3の利得となるので、P2は戦略Ⅱを選択する。よって、P2にとって、戦略Ⅱは支配戦略となる。結果、支配戦略均衡（P1，P2）＝（戦略B，戦略Ⅱ）が唯一のナッシュ均衡となる。しかし、パレート効率的な戦略の組合せは（P1，P2）＝（戦略A，戦略Ⅰ）であることから、誤り。

2 ✕ 肢1の解説参照。

【a＝8、b＝10のケース（肢3，4）】

		プレイヤー2	
		戦略Ⅰ	戦略Ⅱ
プレイヤー1	戦略A	（8， 10）	（－5， 8）
	戦略B	（7， －6）	（4， 5）

3 ✕ 上記の利得表から、ナッシュ均衡を導出する。まず、P1の行動から考えると、P2が戦略Ⅰを選択している場合は戦略Aを、P2が戦略Ⅱを選択

している場合は、戦略Bを選択する。

同様に、P2の行動について考えると、P1が戦略Aを選択している場合は戦略Ⅰを、P1が戦略Bを選択している場合は戦略Ⅱを選択する。したがって、ナッシュ均衡は、(P1，P2)＝(戦略A，戦略Ⅰ)および(戦略B，戦略Ⅱ)の2つとなる。さらに、パレート効率的なゲームの解は(P1，P2)＝(戦略A，戦略Ⅰ)であることから、誤り。

4○ 肢3の解説参照。

【a＝−12、b＝10のケース（肢5）】

		プレイヤー2	
		戦略Ⅰ	戦略Ⅱ
プレイヤー1	戦略A	(−12, 10)	(−5, 8)
	戦略B	(7, −6)	(−6, 5)

5× 上記の利得表から、ナッシュ均衡を導出する。まず、P1の行動から考えると、P2が戦略Ⅰを選択している場合は戦略Bを、P2が戦略Ⅱを選択している場合は戦略Aを選択する。同様に、P2の行動について考えると、P1が戦略Aを選択している場合は戦略Ⅰを、P1が戦略Bを選択している場合は戦略Ⅱを選択する。したがって、ナッシュ均衡は、純粋戦略に限定すると存在しないことになる。よって、誤り。

正答 4

memo

実践 問題 **129** 応用レベル

頻出度	地上★	国家一般職★	特別区★
	裁判所職員★	国税·財務·労基★	国家総合職★★

問 企業1と企業2が競合しているとする。企業1の取り得る戦略はUとDの2つであり、企業2の取り得る戦略はL、C、Rの3つである。企業1の利得は、表のように与えられる。企業2は、確率$\frac{1}{2}$で戦略L、確率$\frac{1}{4}$で戦略C、確率$\frac{1}{4}$で戦略Rを選ぶものとする。企業1が自己の期待利得を最大にするように戦略を選ぶものとすれば、得られる期待利得はいくらか。

		企業 2		
		L	C	R
企業 1	U	10	8	16
	D	12	4	12

(裁判所職員2019)

1 : 9
2 : 10
3 : 11
4 : 12
5 : 14

OUTPUT

実践 問題 **129** の解説

〈混合戦略〉

　企業1は自己の期待利得を最大にするように戦略を選ぶため、UとDの期待利得を比較する。なお、期待利得は、不確実な利得の平均値であり、ある事象が起こる確率とそれに対応する利得との積の総和により求めることができる。

　企業1がUを選んだときの期待利得は、

$$\frac{1}{2} \times 10 + \frac{1}{4} \times 8 + \frac{1}{4} \times 16 = 5 + 2 + 4 = 11$$

となる。

　一方、企業1がDを選んだときの期待利得は、

$$\frac{1}{2} \times 12 + \frac{1}{4} \times 4 + \frac{1}{4} \times 12 = 6 + 1 + 3 = 10$$

となる。

　したがって、企業1が自己の期待利得を最大にするように戦略を選ぶとUを選択し、そのときの期待利得は11となる。

　よって、正解は肢3である。

第3章 ゲーム理論およびその他の不完全競争理論

正答 **3**

必修問題 セクションテーマを代表する問題に挑戦!

不完全競争理論について、代表的な理論の定義や概要を問う問題となっています。複数の論点の学習に役立つのでしっかり学習しておきましょう。

問 不完全競争市場に関する記述として、妥当なのはどれか。

（特別区2017）

1：マーク・アップ原理とは、寡占企業における価格決定の仮説で、企業が、限界費用に一定率を乗せて価格を決めるもので、ホールとヒッチにより明らかにされた。

2：参入阻止価格の理論とは、参入障壁を扱う理論の1つであり、独占企業である既存企業が他の新規企業の参入を防ぐために、参入阻止価格は新規参入企業が正の利潤を出すことができないように高く設定される。

3：クールノー複占モデルとは、2つの企業が同質財を供給している複占市場で、各企業は、他企業が供給量を変更すると仮定して、自己の利潤が最大になるように供給量を決定することをいう。

4：独占的競争とは、多数の企業が存在し製品が差別化されている不完全競争のことをいい、そこでは市場への参入、退出は困難であり、各企業が右上がりの需要曲線に直面している。

5：屈折需要曲線の理論とは、寡占市場において、ある企業が価格を引き上げた場合には競争相手は追随しないが、価格を引き下げた場合には追随するという企業の予想を仮定して、価格の硬直性を説明するものである。

直前復習

Guidance ガイダンス その他の不完全競争理論

ここでは、企業行動の前提が今までの利潤最大化とは限らない場合や、需要曲線が屈折する場合などを考える。とはいえ、基本的な考え方は今までと大きく変わるわけではないので、発展分野として臨もう。

の解説 ─────────

〈その他の不完全競争理論〉

1 ✕ マーク・アップ原理とは、寡占市場における企業にとっての価格決定の考え方であるが、通常は企業が限界費用ではなく平均費用に一定率(＝マーク・アップ率)を乗せて価格を決めるとするものである。

2 ✕ 参入阻止価格の理論とは、不完全競争市場において、既存企業が他の新規企業の参入を防ぐために、新規参入企業が正の利潤を出すことができないように参入阻止価格を低く設定するという考え方である。

3 ✕ クールノー複占モデルとは、2つの企業が同質財を供給している複占市場で、各企業は相手企業が供給量を変更せず一定(所与)にするものと仮定して利潤最大化に基づいて供給量を決定するモデルである。

4 ✕ 独占的競争市場においては、市場への参入および退出は困難であるとは考えられておらず、各企業は右下がりの需要曲線に直面している。

5 ○ 本肢の記述のとおりである。屈折需要曲線の理論は、きちんと図を用いて価格や数量の硬直性について説明できるように復習しておきたい。

【ポイント】 屈折需要曲線
・企業の価格引上げ→他企業は引き上げない(需要曲線の傾きは緩やか)
・企業の価格引下げ→他企業も引き下げる(需要曲線の傾きは急になる)
　⇒ゆえに屈折する。

第3章　ゲーム理論およびその他の不完全競争理論

正答 **5**

1 その他の不完全競争下での企業行動

① 売上高最大化仮説

これは、不完全競争下にある企業が生産量Qを決める場合には、短期的には、利潤(π)を最大にするのではなく、売上高(TR)を最大にするように行動すると考える仮説です。TRを最大にするQを求めるには、TRをQで微分すなわち限界収入MRをゼロとおけばよいので、

$$\frac{\Delta TR}{\Delta Q} = MR = 0 \quad \text{(売上高最大化条件)}$$

となります。

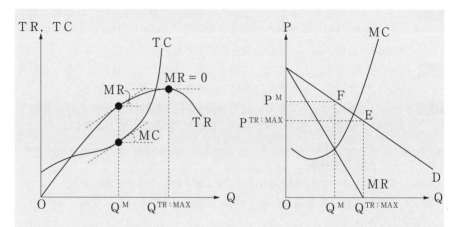

Q^M：利潤最大化生産量
Q$^{TR:MAX}$：売上高最大化生産量

P^M：利潤最大化価格
P$^{TR:MAX}$：売上高最大化価格

補足 一般に、売上高最大化点(上図点E)は利潤最大化点(上図点F)に比べて、生産量は多く価格は低くなります。

② フルコスト原理(マークアップ原理)

これは、企業が価格Pを決める場合には、生産費用(平均費用AC)に一定のマークアップ率mを上乗せした水準にするという考えで、

$$P = (1 + m)AC$$

という式で表されます。フルコスト原理に平均費用が用いられるのは、平均費用の算出が限界費用と異なり、現実において可能であるためであり、限界費用が算出可能ならば限界費用を用いることもあります。

③ 屈折需要曲線の理論

これは、寡占市場における価格の硬直性を説明するための理論で、下記の図で説明できます。企業は、現在、点E（MR＝MC）で均衡していて、生産量をQ*に、価格をP*に決定しているとします。

この企業が価格を引き上げると、他企業は価格をP*のまま維持するので、企業は傾きの緩やかな需要曲線D′Eに直面します。一方で、企業が価格を引き下げると、他企業も価格を同様に引き下げるので、企業は傾きの急な需要曲線EDに直面します。よって、企業の需要曲線は、点Eを境に屈折することになり、限界収入曲線MRも、現行生産量Q*水準で図のように不連続となります。

この結果、この企業の限界費用曲線MCがMC₁とMC₂の間にある限り、この企業は生産量および価格を変化させず、価格が硬直的になります。

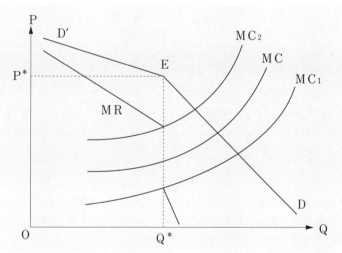

第3章

ゲーム理論およびその他の不完全競争理論

実践 問題 **130** 応用レベル

頻出度	地上★	国家一般職★	特別区★
	裁判所職員★	国税・財務・労基★	国家総合職★

問 次の図は、寡占市場の下で、縦軸に価格・費用を、横軸に生産量をとり、ある寡占企業が直面する需要曲線をDD′、限界費用曲線をMC、限界収入曲線をMRで表したものであるが、今、この寡占市場の限界費用曲線MC₁がMC₂にシフトした場合、この寡占企業の生産物価格の動きに関する記述として、妥当なのはどれか。

（特別区2005）

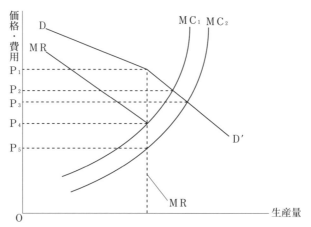

1：生産物価格は、限界費用曲線がシフトしても、P₁のまま変化しない。
2：生産物価格は、限界費用曲線のシフトに伴い、P₁からP₃に低下する。
3：生産物価格は、限界費用曲線のシフトに伴い、P₂からP₃に低下する。
4：生産物価格は、限界費用曲線がシフトしても、P₄のまま変化しない。
5：生産物価格は、限界費用曲線のシフトに伴い、P₂からP₅に低下する。

OUTPUT

実践 **問題 130** **の解説**

〈屈折需要曲線〉

　本問は「スウィージーの屈折需要曲線」に関する問題である。「スウィージーの屈折需要曲線」は寡占市場における財価格の硬直性（価格が変化しにくいこと）を説明するもので、需要曲線がある価格水準で「屈折（折れ曲がる）」する点に特徴がある。なお、寡占市場は、3～4社程度の生産者（企業）が市場の供給のほとんどを占めているケースなどをいう。

　次に、屈折需要曲線について解説していく。下図では市場需要曲線DがE点で屈折（折れ曲がっている）している。これは、企業がP＊の水準から価格を引き上げると需要曲線の傾きが緩やかになり、逆に引き下げると傾きが急になるからである。その理由は以下のとおりとなる。

　寡占市場では、ある企業が商品価格を引き上げても他企業は価格引き上げに追随しないと考えられ、そのため価格引き上げを行った企業は大きく販売量を減らすことになる。つまり、傾きの緩やかな需要曲線に直面する（需要の価格弾力性が大きい）。逆に、商品価格を引き下げると、他企業は価格引き下げに追随すると考えられ、そのため価格引き下げを行った企業の販売量は増加するものの大きく増加はしないと考えられる。つまり傾きの急な需要曲線に直面する（需要の価格弾力性が小さい）。

　このように市場需要曲線Dが屈折した場合、この需要曲線に対応するMR（限界収入）曲線の形状も変化することになる。すなわち、市場需要曲線Dの傾きが一定でないので（折れ曲がっているから）、市場需要曲線の傾きを2倍して得られるMRの傾きも一定ではなくなる。この異なる傾きを持つMR曲線について、市場需要曲線が屈折しているE点に対応させるようにグラフに描くと、連続する一本の線で描くことができず、下図のようにMR曲線は分断されるように描かれる。つまり「不連続」となる。

　この不連続のMR曲線を前提に

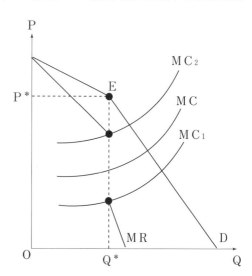

第3章　ゲーム理論およびその他の不完全競争理論

して、利潤最大化条件「MR＝MC」を考えてみる。MRとMCが交わる点で利潤最大化生産量が決定するが、MCがMR曲線の「不連続」部分にある場合、たとえば企業の生産性が上昇するなどしてMC曲線が下方へシフト（MC→MC₁）しても、逆に生産性が低下するなどしてMC曲線が上方へシフト（MC→MC₂）しても利潤最大化生産量はQ＊で変化しない。

すなわち、MC曲線がMR曲線の不連続部分に位置する限り、利潤最大化生産量Q＊は変化しないこととなり、Q＊に対応して決定される財価格P＊も変化しないことになる。ゆえに、寡占市場においては財価格が硬直的（変化しにくい）になる。

さて、本問の図では、P₁の水準で市場需要曲線DD′が屈折しており、MR曲線も不連続となっている。そしてMC₁もMC₂もMR曲線の不連続部分に位置している。すると、問題肢にあるように「限界費用曲線がシフトしても」財価格は「P₁のまま変化しない」こととなる。

よって、正解は肢1となる。

正答　1

memo

頻出度	地上★　　　国家一般職★　　　特別区★
	裁判所職員★　　国税・財務・労基★　　国家総合職★

問　ある財に対する需要曲線が、

$$Q = -0.5P + 16 \quad （Q：需要量、P：価格）$$

であり、この財が独占企業によって供給されている。また、この独占企業の平均費用が

$$AC = X + 2 \quad （AC：平均費用、X：生産量）$$

である。このとき、この企業が利潤最大化行動をとる場合の利潤の大きさは、売上高を最大にする場合の利潤の大きさと比べ、どれだけ大きくなるか。

（国Ⅱ 2011）

1：21

2：27

3：48

4：69

5：75

OUTPUT

実践 問題 **131** の解説

〈売上高最大化仮説〉

問題文の需要曲線を$P = \sim$の形に変形し、需要量Qを生産量Xで置き換えると、

$P = 32 - 2X$

となるので、限界収入MRは、

$MR = 32 - 4X$

である。また総費用は、平均費用と生産量の積であるため、

$C = AC \times X = X^2 + 2X$

となるので、限界費用は、

$MC = 2X + 2$

である。ゆえに独占企業の利潤最大化条件は、

$MR = MC \Leftrightarrow 32 - 4X = 2X + 2 \Leftrightarrow 6X = 30$

となるので、利潤を最大にする生産量は$X = 5$であり、そのときの利潤は、

$\pi = (32 - 2X) \times X - (X^2 + 2X) = (32 - 10) \times 5 - (25 + 10) = 75$

である。

売上高を最大にするためには$MR = 0$であればよい。これより$X = 8$を得る。そのときの利潤は、

$\pi = (32 - 2X) \times X - (X^2 + 2X) = (32 - 16) \times 8 - (64 + 16) = 48$

である。よって、利潤の差は$75 - 48 = 27$なので、正解は肢2である。

第3章 ゲーム理論およびその他の不完全競争理論

正答 **2**

Q1 ナッシュ均衡とは、他のプレイヤーが自分の利得を最小化してくるという悲観的な予想の中で最善の戦略を、互いに選択したときに実現する戦略の組合せのことである。

Q2 下表は、企業Aが戦略aまたはbを、企業Bが戦略cまたはdをとった場合の、各企業の受け取る利得水準を示している。表の( )内の左側の数字は企業Aの利得、右側の数字は企業Bの利得である。両企業は協調行動をとらず、互いに相手の戦略を予想しながら、自己の利得が最大となるような戦略を選ぶものとするとき、ナッシュ均衡は(戦略a，戦略c)=(100，100)となる。

		企業B	
		戦略c (高価格・少量生産)	戦略d (低価格・大量生産)
企業A	戦略a (高価格・少量生産)	(100, 100)	(0, 200)
	戦略b (低価格・大量生産)	(200, 0)	(50, 50)

Q3 下表は、企業Aが戦略aまたはbを、企業Bが戦略cまたはdをとった場合の、各企業の受け取る利得水準を示している。表の( )内の左側の数字は企業Aの利得、右側の数字は企業Bの利得である。両企業は協調行動をとらないとすると、マクシ・ミン原理に基づくと企業Aが戦略b、企業Bが戦略dをとる。

		企業B	
		戦略c (高価格・少量生産)	戦略d (低価格・大量生産)
企業A	戦略a (高価格・少量生産)	(100, 100)	(0, 200)
	戦略b (低価格・大量生産)	(200, 0)	(50, 50)

Q4 売上高最大化仮説とは、企業が生産量を決める際に、短期的には利潤ではなく売上高を最大化するように行動するという仮説であり、このとき企業は、限界収入が限界費用と等しくなるように生産量を決定する。

Q5 売上高最大化点においては、利潤最大化点における場合と比較して生産量は多く、価格は低くなることが一般的である。

Q6 フルコスト原理においては、生産水準の変化に伴い、マークアップ率が変化する。

Q7 屈折需要曲線の理論は、自由競争市場における価格の硬直性を説明するための理論である。

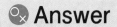

A1	×	ナッシュ均衡とは、すべてのプレイヤーが戦略を変更する動機を持たない状態での彼らの戦略の組合せである。本問の内容はマクシミン均衡についてである。
A2	×	ナッシュ均衡は（戦略b，戦略d）＝（50，50）となる。企業Bが戦略cをとった場合、企業Aは戦略bを、また、企業Bが戦略dをとった場合にも、企業Aは戦略bをとることが企業Aの最適反応となる。同様に、企業Aが戦略aをとった場合、企業Bは戦略dを、また、企業Aが戦略bをとった場合にも、企業Bは戦略dをとることが企業Bの最適反応となる。よって、ナッシュ均衡は、両企業の戦略が（戦略b，戦略d）＝（50，50）となるような戦略である。なお、両企業の戦略が（戦略a，戦略c）＝（100，100）となるように戦略を変更すれば、両企業の利得はナッシュ均衡よりも増大する。この場合のように、相談して協調すればパレート改善できるにもかかわらず、相手と相談ができない状況のもと、自分の利得を最大化しようとしたがゆえにパレート最適にならないことを囚人のジレンマという。
A3	○	マクシ・ミン原理のもとで、企業Aは、企業Bが企業Aの利得を最小化するように行動すると仮定するため、戦略aをとったときの利得が0、戦略bをとったときの利得が50になると考えて、戦略bをとる。また、企業Bは、企業Aが企業Bの利得を最小化するように行動すると仮定するため、戦略cをとったときの利得が0、戦略dをとったときの利得が50になると考えて、戦略dをとる。よって、マクシ・ミン原理に基づくと企業Aが戦略b、企業Bが戦略dをとる。
A4	×	前半は正しい。売上高最大化仮説のもとで、企業は、限界収入が0に等しくなるように生産量を決定する。限界収入が限界費用に等しくなるように生産量を決定するのは、企業が利潤が最大となるように行動しているときである。
A5	○	問題の記述のとおりである。
A6	×	フルコスト原理においては、一定のマークアップ率mを設定したうえで、P＝（1＋m）ACとなるように価格が設定される。つまり、マークアップ率は変化しない。
A7	×	屈折需要曲線の理論は、自由競争市場ではなく寡占市場における価格の硬直性を説明するための理論である。

第3章　ゲーム理論およびその他の不完全競争理論

memo

第4章

市場の失敗

SECTION

① 公共財
② 外部効果
③ 費用逓減産業

出題傾向の分析と対策

試験名	地 上			国家一般職			特別区			裁判所職員			国税・財務・労基			国家総合職		
年　度	16〜18	19〜21	22〜24	16〜18	19〜21	22〜24	16〜18	19〜21	22〜24	16〜18	19〜21	22〜24	16〜18	19〜21	22〜24	16〜18	19〜21	22〜24
出題数　セクション	1	2	1	2	4			2	2		1	1	1			1	3	3	1
公共財					★				★				★			★	★	★
外部効果	★	★★	★	★★	★★			★	★		★	★			★	★★	★★	
費用逓減産業				★				★										

(注) 1つの問題において複数の分野が出題されることがあるため、星の数の合計と出題数とが一致しないことがあります。

　市場の失敗が生じる5つのケース(不完全競争市場、公共財、外部効果、費用逓減産業、情報の非対称性)については、余剰分析の考え方をしっかり理解できているかが、問題を解くうえでの鍵になります。最頻出分野は「外部効果」ですが、個々のケースについてきちんとポイントを押さえておき、穴をなくしておくことが重要です。市場の失敗は受験生によって出来・不出来の差が大きくなりやすい範囲ですので、他の受験生に差をつけるためにも、しっかりと正答できるようにしておきましょう。

地方上級

　近年では、外部効果など、地域的な経済活動と関連がある分野で出題があります。応用問題も解けるように理論・計算どちらもまんべんなく手をつけましょう。

国家一般職

　応用レベルの問題が出題される可能性も十分ありますので、対策をしておきましょう。

特別区

　近年は公共財に関する出題があります。外部効果の計算問題や費用逓減産業のグラフ図の理解もあわせて対策しておくのが効果的といえます。

裁判所職員

　近年は外部効果に関する文章問題の出題がありました。公共財もこの分野の重要論点ですので、近年の出題はないものの、費用逓減産業とともに押さえておきましょう。

国税専門官・財務専門官・労働基準監督官

　この分野からの出題はあまり多くありません。過去に公共財の最適供給量を計算させる問題が出題されています。抜かりなく学習を進めましょう。

国家総合職

　経済政策からの出題も含めると毎年出題されている分野になります。数多く問題をこなし、ピグー税、コースの定理など、やや発展的な項目までしっかり身につけましょう。

$A^{\text{dvice}}_{\text{アドバイス}}$ 学習と対策

　この分野は余剰分析と密接にかかわりを持っています。この分野を学習する際には、常に余剰がどうなっているのかを把握しつつ進めていくことが重要です。余剰分析についてあまり理解が進んでいない人は、余剰分析の概念をしっかり理解してからこの分野の対策をするようにしたほうがよいといえます。

必修問題 **セクションテーマを代表する問題に挑戦！**

公共財は「市場の失敗」の分野における、重要なところです。ポイントを押さえて学びましょう。

問 二人の個人の経済活動についての公共財への需要について下記の問いに答えよ。

$$MB_1 = 10 - \frac{1}{10}G, \quad MB_2 = 20 - \frac{1}{10}G$$

（MB_i：各自の限界便益（$i = 1$、2）、 G：公共財の数量）

公共財の限界費用が25のときの最適な供給数はいくつか。また、公共財の限界費用が40のときの最適な供給数はいくつか。

(地上2013)

1：公共財の限界費用が25のときの最適な供給数は25、限界費用が40のときの最適な供給数は0である。

2：公共財の限界費用が25のときの最適な供給数は25、限界費用が40のときの最適な供給数は10である。

3：公共財の限界費用が25のときの最適な供給数は25、限界費用が40のときの最適な供給数は40である。

4：公共財の限界費用が25のときの最適な供給数は50、限界費用が40のときの最適な供給数は0である。

5：公共財の限界費用が25のときの最適な供給数は50、限界費用が40のときの最適な供給数は20である。

Guidance ガイダンス **公共財の価格**

公共財には複数の人が同時に財を消費できるという「消費の非競合性」という性質がある。そのため、市場全体の需要曲線を求めるときには、各個人の需要曲線を垂直方向に足すことになる。

$$P = P_1 + P_2 + P_3 + \cdots$$

（P：市場全体の価格、P_i：各個人が払ってもいいと思う価格）

これは、たとえば公園を作るとき、個人AとBがそれぞれ10、20だけ支払ってもいいと思った場合、公園の建設に合計30を使えるということを意味している。

必修問題の解説

〈公共財〉

経済全体の公共財の需要曲線は、各個人の公共財への限界便益の合計（$MB_1 + MB_2$）であり、グラフとしては各個人の限界便益曲線の垂直和として表される。

ただし、各個人の公共財に対する限界便益については、限界便益がゼロとなる公共財の量（それ以上に公共財の供給量が増えても公共財から便益を得ることがない）があることから、各個人の限界便益曲線の式に「$MB_i = 0$」を代入して各個人の限界便益がゼロとなる公共財の量を把握することが必要となる。

個人1の限界便益曲線の式「$MB_1 = 10 - \frac{1}{10}G$」に「$MB_1 = 0$」を代入して個人1の限界便益がゼロとなる公共財（$G$）の量を計算すると、

$$MB_1 = 10 - \frac{1}{10}G$$
$$0 = 10 - \frac{1}{10}G$$
$$\frac{1}{10}G = 10$$
$$G = 100$$

となって、個人1は「$G = 100$」において限界便益がゼロとなる。また、同様に個人2の限界便益がゼロとなる公共財（G）の量を計算すると、

$$MB_2 = 20 - \frac{1}{10}G$$
$$0 = 20 - \frac{1}{10}G$$
$$\frac{1}{10}G = 20$$
$$G = 200$$

となる。上記のことから、個人1と個人2の限界便益曲線を垂直和（$MB_1 + MB_2$）した経済全体の公共財の需要曲線は、公共財供給量が「$G \leq 100$」の場合は、個人1および個人2が便益を得られることから、

$$MB_1 + MB_2 = 10 - \frac{1}{10}G + 20 - \frac{1}{10}G = 30 - \frac{2}{10}G$$

となり、公共財供給量が「$100 < G \leq 200$」の場合は、個人1は便益を得られず個人2が便益を得られることから、

第4章 市場の失敗

$$\mathrm{MB}_1 + \mathrm{MB}_2 = 20 - \frac{1}{10}\mathrm{G}$$

となる(上記式は個人2の限界便益曲線の式だが、公共財供給量の範囲によって認識する限界便益曲線の式が異なることから「$\mathrm{MB}_1 + \mathrm{MB}_2 =$」として表している)。

ゆえに、経済全体の公共財の需要曲線は以下のように表すことができる。

$$\mathrm{MB}_1 + \mathrm{MB}_2 = \begin{cases} 30 - \dfrac{2}{10}\mathrm{G} & (\mathrm{G} \leq 100) \\[2mm] 20 - \dfrac{1}{10}\mathrm{G} & (100 < \mathrm{G} \leq 200) \end{cases} \quad \cdots\cdots①$$

経済全体の公共財の需要曲線は下の図において太線で表されている。

なお、縦軸は公共財によりもたらされる便益、横軸は公共財の需要量を表す。

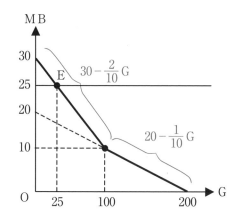

公共財の限界費用が25であることから、公共財の最適な供給数は、公共財の需要曲線と公共財の限界費用曲線との交点に対応する水準となるので、

$$25 = 30 - \frac{2}{10}\mathrm{G} \quad \cdots\cdots②$$

を満たす。よって、G = 25となり、肢1、肢2、肢3に絞れる。

なお、限界費用が40になると、公共財の需要曲線と公共財の限界費用曲線は交わらないからG = 0が最適となる。

したがって、肢1が正解となる。

正答 1

memo

1 消費の非競合性と排除不可能性

　非競合性(共同消費)とは、１単位の財を多数の人が同時に消費することが可能なことを指します。道路は同時に多くの人が利用することができます。

　排除不可能性(非排除性)とは、料金の徴収が困難なために対価を支払わなくても財が消費できることを指します。排除不可能性があるために公共財にはフリーライダー(ただ乗り)が生じるために、租税による対価の強制徴収が必要となります。

2 純粋公共財と準公共財

　非競合性と排除不可能性の両方の性質を備える財は**純粋公共財**とよび、どちらか一方のみを備える財は**準公共財**とよびます。

　また、社会的に価値があると認められる財は**メリット財**に分類され、学校給食や病院などが政府により供給されています。

3 公共財の需要曲線

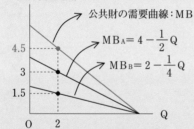

＜図１＞

限界便益 (円)

公共財の需要曲線：MB

$MB_A = 4 - \frac{1}{2}Q$

$MB_B = 2 - \frac{1}{4}Q$

4.5

3

1.5

O　2　　　　　　Q

＜ポイント＞
第2個目の公共財からの限界便益はAは3円、Bが1.5円であるので、公共財は共同消費できるので限界便益は4.5円になる。

　図１は個人Aと個人Bの限界便益曲線(MB_A、MB_B)があるときの、公共財の需要曲線です。

　公共財の限界便益曲線は、各個人の限界便益曲線の垂直和です。

　　$MB = MB_A + MB_B$

　これは共同消費可能性により公共財の価値が人数だけ加算できることから生じます。

限界便益 MB	限界便益(限界評価)とは、消費者の公共財に対する評価のことをいい、消費者が公共財の量を追加的に１単位増やすのに支払ってもよいと考える金額に相当します。なお、「価格」で評価しているものの、実際には公共財にその「価格」を支払うという意味ではないことに注意してください。

INPUT

4 公共財の最適供給条件

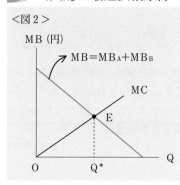

<図2>

MB（円）

MB＝MB$_A$＋MB$_B$

MC

E

O　Q*　Q

図2のE点が公共財の最適供給点となり、Q*が公共財の最適供給量となります。供給曲線は、通常の財と同じく限界費用曲線であり、需要曲線MBと供給曲線MCの交点Eで総余剰が最大になります。E点では以下のような公共財の最適供給条件が成立します。

$$MB_A + MB_B = MC$$

5 私的財と公共財の限界変形率

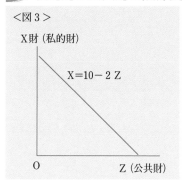

<図3>

X財（私的財）

X＝10－2Z

O　Z（公共財）

図3は私的財と公共財の生産可能性フロンティアであり、社会全体で生産可能な私的財と公共財の量を表します。接線の傾きは公共財の限界変形率であり、公共財を1単位増産するために減産しなくてはならない私的財の量を表し、記号ではMRTと表記します。

6 公共財のサミュエルソン条件

サミュエルソン条件

$$MRS_A + MRS_B = MRT$$

<ポイント>
① MRS$_A$とMRS$_B$は個人Aと個人Bの公共財の限界代替率であり、限界効用の比（MU$_Z$/MU$_X$）で求めます。
② 上の等式を満たせばパレート最適が実現します。
③ MRTは限界変形率であり、生産可能性フロンティアの傾きで表せます。

公共財の最適供給条件を私的財と公共財の2財モデルに拡張した条件があります。これは各人の限界代替率の合計が公共財の限界変形率に等しいときにパレート最適が実現するというものでサミュエルソン条件とよばれます。

実践 問題 **132** 基本レベル

頻出度	地上★★	国家一般職★	特別区★
	裁判所職員★	国税・財務・労基★	国家総合職★★

問 100人から成る社会において、ある公共財に対する各個人の限界便益 P_i（$i=$ 1、2、…、100）は、その需要量Dに関して $P_i = 10 - 2D$ で表され、100人とも同じである。また、この公共財をSだけ供給するには、限界費用 $MC = 300S$ が必要である。この公共財の社会的に最適な供給量はいくらか。

（労基2017）

1：1
2：2
3：4
4：5
5：6

直前復習

514　LEC東京リーガルマインド　2025-2026年合格目標 公務員試験 本気で合格！過去問解きまくり！
⑬ミクロ経済学

〈公共財〉

公共財の社会的限界便益SMBは、公共財の等量消費の条件より個別限界便益の垂直和となり、

$$SMB = 100P_i = 100 \times (10 - 2D) = 1000 - 200D \quad \cdots\cdots①$$

また、題意より限界費用MCは、

$$MC = 300S \quad \cdots\cdots②$$

となり、公共財の最適供給条件はSMB＝MCであるから、①、②より、

$$1000 - 200D = 300S$$

ここでD＝S＝Qとおくと、

$$1000 - 200Q = 300Q$$

$$Q = 2$$

以上より、求める供給量は2単位であるから、正解は肢2である。

第4章
市場の失敗

正答 **2**

実践 問題 **133** 応用レベル

頻出度	地上★★	国家一般職★	特別区★
	裁判所職員★	国税・財務・労基★	国家総合職★★

問 公共財と私的財の2財が存在し、2人の消費者（n＝1、2）からなる経済において、消費者の効用関数がそれぞれ、

$$U_n = X_n \cdot Z \quad \left(\begin{array}{l} X_n：消費者 n の私的財消費量（n＝1、2）、 \\ Z：公共財供給量 \end{array} \right)$$

で表される。私的財の一部を用いて公共財が生産され、その生産関数は、

$$Z = \frac{1}{8} \cdot X \quad （Z：公共財生産量、X：私的財投入量）$$

とする。

当初、私的財の量が168であったとすると、パレート最適な公共財供給量として妥当なのはどれか。 （国 I 2000）

1：9.0

2：9.5

3：10.0

4：10.5

5：11.0

OUTPUT

実践 ▶ 問題 **133** ▶ の解説

〈公共財〉

一般均衡モデルによる公共財の最適供給問題である。易しい問題ではないが、公共財のサミュエルソン条件を与えられた効用関数、生産関数から導出することができれば解答は不可能ではない。

【限界代替率の導出】

個人1の公共財と私的財の限界効用をそれぞれMU_z、MU_{x1}とすると、

$$MU_z = X_1$$
$$MU_{x1} = Z$$

よって、個人1の公共財と私的財の限界代替率MRS_1は

$$MRS_1 = \frac{MU_z}{MU_{x1}} = \frac{X_1}{Z} \quad \cdots\cdots ①(個人1のMRS)$$

となる。個人2の公共財と私的財の限界効用MU_z、MU_{x2}は次のとおりである。

$$MU_z = X_2$$
$$MU_{x2} = Z$$

よって、個人2の公共財と私的財の限界代替率MRS_2は

$$MRS_2 = \frac{MU_z}{MU_{x2}} = \frac{X_2}{Z} \quad \cdots\cdots ②(個人2のMRS)$$

【限界変形率の導出】

次に、限界変形率MRTを求める。公共財の限界変形率とは公共財を1単位生産するときに減らさなくてはならない私的財の生産量である。本問の公共財の生産関数は、

$$Z = \frac{1}{8}X$$

であるから、公共財を1単位だけ生産するためには、私的財は8単位だけ投入する必要がある。

よって、

$$MRT = 8 \quad \cdots\cdots ③(限界変形率)$$

である。

【公共財のサミュエルソン条件】

公共財の最適供給条件はサミュエルソン条件ともいわれるが、各人の限界代替率の和が限界変形率に等しい、すなわち、

$$\underset{①}{MRS_1} + \underset{②}{MRS_2} = \underset{③}{MRT}$$

$$\frac{X_1}{Z} + \frac{X_2}{Z} = 8 \quad \Rightarrow \quad X_1 + X_2 = 8Z \quad \cdots\cdots④（最適条件）$$

である。

【予算制約の適用】

当初、私的財の量は168であるから、個人1が消費する私的財の量X_1、個人2が消費する私的財の量X_2、および、公共財の生産に使われる私的財の量$8Z$の合計は168になる必要がある。よって、

$$X_1 + X_2 + 8Z = 168 \quad \cdots\cdots⑤（予算制約）$$

上の⑤に④を代入して$X_1 + X_2$を消去すると、

$$8Z + 8Z = 168$$
$$16Z = 168$$
$$Z = 10.5$$

よって、正解は肢4である。

正答 **4**

memo

実践 問題 134 〈応用レベル〉

頻出度	地上★★	国家一般職★	特別区★
	裁判所職員★	国税・財務・労基★	国家総合職★★

問 消費者Aと消費者Bの二人の消費者、そして私的財Xと公共財Yの二つの財から成る経済を考える。消費者AによるX財の消費量をx_A、消費者BによるX財の消費量をx_B、公共財の消費量をyとし、また、消費者A、Bの効用水準を、それぞれ、u_A、u_Bとすると、

$$u_A = x_A\sqrt{y} \qquad u_B = x_B\sqrt{y}$$

で示される。また、当初、経済には消費者Aと消費者Bの私的財だけが合計36存在し、以下の関数に基づき、公共財が私的財から生産される。

$$y = \frac{1}{3}x \quad (x：私的財の総使用量)$$

一方、この経済の社会厚生関数wは、

$$w = u_A \times u_B$$

である。wを最大化するような(x_A, y)の組合せとして妥当なのはどれか。

(国家一般職2021)

1：$(x_A, y) = (6, 4)$
2：$(x_A, y) = (6, 6)$
3：$(x_A, y) = (6, 8)$
4：$(x_A, y) = (12, 4)$
5：$(x_A, y) = (12, 6)$

OUTPUT

実践 ▶ 問題 **134** の解説

〈公共財〉

　本問は、公共財と私的財の2財モデルであり、公共財の供給量を考える問題であることから、公共財の最適供給量を決定するサミュエルソン条件、

　　消費者Aの限界代替率（MRS$_A$）＋消費者Bの限界代替率（MRS$_B$）

　　＝2財の限界変形率（MRT）

を活用する。そこでまず、MRS$_A$、MRS$_B$、MRTを求める。

　消費者Aの効用関数：$u_A = x_A\sqrt{y} = x_A \cdot y^{0.5}$より、

　　消費者AのX財に対する限界効用：$MU_{XA} = \dfrac{\Delta u_A}{\Delta x_A} = y^{0.5}$

　　消費者AのY財に対する限界効用：$MU_{YA} = \dfrac{\Delta u_A}{\Delta y} = 0.5 x_A \cdot y^{-0.5}$

　　$\therefore$消費者Aの限界代替率：$MRS_A = \dfrac{MU_{YA}}{MU_{XA}} = \dfrac{0.5 x_A y^{-0.5}}{y^{0.5}} = \dfrac{0.5 x_A}{y}$　……①

　同様に、消費者Bの効用関数：$u_B = x_B\sqrt{y} = x_B \cdot y^{0.5}$より、

　　消費者BのX財に対する限界効用：$MU_{XB} = \dfrac{\Delta u_B}{\Delta x_B} = y^{0.5}$

　　消費者BのY財に対する限界効用：$MU_{YB} = \dfrac{\Delta u_B}{\Delta y_B} = 0.5 x_B \cdot y^{-0.5}$

　　$\therefore$消費者Bの限界代替率：$MRS_B = \dfrac{MU_{YB}}{MU_{XB}} = \dfrac{0.5 x_B y^{-0.5}}{y^{0.5}} = \dfrac{0.5 x_B}{y}$　……②

　限界変形率（MRT）は、問題文中の$y = \dfrac{1}{3}x$という式から私的財Xを3単位用いて公共財Yを1単位生産できるので、　$MRT = 3$　……③　とわかる。

　以上の、①〜③式をサミュエルソン条件の式（$MRS_A + MRS_B = MRT$）に代入して、

　　$\dfrac{0.5 x_A}{y} + \dfrac{0.5 x_B}{y} = 3$　$\Rightarrow$　$0.5 x_A + 0.5 x_B = 3y$

　　$\Rightarrow x_A + x_B = 6y$　……④

　次に、総量として私的財が36なので、Aにとってのx_A、Bにとってのx_B、公共財の生産のために使用される量xすなわち3yの合計が36になっていることから、

　　$x_A + x_B + 3y = 36$　……⑤

と求められる。そこで、④式を⑤式に代入して、

第4章　市場の失敗

$6 y + 3 y = 36 \quad \Rightarrow \quad y = 4 \quad \cdots\cdots ⑥$

⑥式を⑤式に代入して、 $x_A + x_B + 12 = 36$

$\therefore x_A + x_B = 24 \quad \Rightarrow \quad x_B = 24 - x_A \quad \cdots\cdots ⑦$

これらの結果を用いて、社会厚生関数wは、

$w = u_A \cdot u_B = x_A \sqrt{y} \cdot x_B \sqrt{y} = x_A \cdot x_B \cdot y = 4 x_A \cdot x_B \quad （⑥式より）$

$\quad = 4 x_A \cdot (24 - x_A) \quad （⑦式より）$

$\quad = 96 x_A - 4 x_A{}^2$

と求められる。

したがって、wを最大化するときのx_Aは、wをx_Aで微分してゼロとおくと、

$$\frac{\Delta w}{\Delta x_A} = 96 - 8 x_A = 0 \quad \Rightarrow \quad x_A = 12 \quad \cdots\cdots ⑧$$

となる。以上の⑥、⑧式の結果より、wを最大化するような(x_A, y)は$(x_A, y) = (12, 4)$である。

よって、正解は肢4である。

【別解】

社会厚生関数wは、

$w = u_A \cdot u_B = x_A \sqrt{y} \cdot x_B \sqrt{y} = x_A \cdot x_B \cdot y \quad \cdots\cdots ⑨$

と変形できることから、この⑨式を用いて各肢の数値を利用しながらwがどの肢で最大になるかを計算することで、正解を判断することができる。

◎肢1…$y = 4$であることから$x = 12$とわかり、残りの私的財の量が24である。すなわち、$x_A + x_B = 24$であることから、本肢の$x_A = 6$より$x_B = 18$とわかる。

$\quad \therefore ⑨式より、w = x_A \cdot x_B \cdot y = 6 \cdot 18 \cdot 4 = 432$

◎肢2…$y = 6$であることから$x = 18$とわかり、残りの私的財の量が18である。すなわち、$x_A + x_B = 18$であることから、本肢の$x_A = 6$より$x_B = 12$とわかる。

$\quad \therefore ⑨式より、w = x_A \cdot x_B \cdot y = 6 \cdot 12 \cdot 6 = 432$

◎肢3…$y = 8$であることから$x = 24$とわかり、残りの私的財の量が12である。すなわち、$x_A + x_B = 12$であることから、本肢の$x_A = 6$より$x_B = 6$とわかる。

$\quad \therefore ⑨式より、w = x_A \cdot x_B \cdot y = 6 \cdot 6 \cdot 8 = 288$

◎肢4…y = 4であることからx = 12とわかり、残りの私的財の量が24である。す
　　なわち、$x_A + x_B = 24$であることから、本肢の$x_A = 12$より$x_B = 12$とわ
　　かる。

　　　　　∴⑨式より、$w = x_A \cdot x_B \cdot y = 12 \cdot 12 \cdot 4 = 576$

◎肢5…y = 6であることからx = 18とわかり、残りの私的財の量が18である。す
　　なわち、$x_A + x_B = 18$であることから、本肢の$x_A = 12$より$x_B = 6$とわ
　　かる。

　　　　　∴⑨式より、$w = x_A \cdot x_B \cdot y = 12 \cdot 6 \cdot 6 = 432$

以上より、wが最大になっているのは肢4なので、正解は肢4とわかる。

第4章　市場の失敗

正答 **4**

問 個人Ａと個人Ｂの２人で構成され、私的財と公共財が１種類ずつ存在している経済がある。この経済の初期時点において、個人Ａは私的財を10単位、個人Ｂは私的財を30単位だけ保有しているが、公共財は存在せず、ｙ単位（ｙ≧０）の公共財を供給するためには、ｙ単位の私的財を投入しなければならない。

　また、効用関数は個人Ａ、Ｂともに

　　U（x，y）＝x y（x：私的財の消費量、x≧０、y：公共財の消費量、y≧０）

とし、私的財の価格は１に固定する。この場合、この経済のリンダール均衡における公共財の生産量についての記述として最も適当なのはどれか。

(裁判所職員2009)

1：個人Ａは10単位の私的財を、個人Ｂは30単位の私的財を、それぞれ投入し、40単位の公共財が生産される。

2：個人Ａ、Ｂともに10単位の私的財を投入し、20単位の公共財が生産される。

3：個人Ａ、Ｂともに５単位の私的財を投入し、10単位の公共財が生産される。

4：個人Ａは10単位の私的財を、個人Ｂは15単位の私的財を、それぞれ投入し、25単位の公共財が生産される。

5：個人Ａは５単位の私的財を、個人Ｂは15単位の私的財を、それぞれ投入し、20単位の公共財が生産される。

OUTPUT

実践 ▶ **問題 135** の解説

〈リンダール均衡〉

公共財生産の費用負担割合を個人Aはa、個人Bは$(1-a)$とする。ただし、$0 < a < 1$とする。問題文より、公共財をy単位生産するにはy単位の私的財が必要だから、個人Aの費用負担額は私的財ay単位であり、個人Bの費用負担額は私的財$(1-a)y$単位である。

個人A、Bの私的財消費量はそれぞれ、

$$x_A = 10 - ay \quad \cdots\cdots ①$$

$$x_B = 30 - (1-a)y \quad \cdots\cdots ②$$

となる。公共財の等量消費可能性より、両者の公共財消費量が共通のy単位であることに注意して、個人Aの効用関数に①を代入し、個人Bの効用関数に②を代入すると、以下を得る。

$$U_A = x_A y = (10 - ay)y = 10y - ay^2 \quad \cdots\cdots ③$$

$$U_B = x_B y = \{30 - (1-a)y\}y = 30y - (1-a)y^2 \quad \cdots\cdots ④$$

ここで、効用最大化条件より、③をyで微分してゼロとおくと、

$$\frac{\Delta U_A}{\Delta y} = 10 - 2ay = 0 \quad \Rightarrow \quad y = \frac{5}{a} \quad \cdots\cdots ⑤$$

となる。同様に、④をyで微分してゼロとおくと、

$$\frac{\Delta U_B}{\Delta y} = 30 - 2(1-a)y = 0 \quad \Rightarrow \quad y = \frac{15}{1-a} \quad \cdots\cdots ⑥$$

となる。公共財の等量消費可能性より、両者の公共財消費量が共通のy単位であるから、⑤＝⑥である。すなわち、

$$\frac{5}{a} = \frac{15}{1-a} \quad \Rightarrow \quad a = \frac{1}{4} \quad \cdots\cdots ⑦$$

となる。⑦を⑤に代入すると、公共財生産量yは、

$$y = 20 \quad \cdots\cdots ⑧$$

となる。⑦、⑧をayおよび$(1-a)y$に代入すると、

個人Aの私的財投入量 $= ay = \dfrac{1}{4} \times 20 = 5$

個人Bの私的財投入量 $= (1-a)y = \left(1 - \dfrac{1}{4}\right) \times 20 = 15$

よって、正解は肢5である。

正答 5

第4章 市場の失敗

必修
問題 **セクションテーマを代表する問題に挑戦!**

外部効果の問題は、社会全体の厚生を意識しながら取り組みましょう。

問 下の図は、縦軸に価格を、横軸に数量をとり、完全競争市場において企業が外部不経済を発生させているときの需要曲線をD、私的限界費用曲線をPMC、社会的限界費用曲線をSMCで表したものである。この図において、社会全体の厚生損失を表す部分及び政府が市場の失敗を補正するためにピグー的課税を行い、パレート最適を実現した場合における生産量の組合せとして、妥当なのはどれか。 (特別区2008)

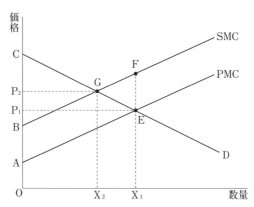

	厚生損失	生産量
1 :	P_1AE	OX_1
2 :	CP_2G	OX_1
3 :	CP_2G	OX_2
4 :	GEF	OX_1
5 :	GEF	OX_2

必修問題の解説

〈外部効果〉

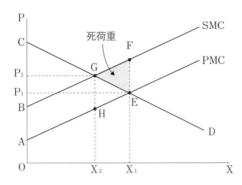

　社会的に最適な均衡はSMC曲線と需要曲線Dの交点G点であり、社会的に最適な生産量はX_2、価格はP_2となる。このとき、総余剰は△CGBの面積に等しくなり総余剰は最大化されている(パレート最適)。この段階で、パレート最適な生産量はOX_2であるから、肢3および肢5に絞り込める。

　外部不経済を発生させている企業は、PMCに基づいて利潤最大化行動をするから、このとき、市場供給曲線はPMC曲線となり、市場均衡はPMC曲線と需要曲線Dとの交点Eになる。生産量はX_1、価格はP_1となる。

　市場均衡点Eにおいて余剰分析を行うと、

　　消費者余剰：△CEP_1
　　生産者余剰：△P_1EA
　　外部費用　：□BFEA
　　社会的余剰：△CEP_1＋△P_1EA－□BFEA
　　　　　　　　＝△CGB－△GEF

となる。したがって、死荷重(厚生損失)は、△GEFである。

　よって、正解は肢5である。

　実際には、PMC曲線とSMC曲線の垂直差に等しい限界外部費用が発生している。政府は、限界外部費用に等しい従量税を外部不経済発生主体に課税する。これがピグー税である。ピグー税によってPMC曲線をSMC曲線の位置に引き上げて、パレート最適を実現することができる。このときの市場均衡点はG点で、生産量はOX_2となる。

正答 **5**

① 外部効果

ある人(または企業)の経済活動が別の人(または企業)の経済活動に影響を与えることを**外部効果**といいます。これは、正の(良い)外部効果(**外部経済**)と負の(悪い)外部効果(**外部不経済**)に分けられます。また、外部効果は市場を通じた外部効果(**金銭的外部効果**)と市場を通さない外部効果(**技術的外部効果**)という分類もできます。ここでは、技術的外部効果についてみていきます。

> **補足** 通常は外部効果といえば技術的外部効果のことであり、いちいち「技術的」と書かれていないことが多いです。

さて、外部効果を考えるにあたって、企業が考慮する限界費用(私的限界費用：PMC)と社会全体の限界費用(社会的限界費用：SMC)という用語はぜひ覚えておいてください。外部不経済が発生しているとき、

　　SMC＝PMC＋限界外部費用

また、外部経済が発生しているとき、

　　SMC＝PMC−限界外部便益

という関係になります。

公害や騒音などの外部不経済が生じているとき、健康が害されたり、環境が悪化したりといった社会的費用が発生しますが、企業の生産費用(私的費用)にはこれらの社会的費用は含まれていません。よって、社会的限界費用SMC＞私的限界費用PMCとなります(下図)。

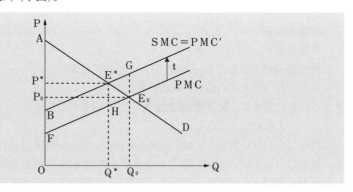

市場均衡での生産量Q_0(価格P_0)

　消費者余剰：△AE_0P_0

　生産者余剰：△P_0E_0F

　外部費用　：□BGE_0F

社会的余剰：$\triangle AE_0P_0 + \triangle P_0E_0F - \Box BGE_0F = \triangle AE^*B - \triangle GE^*E_0$

外部不経済があるときは市場の失敗が生じるので、このとき政府は、財1単位につきtだけの税金(ピグー税)を課すことで社会的余剰を高めます。その結果、

消費者余剰：$\triangle AE^*P^*$

生産者余剰：$\triangle P^*E^*B$

外部費用　：$\Box BE^*HF$

政府の税収：$\Box BE^*HF$

社会的余剰：$\triangle AE^*P^* + \triangle P^*E^*B + \Box BE^*HF - \Box BE^*HF = \triangle AE^*B$

となり、最適な資源配分を達成することができます。

補足　外部不経済に限らず、(技術的)外部効果があるときは市場の失敗が生じるので、政府は「ピグー的政策」を行う(課税や補助金で経済厚生(社会的余剰)を高める)ことで、市場に介入します。

コースの定理　外部効果が生じた場合、**当事者間での自主交渉に費用がかからない限り、加害者側あるいは被害者側が適切に補償を行う**ことで効率的な資源配分が達成されます。これをコースの定理といいます。

実践 問題 **136** ＜基本レベル＞

頻出度	地上★★　　国家一般職★★　　特別区★★ 裁判所職員★★　　国税・財務・労基★　　国家総合職★★

問 下の図は、ある財の完全競争市場において企業が負の外部性を発生させている状況を表したものである。縦軸は財の価格、横軸は数量、Dはこの財に対する市場需要曲線、PMCは私的限界費用曲線、SMCは社会的限界費用曲線である。また、PMCとSMCはいずれも直線であり互いに平行であるとする。この場合の記述として、最も妥当なものはどれか。　　　　（裁判所職員2022）

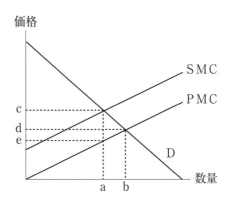

1：政府の介入がない場合の完全競争均衡における生産量はaである。政府はc、eの差に等しい額の従量税を企業に課すことにより、生産者余剰を増加させることができる。

2：政府の介入がない場合の完全競争均衡における生産量はbである。政府はc、eの差に等しい額の従量税を企業に課すことにより、社会的余剰を増加させることができる。

3：政府の介入がない場合の完全競争均衡における価格はcである。生産量をaからbに引き上げる政策により、消費者余剰と社会的余剰をともに増加させることができる。

4：政府の介入がない場合の完全競争均衡における価格はdである。政府はc、eの差に等しい額の従量補助金を企業に与えることにより、社会的余剰を増加させることができる。

5：政府の介入がない場合の完全競争均衡はDとPMCの交点である。完全競争均衡の性質により、図に示された市場に対するいかなる介入も社会的余剰を増加させることはできない。

OUTPUT

実践 ▶ 問題 **136** ◆ の解説 ─────────────

〈外部効果〉

1× 政府の介入がない場合の生産量は、需要曲線Dと私的限界費用曲線PMCの交点に対応するbとなる。また、政府がc、eの差に等しい従量税を課すと、生産量が減少してaとなり、生産者余剰は減少する。

2○ 本肢の記述のとおりである。政府の介入がない場合の均衡における生産量は、私的限界費用曲線PMCと需要曲線Dの交点に対応するbである。ここで、政府が1単位あたりの負の外部性と等しくなるようにc、eの差に等しい額の従量税を企業に課すと、負の外部性による費用が企業の負担となり、社会的限界費用SMCと需要曲線Dの交点に均衡点を移動させることができる。このとき社会的余剰が最大となる。よって、この課税政策により社会的余剰を増加させることができる。

3× 政府の介入がない場合の均衡における価格はcではなく、需要曲線Dと私的限界費用曲線PMCの交点に対応するdとなる。また、生産量がaのときに社会的余剰が最大となるので、生産量をaからbに引き上げる政策では社会的余剰を増加させることはできない。

4× 政府の介入がない場合の完全競争均衡における価格は、需要曲線Dと私的限界費用曲線PMCの交点に対応するdとなることは正しい。このとき、政府がc、eの差に等しい額の減産補助金(生産量を減少させるともらえる補助金)を企業に与えることによって、生産量を減少させることができ、社会的余剰が増加する。しかし、本肢の記述にある従量補助金では、通常、生産量に従って補助金を支給することとなるから、これによって社会的余剰を増加させることができるとの記述は妥当ではない。

5× 政府の介入がない場合の均衡が、需要曲線Dと私的限界費用曲線PMCの交点であることは正しい。しかし、本問においては負の外部性が発生しているため、政府の介入がない場合の生産量は過剰となっており、政策によって需要曲線Dと社会的限界費用曲線SMCの交点で均衡するようにすることによって、社会的余剰を増加させることができる。

第4章 市場の失敗

正答 **2**

実践 問題 **137** 〈 応用レベル 〉

問 完全競争市場の下で、ある産業における市場全体の私的総費用関数が、

　　　ＰＴＣ＝2q^2＋10　（ＰＴＣ：私的総費用の大きさ、q：財の生産量）

で表されるものとする。

　この財を生産するに当たって、外部不経済が存在し、

　　　Ｃ＝q^2　（Ｃ：外部不経済による費用）

の費用が追加的に生じるとする。

　一方、この市場の需要関数が、

　　　$q = -\dfrac{1}{2}p + 48$　（p：財の価格）

で表されるものとする。

　いま、政府が、社会的余剰を最大化するために、この産業に対し生産物1単位当たりの課税を行った。この場合の税収の大きさはいくらか。

（国家一般職2016）

1：144

2：192

3：256

4：288

5：384

 **実践** 問題 **137** の解説

〈外部不経済〉

　本問における外部費用関数 $C = q^2$ では限界外部費用が一定でなく逓増する。このような逓増的な外部費用関数のもとでは私的限界費用曲線PMCと社会的限界費用曲線SMCは平行にならず、生産量が増大するにつれて私的限界費用PMCと社会的限界費用SMCの乖離幅は拡大していく。

　しかし、平行でない場合でも、社会的に最適な生産量は需要曲線Dと社会的限界費用曲線SMCの交点であるE点で決定されることにかわりはない。

　E点をピグー的課税として従量税（1単位あたり t 円）で達成する場合には、元のPMCを従量税によりE点を通るように上方に平行シフトさせて「課税後のPMCの位置」にすることで課税後にE点、つまり総余剰の最大化が達成される。

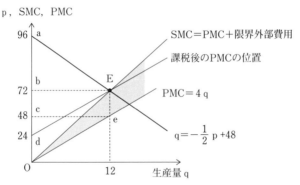

　私的総費用関数 $PTC = 2q^2 + 10$ を q で微分して、私的限界費用PMCを導出すると、

$$\frac{\Delta PTC}{\Delta q} = 4q = PMC \quad \cdots\cdots ①$$

である。外部費用は、

$$C = q^2$$

である。上のCをqで微分することで、限界外部費用が

$$\frac{\Delta C}{\Delta q} = 2q \quad （限界外部費用）$$

と得られる（図の色つきの領域の高さが限界外部費用を表す）。

　社会的限界費用SMCは私的限界費用①と限界外部費用の合計であるから、

第4章 市場の失敗

$$SMC = PMC + 限界外部費用$$
→ $SMC = 4q + 2q$
→ $SMC = 6q$

となる。社会的余剰を最大化する点(図のE点)では、社会的限界費用SMCと価格pが等しい。つまり、

$$p = SMC$$
→ $p = 6q$ ……②

が成立する。

②を需要関数に代入して、pを消去すると、

$$q = -\frac{1}{2} \times 6q + 48$$
→ $q = -3q + 48$
→ $4q = 48$
→ $q = 12$

となる。よって、E点の生産量は、

$$q = 12$$

である。この $q = 12$ におけるPMCとSMCの差は、

$$PMC = 4 \times 12 = 48 \quad ……③$$
$$SMC = 6 \times 12 = 72 \quad ……④$$
→ $72 - 48 = 24$

より、24(図のEeの大きさが24ということ)となる。

よって、1単位あたり24の従量税を課すと図のPMCが24だけ上方にシフトして、E点が実現する。税収は1単位あたり課税額×生産量である。図では、□OdEeである。面積を計算すると、

$$税収 = 24 \times 12 = 288$$

を得る。

よって、正解は肢4である。

なお、本問において発生する外部不経済の総額は△OeEである。

正答 4

memo

実践 問題 **138** 〈応用レベル〉

頻出度	地上★★	国家一般職★★	特別区★
	裁判所職員★★	国税·財務·労基★	国家総合職★★

問 ある企業はX財を価格100の下で生産しており、その企業の費用関数は以下のように示される。

$$C(x) = 2x^2 \quad (C(x):総費用、\ x:X財の生産量)$$

また、この企業はX財を1単位生産するごとに、社会に環境被害として60だけの損害額を生じさせるものとする。

このとき、社会の総余剰を最大にする生産量 x_1 と、企業の利潤を最大にする生産量 x_2 の組合せ $(x_1,\ x_2)$ として妥当なのはどれか。 （国家一般職2019）

1 : $(x_1,\ x_2) = (8,\ 20)$
2 : $(x_1,\ x_2) = (8,\ 25)$
3 : $(x_1,\ x_2) = (10,\ 20)$
4 : $(x_1,\ x_2) = (10,\ 25)$
5 : $(x_1,\ x_2) = (12,\ 20)$

実践 問題 **138** の解説 —

〈外部効果〉

　企業はX財を所与の価格100のもとで生産していることから、完全競争市場における生産活動を行っている。したがって、企業の利潤を最大にする生産量 x_2 は、利潤最大化条件「価格P＝限界費用MC」より求めることができる。なお、本問では、環境被害を起こしていることより外部不経済が発生している。そのため、企業の利潤最大化条件における限界費用MCは、私的限界費用PMCと考えることができ、

$$MC = PMC = \frac{\Delta C(x)}{\Delta x} = 4x$$

であることから、利潤最大化条件「価格P＝限界費用MC」より、

　　$100 = 4x_2$

　　$x_2 = 25$（下図の点E）

となる。

　次に、社会の総余剰を最大にする生産量 x_1 は、外部不経済を考慮した「価格P＝社会的限界費用SMC」より求めることができる。社会的限界費用SMCは、私的限界費用PMCと限界外部費用（生産量1単位ごとの環境被害額）との和であるため、

　　社会的限界費用SMC＝私的限界費用PMC＋限界外部費用60

　　　　　　　　　　　＝ $4x + 60$

であることから、「価格P＝社会的限界費用SMC」より、

　　$100 = 4x_1 + 60$

　　$x_1 = 10$（下図の点E′）

となる。

　以上より、正解は肢4である。

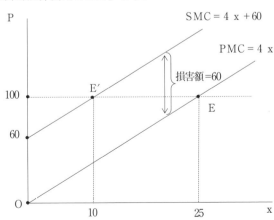

正答 **4**

実践 問題 **139** 〈 応用レベル 〉

頻出度	地上★★	国家一般職★	特別区★
	裁判所職員★	国税・財務・労基★	国家総合職★★

問 ある地域の企業Ａと企業Ｂが生産に伴い、同じ汚染物質を排出している。汚染物質の排出量は、企業Ａは70ｔ、企業Ｂは110ｔの合計180ｔである。政府は、現状から汚染物質の排出を80ｔ抑えて、両企業合計で100ｔまで削減する。両企業の排出削減にかかる費用は次の通りである。

$$C_A = X_A{}^2 + 70X_A 、 C_B = 2X_B{}^2 + 50X_B$$

$$\left(\begin{array}{l} C_i : 企業iの排出削減費用 \quad (i = A、B) \\ X_i : 企業iの排出削減量 \quad (i = A、B) \end{array} \right)$$

政府は、両企業にそれぞれ汚染物質について50ｔの排出権を与えた上で、両企業間で汚染物質を排出する権利を自由に売買できるようにした。このときの企業Ａの汚染物質の削減量はいくつか。なお、両企業はプライステイカーとして行動し、削減にかかる費用を最小限に抑えるよう行動する。 （地上2018）

1：20ｔ

2：30ｔ

3：40ｔ

4：50ｔ

5：60ｔ

OUTPUT

実践 ▶ 問題 **139** ▶ の解説 ─────────────────

〈外部効果〉

まず、問題文より、企業A、Bで合わせて汚染物質の排出を80 t 抑えるので、その排出削減量の合計は、

$$X_A + X_B = 80 \qquad \cdots\cdots ①$$

となる。また、政府から両企業は汚染物質について50 t の排出権が与えられているが、両企業間で汚染物質を排出する権利を自由に売買できるので、排出削減後の排出量が50未満の場合は、排出権を売却したと解釈できる。

ここで、両企業の排出削減にかかる費用が、

$$C_A = X_A{}^2 + 70 X_A \qquad \cdots\cdots ②$$
$$C_B = 2 X_B{}^2 + 50 X_B \qquad \cdots\cdots ③$$

であり、削減にかかる費用を最小限に抑えるには、両企業の限界費用が等しくなければならないので(限界費用均等化原理)、②式、③式を微分して、両企業の限界費用を求める。

$$MC_A = 2 X_A + 70 \qquad \cdots\cdots ④$$
$$MC_B = 4 X_B + 50 \qquad \cdots\cdots ⑤$$

ここで、$MC_A = MC_B$(④＝⑤)なので

$$2 X_A + 70 = 4 X_B + 50 \qquad \cdots\cdots ⑥$$

となり、①式と⑥式を連立させて解くことで、両企業が排出削減費用を最小限に抑えた場合の両企業の排出削減量が求められるので、⑥式と①式を連立して解くと、

$$X_A = 50, \quad X_B = 30$$

を得る。

よって、正解は肢4である。

正答 **4**

実践 問題 **140** 〈応用レベル〉

頻出度	地上★★	国家一般職★★	特別区★
	裁判所職員★	国税·財務·労基★★	国家総合職★★

問 生産の外部不経済が存在する経済において、企業Aと企業Bの費用関数が次のように表されているものとする。

$$C_A = X_A^2 + 30X_A$$
$$C_B = X_B^2 + X_A \cdot X_B$$

（C_A：企業Aの総費用、X_A：企業Aの生産量
C_B：企業Bの総費用、X_B：企業Bの生産量）

　また、企業Aの生産する財の価格は80、企業Bの生産する財の価格は70で、一定であるとする。

　このとき、各企業がそれぞれ、相手企業の生産量を所与として利潤最大化を行っている状態から、両企業の利潤の合計が最大化されている状態に移行するために、企業Aが減らさなければならない生産量として、妥当なのはどれか。

(特別区2023)

1：10
2：15
3：20
4：25
5：30

OUTPUT

実践 問題 **140** の解説 ────────────

〈外部効果〉

まず、企業AとBの利潤式を求める。企業Aの利潤をπ_A、企業Bの利潤をπ_B、企業Aの総収入をTR_A、企業Bの総収入をTR_B、企業Aが生産する財価格を$P_A=80$、企業Bが生産する財価格を$P_B=70$とおき、問題文の費用関数のC_A、C_Bを踏まえると、企業Aおよび Bの利潤式は以下のようになる。

$$\pi_A = TR_A - C_A = P_A \cdot X_A - C_A = 80X_A - (X_A{}^2 + 30X_A) = 50X_A - X_A{}^2$$
……①

$$\pi_B = TR_B - C_B = P_B \cdot X_B - C_B = 70X_B - (X_B{}^2 + X_A X_B) = 70X_B - X_B{}^2 - X_A X_B$$ ……②

(Ⅰ) **各企業が相手企業の生産量を所与として利潤最大化を行う状態のケース**

各企業が利潤最大化を行うので、π_A、π_BをそれぞれX_A、X_Bで微分してゼロとおいて、連立させて解けばよい。①式、②式より、

$$\begin{cases} \dfrac{\Delta \pi_A}{\Delta x_A} = 50 - 2X_A = 0 \quad \Rightarrow \quad X_A = 25 \quad \text{……③} \\[3mm] \dfrac{\Delta \pi_B}{\Delta x_B} = 70 - 2X_B - X_A = 0 \quad \Rightarrow \quad \text{③式を代入して、} 70 - 2X_B - 25 = 0 \end{cases}$$

$$\Rightarrow \quad X_B = \frac{45}{2}$$

(Ⅱ) **両企業の利潤の合計が最大化されている状態のケース**

2つの企業が合計利潤πを最大化するので、合計利潤πは①、②式から以下のように求められる。

$$\pi = \pi_A + \pi_B = (50X_A - X_A{}^2) + (70X_B - X_B{}^2 - X_A X_B)$$
$$\pi = -X_A{}^2 - X_B{}^2 + 50X_A + 70X_B - X_A X_B$$

そこで、この合計利潤πを最大化させるのだから、合計利潤πをX_A、X_Bでそれぞれ微分してゼロとおいて、連立させて解けばよい。

$$\begin{cases} \dfrac{\Delta \pi}{\Delta x_A} = 50 - 2X_A - X_B = 0 \\[3mm] \dfrac{\Delta \pi}{\Delta x_B} = 70 - 2X_B - X_A = 0 \end{cases}$$

上記式を連立させて解くと、以下のようになる。

$$X_A = 10 \quad \text{……④}$$
$$X_B = 30$$

以上の③と④の結果から、(Ⅰ)から(Ⅱ)の状態へと移行するために企業Aが減らさなければならない生産量は、

$$25 - 10 = 15$$

とわかり、正解は肢2である。

正答 2

第4章 市場の失敗

実践 問題 **141** ◁ 応用レベル ▷

頻出度	地上★★	国家一般職★★	特別区★
	裁判所職員★	国税・財務・労基★	国家総合職★★

問 X財を生産する企業1とY財を生産する企業2の間には外部性が存在し、企業1の生産活動が企業2に外部不経済を与えているとする。二つの企業の費用関数がそれぞれ以下のように示される。

$$c_1 = x^2 \quad \left(\begin{array}{l} c_1：企業1の総費用、\ x：企業1のX財の生産量 \end{array} \right.$$
$$c_2 = y^2 + xy \quad \left. \begin{array}{l} c_2：企業2の総費用、\ y：企業2のY財の生産量 \end{array} \right)$$

　いま、X財とY財の市場価格はそれぞれ40と50であり、一定であるものとする。このとき、合理的で利潤を最大化する二企業間で外部不経済に関して交渉が行われないときの二企業の利潤の合計の大きさと、二企業間で外部不経済に関して交渉が行われ、二企業の利潤の合計を最大化するときの二企業の利潤の合計の大きさの差はいくらか。

　ただし、交渉が行われる場合において、交渉のための取引費用は一切かからないものとする。

(国家一般職2019)

1 : 75

2 : 90

3 : 105

4 : 120

5 : 135

OUTPUT

実践 ▶ 問題 **141** ▶ の解説 ─────────────

〈外部効果〉

　本問は、外部性について言及されているが、市場の失敗についての問題ではなく、利潤最大化問題として考える。

　企業1の費用関数 $c_1 = x^2$、企業2の費用関数 $c_2 = y^2 + xy$、X財の価格 $P_x = 40$、Y財の価格 $P_y = 50$ を用いて、企業1と企業2の利潤関数を導出する。各企業の利潤は、各企業の総収入から各企業の費用を引いたものであるため、

$$\begin{aligned}
\text{企業1の利潤 } \pi_1 &= \text{企業1の総収入 } TR_1 - c_1 \\
&= P_x \cdot x - x^2 \\
&= 40x - x^2 \quad \cdots\cdots ①
\end{aligned}$$

$$\begin{aligned}
\text{企業2の利潤 } \pi_2 &= \text{企業2の総収入 } TR_2 - c_2 \\
&= P_y \cdot y - (y^2 + xy) \\
&= 50y - y^2 - xy \quad \cdots\cdots ②
\end{aligned}$$

となる。

【交渉が行われないケース】

　各企業が利潤最大化を行うので、π_1、π_2 をそれぞれ x、y で微分してゼロとおけば各企業の利潤の大きさを求めることができる。①、②式より、

$$\begin{cases}
\dfrac{\Delta \pi_1}{\Delta x} = 40 - 2x = 0 & \Rightarrow x = 20 \quad \cdots\cdots ③ \\[2mm]
\dfrac{\Delta \pi_2}{\Delta y} = 50 - 2y - x = 0 & \Rightarrow (③を代入)50 - 2y - 20 = 0 \quad \Rightarrow y = 15 \quad \cdots\cdots ④
\end{cases}$$

とX財の生産量とY財の生産量を求めることができる。③、④を①、②に代入し各企業の利潤を求めると、

$$\begin{aligned}
\pi_1 &= 40x - x^2 \\
&= 40 \cdot 20 - 20^2 \\
&= 800 - 400 \\
&= 400
\end{aligned}$$

$$\begin{aligned}
\pi_2 &= 50y - y^2 - xy \\
&= 50 \cdot 15 - 15^2 - 20 \cdot 15 \\
&= 225
\end{aligned}$$

となる。したがって、2つの企業の利潤の合計 π は、

$$\pi = \pi_1 + \pi_2$$

第4章　市場の失敗

$$= 400 + 225$$
$$= 625 \quad \cdots\cdots ⑤$$

となる。

【交渉が行われるケース】

二企業の利潤の合計 π は、①、②式より、

$$\pi = \pi_1 + \pi_2$$
$$= 40\,x - x^2 + 50\,y - y^2 - x\,y \quad \cdots\cdots ⑥$$

と求められる。ここで交渉の結果、二企業の利潤の合計を最大化するためには、π を x、y のそれぞれで微分してゼロとおけば、二企業の利潤の合計の大きさを最大化する x、y を求めることができる。⑥式より、

$$\begin{cases} \dfrac{\Delta \pi}{\Delta x} = 40 - 2\,x - y = 0 \\[2mm] \dfrac{\Delta \pi}{\Delta y} = 50 - 2\,y - x = 0 \end{cases}$$

$$\therefore x = 10, \quad y = 20$$

となる。これを⑥式に代入すると、二企業の利潤の合計 π は、

$$\pi = 40\,x - x^2 + 50\,y - y^2 - x\,y$$
$$= 40 \cdot 10 - 10^2 + 50 \cdot 20 - 20^2 - 10 \cdot 20$$
$$= 700 \quad \cdots\cdots ⑦$$

となる。

以上より各ケースの利潤の合計の大きさの差は、⑤、⑦から、

$$700 - 625 = 75$$

となるため、正解は肢1である。

正答 **1**

memo

実践 問題 **142** 応用レベル

頻出度	地上★★	国家一般職★★	特別区★
	裁判所職員★	国税・財務・労基★	国家総合職★★

問 Ｘ財を生産する企業Ａが、Ｙ財を生産する企業Ｂに外部不経済を与えており、企業Ｂの費用関数は企業Ａの生産量に影響を受けているとする。企業Ａの費用関数 C_A と企業Ｂの費用関数 C_B は以下のように与えられる。

$$C_A(x) = 3x^2$$
$$C_B(y) = y^2 + 2xy$$

（ ｘ：企業Ａの生産量、 ｙ：企業Ｂの生産量）

また、Ｘ財の価格は120、Ｙ財の価格は80で、常に一定であるとする。

いま、二企業間で外部性に関して交渉が行われ、二企業の利潤の和を最大にするときの企業Ａの生産量を x^*、企業Ｂの生産量を y^* とする。外部不経済を抑制したい政府が x^*、y^* を実現するために企業Ａに対して ｔ の従量課税を行うとき、 ｔ の値として最も妥当なのはどれか。ただし、課税後において各企業は個別に利潤最大化を図るものとする。

（財務・労基2024）

1：10
2：20
3：40
4：60
5：80

OUTPUT

実践 ▶ 問題 **142** の解説

〈外部効果〉

企業Aの費用関数$C_A = 3x^2$、企業Bの費用関数$C_B = y^2 + 2xy$、X財の価格120、Y財の価格80を用いて、企業1と企業2の利潤関数を導出する。

各企業の利潤は、各企業の総収入から各企業の費用を引いたものであるため、

企業Aの利潤$\pi_A = TR_A - C_A = 120x - 3x^2$ ……①

企業Bの利潤$\pi_B = TR_B - C_B = 80y - (y^2 + 2xy) = 80y - y^2 - 2xy$
……②

となる。

(I) 二企業の利潤の合計πを最大化

二企業の利潤の合計πは、①+②式より、

$$\pi = \pi_1 + \pi_2 = 120x - 3x^2 + 80y - y^2 - 2xy \quad ……③$$

と求められる。ここでπをx、yのそれぞれで微分してゼロとおけば、二企業の利潤の合計を最大にするx^*、y^*を求めることができる。

③式より、

$$\begin{cases} \dfrac{\Delta\pi}{\Delta x} = 120 - 6x - 2y = 0 \quad ……④ \\ \dfrac{\Delta\pi}{\Delta y} = 80 - 2y - 2x = 0 \quad ……⑤ \end{cases}$$

④と⑤を連立して、

$$\therefore x^* = 10、 y^* = 30$$

を得る。

(II) 企業Aに対して従量課税を行う

企業Aに対してtの従量課税を行うとき、新たな企業Aの総費用TC_Aは、

$$TC_A = 3x^2 + tx$$

となる。

企業Aの利潤$\pi_A = TR_A - C_A = 120x - (3x^2 + tx) = 120x - 3x^2 - tx$
……⑥

企業Aは利潤最大化を行うので、⑥をxで微分してゼロとおけばよい。

$$\frac{\Delta\pi}{\Delta x} = 120 - 6x - t = 0、 t = 120 - 6x \quad ……⑦$$

(I)より$x^* = 10$を⑦に代入して、

$$t = 120 - 60 \quad \Rightarrow \quad t = 60$$

を得る。

よって、正解は肢4である。

正答 **4**

第4章
市場の失敗

実践 問題 **143** 基本レベル

頻出度	地上★★	国家一般職★	特別区★
	裁判所職員★	国税・財務・労基★	国家総合職★

問 コースの定理に関する記述として妥当なのは、次のどれか。　(東京都1995)

1：この定理は、外部不経済が存在する場合、市場の失敗の原因となるが、外部経済が存在する場合は市場の失敗の原因とはならないとするものである。

2：この定理は、外部性が存在する場合においては、課税や補助金などの政策があっても、効率的な資源配分は決して達成されないとするものである。

3：この定理は、外部性が存在しない場合に企業が獲得する限界利潤は、外部性が存在する場合のそれを常に上回っているとするものである。

4：この定理は、外部性が存在する場合においても、企業間の交渉に費用がかからなければ、交渉によって資源配分の効率性は維持されるとするものである。

5：この定理は、外部性が存在する場合、企業間の取引費用がかからなければ、資源配分は損害賠償に関する法的制度によって変化するとするものである。

OUTPUT

実践 ▶ 問題 **143** ▶ の解説 ─────────────

〈コースの定理〉

　コースの定理によれば、交渉費用が存在しないとき、外部不経済による損害額の負担原則(損害賠償に関する法的制度)のあり方は、資源配分に影響を与えないとされる。所得の補償形態としては以下の2つがある。

(1) **被害者側に権利がある場合**

　　損害賠償請求権が被害者に与えられており、加害者が被害者に外部不経済による損害額を補償するという方式。

(2) **加害者側に権利がある場合**

　　損害賠償請求権が加害者に与えられており、被害者が加害者に外部不経済を減少させる対価として所得補償を行うという方式。

　コースの定理によれば、交渉の形態がいずれのかたちをとるにせよ、両者の間での交渉に費用がかからなければパレート最適な資源配分を実現することができる(ただし、(1)と(2)では、結果的に所得分配上の違いが生じる)。

1✕ 外部効果が存在する場合には、完全競争均衡のパレート最適は成立しない。

2✕ 外部性が存在する場合であっても、課税や補助金などの政策を政府が行うことによって(ピグー的政策)、パレート最適は達成される。

3✕ 外部性の存在の有無にかかわらず、企業は常に利潤を最大化するよう行動するので、限界利潤はゼロとなる。

4○ 本肢の記述のとおりである。冒頭の説明を参照のこと。

5✕ 冒頭の説明より、妥当でない。

【ポイント】　コースの定理

　外部不経済の発生者が被害者に貨幣を支払うことにしても、逆に被害者が発生者に貨幣を支払って外部不経済を減らしてもらうことにしても、両者の間での交渉に費用がかからなければパレート最適を達成できる。ただし、両者では所得分配に与える効果は異なる。

第4章　市場の失敗

正答 **4**

直前復習

必修問題 **セクションテーマを代表する問題に挑戦！**

「市場の失敗」の最後は費用逓減産業です。

規模の経済性、自然独占をしっかり理解しましょう。

問 ある財が自然独占企業によって供給されている状況を考える。需要曲線（DD）、限界収入曲線（MR）、平均費用曲線（AC）、限界費用曲線（MC）が図のように表されるとき、この企業に対する規制の効果などに関する記述として妥当なのはどれか。 （国Ⅰ2008）

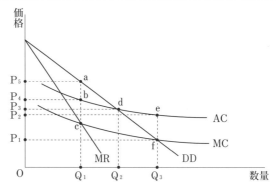

1：政府による価格規制がない場合、企業は利潤を最大化するように価格を決定し、P_5 a d P_3の部分の利潤を得る。

2：「限界費用価格形成原理」に基づいて政府が価格を決定した場合、政府による価格規制がない場合と比較すると、企業の総費用は減少し、供給量は$(Q_3 - Q_1)$の大きさだけ増加する。

3：「限界費用価格形成原理」に基づいて政府が価格を決定した場合、政府が決定した価格で供給を行うと、企業に赤字が発生する。この赤字を解消するには、政府はP_3 d f P_1の部分を補助金等で補填する必要がある。

4：「平均費用価格形成原理」に基づいて政府が価格を決定した場合、政府による価格規制がない場合と比較すると、価格は$(P_4 - P_3)$の大きさだけ低下するが、企業の利潤は変化しない。

5：「平均費用価格形成原理」に基づいて政府が価格を決定した場合、企業の利潤は0となり、また、供給量については「限界費用価格形成原理」に基づく供給量よりも$(Q_3 - Q_2)$の大きさだけ減少する。

必修問題の解説

〈費用逓減産業〉

　本問は費用逓減産業において自然独占が発生する状況での、政府による価格規制に関する基礎的な問題である。

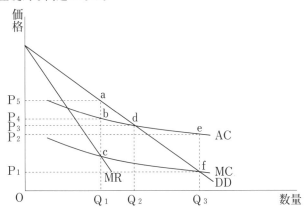

1 ✕ 政府による価格規制がない場合、MR＝MCとなる生産量水準Q_1で生産し、均衡価格はP_5となる。このとき、利潤＝（価格－平均費用）×生産量であり、面積$P_5 a b P_4$となる。

2 ✕ 「限界費用価格規制（限界費用価格形成原理）」に基づいて価格規制する場合、f点において生産量Q_3を生産することになる。このとき、企業の総費用＝平均費用×生産量は、規制がない場合$P_4 b Q_1 O$、規制後には$P_2 e Q_3 O$となり、その大小は明確でない。しかし、供給量は（$Q_3 - Q_1$）の大きさだけ増加する。

3 ✕ 「限界費用価格形成原理」に基づいて価格規制する場合、f点において生産量Q_3を生産することになる。このとき、企業の利潤は$P_2 e f P_1$だけ赤字となる。赤字を解消するには、$P_2 e f P_1$の補助金を投じる必要がある。

4 ✕ 「平均費用価格規制（平均費用価格形成原理）」に基づいて価格規制する場合、d点において生産量Q_2を生産することになる。価格規制がない場合と比較すると価格は（$P_5 - P_3$）の大きさだけ低下する。また利潤は、規制のない場合の正の利潤$P_5 a b P_4$から規制後の利潤ゼロへ低下する。

5 ○ 本肢の記述のとおりである。「平均費用価格規制（平均費用価格形成原理）」に基づいて価格規制する場合、d点において生産量Q_2を生産することになる。このとき、価格と平均費用が等しいので利潤はゼロであり、独立採算が可能となる。しかし過少生産となり、パレート最適とはならない。

正答 5

第4章 市場の失敗

1 費用逓減産業

　費用逓減産業とは、巨額の固定費用がかかるような産業で、生産すればするほど平均費用が下がる、すなわち規模の経済性が働く産業をいいます。このとき新規参入企業は、巨額の固定費用がかかるので参入できず、市場は自然と独占状態になります（自然独占）。

　自然独占を放置すると、独占企業は、利潤を最大にするために、限界収入MR＝限界費用MCによりQ_fの生産を行います。このとき、取引量は過少となり、価格はP_fとなって高めに設定されます。

　費用逓減産業の代表例であるガス会社や電力会社は、多数の企業によって供給するよりも、1つの巨大企業で供給したほうが効率的となります。そこで、政府は独占状態を容認する代わりに価格規制を実施します。

　政府による価格規制には、限界費用価格形成原理と平均費用価格形成原理という2つがあります。

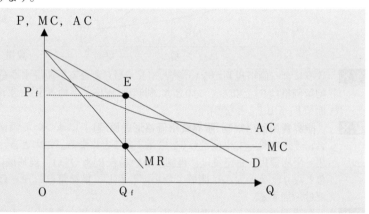

2 価格規制

(1) 限界費用価格形成原理（限界費用価格規制）

　独占企業に自由に生産させると、MR＝MCより利潤最大化の生産量はQ_fとなり、価格はP_fとなります。このとき独占均衡は点Fとなり財は過少生産となって資源配分上は非効率となります。そこで、政府は独占状態を容認する代わりに価格規制を行います。

　最善の価格規制は、需要曲線Dと限界費用曲線MCとの交点に価格を設定することです。つまり、価格＝限界費用（P＝MC）に設定するため限界費用価格規制となります。この規制の場合、独占企業は、完全競争市場と同様の条件（P＝MC）で生産量を決定することになります。その結果、均衡点は点E、生産量はQ_eとなって、

総余剰は最大となります(パレート最適＝最適な取引量)。

しかし、このとき□ｆｅＥＰｅだけの赤字が発生するため、政府による補助金の支給が必要となります。

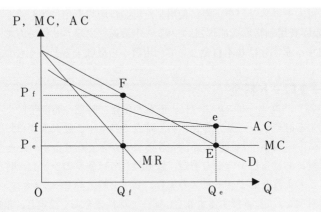

(2) 平均費用価格形成原理(平均費用価格規制)

そこで次善の策として、企業に赤字が生じないように(利潤がゼロになるように)、需要曲線Ｄと平均費用曲線ＡＣとの交点に価格を設定します。つまり、価格＝平均費用(Ｐ＝ＡＣ)に設定する平均費用価格規制となります。この規制の場合、均衡点は点Ｇとなるため、総収入と総費用が等しくなるため、独立採算が可能となります。その反面、財は過少生産になるので、資源配分が非効率になり、△ＥＧＨの余剰損失が発生します。つまり、パレート最適(最適な取引量)となりません。ただし、独占企業には赤字が発生していませんので、政府から補助金を支給する必要はありません。

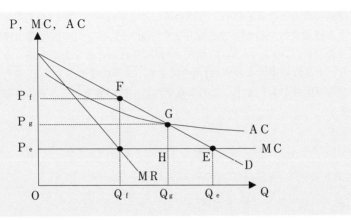

(3) 二部料金制

二部料金とは、財やサービスの需要量に依存しないで課す基本料金部分と、需要量に比例して課す従量料金の2つの部分からなる料金制度のことをいいます。たとえば、電力やガスなどを実際に使用した料金は限界費用に等しくなるように価格を設定(限界費用価格形成原理)してパレート最適を実現させ、一方で、このとき企業に発生する赤字分は基本料金として利用者から徴収するというものです。

(4) ピークロード料金

電力需要や鉄道サービスのように、貯蔵が困難で時期や時間帯によって需要が大きく変動する財やサービスの場合、ある時点で発生する最大需要(ピーク)に対応できるように生産設備(生産能力)を決定することが多くなります。たとえば、電力会社では真夏における日中の電力需要、鉄道会社では朝夕のラッシュ時などが挙げられます。このような財やサービスの場合、ピーク時と非ピーク(オフ・ピーク)時とで同一の料金を設定・維持するよりも、ピーク時料金を高く設定し、非ピーク(オフ・ピーク)時料金を低く設定することが望ましいといえます。ピーク時の需要量が多ければ、それに対応するために供給設備を多くしなければならず、ピーク時と非ピーク(オフ・ピーク)時の需要量の格差が大きければ大きいほど、非ピーク(オフ・ピーク)時に無駄になる供給設備が多くなります。そこで、ピーク時の需要を小さくするためにピーク時に高い料金を設定し、非ピーク(オフ・ピーク)時には低い料金を設定します。

(5) X非効率性

たとえば、限界費用価格形成原理に基づいて財やサービスの価格を設定すると、総余剰は最大となるものの、当該企業にとっては赤字(損失)が発生するため、政府による補助金の支給が必要となります(550～551ページの限界費用価格形成原理の図を参照)。このように赤字(損失)が補填されることを企業が前もって認識していると、企業は効率的な経営(費用を低くするような経営努力など)を行う誘引が乏しくなる可能性があります。このような非効率性の発生のことをX非効率性とよんでいます。

memo

実践 問題 **144** 〈 基本レベル 〉

頻出度	地上★★	国家一般職★	特別区★
	裁判所職員★	国税・財務・労基★	国家総合職★★

問 公益企業への価格政策に関する記述として、妥当なのはどれか。

（特別区2021）

1：限界費用価格形成原理とは、公益企業に対し、価格を限界費用と一致するように規制することであり、社会的余剰の最大化を実現するが、赤字を補填するためには、政府の補助金が必要となることがある。

2：平均費用価格形成原理とは、公益企業に対し、価格を平均費用と一致するように規制することであり、独立採算が実現することはない。

3：公益企業によるピークロード価格は、需要の多いピークの時間帯の料金を安くし、需要の少ないオフピークの時間帯の料金を高く設定する料金である。

4：ヤードスティック規制は、公益企業の価格の引上げ率に上限を定めずに、価格に上限を定め、その範囲で公益企業が自由に価格を決めるものである。

5：二部料金制を採用して社会的余剰を最大にするには、利用量に関係ない一定の基本料金と、平均費用価格形成原理による従量料金を設定しなければならない。

実践 ▶ 問題 **144** ▶ の解説

〈費用逓減産業〉

1 ○ 本肢の記述のとおりである。費用逓減産業において活動する公益企業に対して、限界費用価格形成原理を用いて価格規制を実施すると、社会的余剰の最大化、すなわちパレート最適が実現するが、当該企業において赤字になる可能性が高く、その赤字を補填する目的として政府からの補助金支給が実施される可能性がある。

2 × 費用逓減産業において活動する公益企業に対して、平均費用価格形成原理を用いて価格規制を実施すると、当該企業において平均費用と価格が一致して利益がゼロになり、赤字は発生しないので、独立採算が可能になる。

3 × 公益企業で実施される可能性があるピークロード価格とは、需要量の多くなるピーク時において料金を高く、逆に需要量の少なくなるオフピーク時において料金を安く設定することである。その価格政策の目的は、需要量の多くなるピーク時において需要量を抑え、逆に需要量の少なくなるオフピーク時において需要量を増加させて、需要量を平準化させることにある。

4 × 本肢の記述はプライスキャップ規制についてである。ヤードスティック規制(ヤードスティック競争)とは、ヤードスティックという単語が「基準」を意味することから、当該企業と類似的な企業の費用を比較して基準となる標準的費用を算定し、それを参考にしながら料金設定する価格規制である。

5 × 費用逓減産業において活動する公益企業で二部料金制を採用して社会的余剰の最大化(パレート最適)を実現するには、利用量に関係なく一定の基本料金と、平均費用価格形成原理ではなく限界費用価格形成原理による従量料金を設定しなければならない。

第4章 市場の失敗

正答 **1**

実践 問題 **145** 〈基本レベル〉

頻出度	地上★★	国家一般職★	特別区★
	裁判所職員★	国税・財務・労基★	国家総合職★★

問 価格支配力を持ち、平均費用の逓減が著しい、ある独占企業について、この企業の生産物に対する逆需要関数p（x）、費用関数C（x）がそれぞれ、

p（x）＝500－x

C（x）＝100x＋30000　　（x：生産量）

で示されているとする。

　この企業が利潤を最大化した場合の価格を p_A、政府からの限界費用価格規制を受けた場合の価格を p_B とすると、p_A と p_B の関係に関する次の記述のうち、妥当なのはどれか。　　　　　　　　　　　　　　　　　（国家一般職2021）

1：p_A の方が p_B より250小さい。

2：p_A の方が p_B より200小さい。

3：p_A の方が p_B より200大きい。

4：p_A の方が p_B より250大きい。

5：p_A と p_B は同じ大きさである。

直前復習

OUTPUT

実践 問題 **145** **の解説** ─────────────────────

〈費用逓減産業〉

　独占市場であることから、逆需要関数 p (x) から限界収入関数MR (x)、費用関数C (x) から限界費用関数MC (x) をそれぞれ求める。

　限界収入関数MR (x) は、逆需要関数 p (x) の傾きを2倍にして、

　　MR (x) ＝500－2 x

　限界費用関数MC (x) は、費用関数C (x) を x で微分して、

　　MC (x) ＝100

　この状況を図示すると以下のようになる。

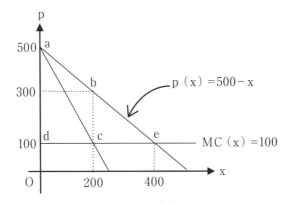

　この企業が利潤を最大化しているとき、独占の利潤最大化条件MR (x) ＝MC (x) より、

　　500－2 x ＝100　⇒　x ＝200

を得る。これを逆需要関数に代入すると、価格 p_A ＝300となる。また、政府からの限界費用価格規制を受けた場合、均衡点は e となり、価格 p_B ＝100となる。

　以上より、p_A のほうが p_B より200大きいことがわかる。

　よって、正解は肢3である。

正答 **3**

実践 問題 **146** 〈応用レベル〉

頻出度	地上★★	国家一般職★	特別区★
	裁判所職員★	国税・財務・労基★	国家総合職★★

問 **交通サービスと運賃について妥当なものはどれか。** （地上2015）

1：限界費用価格形成原理とは社会全体の経済的厚生を考えたとき、最大効率が図られる。もっとも、企業の赤字分補助金を一括支給するなどの財政措置が必要となる。

2：ピーク・ロード・プライシングは、ピーク時の需要提供と遊休時の設備費用負担を図る運賃形態であるが、アンピーク時の顧客に設備費用負担を全てさせ、ピーク時の顧客に負担が無いという問題が生じる。

3：ラムゼイ運賃は収支均衡条件のなかで社会的余剰を最大化する価格である。「利用者の限界価格と運賃価格の乖離が拡大」という問題がある。

4：統括原価主義は限界価格から最適な運賃を定める価格であるが、この価格の中ではサービスの向上意欲が生じないという問題がある。この問題に対して、プライスキャップ方式・ヤードスティック方式が取られている。

5：初乗り運賃は固定費用と超過部分費用の二部料金制となっているが、設備費用について、超過利用者が固定費を負担している。

OUTPUT

実践 ▶ 問題 **146** の解説 ─────────────────

〈交通経済学〉

運賃についての出題とされているが、電力や通信などの混雑の生じる公共サービスの価格設定についても当てはまる理論である。

1○ 本肢の記述のとおりである。**限界費用価格形成原理**では、総余剰が最大になるという性質がある。しかし、企業には赤字が生じるために補助金の支給が必要になる。

2✕ ピーク・ロード・プライシングとは、通勤ラッシュなど輸送機関への需要がピークになるときに高い価格を設定し、深夜や早朝など需要のアン・ピーク(オフ・ピーク)になるときには低い価格を設定することで、設備の有効利用や費用削減を行う。よって、ピーク時の顧客に負担が無いという記述は誤りである。

3✕ ラムゼイ運賃は収支均衡条件のなかで社会的余剰を最大化する価格を導出する理論であるという記述は正しい。しかし、この理論に従うと、需要の価格弾力性が低い区間の利用者に高い運賃を設定し、需要の価格弾力性が高い区間の利用者に低い運賃を設定する。このような価格差別により社会的余剰を最大化することは、高価格の利用者から低価格の利用者への内部補助であり、**受益者負担の原則が守られない**という問題がある。よって、「利用者の限界価格と運賃価格の乖離が拡大」を問題とするという記述が誤り。

なお、ラムゼイ価格においては、利用者価格と限界費用の乖離率$\dfrac{P-MC}{P}$は、需要の価格弾力性をE_dとするとその逆数$\dfrac{1}{E_d}$に等しくなる。

4✕ **統括原価主義**は生じる費用から報酬を上乗せして運賃を定める方法である。安定した供給が可能になるという長所があるが、欠点として、費用に対する意識が弱くなり、過剰品質・過剰安全性など過剰サービスによる価格上昇が生じやすく、**コスト削減意識が弱くなる**。よって、問題肢後半の記述が誤り。なお、費用と品質の両方に望ましい効果がある価格規制として、価格の上限を規制する**プライスキャップ方式**、複数の企業の価格を比較して価格を決定する**ヤードスティック方式**を採用することがある。

5✕ 二部料金制のもとでは、設備費用などの固定的な経費は、初乗り運賃により負担され、走行距離に応じてかかる経費(燃料代など)を超過利用者が負担するのが望ましいとされる。

正答 **1**

第4章 市場の失敗

実践 問題 **147** 〈 **応用レベル** 〉

頻出度	地上★	国家一般職★	特別区★
	裁判所職員★	国税·財務·労基★	国家総合職★

問 ある産業には公益企業1社のみが存在している。この公益企業の費用関数が、

$$C = 1{,}682 + S^2 \quad \begin{pmatrix} C：公益企業の総費用、 \\ S：財の供給量、S \geqq 0 \end{pmatrix}$$

であり、市場における財の需要関数が、

$$D = 120 - p \quad \begin{pmatrix} D：財の需要量、D \geqq 0 \\ p：財の価格 \end{pmatrix}$$

である。

いま、政府が、総余剰を最大化するように財の価格を設定すると、公益企業には　A　だけの赤字が発生する。

そこで、公益企業による財の供給量1単位当たり4の利潤を公益企業が得られるように、政府が財の価格を設定し、公益企業はその価格の下での需要量と等しい数量を供給する。この場合における財の価格は　B　となる。

　A　と　B　に入る数字の組合せとして妥当なのはどれか。

(国家総合職2017)

	A	B
1：	82	91
2：	82	116
3：	82	120
4：	1,682	91
5：	1,682	116

実践 ▶ 問題 **147** ▶ の解説 ────────

〈費用逓減産業〉

公益企業の限界費用MCは、

$$MC = 2S$$

である。総余剰が最大になる条件はp＝MCであるので、

$$2S = 120 - D \quad (D = S)$$

$$\rightarrow \quad S = 40$$

S＝40のときの総収入TRと、総費用TCは、

$$TR = (120 - 40) \times 40 = 3,200$$

$$TC = 1,682 + 40^2 = 3,282$$

である。よって、赤字は、

$$3,200 - 3,282 = -82$$

である。よって、 A には82が入る。

公益企業の利潤関数は、$\pi = (120 - x)x - 1,682 - x^2$である。公益企業が1単位あたり4の利潤を得られるように政府が価格を設定する場合には、

$$(120 - x)x - 1,682 - x^2 = 4x$$

$$\rightarrow \quad x^2 - 58x + 841 = 0$$

$$\rightarrow \quad (x - 29)^2 = 0$$

$$\rightarrow \quad x = 29$$

よって、p＝120－29＝91となる。 B には91が入る。

以上より、肢1が正解である。

第4章 市場の失敗

正答 1

Q1 公共財とは、消費の非競合性と消費の非排除性という2つの性質を同時に満たす財を指す。前者は、対価を支払わない者を財の消費から排除できないということを、そして、後者は、複数の者が他人を妨げることなく同時に財を消費できるということを意味する。

Q2 限界便益(MB)とは、公共財が1単位増加したときに、住民がどれくらいの便益を享受するかを表す。

Q3 公共財の最適供給条件は、各人の限界便益MB＝限界費用MCで表される。

Q4 外部効果には、市場を通じた外部効果(金銭的外部効果)と市場を通さない外部効果(技術的外部効果)という分類ができる。

Q5 外部不経済が発生しているときは社会的限界費用SMC＝私的限界費用PMC＋限界外部費用、また、外部経済が発生しているときはSMC＝PMC－限界外部便益という関係が成立する。

Q6 下図は外部不経済が発生している市場を表している。このときの厚生損失の大きさは△E*E₀Hで表される。

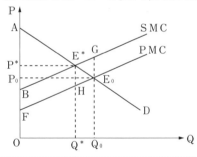

Q7 費用逓減産業では、巨額の固定費用の存在ゆえに新規参入企業は参入できず、市場は自然独占の状態となる。そこで、政府は独占状態を認める代わりに限界費用価格規制または平均費用価格規制といった価格規制を実施するが、前者には、企業は生産費用を賄えなくなり赤字になってしまうことからパレート最適が実現しないという問題点がある。

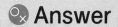

A1 × 消費の非競合性と消費の非排除性についての説明が反対である。

A2 ○ 一般に限界便益曲線は右下がりで表される。また、公共財は等量消費が可能であることから、個人の限界便益曲線を垂直和することで社会全体の限界便益曲線が求められる。

A3 × 公共財は等量消費が可能であることから、個人の限界便益曲線を垂直和することで社会全体の限界便益曲線が求められる。これと、公共財の費用（限界費用）が等しい点が公共財の最適供給条件となる。よって、公共財の最適供給条件は、各人の限界便益MBの和＝限界費用MCで表される。

A4 ○ 通常は外部効果といえば技術的外部効果のことであり、いちいち「技術的」と書かれていないことが多い。

A5 ○ 私的限界費用PMCとは企業が考慮する限界費用を、そして、社会的限界費用SMCとは社会全体の限界費用を表す。

A6 × 厚生損失の大きさは△GE＊E₀で表される。公害や騒音などの外部不経済が生じているとき、健康が害されたり、環境が悪化したりといった社会的費用が発生するが、企業の生産費用にはこれらの社会的費用は含まれない。よって、図のように社会的限界費用SMC＞私的限界費用PMCとなる。このため、市場価格が社会的費用を反映した適正な価格より低水準となり、過剰生産されることで外部不経済が拡大し厚生損失が発生することになる。

A7 × 前半は正しい。費用逓減産業が公益産業の場合だと、自然独占により過少生産されることで日常生活に支障をきたすことになる。そこで、政府は独占状態を認める代わりに、価格＝限界費用（P＝MC）に価格設定をする限界費用価格規制、または企業に赤字が生じないように、価格＝平均費用（P＝AC）という平均費用価格規制といった価格規制を行うこととなる。前者の場合、パレート最適は達成される反面、企業は生産費用を賄えなくなることから赤字になってしまい、政府による補助金あるいは価格設定に工夫が必要となる。一方、後者の場合、独立採算が可能となる反面、余剰損失が発生することから、パレート最適が成立しないという問題点がある。

第４章 市場の失敗

memo

第5章

不確実性と情報の非対称性

SECTION

① 不確実性の経済学
② 情報の非対称性

出題傾向の分析と対策

試験名	地　上			国家一般職			特別区			裁判所職員			国税・財務・労基			国家総合職		
年　度	16-18	19-21	22-24	16-18	19-21	22-24	16-18	19-21	22-24	16-18	19-21	22-24	16-18	19-21	22-24	16-18	19-21	22-24
出題数 セクション	1		3		1	2		1		1			2	1		1	4	2
不確実性の経済学			★★		★	★							★★	★			★★★	
情報の非対称性	★		★		★			★		★			★			★	★	★★

（注）　1つの問題において複数の分野が出題されることがあるため、星の数の合計と出題数とが一致しないことがあります。

　この章の分野は、国家総合職を中心として出題されていますが、その他の職種でも何度か出題されています。不確実性の経済学に関しては、消費者理論の応用論点なので、消費者理論の基本ができていることが前提条件となります。

地方上級

　中古車市場での逆選択などについて問われています。複雑な場合分けが必要となってくる可能性もありますので、応用レベルの問題が解けるように演習を積み重ねてください。

国家一般職

　近年、期待効用を計算させる問題が出題されています。期待効用については確実に、他の分野についてもまずは基本的な問題を解けるように学習を進めましょう。

特別区

　2019年に情報の非対称性から1題出題されました。しかし、出題頻度としては高くありません。理論をしっかり学習して、基本問題を確実に得点できるレベルまで仕上げましょう。

裁判所職員

出題頻度は高くありません。期待効用など基本的な論点を押さえてから実践問題で鍛えましょう。理論・計算どちらの形式でも問われる可能性があります。

国税専門官・財務専門官・労働基準監督官

計算問題という形で出題されることが多いので、多くの問題演習を通して基本的な問題は得点できるように、応用問題にも立ち向かえるようになりましょう。

国家総合職

基本レベルから、複雑な場合分けを必要とする応用レベルまでさまざまなタイプの出題があります。また、期待効用を応用した保険分野も頻出であるため、期待効用は毎年のように出題されているといえるでしょう。逆選択や情報の非対称性は他の受験生との差がつきやすい部分ですので、意欲的に勉強してください。

$\mathbf{A}$dvice アドバイス 学習と対策

「期待効用」に関しては、難易度は決して高くないので、問題演習を積み、与えられた確率と効用の数値をもとに加重平均して求めるという手順に慣れておきましょう。また、情報の非対称性に関しても、それがどのような結果をもたらすのかを押さえておき、他の受験生に差をつけられるようにしておきましょう。契約前の情報の非対称性がもたらす逆選択や契約後の情報の非対称性がもたらす道徳的危険について、それぞれに対する解決策を含めて理解を深めておくことがポイントとなります。

セクションテーマを代表する問題に挑戦！

期待効用に関する問題です。

問 ある個人乙の所得は確率的に変動する。確率$\frac{1}{2}$で50万円となり、

確率$\frac{1}{2}$で10万円となる。このとき、乙の期待所得は ア 万円

となる。また乙の所得から得られる効用水準Uは

$$U = \frac{1}{10} x^2 \quad (x：所得額)$$

によって表されるとする。

　このとき、乙の所得から得られる期待効用は イ であり、
ウ であるといえる。

　文中の空欄ア～ウに入る数値、語として妥当な組み合わせはどれか。

(地上2005)

	ア	イ	ウ
1：	30	130	危険回避的
2：	30	130	危険愛好的
3：	30	90	危険回避的
4：	20	90	危険愛好的
5：	20	90	危険回避的

Guidance **期待効用とは**
ガイダンス
　期待効用は、各状態で得られる効用にその状態が発生する確率
を掛けて、それらを足し合わせて求めることができる。

必修問題の解説

〈期待効用〉

問題文を整理すると、以下のとおりである。

高所得状態：　確率$\frac{1}{2}$　⇒　所得が50万円

低所得状態：　確率$\frac{1}{2}$　⇒　所得が10万円

効用関数　：　$U = \frac{1}{10}x^2$

・空欄　ア

期待所得とは、不確実な所得の期待値である。題意では確率$\frac{1}{2}$で所得が50万円

となり、確率$\frac{1}{2}$で所得が10万円となるので、期待所得は次の①式のとおり表される。

期待所得 $= \frac{1}{2} \times 50 + \frac{1}{2} \times 10 = 25 + 5 = 30$　……①

したがって、空欄アは30となる。

・空欄　イ

期待効用とは、不確実な所得があるときの効用の期待値である。①の導出と同様に考えることで、以下のように表すことができる。具体的には次の②式のとおり表される。

期待効用 $= \frac{1}{2} \times \frac{1}{10} \times 50^2 + \frac{1}{2} \times \frac{1}{10} \times 10^2 = 130$　……②

したがって、空欄イは130となる。

・空欄　ウ

130という期待効用を実現できる確実な所得をmで表すと、mは③のように求められる。

$U = 130 = \frac{1}{10}m^2$　⇒　$1300 = m^2$　⇒　$m = \sqrt{1300}$　……③

このとき、期待所得①と130という期待効用を実現する確実な所得③（＝m）の差額がリスクプレミアムである。つまり①－③をリスクプレミアムという。

そして、リスクプレミアムがマイナスの個人を危険愛好者といい、リスクプレミ

アムがプラスの個人を**危険回避者**という。なお、この問題では、

$$①-③=30-\sqrt{1300}=\sqrt{900}-\sqrt{1300}<0$$

であるから、リスクプレミアムはマイナスである。よって、空欄ウは危険愛好的が入る。

以上より、ア＝30、イ＝130、ウ＝危険愛好的となるので、肢2が正解となる。

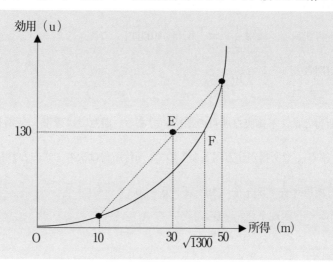

Step
ステップ

効用関数には危険回避的、危険中立的、危険愛好的な効用関数が存在する。危険回避的な効用関数は上に凸、危険愛好的な効用関数は下に凸となる。また、危険中立的な効用関数はグラフが直線であり、この効用関数を持つ個人は危険に無関心である。

memo

1 効用関数

いま、個人が所得額 x を得たときの効用を効用関数 u＝u(x)で表すものとします。なお、効用 u の値は序数的でなく基数的な解釈をします。効用関数は以下のような曲線で表されます。

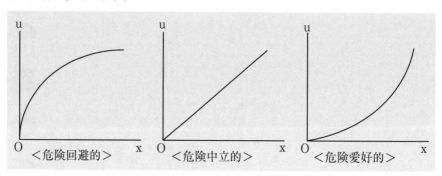

2 不確実な所得と期待効用

いま、ある個人の得る所得に不確実性があり、確率 p で高所得状態(x＝120万円)が実現し、確率(1－p)で低所得状態(x＝30万円)が実現するとします。下図において高所得状態と低所得状態は H 点と L 点で表されています。

この個人の不確実な所得の平均値を期待所得 M^e とよび、数式では

$$M^e = p \times 120 + (1 - p) \times 30 \quad \cdots\cdots ①$$

となり、図では横軸の区間[30，120]上の M^e で表されます。

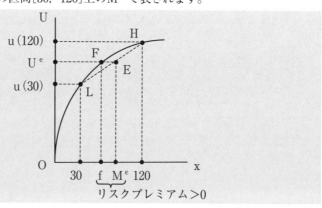

この個人の不確実な効用の平均値を期待効用 U^e とよび、数式では

$$U^e = p\, u(120) + (1 - p)\, u(30) \quad \cdots\cdots ②$$

となり、図では縦軸の区間[u(120)、u(30)]の間のU^eとなります。E点がこの個人の期待効用U^eと期待所得M^eの大きさを表す点であり、必ずH点とL点を結ぶ直線上に位置します。

　なお、fは期待効用U^eを実現できる確実な所得を表しており、$M^e - f$の大きさ(金額)をリスクプレミアムとよびます。危険回避的な効用関数ではリスクプレミアムはプラスとなります。

　なお、下図のような下に凸の効用関数は危険愛好的な効用関数といわれます。危険愛好的な効用関数のもとではリスクプレミアムはマイナスになります。

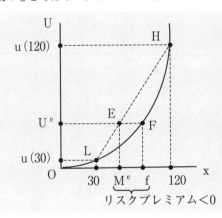

第5章

不確実性と情報の非対称性

実践　問題 148　基本レベル

頻出度	地上★	国家一般職★	特別区★
	裁判所職員★	国税·財務·労基★	国家総合職★

問　図は個人Aと個人Bの効用関数を描いたものである。両個人は確実に110が手に入る資産X、または確率50%で100、確率50%で120が手に入る資産Yのいずれかを保有する。このとき個人A、個人Bの行動に関する記述として妥当なのはどれか。

（地上2006）

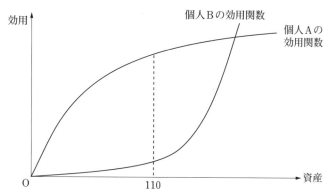

1：個人Aは危険愛好的であるから資産Xを保有し、個人Bは危険回避的であるから資産Yを保有する。

2：個人Aは危険回避的であるから資産Xを保有し、個人Bは危険愛好的であるから資産Yを保有する。

3：個人Aは危険回避的であるから資産Yを保有し、個人Bは危険愛好的であるから資産Xを保有する。

4：個人Aは危険愛好的であり、個人Bは危険回避的であるが、両個人とも資産Yを保有する。

5：個人Aは危険回避的であり、個人Bは危険愛好的であるが、両個人とも資産Xを保有する。

OUTPUT

実践 問題 **148** **の解説**

〈期待効用〉

本問は、不確実性下での消費者行動に関する問題である。

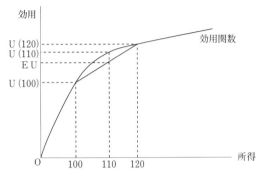

　問題のグラフより、個人Aの効用関数は「上に凸」の形をしている。資産Yを保有し所得が不確実に変動したときの期待効用EU＝0.5U(100)＋0.5U(120)より、資産Xを保有し所得の期待値0.5×100＋0.5×120＝110を確実に得られるときの効用U(110)のほうが効用水準は高いので、これは**危険回避的**な選好を表現している。もちろん個人Aは資産Xを保有することになる。

　逆に、個人Bの効用関数は「下に凸」の形をしているので、不確実な資産Yを保有した場合の期待効用EUより、所得が確定する資産Xを保有した場合の効用U(110)のほうが効用水準は低く、**危険愛好的**な個人を表している。もちろん個人Bは資産Yを保有することになる。

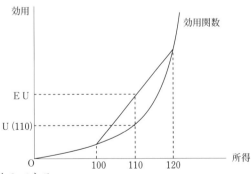

よって、正解は肢2である。

正答 **2**

第5章 不確実性と情報の非対称性

実践 問題 **149** 基本レベル

頻出度	地上★	国家一般職★★	特別区★
	裁判所職員★	国税·財務·労基★★	国家総合職★★

問 ある個人は職業Uと職業Cのうちいずれか一つを選択するものとする。職業U から得られる所得は不確実であり、30%の確率で400万円、70%の確率で900 万円である。職業Cからは確実な所得が得られ、その所得は y で示されるとする。この個人は、期待効用を最大化するように行動し、その効用関数は

$$u = \sqrt{x} \quad (u：効用水準、x：所得)$$

と示されている。

このとき、この個人が職業Cを選択し得る、確実な所得 y の最小額はいくらか。

(財務2018)

1：400万円
2：529万円
3：729万円
4：841万円
5：900万円

直前復習

OUTPUT

実践 問題 **149** の解説 ────────────────

〈期待効用〉

職業Cの場合の効用U_Cは、

$$U_C = \sqrt{y} = y^{0.5}$$

職業Uの場合の期待効用EU_Uは、

$$EU_U = 0.3 \times (4,000,000)^{0.5} + 0.7 \times (9,000,000)^{0.5}$$
$$= 0.3 \times 2,000 + 0.7 \times 3,000$$
$$= 600 + 2,100$$
$$= 2,700$$

$U_C \geq EU_U$が成り立つとき、この個人は職業Cを選択し得るので、

$$y^{0.5} \geq 2,700$$

両辺を2乗して、

$$y \geq (2,700)^2$$
$$y \geq 7,290,000$$
$$\therefore y \geq 729万円$$

が得られる。

よって、正解は肢3である。

第5章

不確実性と情報の非対称性

正答 **3**

実践 問題 **150** 〈 基本レベル 〉

頻出度	地上★　　　　　国家一般職★★　　　特別区★
	裁判所職員★　　　　国税・財務・労基★★　国家総合職★★

問 ある個人の効用関数を U＝2$\sqrt{w}$（U：効用水準、w：所得）とする。この個人が農業を営む場合、豊作のときは所得が400、不作のときには所得が100となる。また、豊作になる確率と不作になる確率はそれぞれ60％、40％である。

　一方、この個人が隣町にある企業で働くと、農業からの所得はゼロになるが、企業から固定給である所得Mをもらえるようになる。

　この個人は、Mが最低限いくらよりも大きければ、農業を営むのではなく、企業で働くことを選択するか。

　ただし、この個人は期待効用が最大になるように行動するものとする。

（国家一般職2019）

1：140
2：225
3：256
4：280
5：324

OUTPUT

実践 ▶ 問題 **150** ▶ の解説 ─────────────

〈期待効用〉

　この個人が農業を営む場合の期待効用をEUとする。期待効用EUは、起こるべき事象とその確率との積の総和で表すことができる。そのため、期待効用EUは、豊作の場合の効用（$2\sqrt{400}$とその確率60%の積）と不作の場合の効用（$2\sqrt{100}$とその確率40%の積）の総和であるため、

$$EU = 2\sqrt{400} \times 0.6 + 2\sqrt{100} \times 0.4 = 32 \quad \cdots\cdots①$$

となる。

　また、この個人が企業で働いた場合の所得Mによる効用は、

$$U = 2\sqrt{M} \quad \cdots\cdots②$$

である。

　この個人としては、

　　（企業からの所得Mによる効用）≧期待効用EU　　……③

であれば企業で働くことを選択することになる。

　したがって、①、②を③に代入すると、

$$2\sqrt{M} \geqq 32$$
$$\sqrt{M} \geqq 16$$
$$M \geqq 16^2$$
$$M \geqq 256$$

となる。

　よって、正解は肢3である。

第5章
不確実性と情報の非対称性

正答 **3**

実践 問題 **151** 〈基本レベル〉

頻出度	地上★	国家一般職★★	特別区★
	裁判所職員★	国税・財務・労基★★	国家総合職★★

問 ある人の職業選択について考える。職業には、職業Aと職業Bの2種類がある。職業Aは所得に不確実性があり、αの確率で所得は4900となり、1－αの確率で所得は900となる。一方、職業Bを選ぶと、確実に所得は2500となる。この人の効用関数は所得に依存し、以下のように与えられる。

$$u = \sqrt{x} \quad (\text{u：効用水準、x：所得})$$

　この人が、期待効用を最大化するように行動する場合、職業Aと職業Bが無差別となる確率αとして最も妥当なのはどれか。 （国家一般職2023）

1：0.3

2：0.4

3：0.5

4：0.6

5：0.7

OUTPUT

実践 ▶ 問題 **151** ▶ の解説 ────────────────

〈期待効用〉

職業Aを選択した場合の期待効用EU_Aは、

$$EU_A = a \times \sqrt{4900} + (1-a) \times \sqrt{900}$$
$$= a \times 70 + (1-a) \times 30 = 70a + 30(1-a)$$
$$= 40a + 30 \quad \cdots\cdots ①$$

と求められる。

次に、職業Bを選択した場合の効用U_Bは、

$$U_B = \sqrt{2500} = 50 \quad \cdots\cdots ②$$

と求められる。

この個人としては、

「職業Aを選択した場合の期待効用EU_A＝職業Bを選択した場合の効用U_B」

であれば、職業Aと職業Bの選択をすることが無差別となる。すなわち、①と②の値が等しくなればよいため、

$$40a + 30 = 50$$
$$\therefore a = 0.5$$

が得られる。

よって、正解は肢3である。

第5章 不確実性と情報の非対称性

正答 **3**

実践 問題 152 応用レベル

頻出度	地上★★	国家一般職★★	特別区★
	裁判所職員★	国税・財務・労基★★	国家総合職★★

問 ある個人の所得X円に対する効用を $U(x)=4X^{1/2}$ とする。L^1 を確率1/2で獲得金額が 0 円となり確率1/2で獲得金額が100円となる宝くじ、L^2 を確率1/2で獲得金額が25円となり確率1/2で獲得金額が75円となる宝くじ、L^3 を確率1/2で獲得金額が36円となり確率1/2で獲得金額が64円となる宝くじとする。この個人が期待効用を用いて宝くじの評価を行う場合、次のA〜Dの記述のうち適当なもののみをすべて挙げているのはどれか。　　　　（裁判所職員2012）

A：個人は L^2 よりも L^3 を好む。

B：個人は L^3 よりも L^1 を好む。

C：個人は L^1 と L^2 は無差別である。

D：L^1 のリスクプレミアムは、L^3 のリスクプレミアムよりも大きい。

1：A

2：C

3：B、C

4：B、D

5：A、D

OUTPUT

実践 問題 **152** の解説

〈期待効用〉

L^1、L^2、L^3の期待効用をEU_1、EU_2、EU_3で表す。

$$EU_1 = 4\left(\frac{1}{2}\sqrt{0} + \frac{1}{2}\sqrt{100}\right) = 4(0 + 5) = 20 \quad \cdots\cdots ①$$

$$EU_2 = 4\left(\frac{1}{2}\sqrt{25} + \frac{1}{2}\sqrt{75}\right) = 4(2.5 + 2.5\sqrt{3}) > 20 \quad \cdots\cdots ②$$

$$EU_3 = 4\left(\frac{1}{2}\sqrt{36} + \frac{1}{2}\sqrt{64}\right) = 4(3 + 4) = 28 \quad \cdots\cdots ③$$

①、②、③より、$EU_2 > EU_1$、$EU_3 > EU_1$であるので、記述B、Cは誤りとなる。

EU_2とEU_3の大きさを比較すると、$EU_2 = 10 + 10\sqrt{3}$ は、$\sqrt{3}$ が1.8未満であるため、$EU_3 = 28$より小さくなる。よって、記述Aは正しい。

記述Dを検討するために、L^1とL^3のリスクプレミアムを計算する。

L^1の期待効用である20を実現する確実な所得をx_1で表すと、

$$20 = 4\sqrt{x_1}$$

→ $x_1 = 25$

L^1の期待所得は$\frac{1}{2} \times 0 + \frac{1}{2} \times 100 = 50$である。

L^1のリスクプレミアム$= 50 - x_1 = 25$ $\cdots\cdots ④$

L^3についても上と同様に計算する。期待効用である28を実現する確実な所得をx_3とする。

$$28 = 4\sqrt{x_3}$$

→ $x_3 = 49$

L^3の期待所得は$\frac{1}{2} \times 36 + \frac{1}{2} \times 64 = 18 + 32 = 50$である。

L^3のリスクプレミアム$= 50 - x_3 = 1$ $\cdots\cdots ⑤$

よって、L^3のほうがリスクプレミアムは小さいので、記述Dは正しい。

以上より、適当なものはA、Dとなるので、正解は肢5である。

第5章 不確実性と情報の非対称性

正答 **5**

実践 問題 **153** 〈応用レベル〉

頻出度		
地上★	国家一般職★★	特別区★
裁判所職員★	国税・財務・労基★★	国家総合職★★

問 今期と来期の2期間にわたって消費する、ある個人の効用関数が、c_1を今期の消費額、c_2を来期の消費額とすると、$u = c_1 c_2$で示されると仮定する。

個人の今期と来期の所得はそれぞれ150、100であり、個人は今期の所得150の一部を今期の消費c_1に充てるとともに、その残りを債券に投資することができるものとする。ただし、債券投資から来期に得られる収益は不確実であり、その収益率は$\frac{3}{4}$の確率で20％（2割のもうけ）、$\frac{1}{4}$の確率で40％（4割のもうけ）になるとする。

この個人が期待効用を最大にするように行動するとき、今期の債券投資額はいくらか。

（国家一般職2013）

1：15

2：25

3：35

4：45

5：55

OUTPUT

実践 ▶ 問題 **153** ▶ の解説 —

〈期待効用〉

　債券投資の収益率に1を加えた値をgで表し、債券投資額をSで表すものとする。

　今期の消費額c_1は所得150から投資額Sを引いたものである。よって、

　　$c_1 = 150 - S$　……①

が成立する。来期に消費可能な額c_2は、来期の所得100と債券投資収益の和に等しいので、

　　$c_2 = 100 + gS$　……②

が成立する。①と②を効用関数に代入してc_1とc_2を消去すると③のとおりとなる。

　　$U = (150 - S)(100 + gS)$　……③

　③の中のgの値は確率$\dfrac{3}{4}$で1.2となり、確率$\dfrac{1}{4}$で1.4となる。したがって、期待効用を記号EUで表すと次のようになる。

　　$EU = \dfrac{3}{4}(150 - S)(100 + 1.2S) + \dfrac{1}{4}(150 - S)(100 + 1.4S)$　……④

　④を整理すると、

　　$EU = 15000 + 87.5S - 1.25S^2$　……⑤

となる。EUの値を最大にするには⑤をSで微分してゼロとおく。

　　$\dfrac{\Delta EU}{\Delta S} = 87.5 - 2.5S = 0$　……⑥

　⑥をSについて解くと$S = 35$となるので、肢3が正解となる。

第5章　不確実性と情報の非対称性

正答 **3**

必修問題 セクションテーマを代表する問題に挑戦!

情報の非対称性に関する文章問題です。これまでと違い、現実に近い分析ができる分野です。

問 情報の非対称性に関するA〜Dの記述のうち、妥当なもののみを挙げているのはどれか。 (国家一般職2024)

A:モラル・ハザードは、その名のとおり、個人の道徳心の変化による非合理的な経済行動の結果、生じる問題である。例えば、労働市場において、企業が労働者の努力水準を観察できる場合であっても、労働者が怠けるおそれがあるため、モラル・ハザードが生じる。

B:契約理論においては、株主がプリンシパル(依頼人)、経営者がエージェント(代理人)に位置付けられている。両者が持つ情報に関して非対称性が存在する場合、株主が努力し、自ら率先して仕事をする方が得であるような仕組みにすることで、パレート効率的な均衡を達成することができる。

C:中古車市場において、買い手が中古車の品質を判定できないため、品質の良い車が市場から排除され、品質の悪い車のみが市場に残ることは、逆選択(逆淘汰)の例であり、逆選択によって最終的に市場が成立しなくなることもある。

D:私的情報を持つ者が、情報を持たない者に対してその情報を明らかにするために、外部から観察できる行動をとることをシグナリングという。例えば、ある労働者が、能力を企業に認めてもらうことによって高い賃金を得るために、努力コストを支払って高い学歴を得ることは、シグナリングの例である。

1:A、B
2:A、C
3:B、C
4:B、D
5:C、D

Guidance ガイダンス 情報の非対称性

情報の非対称性には、契約前と契約後の2種類があり、それぞれ逆選択と道徳的危険が代表的な論点である。

〈情報の非対称性〉

A × モラル・ハザード(道徳的危険)とは、契約・取引後における契約・取引相手の行動・意思決定を観察できないことによって、契約・取引相手が契約・取引後に望ましい行動・意思決定を実行しなくなる可能性が発生する、という契約・取引後における情報の非対称性がもたらす問題のことである。したがって、「個人の道徳心の変化による非合理的な経済行動の結果、生じる問題」という記述は当てはまらない。

B × 一般的にプリンシパル(依頼人)としての株主とエージェント(代理人)としての経営者の両者が持つ情報に関して非対称性が存在する場合、経営者がずさんな経営を行って株主にとっての利益よりも自分にとっての利益を優先させるような行動を実行してしまう可能性がある。そこで株主としては、契約後における両者の利益を一致させるような仕組みを構築したり、経営者による経営者利益優先の行動を抑制させるように監視または検査するためのエージェンシー・コストやモニタリング・コストが発生してしまう可能性がある。このコストをどのように最小化させるか、が基本的な契約理論(エージェンシー理論)である。したがって、「(株主が)自ら率先して仕事をする方が得であるような仕組みにする」という記述は当てはまらない。

C ○ 妥当な記述である。逆選択(逆淘汰、アドバース・セレクション)の説明として、特に中古車市場での取引を例に挙げたレモンの原理が有名なものである。

D ○ 妥当な記述である。情報(シグナル)を持つ者が持たない者に対して情報を発信するシグナリングは、逆選択(逆淘汰)の発生を抑制しようとする1つの解決方法である。

　以上より、妥当なものはC、Dとなるので、正解は肢5である。

正答 **5**

> **Step** ステップ　逆選択を回避するために、自己選択やシグナリング、道徳的危険を回避するためにモニタリングという手段があることを押さえ、その原理を身につけておこう。

SECTION 2 情報の非対称性

1 情報の経済学

　現実の経済を考えるとき、完全競争市場の前提条件の1つである情報の完全性は成立していません。たとえば、ある2人の人が何らかの契約を結ぶとき、自分に関する情報は持っているが相手についての情報は完全にはわからない場合、このことを**情報の偏在**といい、情報が偏在しているとき**情報は不完備**である、あるいは情報の非対称性が存在するといいます。

　情報の経済学とは、このような情報の非対称性が存在する場合の取引契約を対象とします。

　そして、情報の非対称性は大きく次の2種類に分けられます。1つは、契約前において、相手の**属性**あるいは相手の提供する財の属性（**品質**）について相手は知っているが自分は知らないという場合であり、これを契約前の情報の非対称性といいます。もう1つは、契約後において、相手の**行動**についての情報を相手は知っているが自分は知らないという場合であり、これを契約後の情報の非対称性といいます。

2 契約前の情報の非対称性

逆選択（アドバース・セレクション）

　逆選択とは、契約前において契約当事者間（財の売り手と買い手または雇用主と労働者）で相手の属性や相手の提供する財の品質についての情報が非対称であるため、結果として、質の良い財や労働者よりも、質の悪い財や労働者が選択されてしまうことをいいます。逆選択の例としては、中古車市場における車の取引を対象としたレモンの原理が挙げられます。

　中古車には、優良車もあれば、不良車（米国でレモンとよびます）もあります。中古車の売り手は、その中古車が故障の少ない優良車か故障の多い不良車かをよく知っています。しかし、中古車の買い手は、その中古車の品質についてよくわかっていません。中古車の買い手は、中古車市場全体での平均的な品質については過去の経験からわかっているとすると、中古車の市場価格は平均的な品質に基づいて決定され、このとき優良車にも不良車にも同じ価格がつくことになります。この結果、優良車を売りに出しても、不良車と同じ低い価格でしか売れないので、中古車市場に売りに出される車は不良車だけになってしまいます。このような現象のことをレモンの原理といいます。

 レモンの原理は、ノーベル賞受賞経済学者ジョージ・アカロフによって主張されました。

3 契約前の情報の非対称性の解決法

① 自己選択（セルフ・セレクション）

逆選択を回避するためには、契約前に相手の属性や相手の提供する財の品質についての情報がわかるようにすることが必要です。その方法について、自動車保険の契約を例に考えてみましょう。仮に、危険な運転をするドライバーと安全運転を心掛けているドライバーの2人が、保険会社と自動車保険の契約をするとします。このとき、保険会社は、ドライバーが危険な運転をする人なのか、あるいは安全運転をする人か直ちには区別できないとします。もし、保険会社が、安全なドライバー、危険なドライバーともに同じ契約を結ぶならば、逆選択によって危険なドライバーしか保険契約をしなくなります。このままでは、保険金支払がかさんで保険会社は倒産の危険にさらされてしまいます。しかし、ここで、保険会社が次のような2種類の保険契約を提示したらどうでしょうか？

第1の契約は、保険料は安いが事故を起こしたときに支払われる保険金も安いという契約、第2の契約は、保険料は高いが事故を起こしたときに支払われる保険金も高いという契約で、保険会社はどちらかの契約を保険加入者に選択させます。すると、安全なドライバーは、自分が事故を起こしにくいことを知っているので第1の契約を選択し、危険なドライバーは自分が事故を起こす確率が高いことを知っているので第2の契約を選択することになります。このように、保険加入者が自分で2種類の契約のうち一方を選択することによって、保険会社に自分が安全なドライバーか危険なドライバーかという情報を知らせることになります。これを、自己選択といいます。

② シグナリング

雇用主と労働者との間で雇用契約を結ぶ場合を考えます。労働者の中には生産性の高い人も低い人もいます。また、労働者の生産性について、労働者自身は知っているが雇用主は知らないとします。この場合、雇用主はすべての労働者に対して同じ賃金を支払うと、逆選択によって生産性の低い労働者しか雇用できなくなってしまいます。ここで、生産性の高い労働者は高水準の学歴を達成することに価値があると考えていることが、雇用主にわかったとします。その結果、雇用主は、労働者の学歴を見ることによって労働者の生産性の高さを推し量ることができます。すなわち、学歴が生産性のシグナルとして機能することになります。このとき、雇用主が学歴の高い労働者に高い賃金を支払うことで、生産性の高い労働者は、進んで高学歴を達成することに費用を支払い、実現した高学歴という情報を雇用主に開示することになるでしょう。これを、シグナリングといいます。

> **ポイント** シグナリングのアイデアは、ノーベル賞受賞経済学者マイケル・スペンスによって考案されました。

4 契約後の情報の非対称性

道徳的危険（モラル・ハザード）

　道徳的危険とは、取引・契約後の相手の行動を観察しきれないことによって生じるものです。たとえばある個人が保険に加入した場合、これにより安心して用心を怠り、保険加入前に比べて病気や事故や火災などを引き起こしやすくなってしまうことをいいます。

5 契約後の情報の非対称性の解決法

モニタリング

　道徳的危険を回避するためには、契約後に相手の行動を監視あるいは検査することが必要ですが、この検査のことをモニタリングといいます。しかし、モニタリングには膨大な費用がかかるという問題があります。たとえば、医療保険でいえば契約後に保険加入者が健康に気を使って規則正しい生活をしているかなどを検査するには膨大な費用がかかります。

補足　モニタリングにかかる費用のことを、モニタリングコストといいます。

memo

実践 問題 154 基本レベル

頻出度 地上★ 国家一般職★ 特別区★
裁判所職員★ 国税・財務・労基★ 国家総合職★★

問 情報の不完全性に関する記述として最も妥当なものはどれか。

(裁判所職員2018)

1：贈収賄に対する罰則を厳しくした結果、賄賂罪の認知件数が減少した場合、これは道徳的危険(モラル・ハザード)が解消したためと考えられる。

2：保険料の安い自動車保険を販売した結果、安全運転をするタイプの契約者だけがその保険を購入したとき、これは逆選択の一例であると考えられる。

3：中古車の買い手と売り手の双方が財の品質に関して十分な情報を持っている場合には、結果として品質の悪い中古車ばかりが流通することになる。

4：収穫が天候に左右される農産物市場において、農家が利用できる適切な保険制度が存在しない場合には、市場の失敗が生じているといえる。

5：ある企業の経営者が、ずさんな経営により企業の株主に大きな損害を与えたとき、これはエージェンシー問題の一例と見なせる。

直前復習

594 LEC東京リーガルマインド 2025-2026年合格目標 公務員試験 本気で合格！過去問解きまくり！
⑬ミクロ経済学

OUTPUT

実践 問題 **154** の解説 ─────────────────

〈情報の非対称性〉

1 ✕ 道徳的危険(モラル・ハザード)とは、契約・取引後の契約・取引相手の行動を観察できないことによって契約・取引相手が契約・取引後に望ましい行動をとらないということであり、契約・取引後の情報の非対称性がもたらす問題である。したがって、本肢の記述は当てはまらない。

2 ✕ 自動車保険における逆選択とは、保険会社としては、安全運転をするタイプの契約者と契約したいが、安全運転をしないタイプの運転者のほうが、保険に入ると得をするため、安全運転をしないタイプの運転者のほうが、より保険に加入するということである。したがって本肢の記述は、逆選択の例ではない。

3 ✕ 中古車の買い手と売り手の両方が、財の品質に関して十分な情報を持っている場合には、品質の悪い中古車には低い価格、品質の良い中古車には高い価格がつくため、品質の悪い中古車ばかりが流通することにはならない。品質の悪い中古車ばかり流通するのは、情報の非対称性が存在し、中古車の買い手が品質について十分な情報を持っていない場合に品質の良い中古車に適切な価格がつかないからである。

4 ✕ 本肢の記述は不確実性についてである。なお、リスク回避的な供給者による過少供給のために市場の失敗が起きる可能性はあるが、保険制度が存在しなくても、市場の失敗が生じているとは必ずしもいえない。また、保険制度が存在していても、情報の非対称性により、市場の失敗が生じることがある。

5 ◯ 道徳的危険(モラル・ハザード)の例である。道徳的危険は、契約後の取引相手の行動について観察不可能であるという情報の不完全性(非対称性)の存在が原因であると考えられる。この問題がプリンシパル(依頼人)とエージェント(代理人)の間に生じることをエージェンシー問題という。株主から経営を委任された経営者が、ずさんな経営をして(モラル・ハザードを起こして)依頼人である株主に損害を与えているので、エージェンシー問題の一例とみなせる。

第5章 不確実性と情報の非対称性

正答 **5**

実践 問題 **155** 〈 応用レベル 〉

頻出度	地上★	国家一般職★	特別区★
	裁判所職員★	国税·財務·労基★	国家総合職★★★

[問] 中古車には優良中古車と不良中古車とがある。いま、優良中古車に関して、買い手は100、売り手は90の価値があると考えている。それに対し、不良中古車に関して、買い手は60、売り手は40の価値があると考えている。買い手の数は売り手の数に対し非常に多いものとする。また売り手は中古車の品質がわかるが、買い手は中古車の品質が見分けられないとする。

優良中古車が全体の$\frac{1}{2}$の割合で存在し、不良中古車も全体の$\frac{1}{2}$の割合で存在することは買い手も売り手も知っているとする。ただし、買い手は危険回避的であると仮定する。

このとき、均衡における取引の状況に関する記述として妥当なのはどれか。

(地上2007)

1：優良中古車も不良中古車も100で取引される。
2：優良中古車も不良中古車も80で取引される。
3：優良中古車のみ100で取引される。
4：不良中古車のみ60で取引される。
5：不良中古車のみ40で取引される。

OUTPUT

実践 ▶ **問題 155** の解説

〈レモンの原理〉

本問は、情報の非対称性が売り手と買い手との間で発生する場合において、逆選択が発生する場合の計算問題である。不良中古車の台数をQ_b、優良中古車の台数をQ_gとする（ただし、$Q_b = Q_g$である）。売り手にとっての優良中古車は90の価値があり、不良中古車は40の価値があるので、それぞれの価値以上の価格であれば売却すると考えられる。したがって、下図のような供給曲線S（太線）のもとで供給されると考えられる。また、買い手の評価は優良中古車であれば100であり、不良中古車は60である。さらに、買い手は優良車であるか、不良車であるかが認識できないので、存在確率を使ってその期待値を計算すると、$\frac{1}{2} \times 100 + \frac{1}{2} \times 60 = 80$となる。買い手の限界評価は、期待価値で一定なので、需要曲線Dはこの期待価値のもとで水平となる。

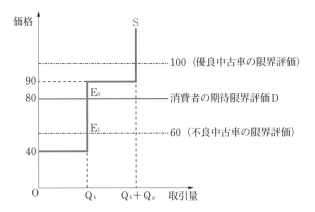

上図のように、短期均衡E_0では不良中古車のみが取引されることになる。さらに「不良中古車しか取引されないこと」を売り手も買い手も理解する場合には、不確実性がなくなる。さらに「買い手のほうが売り手の数より多い」ことから価格支配力は売り手にあると考えられる。したがって、E_1が均衡となり、取引価格は売り手に有利になるように60で設定すると考えられる。

よって、正解は肢4である。

正答 4

第5章 不確実性と情報の非対称性

実践 問題 156 < 応用レベル >

問 ある個人の所得は賃金のみであり、賃金のすべてをX財の購入に支出するとした場合、この個人の効用関数が以下で与えられているものとする。

$$U = a X L \quad \begin{pmatrix} U : 効用、X : X財の消費量 \\ L : 余暇時間、a : 正の定数 \end{pmatrix}$$

なお、この個人の余暇時間と労働時間の合計をh(定数)、単位当たり賃金をw(定数)、X財の価格をpとする。

いま公的扶助制度を設け、失業者は、失業給付を受けられるようになるものとする。このとき、この個人がモラル・ハザードを起こし意図的に失業することのないようにするためには、支給額はいくら以下でなければならないか。なお、給付の財源については、特に考慮しないものとする。 (地上1995)

1 : $\dfrac{wh}{4}$

2 : $\dfrac{wh}{2p}$

3 : $\dfrac{wh^2}{2}$

4 : $\dfrac{awh}{p}$

5 : $\dfrac{awh^2}{p}$

実践 問題 **156** の解説 ─────────

〈情報の非対称性〉

　この個人がモラル・ハザードを起こし意図的に失業することのないようにするためには、労働するときの効用のほうが失業給付を受けるときの効用を上回るように、失業給付の額を設定すればよい。

(1) **労働をするときの効用：U_1**

　　労働所得のすべてをX財の消費に用いるので、予算制約は、$pX = w(h-L)$となり、

$$X = \frac{w(h-L)}{p}$$

と整理できる。これを効用関数に代入すると、

$$U = \frac{a\,w(h-L)\,L}{p} \quad \cdots\cdots①$$

を得る。効用最大化条件より、

$$\frac{dU}{dL} = \frac{a\,w(h-2L)}{p} = 0$$

$$L = \frac{h}{2} \quad (\because a > 0、w > 0、p > 0 より h - 2L = 0)$$

を得る。これを①に代入すると、

$$U_1 = \frac{a\,w\,h^2}{4p}$$

(2) **失業給付を受けるときの効用：U_2**

　　失業給付をIとすると、予算制約は、

$$I = pX$$

$$X = \frac{I}{p}$$

となり、また、すべての時間が余暇として消費可能なので、$L = h$となる。このとき、効用水準は、

$$U_2 = \frac{a\,I\,h}{p}$$

となる。

　　$U_1 \geqq U_2$であればよいから、

$$\frac{a\,w\,h^2}{4p} \geqq \frac{a\,I\,h}{p}$$

$$I \leqq \frac{w\,h}{4}$$

よって、正解は肢1である。

正答 **1**

頻出度	地上★★	国家一般職★	特別区★
	裁判所職員★	国税・財務・労基★	国家総合職★★

問 ある企業のプロジェクトの利益を π とする。このプロジェクトの成功は、労働者の努力に依存しており、労働者の努力がないと1の確率でプロジェクトは失敗し、$\pi = 0$ となる。労働者が努力をした場合、0.8の確率で成功し $\pi = 600$、0.2の確率で失敗し $\pi = 0$ となる。なお、労働者は努力をすると80の経費がかかるものとする。

企業が「固定給を w、プロジェクトの成功時にボーナスとして b を支払う」という労働契約を労働者と締結したい場合、企業はより利潤を出し、労働者は努力をしより賃金を得ようとする w と b の設定はいずれか。 （地上2015）

1 ： w = 0　　　 b = 100
2 ： w = 0　　　 b = 150
3 ： w = 10　　 b = 50
4 ： w = 10　　 b = 100
5 ： w = 20　　 b = 50

OUTPUT

実践 問題 **157** の解説

〈情報の非対称性〉

【労働者の行動】

労働者が努力をしたときの利得は、

$0.8(w+b)+0.2w-80$ ……①

労働者が努力をしなかったときの利得は、

w ……②

である。よって、①≧②であれば、労働者は努力をする。すなわち、

$0.8(w+b)+0.2w-80 \geqq w$

→ $0.8b \geqq 80$

→ $b \geqq 100$ ……③

【企業の行動】

企業の利潤は、労働者が努力をする場合について、

$\pi = 0.8(600-b-w)+0.2(0-w)$ （ただし、$b \geqq 100$）

→ $\pi = 480-0.8b-w$

である。利潤 π を最大化するには、b と w はなるべく小さいほうがよい。よって、

$b = 100$

$w = 0$

となるので、肢1が正解となる。

第5章 不確実性と情報の非対称性

正答 **1**

Q1 下記の図のような効用関数を持つ個人は、危険回避的な個人であるといえる。

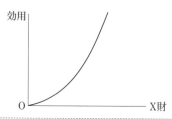

Q2 50パーセントの確率で100の所得、50パーセントの確率で10の所得が得られる場合、期待所得は55となる。

Q3 モラル・ハザードとは、商品についての情報を売り手が独占しているために、質の悪い商品のみが市場に出回ってしまうという状況を表す用語である。

Q4 保険市場における、安全なドライバーが保険に加入せずに危険なドライバーのみが加入するという逆選択の問題に対して、保険会社が「保険料は安く、保険金も安い」、「保険料は高く、保険金も高い」という2種類の保険契約を示すという解決策が考えられる。

Q5 逆選択の問題は、契約後の情報の非対称性がもたらす問題の1つである。

Q6 契約後の情報の非対称性がもたらす問題として、道徳的危険(モラル・ハザード)が挙げられる。

Q7 道徳的危険を解決するために、モニタリングの実施が挙げられるが、これには一般的に膨大なモニタリングコストがかかるという問題点がある。

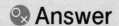

A1 × 図のような限界効用逓増の効用関数を持つ個人は、危険愛好的な個人であり、逆に限界効用逓減の効用関数を持つ個人が、危険回避的な個人である。

A2 ○ 0.5×100＋0.5×10＝55となる。

A3 × 本問の内容は、モラル・ハザードではなく、逆選択(アドバース・セレクション)について述べたものである。

A4 ○ 本問は自己選択(セルフ・セレクション)について述べており、安全なドライバーは保険料が安く、事故を起こした際に支払われる保険金も安い保険契約を選択し、逆に危険なドライバーは保険料が高く、事故を起こした際に支払われる保険金も高い保険契約を選択する。

A5 × 逆選択は、契約後ではなく契約前の情報の非対称性の問題がもたらす問題である。契約後の情報の非対称性がもたらす問題としては、道徳的危険(モラル・ハザード)が挙げられる。

A6 ○ 道徳的危険(モラル・ハザード)は、たとえば保険に加入した個人が、保険によってリスクが減少したことによって用心を怠るようになることである。

A7 ○ モニタリングコストの例として、生命保険における検査費用などが挙げられる。

第5章 不確実性と情報の非対称性

memo

ミクロ経済学

第4編
国際貿易理論

第1章

国際貿易理論

SECTION

① 比較優位
② 現代の貿易理論

出題傾向の分析と対策

試験名	地 上			国家一般職			特別区			裁判所職員			国税・財務・労基			国家総合職		
年 度	16～18	19～21	22～24	16～18	19～21	22～24	16～18	19～21	22～24	16～18	19～21	22～24	16～18	19～21	22～24	16～18	19～21	22～24
出題数 セクション	1						2		1	1			1					
比較優位		★							★	★				★				
現代の貿易理論							★★											

（注）1つの問題において複数の分野が出題されることがあるため、星の数の合計と出題数とが一致しないことがあります。
（注）国家総合職では国際経済学という選択科目で出題されています。

　国際貿易理論の出題頻度はそれほど高くはありませんが、受験生によって出来・不出来の多いテーマです。出題範囲は限られており、しっかり準備しておけば、比較的少ない準備で他の受験生に差をつけることが可能です。

地方上級

　リカード・モデル、ヘクシャー＝オリーン・モデルともに出題されたことがあります。過去には、ヘクシャー＝オリーン・モデルは図の読み取り問題が出題されたので、グラフの読み取り方を身につけておきましょう。

国家一般職

　リカード・モデルの問題が出題されたことがあります。基本的な計算問題が多いので、解法をマスターしておきましょう。

特別区

　リカード・モデル、ヘクシャー＝オリーン・モデルともに出題されたことがあります。リカード・モデルの基本を押さえておくとともに、ヘクシャー＝オリーン・モデルの文章題に対応できる知識を身につけておきましょう。

裁判所職員

リカード・モデルの問題が出題されたことがあります。表が与えられずに文章で出題されたことがあるので、文章の条件から表に書き起こせる能力を身につけましょう。

国税専門官・財務専門官・労働基準監督官

リカード・モデルなどが出題されたことがあります。基礎的な知識で対応可能な問題が多いため、公式や条件、用語などを押さえておきましょう。

国家総合職

国家総合職では国際経済学という選択科目で出題されます。リカード・モデルもヘクシャー＝オリーン・モデルも出題され、特に、ヘクシャー＝オリーン・モデルは頻出分野です。ヘクシャー＝オリーン・モデルは、高度な計算問題や文章題が出題されるため、理論の深い理解を心掛けるようにしてください。

※第4編第1章国際貿易理論では、上記のことから、各問題の「頻出度」において、国家総合職の項目を設けていません。

Advice 学習と対策
アドバイス

　「リカード・モデル」はその考え方さえ理解しておけば、簡単な計算で正答を導くことができるので、ぜひ公式などを確認しておきましょう。その他「国際貿易理論」全般については、文章による学説理解問題を想定して、ひととおり貿易理論の考え方をまとめておくとよいでしょう。

必修
問題

セクションテーマを代表する問題に挑戦!

比較優位説は貿易の利益を考えるうえで基礎となる理論です。

問 世界に二つの国AとBだけが存在し、両国は生産要素として労働だけを用いて2種類の財XとYのみを生産するものとする。それぞれの国においてX財とY財を1単位生産するのに必要な労働量が次の表のとおりであるとき、比較生産費説に基づく両国間の貿易に関する記述として、妥当なのはどれか。ただし、労働はすべて同質であり、輸送費はかからないものとし、生産要素の両国間の移動はないものとする。　　　　　　　　　　　　　　　(特別区2007)

	X 財	Y 財
A国	25	20
B国	18	10

1 : A国は、X財において比較劣位をもつため、Y財に生産を特化し、X財を輸入する。

2 : A国は、Y財において比較優位をもつため、X財に生産を特化し、Y財を輸入する。

3 : A国は、B国に比べてX財及びY財においてともに絶対優位をもつため、両国間で貿易は行われない。

4 : B国は、Y財において比較優位をもつため、Y財に生産を特化し、Y財を輸出する。

5 : B国は、A国に比べてX財及びY財においてともに比較優位をもつため、両国間で貿易は行われない。

Guidance
ガイダンス
「X財の比較生産費」とは、X財を1単位生産するために、Y財の生産を何単位犠牲にしなければならないかということである。

これは、

$$\frac{X財生産に必要な生産要素（単位）}{Y財生産に必要な生産要素（単位）}$$

で求めることができる。

必修問題の解説

〈比較優位〉

X財を1単位生産するのに必要な費用（労働量）をみると、A国は25、B国は18となり、B国のほうがA国よりも低い費用（労働量）となっている。

しかし、リカードは貿易において輸出される財は、このような絶対的な費用の高低でなく、比較生産費によるとした。したがって、B国は絶対な費用においてA国に対して優位にあることがわかるが、このことからB国がX財を輸出するとはいえない。

【比較生産費の導出】

X財の比較生産費とは、X財の生産量が1単位増加するときに減少するY財の生産量のことである。Y財の比較生産費も同様である。

X財の生産量が1単位増加すると、A国では25単位の労働量がY財の生産から引き抜かれるから、Y財の生産量は$\frac{25}{20}$単位だけ減少する。よって、

$$\text{A国のX財の比較生産費} = \frac{25}{20} = 1.25 \quad \cdots\cdots ①$$

である。一方、B国で同様の計算を行うと、

$$\text{B国のX財の比較生産費} = \frac{18}{10} = 1.80 \quad \cdots\cdots ②$$

となる。①＜②であることから、A国はX財で比較優位、B国は比較劣位にある。

リカードの比較生産費説では、各国は比較優位のある財に特化した生産を行い輸出する。比較劣位の財は輸入する。したがって、A国がX財に特化しX財を輸出する。

よって、肢1と肢2が誤り。

Y財についても同様に比較生産費を計算すると、

$$\text{A国のY財の比較生産費} = \frac{20}{25} = 0.8 \quad \cdots\cdots ③$$

$$\text{B国のY財の比較生産費} = \frac{10}{18} \fallingdotseq 0.55 \quad \cdots\cdots ④$$

となる。③＞④であるから、A国はY財で比較劣位、B国は比較優位にある。

よって、B国がY財に対して比較優位を持ち、Y財に特化して、Y財を輸出する。

以上より、妥当なのは肢4となる。

正答 **4**

SECTION 1 国際貿易理論 比較優位

1 リカード・モデル

　ある財の生産について、機会費用の小さい国のほうが、その財の生産について比較優位を持ちますが、リカードという経済学者は、各国は比較生産費（国内での各財の相対生産費）の低い（これを比較優位を持つという）財の生産に完全特化して、それを輸出すれば、貿易により利益を得ることができると主張しました。

　このことを、自国と外国の2つの国が、**労働という生産要素のみを用いて**、X財とY財の2つの財を生産していると仮定するリカード・モデルで説明します。下表の数字はX、Y財1単位の生産に必要な労働者数を表しています。

	X 財	Y 財
自 国	5	5
外 国	20	10

　表の数値をみると、両財とも自国のほうが低コストで生産できるのですから、自国は外国から輸入するものが一切なく、貿易が成立しないように思われます。

　ここで、登場するのが比較生産費、すなわち「**ある財を1個作るために他の財の生産を何個犠牲にしているのか**」いう考え方です。まずは、X財についてみていきましょう。自国のX財1個生産のために必要な労働者は5人です。この人数をもしY財の生産にまわせば、Y財を1個生産できます。つまり、自国はX財を1個生産することによって、Y財を1個犠牲にしていると考えることができます。このとき、自国のX財の比較生産費は1となります。同様に、外国についてもみていくと、X財1個生産のために必要な労働者は20人です。この人数をもしY財の生産にまわせば、Y財を2個生産できます。つまり、外国はX財を1個生産することによって、Y財を2個犠牲にしていると考えることができます。このとき、外国のX財の比較生産費は2となります。以上から、相対的にみてX財生産は自国のほうが苦手でないことがわかります。このとき、自国は**X財生産について比較優位を持つ**といいます。

　同様に、Y財についてみていくと、自国のY財の比較生産費は1、外国のY財の比較生産費は$\frac{1}{2}$となります。よって、相対的にみてY財生産は外国のほうが苦手でないことがわかります。このとき、外国は**Y財生産について比較優位を持つ**といいます。

　以上から、各国は得意な分野の生産に特化し、分業したほうがよいことが明らか

です。このように、リカードは、両国における生産技術の「相対的な」差異が貿易の源泉であると主張しました。

　それでは、貿易が生じるために価格の条件はどうあるべきでしょうか？　2財の価格比$\dfrac{P_X}{P_Y}$の意味について考えてみましょう。いま、X財：300円、Y財：200円とすると、X財を1個購入するために、買うのを諦めなければならない（＝犠牲にする）Y財の量は$\dfrac{3}{2}$個です。つまり、価格比とは「ある財を1個購入するために他の財を何個犠牲にするのか」という機会費用を表しているのです。

　よって、自国はX財を売って儲け、しかも外国はX財を買って損しない条件は下記のように表されます。

自国（売る側）のX財比較生産費＜$\dfrac{P_X}{P_Y}$＜外国（買う側）のX財比較生産費

これを交易条件といいます。

補足 🖉　交易条件は、貿易前の自国の国内相対価格＜国際相対価格$\dfrac{P_X{}^*}{P_Y{}^*}$＜貿易前の外国の国内相対価格と表すこともできます。

▣ 比較生産費の計算

前ページの2国2財モデルについて、比較生産費を計算してみます。

【X財】

		（自国）	（外国）
比較生産費：	$\dfrac{\text{X財費用}}{\text{Y財費用}}$	$\dfrac{5}{5}=1$	$\dfrac{20}{10}=2$

自国：1＜外国：2　⇒　自国がX財について比較優位を持つ。

【Y財】

		（自国）	（外国）
比較生産費：	$\dfrac{\text{Y財費用}}{\text{X財費用}}$	$\dfrac{5}{5}=1$	$\dfrac{10}{20}=\dfrac{1}{2}$

自国：1＞外国：$\dfrac{1}{2}$　⇒　外国がY財について比較優位を持つ。

実践 問題 **158** ＜基本レベル＞

頻出度		
地上★	国家一般職★	特別区★
裁判所職員★	国税・財務・労基★	

問 労働力のみで生産される財Xと財Yがあり、A国とB国でそれらの財を1単位生産するのに必要な労働投入量は、表のとおりである。リカードの比較生産費説を前提とすると、A国とB国の間で貿易が生じる場合の財の相対価格 $\frac{P_x}{P_y}$ の範囲として最も妥当なのはどれか。

　　ただし、P_x は財Xの価格、P_y は財Yの価格を表す。また、両国間で労働力の移動はないものとする。

（労基2019）

	財X	財Y
A国	5	2
B国	8	3

直前復習

1 : $\dfrac{3}{8} < \dfrac{P_x}{P_y} < \dfrac{2}{5}$

2 : $\dfrac{5}{8} < \dfrac{P_x}{P_y} < \dfrac{2}{3}$

3 : $\dfrac{3}{2} < \dfrac{P_x}{P_y} < \dfrac{8}{5}$

4 : $\dfrac{5}{3} < \dfrac{P_x}{P_y} < 4$

5 : $\dfrac{5}{2} < \dfrac{P_x}{P_y} < \dfrac{8}{3}$

OUTPUT

実践 問題 **158** の解説 ────────

〈比較優位〉

A国では、財Xの生産量を1単位増加させるために必要な労働投入量は、5である。一方、財Yの生産量を1単位増加させるために必要な労働投入量は、2である。したがって、財Xの生産量を1単位増加させる場合における財Yの生産量は、財Yの生産に投入されていた労働量5を財Xの生産に投入するため、$\frac{5}{2}$単位減少する。よって、財Xの比較生産費は$\frac{5}{2}$である。

同様にB国では、財Xの生産量を1単位増加させるために必要な労働投入量は、8である。一方、財Yの生産量を1単位増加させるために必要な労働投入量は、3である。したがって、財Xの生産量を1単位増加させる場合における財Yの生産量は、財Yの生産に投入されていた労働量8を財Xの生産に投入するため、$\frac{8}{3}$単位減少する。よって、財Xの比較生産費は$\frac{8}{3}$である。

リカードの比較生産費説では、比較生産費の低いほうの国が輸出国、比較生産費の高いほうの国が輸入国となる。つまり、A国が財Xの輸出国、B国が財Xの輸入国である。ただし、実際に貿易が行われるためには、財Xと財Yの貿易価格P_xとP_yが一定の範囲内に収まっている必要がある。

この貿易が成立する条件は、

　　　財Xの輸出国の比較生産費$< \frac{P_x}{P_y} <$財Xの輸入国の比較生産費

である。したがって、A国とB国の間で貿易が生じる場合の財の相対価格$\frac{P_x}{P_y}$の範囲は、

$$\frac{5}{2} < \frac{P_x}{P_y} < \frac{8}{3}$$

となるため、肢5が正解となる。

正答 5

実践 問題 **159** 〈基本レベル〉

頻出度	地上★	国家一般職★	特別区★
	裁判所職員★	国税·財務·労基★	

問 A国とB国、X財とY財からなるリカードの貿易モデルを考える。両国において各財は労働のみによって生産され、1単位の労働投入量によって生産される各財の量は以下の表のように示される。X財の国際価格とY財の国際価格の比（交易条件）を $\dfrac{P_X}{P_Y}$ とし、両国の人々はX財·Y財をどちらも消費することを好むものとするとき、以下の記述のうち妥当なものを一つ選べ。

（裁判所職員2019）

	A国	B国
X財	40	80
Y財	20	50

1 : $\dfrac{P_X}{P_Y} = 0.6$ ならば、A国はX財のみを生産し、Y財を輸入する。

2 : $\dfrac{P_X}{P_Y} < 1.6$ であるときには、B国はX財を生産しない。

3 : $0.5 < \dfrac{P_X}{P_Y} < 0.625$ ならば、両国間で貿易が行われるが、絶対優位をもつB国のみが貿易のメリットを享受する。

4 : $1.6 < \dfrac{P_X}{P_Y} < 2$ であるとき、A国はY財を輸出してX財を輸入する。

5 : $0.5 < \dfrac{P_X}{P_Y} < 0.625$ であるとき、B国はX財を輸出してY財を輸入する。

〈比較優位〉

問題文の表では、各財が1単位の労働投入量によってどれだけの生産ができるかを示している。ここで、各財を1単位作るのにどれだけ労働投入量が必要かという表に改めてみると、

	A国	B国
X財	$\frac{1}{40}$	$\frac{1}{80}$
Y財	$\frac{1}{20}$	$\frac{1}{50}$

となる。

ここで、X財の比較生産費を求めると、これは労働投入量の比に等しいので、A国は、

$$\frac{1}{40} \div \frac{1}{20} = \frac{1}{2} = 0.5$$

となる。一方、B国においても同様に、

$$\frac{1}{80} \div \frac{1}{50} = \frac{5}{8} = 0.625$$

となる。

比較優位は比較生産費の低い国にあるため、X財はA国に比較優位がある。比較優位説に基づくと、貿易が行われた場合には、A国は比較優位のあるX財の生産に特化しX財の輸出国となる。なお、2財の価格比がA国のX財の比較生産費の値とB国のX財の比較生産費の値との間にあるときに貿易が行われる。いいかえれば、

$$0.5 < \frac{P_x}{P_y} \quad \Rightarrow \text{A国はX財を輸出し、Y財を輸入する。}$$

$$\frac{P_x}{P_y} < 0.625 \quad \Rightarrow \text{B国はX財を輸入し、Y財を輸出する。}$$

ということになる。輸出国と輸入国の両方がそろったときに貿易が成立するため、

$$0.5 < \frac{P_x}{P_y} < 0.625$$

が貿易の成立条件となる。

1○ 本肢の記述のとおりである。$\frac{P_x}{P_y} = 0.6$ ならば、$0.5 < \frac{P_x}{P_y} < 0.625$ の範囲内であるため、貿易が成立し、A国はX財のみを生産し、Y財を輸入する。

2 ✕ $0.5 < \dfrac{P_x}{P_y} < 0.625$ のとき、A国はX財に完全特化し、X財を輸出してY財を輸入し、B国はY財に完全特化し、Y財を輸出してX財を輸入する。$\dfrac{P_x}{P_y} < 1.6$ の場合、B国のX財の比較生産費0.625よりも高い場合があるため、B国はX財を生産する場合もある。

3 ✕ 前半は正しい。しかし、絶対優位を持つ国のみが貿易のメリットを享受するわけではない。

4 ✕ A国が比較優位を持つのはX財である。なお、$0.5 < \dfrac{P_x}{P_y} < 0.625$ のとき、A国はX財に完全特化し、X財を輸出してY財を輸入し、B国はY財に完全特化し、Y財を輸出してX財を輸入する。

5 ✕ B国はY財に比較優位を持つので、Y財を生産してそれを輸出する。なお、本問において、問題文で与えられているのは、1単位の労働投入量によって生産される各財の量である。このため、比較生産費(ある財を1個作るために他の財の生産を何個犠牲にしているのか)を求めるには、解説の表のように、各財を1単位生産するために必要な労働量に変換しなければならない。この作業を行わずに問題文の表のとおりに $\dfrac{40}{20} = 2$、$\dfrac{80}{50} = 1.6$ としてしまうと、$1.6 < \dfrac{P_x}{P_y} < 2$ のときに、A国がY財を輸出するという肢4を選択してしまうので注意が必要である。

正答 **1**

memo

実践 問題 **160** 応用レベル

頻出度	地上★	国家一般職★	特別区★
	裁判所職員★	国税・財務・労基★	

問 A国とB国の2国、x財とy財の2財からなるリカードの貿易モデルにおいて、次の図のa a'線、b b'線は、それぞれA国、B国の2財の生産可能性フロンティアを表している。x財とy財の価格をそれぞれp_x、p_yとすると、2国間で貿易が行われるための2財の価格比$\frac{p_x}{p_y}$の範囲として、妥当なのはどれか。

（特別区2014）

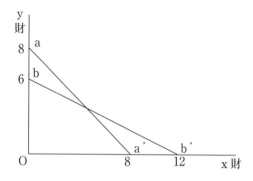

1：$\frac{1}{3}<\frac{p_x}{p_y}<\frac{1}{2}$

2：$\frac{1}{3}<\frac{p_x}{p_y}<1$

3：$\frac{1}{2}<\frac{p_x}{p_y}<1$

4：$\frac{1}{2}<\frac{p_x}{p_y}<\frac{3}{2}$

5：$\frac{2}{3}<\frac{p_x}{p_y}<\frac{4}{3}$

OUTPUT

実践 問題 **160** の解説

〈比較生産費説〉

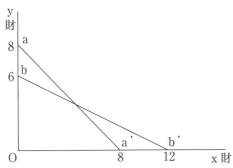

　x財の比較生産費はx財を1単位追加的に生産したときに減らさなければならないy財の生産量として表される。図をみると、A国ではx財を1単位追加的に生産するとy財の生産量が1単位減少することがわかる。よって、x財の比較生産費は1である。また、B国のx財の比較生産費は$\frac{1}{2}$であることがわかる。つまり、

　　A国のx財の比較生産費＝1

　　B国のx財の比較生産費＝$\frac{1}{2}$

である。比較生産費が低い国に比較優位があり、x財はB国に比較優位がある。比較優位説に基づくならば、貿易が行われるとB国は比較優位のあるx財の生産に特化しx財の輸出国となる。なお、2財の価格比がA国とB国のそれぞれのx財の比較生産費の値の間にあるときに貿易が生じる。いいかえれば、

　　・$\frac{1}{2} < \frac{p_x}{p_y}$　⇒　B国はx財を輸出し、y財を輸入する。

　　・$\frac{p_x}{p_y} < 1$　⇒　A国はx財を輸入し、y財を輸出する。

ということである。輸出国と輸入国の両方がそろったときに貿易が成立するから、

　　$\frac{1}{2} < \frac{p_x}{p_y} < 1$

が貿易の成立条件である。

　したがって、正解は肢3である。

正答 **3**

実践 問題 161 応用レベル

| 頻出度 | 地上★ | 国家一般職★ | 特別区★ |
| | 裁判所職員★ | 国税・財務・労基★ | |

問 次の表はA国とB国においてブドウ酒と毛織物を1単位生産するのに必要な労働力の単位数をそれぞれ示したものである。リカードの比較生産費説に従って、A、B両国がそれぞれ比較優位を持つ商品に特化した場合、ブドウ酒と毛織物の特化による両国合計での生産増加分の単位の組合せとして、妥当なのはどれか。ただし、特化前の生産量は、両国とも、ブドウ酒1単位、毛織物1単位であるものとする。 (特別区2024)

	ブドウ酒	毛織物
A国	45	40
B国	50	60

	ブドウ酒	毛織物
1 :	0.125	0.2
2 :	0.2	0.125
3 :	2	2
4 :	2.125	2.2
5 :	2.2	2.125

実践 問題 **161** の解説 ─────────

〈比較生産費説〉

特化前と特化後における財（＝商品のこと）の生産量の変化分を求めるので、それぞれの状況における生産量を確認して比較する。

［特化前］

A国もB国も各財の生産量が1単位であることから両国合計の生産量は、

ブドウ酒：A国の生産量1単位＋B国の生産量1単位＝2単位　……①

毛織物：A国の生産量1単位＋B国の生産量1単位＝2単位　……②

であることが確認できる。

なお、A国もB国も各財の生産量が1単位である、ということは、各国における労働力は、

A国：ブドウ酒を生産する45単位＋毛織物を生産する40単位＝85単位　……③

B国：ブドウ酒を生産する50単位＋毛織物を生産する60単位＝110単位　……④

だけ各国内に存在していることが確認できる。

［特化後］

A、B両国がそれぞれどちらの財に比較優位を持ち、どちらの財に特化するのかを確認するために各財の比較生産費を求める。

ブドウ酒の比較生産費を各国について求めて大小比較をすると、

$$A国：\frac{45}{40}=\frac{9}{8} \quad > \quad B国：\frac{50}{60}=\frac{5}{6}$$

とブドウ酒の比較生産費はB国のほうが小さいことがわかるので、B国がブドウ酒の生産に特化することになる。すると、B国には④より110単位の労働力が存在し、B国としては50単位の労働力でブドウ酒を1単位生産できることから、特化することによって、

$$\frac{110}{50}=\frac{11}{5}（単位）$$

のブドウ酒を生産できることがわかる。したがって、①よりブドウ酒の生産量の増加分は、

$$\frac{11}{5}-2=\frac{1}{5}=0.2（単位）　……⑤$$

と求められる。次に、毛織物の比較生産費を各国について求めて大小比較をすると、

$$A国：\frac{40}{45}=\frac{8}{9} \quad < \quad B国：\frac{60}{50}=\frac{6}{5}$$

と毛織物の比較生産費はA国のほうが小さいことがわかるので、A国が毛織物の生産に特化することになる。すると、A国には③より85単位の労働力が存在し、A国としては40単位の労働力で毛織物を1単位生産できることから、特化することによって、

$$\frac{85}{40}=\frac{17}{8}（単位）$$

の毛織物を生産できることがわかる。したがって、②より毛織物の生産量の増加分は、

$$\frac{17}{8}-2=\frac{1}{8}=0.125（単位） \quad ……⑥$$

と求められる。以上の⑤および⑥の結果より、正解は肢2である。

正答 2

memo

国際貿易理論

セクションテーマを代表する問題に挑戦！

難易度は高いですが、その分、他の受験生と差をつけられる分野です。

問 国際貿易理論に関する記述として、妥当なのはどれか。

(特別区2016)

1：リカードの比較生産費説では、自由貿易を行う場合において、2国が同じ生産関数を持ち、各国が特定の財の生産に完全特化しなくても、自国に相対的に豊富に存在する資源を集約的に投入して生産する財に比較優位を持つとした。

2：ヘクシャー＝オリーンの定理では、財の価格の上昇は、その財の生産により集約的に投入される生産要素の価格を上昇させ、他の生産要素の価格を下落させるとした。

3：リプチンスキーの定理では、財の価格が一定に保たれるならば、資本賦存量が増加すると、資本集約的である財の生産量が増加し、労働集約的である財の生産量が減少するとした。

4：ストルパー＝サミュエルソンの定理では、2国の間で異なる生産技術を持つと仮定すると、各国はそれぞれが比較優位にある方の財の生産に完全特化して、互いに貿易を通じて、厚生を増大させるとした。

5：レオンチェフの逆説とは、アメリカが労働に豊富な国であるとみなされていたため、アメリカは労働集約的な財を輸入し、資本集約的な財を輸出しているという計測結果が、リカードの比較生産費説と矛盾することをいう。

Guidance ガイダンス　ヘクシャー＝オリーンの定理

　ヘクシャー＝オリーンの定理によると、各国は相対的に豊富に存在する生産要素を集約的に使用する財を、より多く生産し輸出する。ただし、リカード・モデルのように完全特化するわけではない。

頻出度	地上★	国家一般職★	特別区★★
	裁判所職員★	国税・財務・労基★	

チェック欄		
1回目	2回目	3回目

必修問題の解説

〈現代の貿易理論〉

1 ✕ 本肢は、ヘクシャー＝オリーンの定理についての説明である。ヘクシャー＝オリーンの定理では、2国が同じ生産関数を持ち、各国が特定の財の生産に完全特化しなくても、自国に相対的に豊富に存在する資源を集約的に投入して生産する財に比較優位を持つとする。

2 ✕ 本肢は、ヘクシャー＝オリーンの定理ではなく、ストルパー＝サミュエルソンの定理の説明である。ストルパー＝サミュエルソンの定理では、財の相対価格が上昇すると、その財の生産において集約的に投入される生産要素の価格が上昇し、他の生産要素の価格を下落させるとした。

3 ◯ 本肢の記述のとおりである。リプチンスキーの定理では財の価格を一定として国の資源の賦存量が増加したときに、増加した資源を集約的に投入する財の生産量が増大し、増加した資源を非集約的に投入する財の生産量は減少するとする。

本肢では、資本の賦存量が増大したときに資本集約的な財の生産量が増大し、労働集約的な財の生産量が減少するという記述になっており、この記述はリプチンスキーの定理と整合的である。

4 ✕ 本肢は、リカードの比較生産費説についての説明であり、ストルパー＝サミュエルソンの定理の説明ではないので誤り。リカードの比較生産費説では、各国は比較生産費の低いほうの財の生産に特化して輸出を行い、比較生産費の高いほうの財を輸入する。

5 ✕ レオンチェフが統計分析を行ったところ、アメリカは労働集約的な財を輸出し資本集約的な財を輸入していた。しかし、アメリカは資本が労働よりも相対的に豊富な国であると考えられるので、ヘクシャー＝オリーンの定理に従えば、アメリカは資本集約的な財の輸出国になるはずであるから、レオンチェフの統計分析の結果はヘクシャー＝オリーンの定理とは反対のものであった。これをレオンチェフの逆説という。

レオンチェフの逆説が生じる理由としては、①アメリカでは労働人口は少ないが労働の質や労働生産性が高いので労働富裕国であるといえること、②アメリカと途上国では生産関数が大きく異なること等が指摘された。また、理論的な指摘として、③財の要素集約度が、要素価格が高いときと低いときで逆転が起こるという「要素集約度の逆転」が生じる場合には、ヘクシャー＝オリーンの定理は成立しないことが後に証明された。

正答 3

Step ステップ ヘクシャー＝オリーン・モデルは文章題での出題が多くなる。リプチンスキーの定理、ストルパー＝サミュエルソンの定理、要素価格均等化定理などの国際貿易理論における基本的な定理を含め、知識を定着させておこう。

1 ヘクシャー＝オリーン・モデル

　リカード・モデルでは両国は比較優位を有する財の生産に完全特化すると想定していたのに対して、ヘクシャーとオリーンによるモデル（ヘクシャー＝オリーン・モデル）では、各国は相対的に**豊富に存在する生産要素**をより多く（集約的に）使用する財に比較優位を持ち、その財を輸出するとしました。またリカード・モデルとは異なり貿易に際して完全特化はせず、2財とも生産します。これを**不完全特化**といいます。

　いま、自国と外国の技術構造は同程度の水準にあるものとし、それぞれの国の技術構造が下記の表で表されるものとします。

	資本K	労働L
工業製品X	4	2
農作物Y	2	4

　表は、工業製品X、農作物Yをそれぞれ1単位生産するのに必要な資本および労働量を表しており、工業製品は1単位の製品を作るのに、よりたくさんの資本量を必要とし、一方で、農作物は1単位の財を生み出すのに、よりたくさんの労働量を必要とすることがわかります。このとき、工業製品は**資本集約財**、農作物は**労働集約財**とよばれます。ここで、自国と外国の資源の総量が下記の表のとおりだとします。

	資本	労働
自　　国	80	40
外　　国	40	80

　このとき、自国は外国に比べて資本が豊富に存在することから、**資本豊富国**とよばれます。一方で、外国は自国に比べて労働が豊富に存在することから、**労働豊富国**とよばれます。資本豊富国は、労働集約財だと少量しか生産できませんが、工業製品のような資本集約財だと多く生産できることから、資本集約財の生産に有利となります。一方で、労働豊富国は、資本集約財だと少量しか生産できませんが、農作物のような労働集約財だと多く生産できることから、農作物のような労働集約財の生産に有利となります。そして、お互いが得意な財を輸出することで、両国の経

済厚生は高まっていきます。

このように、ヘクシャー＝オリーン・モデルでは、リカード・モデルとは異なり、両国間に技術的差異がないと仮定しても、貿易は生じることが明らかです。各国は相対的に豊富な資源を集約的に用いる財を輸出することで、自国の経済厚生を高めており、これを資源上の比較優位といいます。

ヘクシャー＝オリーンの定理	両国間に技術的差異がないと仮定しても、各国は相対的に豊富な資源を集約的に用いる財に比較優位を有し、当該財を輸出することで、自国の経済厚生を高めることができる。

2 レオンチェフの逆説

第2次世界大戦後、経済学者のレオンチェフは、ヘクシャー＝オリーンの定理が現実に妥当であるかどうかを確認するために、産業連関表を用いてアメリカ経済の実証分析を行いました。アメリカ合衆国は資本賦存量が豊富であるため、ヘクシャー＝オリーンの定理に従えば、資本集約財を輸出するということになるはずです。ところが、分析の結果、アメリカの輸出財産業は輸入財産業に比べて労働集約的、すなわち労働集約財を輸出しているという事実が明らかとなりました。このように、理論とは逆の現象を、レオンチェフの逆説といいます。

3 ヘクシャー＝オリーン・モデルの基本定理

ここではヘクシャー＝オリーン・モデルに関する定理をまとめておきましょう。

① リプチンスキーの定理

リプチンスキーの定理によると、財の相対価格が一定のもとで、ある生産要素（労働や資本など）の賦存量が増加すると、当該要素を集約的に使って生産されている財の生産量は増加し、他の財の生産量は減少します。

② ストルパー＝サミュエルソンの定理

ストルパー＝サミュエルソンの定理によると、ある財の価格が上昇すると、その財の生産に集約的に用いられている生産要素の価格（賃金や資本レンタル率など）は上昇し、他の要素の価格は下落します。

③ 要素価格均等化定理

要素価格均等化定理によると、（1）生産技術が同一（2）不完全特化という前提のもと、両国が財の貿易を行うと、両財の相対価格の均等化を通じて両生産要素の相対価格も両国間で均等化します。

実践 問題 **162** 〈基本レベル〉

頻出度	地上★	国家一般職★	特別区★★
	裁判所職員★	国税・財務・労基★	

問　ヘクシャー＝オリーンの定理に関する記述として、妥当なのはどれか。

（特別区2018）

1：ヘクシャー＝オリーンの定理では、各国間で異なる生産技術を持つと仮定すると、各国はそれぞれ比較優位にある方の財の生産に完全特化することによって、互いに貿易を通じて各国の利益を増加できるとした。

2：ヘクシャー＝オリーンの定理では、比較優位の原因を生産要素の存在量に求め、各国が相対的に豊富に存在する資源をより集約的に投入して生産する財に比較優位を持つとした。

3：ヘクシャー＝オリーンの定理では、財の価格の上昇は、その財の生産により集約的に投入される生産要素の価格を上昇させ、他の生産要素の価格を下落させるとした。

4：ヘクシャー＝オリーンの定理では、財の価格が一定に保たれるならば、ある資源の総量が増加すると、その資源をより集約的に投入して生産する財の生産量が増加し、他の財の生産量が減少するとした。

5：ヘクシャー＝オリーンの定理では、アメリカにおける実証研究の結果から、資本豊富国と考えられていたアメリカが労働集約的な財を輸出し、資本集約的な財を輸入しているとした。

直前復習

実践 ▶ 問題 **162** ▶ の解説 ─────────────

〈現代の貿易理論〉

1 ×　ヘクシャー＝オリーンの定理においては、２国間の生産技術は同一であることを前提としている。なお、本肢は、リカードの比較生産費説に関する記述になっており、この説によれば、貿易の原動力は２国間の生産技術の相違に求められ、各国は生産技術に比較優位を持つ財の生産に特化し、交易することにより、いずれの国も利益を得ることができる。

2 ○　本肢の記述のとおりである。ヘクシャー＝オリーンの定理においては、２国間の生産技術は同一であることを前提として、各国は、相対的に豊富に存在する生産要素を集約的に用いる財に比較優位を持つことになる。たとえば、労働という生産要素が豊富に存在する国は、労働を集約的に用いる産業(農業など)に比較優位を持つことになる。

3 ×　本肢は、ストルパー＝サミュエルソンの定理に関する記述になっている。ストルパー＝サミュエルソンの定理によれば、ある財の価格が上昇するとその財の生産において集約的に投入される生産要素の価格(たとえば、賃金率)を上昇させ、他の生産要素の価格(たとえば、資本のレンタル率)を下落させる、とした。

4 ×　本肢は、リプチンスキーの定理に関する記述になっている。リプチンスキーの定理によれば、財の価格が一定に保たれるならば、たとえば、資本の賦存量が増加すると資本集約的な財の生産量が増加し、労働集約的な財の生産量が減少するとした。

5 ×　本肢は、レオンチェフによる実証分析の結果から得られたレオンチェフの逆説に関する記述になっている。第２次世界大戦後にレオンチェフは、ヘクシャー＝オリーンの定理が現実と合致しているかどうかについて実証分析を行った。アメリカは資本豊富国であることから、ヘクシャー＝オリーンの定理に基づけば資本集約的な財を多く輸出しているはずであったが、分析の結果、相対的に労働集約的な財を多く輸出している(＝相対的に資本集約的な財を多く輸入している)ことが確認された。この現象をレオンチェフの逆説という。

正答 **2**

実践 問題 **163** ＜応用レベル＞

頻出度	地上★	国家一般職★	特別区★
	裁判所職員★	国税・財務・労基★	

問 「レオンチェフの逆説」が発生するのはどの場合か。 （地上2002）

1：2国の需要関数が同一である場合

2：2国の生産関数が同一である場合

3：要素集約性の逆転がない場合

4：資本の量的違いがある場合

5：労働の質的違いがある場合

チェック欄		
1回目	2回目	3回目

実践 問題 **163** の解説

〈現代の貿易理論〉

　レオンチェフは、ヘクシャー＝オリーン理論の検証を試みた。アメリカは他の世界各国全体と比較して、資本豊富国であったため、アメリカは資本集約財を輸出し、労働集約財を輸入するはずである。しかし実際は、アメリカは相対的に労働集約財を輸出し、資本集約財を輸入しており、ヘクシャー＝オリーン理論に反することがわかった。

　この「レオンチェフの逆説」が発生するのは、以下のケースが考えられる。

① 　労働の質的側面 … アメリカの労働者の能率は、ヨーロッパのそれの約3倍にあたり、実質的に労働豊富国であった。さらに、熟練労働と未熟練労働のうち、アメリカは前者による財を輸出し、後者による財を輸入している。

② 　需要条件によって、相対的豊富さは変化する。つまり、絶対量ではなく需要の大きさが、生産要素が豊富か否かであるかを決定する。

③ 　要素集約財は、価格の高い場合と低い場合で逆転している。

④ 　生産関数が同一であるという想定は、現実的に妥当ではない。

　よって、正解は肢5である。

正答 5

実践 問題 **164** 〈応用レベル〉

頻出度	地上★	国家一般職★	特別区★
	裁判所職員★	国税・財務・労基★	

問 20年前A国では労働が300単位、資本450単位、B国では労働が500単位、資本が1000単位であった。現在A国の労働は50単位、資本600単位それぞれ増加し、一方B国では労働300単位、資本600単位それぞれ増加した。また、X財を労働集約財、Y財を資本集約財とする。要素賦存比率の理論によると、この20年間における比較優位の状況の変化として妥当なものはどれか。ただし、A国とB国の生産技術は同一であり生産関数は規模に関して収穫一定であるものとする。

(地上2004)

1 ： 20年前B国はX財、Y財どちらにも比較優位を持っていた。現在も両財に比較優位を持っている。

2 ： 20年前A国はX財、B国はY財に比較優位を持っていた。現在、その比較優位は変わらない。

3 ： 20年前A国はX財、B国はY財に比較優位を持っていた。現在、A国はY財に、B国はX財に比較優位を持っている。

4 ： 20年前A国はY財、B国はX財に比較優位を持っていた。現在、A国はX財に、B国はY財に比較優位を持っている。

5 ： 20年前A国はY財、B国はX財に比較優位を持っていたが、現在はどちらの財にも比較優位を持っている。

OUTPUT

実践 ▶ 問題 **164** ▶ の解説 ─────────────

〈現代の貿易理論〉

　ヘクシャー＝オリーンの定理とは、各国は国内に比較的豊富に存在する生産要素を集約的に用いて生産されている財に比較優位を持つというものである。

　20年前について考えると、

（A国）

$$\frac{K_A}{L_A} = \frac{450}{300} = \frac{3}{2}$$

（B国）

$$\frac{K_B}{L_B} = \frac{1000}{500} = 2$$

$$\left[\begin{array}{l} K_A：A国の資本賦存量 \\ L_A：A国の労働賦存量 \\ K_B：B国の資本賦存量 \\ L_B：B国の労働賦存量 \end{array}\right]$$

となり、$\dfrac{K_B}{L_B} > \dfrac{K_A}{L_A}$ よりB国はY財に比較優位を持ち、A国はX財に比較優位を持つ。

　次に、現在について考えると、

（A国）

$$\frac{K_A}{L_A} = \frac{1050}{350} = 3$$

（B国）

$$\frac{K_B}{L_B} = \frac{1600}{800} = 2$$

となり、$\dfrac{K_B}{L_B} < \dfrac{K_A}{L_A}$ よりB国はX財に比較優位を持ち、A国はY財に比較優位を持つ。

　よって、正解は肢3である。

正答 **3**

Q1 リカード・モデルによれば、各国は、比較生産費(国内での各財の相対生産費)の高い財の生産に特化して、それを輸出すれば、高価格で財が売れることから、多額の貿易利益を得ることができる。

Q2 自国と外国の2つの国が、労働という生産要素のみを用いて、X財とY財の2つの財を生産していると仮定する。下表の数字はX、Y財1単位の生産に必要な労働者数を表している。このとき、自国はY財、外国はX財に比較優位がある。

	X 財	Y 財
自 国	5	5
外 国	20	10

Q3 貿易が行われる場合、国際相対価格 $\dfrac{P_X}{P_Y}$ は、自国のX財の比較生産費 $< \dfrac{P_X}{P_Y} <$ 外国のX財の比較生産費、の間で決定される。

Q4 リカード・モデルでは、両国は比較優位を有する財の生産に完全特化すると想定していたのに対して、ヘクシャー=オリーン・モデルでは、各国は相対的に豊富に存在する生産要素をより多く使用する財に比較優位を持ち、またリカード・モデルとは異なり貿易に際して完全特化はせず、2財とも生産する。

Q5 ヘクシャー=オリーン・モデルでは、両国間における技術的差異を前提としているため、資本豊富国は資本集約財である工業製品に特化することによって、労働豊富国は労働集約財である農作物に特化することによって、自国の経済厚生を高めることができる。

Q6 ヘクシャー=オリーン・モデルの定理に従えば、資本賦存量が豊富な国が、資本集約財を輸出することで、自国の経済厚生を高めるが、現実では理論どおりにいかないことがある。このことをレオンチェフの逆説という。

A 1 × リカード・モデルによれば、各国は比較生産費（国内での各財の相対生産費）の低い（これを比較優位を持つという）財の生産に特化して、それを輸出すれば、貿易により利益を得ることができる。

A 2 × このとき、自国における2財の生産に必要な労働者比率は、$\dfrac{x}{y} = \dfrac{5}{5} = 1$、同様に外国は$\dfrac{x}{y} = \dfrac{20}{10} = 2$となり、自国はX財、外国はY財に比較優位があるといえる。

A 3 ○ これを交易条件という。または、貿易前の自国の国内相対価格＜国際相対価格$\dfrac{P_X}{P_Y}$＜貿易前の外国の国内相対価格、と表すこともできる。

A 4 ○ ヘクシャー＝オリーン・モデルでは、不完全特化が前提となっている。

A 5 × 前半において、「技術的差異を前提として」という部分が誤っている。ヘクシャー＝オリーン・モデルはリカード・モデルと異なり、技術的差異を前提としておらず、国内の資本や労働といった生産要素賦存量の差異によって貿易が行われることを示したものである。

A 6 ○ 第2次世界大戦後、レオンチェフは、ヘクシャー＝オリーン・モデルの定理が妥当であるか確認するため、産業連関表を用いてアメリカ経済の実証分析を行った。定理に従えば、アメリカは資本集約財を輸出するはずであるが、現実にはアメリカの輸出財産業は輸入財産業に比べて労働集約財を輸出していることが明らかとなった。

memo

第2章

国際貿易政策

SECTION

① 自由貿易
② 貿易政策

出題傾向の分析と対策

試験名	地　上		国家一般職			特別区			裁判所職員			国税・財務・労基			国家総合職		
年　度	16〜18	19〜21	22〜24	16〜18	19〜21	22〜24	16〜18	19〜21	22〜24	16〜18	19〜21	22〜24	16〜18	19〜21	22〜24	16〜18	19〜21	22〜24
出題数 セクション	1		1					1		1	1	1	1				.	
自由貿易										★	★							
貿易政策	★		★					★					★	★				

（注）　1つの問題において複数の分野が出題されることがあるため、星の数の合計と出題数とが一致しないことがあります。
（注）　国家総合職では国際経済学という選択科目で出題されています。

　保護貿易政策からの出題は、それほど多いわけではありませんが、この分野は、比較的少ない準備で他の受験生に差をつけることが可能な分野です。国際貿易政策では「余剰分析」の考え方を使いますので、理解があいまいなようであれば確認しておきましょう。

地方上級

　作図を行うことで対応できる問題が出題されているので、まずは貿易政策がどのように図を変化させるのかを理解するようにしましょう。

国家一般職

　近年の出題はみられません。過去の問題では式だけを与えられることが多いので作図能力を身につけましょう。また、貿易政策の余剰分析の問題も出題されるため、基本的な余剰分析の考え方も必要です。

特別区

　近年あまり出題は少ないですが、基本的な問題が多いので、問題を解くパターンを身につけておきましょう。

裁判所職員

頻出の論点ではありませんが定期的に出題されている分野です。理論を身につけ、簡単な問題には対処できるようにしておくとよいでしょう。

国税専門官・財務専門官・労働基準監督官

過去には、関税政策が出題されたことがあります。式だけを与えられた状態の問題から、2財モデルにおける関税政策といった複雑な問題まで出題されています。関税の与える効果を正確に作図できるようにしておきましょう。

国家総合職

総合職では国際経済学という選択科目で問われます。関税政策も貿易政策も頻出分野であり、計算の複雑な問題や、大国モデル等の高度な分野が出題されることが多いです。深い知識を身につけたうえで、問題演習を通じて自分の解答能力を上げていきましょう。

※第4編第2章国際貿易政策では、上記のことから、各問題の「頻出度」において、国家総合職の項目を設けていません。

Advice アドバイス　学習と対策

　　関税や数量規制の効果のグラフ上での表現や、開放経済の余剰分析など独特の考え方を押さえておくことが、正答を導くうえで鍵となります。大国のケースはあまり出題されないため、小国のケースを中心に押さえておくことが重要です。

セクションテーマを代表する問題に挑戦!

必修問題

貿易政策の問題は、図を描くと理解しやすくなります。

問 鎖国をしているＡ国のある財Ｘの国内市場の需要曲線はＱ^D＝80－4Ｐ(Ｑ^{D}は国内の需要量、Ｐは価格)であり、供給曲線はＱ^S＝Ｐ－10(Ｑ^{S}は国内の供給量、Ｐは価格)である。財Ｘの世界価格が12である場合に、Ａ国が財Ｘの市場を開放し自由貿易を行うと、Ａ国の総余剰は、市場開放前後でどのように変化するか。ただし、Ａ国は小国であり、Ａ国の取引活動は世界価格に影響を与えないものとする。 (裁判所職員2011)

1：総余剰は90だけ増加する。
2：総余剰は126だけ増加する。
3：総余剰は変化しない。
4：総余剰は84だけ減少する。
5：総余剰は132だけ減少する。

Guidance ガイダンス 閉鎖経済と自由貿易

　　貿易政策の問題は、余剰分析が基本となる。したがって、図を描いて面積を計算すれば解くことができる場合がほとんどである。自国が小国の場合、貿易を自由化することによって、総余剰は増加することになる。

必修問題の解説

〈自由貿易〉

鎖国をしている A 国の、ある財 X の国内市場の需要曲線が $Q^D = 80 - 4P$ であることから、縦軸の P について解くと、

$$P = -\frac{1}{4}Q^D + 20$$

となる。また、供給曲線が $Q^S = P - 10$ であることから、縦軸の P について解くと、

$$P = Q^S + 10$$

となる。そこで、財 X の世界価格が 12 であることを考慮に入れて図を描くと、以下のようになる。

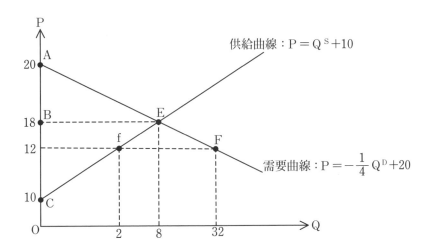

まず、自由貿易開始前の A 国の総余剰は、

$$\triangle AEC = \frac{1}{2} \times (20 - 10) \times 8 = 40$$

であり、自由貿易開始後の A 国の総余剰は、

$$\square AFfC = \triangle AEC + \triangle EFf = 40 + \frac{1}{2} \times (32 - 2) \times (18 - 12) = 40 + 90 = 130$$

となることから、総余剰は △EFf 分の 90 だけ増加する。

よって、正解は肢 1 である。

正答 1

SECTION 1 国際貿易政策
自由貿易

1 自由貿易の利益

　下図のDとSは、国内における需要曲線と供給曲線を表します。E点は貿易が行われないときの均衡点です。この財を海外から輸入した場合の価格（国際価格）はP＊で表されており、この価格は一定であると仮定します（小国の仮定）。

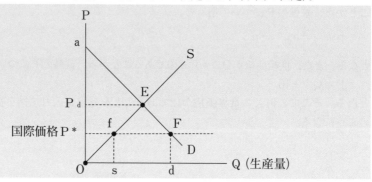

　自由貿易が開始されると国際価格P＊で財が供給されるためにF点が**自由貿易均衡**となります。d点が需要量であり、ｓ点が国内生産、ｓｄが**輸入量**を表します。

	貿易開始前	貿易開始後
消費者余剰	△ａＥＰd	△ａＦＰ＊
生産者余剰	△ＰdＥＯ	△Ｐ＊ｆＯ

　貿易開始前と貿易開始後を比べると、△ＥＦｆだけ総余剰が増大しており、この△ＥＦｆを**貿易の利益**といいます。

2 国際労働移動

　A国とB国の合計の人口をＯAＯBの長さで表します。A国企業での労働投入はＯAを原点に表し、B国企業での労働投入はＯBを原点にして表します。L点は、両国間で労働の移動が禁止されているときのA国、B国の労働投入量を表します。

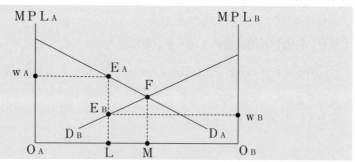

O_ALはA国の労働者数、O_BLはB国の労働者数になります。D_AとD_Bは、それぞれA国とB国の労働需要曲線(＝限界生産性曲線)です。労働移動ができない制度のもとでは、A国の賃金水準はw_A、B国の賃金水準はw_Bとなります。L点では、A国は労働者数が相対的に少なく、また、限界生産性が高いためにA国の賃金水準はB国よりも高くなっています($w_A > w_B$)。

労働移動の自由が認められると、賃金の高いA国にB国から労働者が流入し、F点で示されるとおりA、B両国の限界生産性が均等化します。L点とM点の幅が人口移動量(出稼ぎ人口や移民人口)です。

３ 一般均衡理論での貿易の利益

(1) 閉鎖均衡

下図の曲線ＰＰＦは生産可能性フロンティアとよばれ、１国の所与の資源のもとで生産可能なX財とY財の生産量の組合せを表します。無差別曲線U_0とＰＰＦ曲線が接するE点で最適生産(＝最適消費)が実現されます。

貿易のない閉鎖経済では国は(X_0、Y_0)点で生産し、その点で消費します。

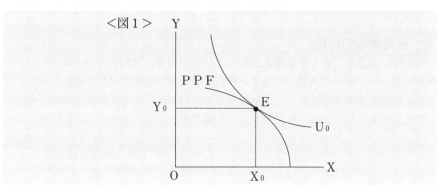

(2) 自由貿易均衡

貿易が開始されると、国は生産点である(X_0、Y_0)点から、X財、Y財を輸出・輸入することにより、消費点を(X_0、Y_0)以外の点に移動させることができるようになります。この国の消費点を(X_c、Y_c)とすると、貿易収支が均衡するために次の式が成立します。

$$P_x(X_c - X_0) + P_y(Y_c - Y_0) = 0 \quad \cdots\cdots ① \quad (貿易収支の均衡条件)$$

$$\rightarrow \quad Y_c = -\frac{P_x}{P_y}(X_c - X_0) + Y_0 \quad \cdots\cdots ①'$$

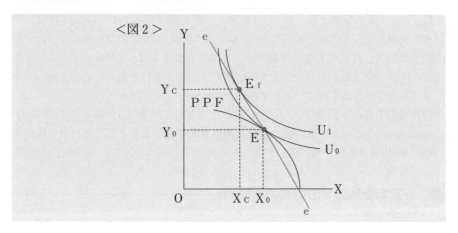

<図2>

①′のグラフは、$(X_0、Y_0)$を通過する傾き$\dfrac{P_x}{P_y}$の直線で表され、図2のee線で表されます。貿易があるときの消費点はE_fとなり、X財を$X_0 - X_c$だけ輸出し、Y財を$Y_c - Y_0$だけ輸入しています。

(3) 産業構造の変化

長期的には貿易により産業構造が変化し、各財の生産量が当初のE点からPPF曲線に沿ってF点へと調整されます。F点では貿易予算線とPPF曲線が接しています。国はF点で生産をして、X財をFSだけ輸出し、Y財をCSだけ輸入することでC点のような高い効用を実現することができます。

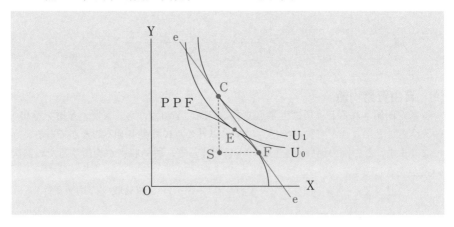

memo

実践 問題 **165** 〈基本レベル〉

頻出度	地上★	国家一般職★	特別区★
	裁判所職員★	国税·財務·労基★	

問 小国における、ある財の国内市場における需要曲線と供給曲線がそれぞれ図のように示されており、海外との自由貿易がない場合の国内市場における均衡点はEである。また、この財の世界市場における価格は p^* である。この国が自由貿易を行った場合の記述として最も妥当なのはどれか。 (労基2013)

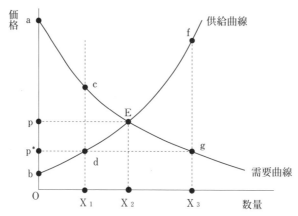

1：世界市場の価格にかかわらず、国内市場での均衡点Eにおいて総余剰はｂＥａで囲まれた部分となり最大であるため、自由貿易を行ったとしても貿易による利益は得られない。

2：自由貿易により、世界市場での価格 p^* で取引が行われるので、需要量はX_3、国内生産量はX_1、輸入量は$(X_3 - X_1)$となり、貿易の利益がｄｇＥで囲まれた部分だけ発生する。

3：世界市場での価格p^*が国内価格ｐよりも低いため、自由貿易により、消費者余剰はp^*ｄｃａで囲まれた部分、生産者余剰はｂｄp^*で囲まれた部分となるため、貿易の利益がｄＥｃで囲まれた部分だけ発生する。

4：世界市場での価格 p^* は国内価格ｐよりも低いため、自由貿易により、消費者余剰はｐＥａで囲まれた部分、生産者余剰はｄｇｆで囲まれた部分となり、自由貿易により総余剰が増える。

5：自由貿易によって国内価格ｐが成立しなくなるため、消費者にも生産者にも帰属しない死荷重がＥｇｆで囲まれた部分だけ発生する。

OUTPUT

実践 問題 **165** の解説 ────────────

〈自由貿易〉

1✕ 「世界市場の価格にかかわらず…(中略)…貿易による利益は得られない。」が誤り。貿易の利益が得られないのは、国際価格と国内価格が等しい場合のみである。国際価格のほうが低ければ、輸入により消費者余剰が増大し、総余剰が増大する。逆に国際価格のほうが高ければ、輸出により生産者余剰が増大し、総余剰が増大する。

2◯ 本肢の記述のとおりである。

3✕ 消費者余剰と貿易の利益が誤り。世界市場での価格 p^* のもとでは国内消費量は X_3 なので、自由貿易における消費者余剰は△ a g p^* である。なお、生産者余剰はそのとおり。貿易の利益は△ d g E である。

4✕ 消費者余剰も生産者余剰もともに誤り。自由貿易における消費者余剰は解説肢3のとおり。また、世界市場での価格 p^* のもとでは国内生産量は X_1 なので生産者余剰は△ p^* d b となり、貿易前よりも減少する。

5✕ 自由貿易により余剰が増大するので死荷重は生じない。

正答 **2**

実践 問題 **166** 基本レベル

頻出度	地上★	国家一般職★	特別区★
	裁判所職員★	国税・財務・労基★	

問 A国の財Xの需要曲線と供給曲線がそれぞれ次のように与えられている。

$D_A = 200 - 2P_A$

$S_A = 2P_A - 40$

また、B国の財Xの需要曲線と供給曲線がそれぞれ次のように与えられている。

$D_B = 190 - P_B$

$S_B = 5P_B - 10$

ここでD_A、S_A、P_AはそれぞれA国の財Xの需要量、供給量、価格を表し、D_B、S_B、P_BはそれぞれB国の財Xの需要量、供給量、価格を表す。両国の間で自由貿易が行われるときの国際価格はいくらか。

なお、輸送費などは無視し得るものとする。 （国Ⅱ2008）

1：32

2：36

3：40

4：44

5：48

OUTPUT

実践 問題 **166** の解説 ――――――――――――――――

〈自由貿易〉

　本問は、X財の自由貿易均衡に関する計算問題である。X財の自由貿易均衡価格は、A国とB国のX財に対する需要量の合計（X財の世界需要量）とA国とB国のX財の供給量の合計（X財の世界供給量）が一致するように決定される。すなわち、

　　$D_A + D_B = S_A + S_B$　……①

が成立するようにX財の国際価格Pが決定される。均衡では、$P_A = P_B = P$ となり、一物一価が成立することに注意しよう。したがって、①に与えられた式を代入すると、

　　$200 - 2P_A + 190 - P_B = 2P_A - 40 + 5P_B - 10$

　　$\Rightarrow \quad 200 - 2P + 190 - P = 2P - 40 + 5P - 10$

　　$\therefore P = 44$

を得る。

　よって、正解は肢4である。

正答 **4**

実践 問題 **167** ◁ **基本レベル** ▷

頻出度	地上★	国家一般職★	特別区★
	裁判所職員★	国税・財務・労基★	

問 図はH国とF国での労働の限界価値生産性と労働量の関係を示したものである。国際労働移動が禁止されている状態ではH国の労働量はＯＭであり、Ｆ国の労働量はＯ*Ｍで表され、H国の労働量と労働の限界価値生産性の関係を示す曲線がＨＨ′、F国の労働量と労働の限界価値生産性の関係を示す曲線がＦＦ′で示されている。また市場は完全競争的である。両国の間で国際労働移動が自由になった場合、図に関する次の記述のうち、妥当なのはどれか。

(地上2008)

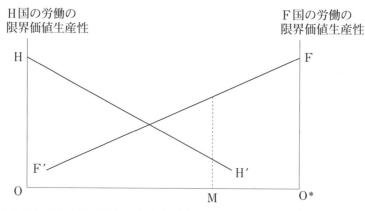

1：H国では労働者が流出し、賃金が上昇するが、F国では労働者が流入し、賃金が低下する。

2：H国では労働者が流出し、賃金が低下するが、F国では労働者が流入し、賃金が上昇する。

3：H国では労働者が流入し、F国では労働者が流出するが、各国の賃金が上昇したのか低下したのかは確定出来ない。

4：H国では労働者が流入し、賃金が上昇するが、F国では労働者が流出し、賃金が低下する。

5：H国では労働者が流入し、賃金が低下するが、F国では労働者が流出し、賃金が上昇する。

OUTPUT

実践 問題 **167** の解説 ─────────────

〈現代の貿易理論〉

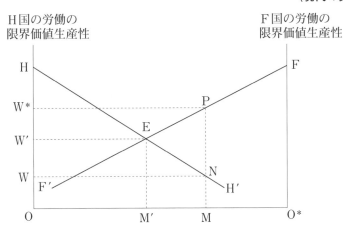

H国の労働の
限界価値生産性

F国の労働の
限界価値生産性

　国際労働移動の考えに従えば、二国間で労働移動が自由化されると、二国の労働の**限界価値生産性**が等しくなる点（E）まで労働量が変化（M→M′）し、二国の労働者の賃金は限界価値生産性に等しい水準（W′）となる。

　まず、労働移動の自由化前は、H国の労働量はOMで、H国の労働者の賃金はWの水準である。一方、F国の労働量はO＊Mで、賃金はW＊の水準である。

　ここで、労働移動が自由化された後の変化をみてみよう。

　H国の労働者は、より高い賃金を求めてF国に移動する。つまり、H国からは労働者が流出し、F国には労働者が流入する。この移動は、二国の労働賃金が等しくなる点（E点）まで続く。

　よって、正解は肢1である。

正答 **1**

実践 問題 **168** 〈 応用レベル 〉

頻出度	地上★　　　　国家一般職★　　　　特別区★
	裁判所職員★　　　　国税・財務・労基★

問 自国（A国）と外国（B国）からなる国際貿易の大国モデルを考える。ある財についての完全競争市場を想定し、その価格を両国について同じ通貨単位で評価して、それぞれp_A、p_Bとする。また、それぞれの国の需要量をD_i、供給量をS_iとすると（$i＝A、B$）、需要関数及び供給関数はそれぞれ次のように与えられるとする。

需要関数：$D_A＝400－p_A$　　　$D_B＝200－p_B$
供給関数：$S_A＝p_A$　　　　　　$S_B＝p_B$

　これまで自国と外国との間には自由貿易が実現しており、この財の価格は両国において同一であった（$p_A＝p_B$）が、自国は外国からの輸入に対し、従量的な輸入関税$t＝20$を課すことにした。このような関税政策による、自国の外国からの輸入量の減少分はいくらか。ただし、この財の輸送コストはかからないものとする。

(国家総合職2016)

1 ： 5
2 ： 10
3 ： 20
4 ： 30
5 ： 40

OUTPUT

実践 問題 **168** の解説 ────────────────────

〈大国の関税〉

本問は、大国モデル（2国間貿易モデル）の応用問題である。

需要関数および供給関数は次のとおりであり、これをもとに各貿易均衡を計算する。

需要関数：$D_A = 400 - p_A$　　　$D_B = 200 - p_B$

供給関数：$S_A = p_A$　　　　　$S_B = p_B$

（1） 自由貿易の場合

貿易が行われるときの市場均衡では、$D_A + D_B = S_A + S_B$ が成立する。すなわち、

$$400 - p_A + 200 - p_B = p_A + p_B$$

→　$600 - 2p_A - 2p_B = 0$　……①

が貿易のあるときの均衡条件である。なお、p_A はA国財のA国内での価格、p_B はB国財のB国内での価格を表すとする。

関税がないときの均衡では、$p_A = p_B$ が成立するから、これを①に代入してA国の価格を求めると、

$$600 - 4p_A = 0$$

→　$p_A = 150$　……②

②より、$S_A = 150$、$D_A = 250$ となるから、輸入量 $D_A - S_A$ は、

輸入量 $= 250 - 150 = 100$

（2） 関税を課した場合

関税を課した場合には、A国内におけるB国財の販売価格が課税分だけ上昇することから、$p_A = p_B + 20$ が成立する。そこで、①に $p_B = p_A - 20$ を代入することで関税後の p_A を導出すると、

$$600 - 2p_A - 2(p_A - 20) = 0$$

→　$600 - 2p_A - 2p_A + 40 = 0$

→　$640 = 4p_A$

→　$p_A = 160$　……③

となる。③より、$S_A = 160$、$D_A = 400 - 160 = 240$ となるから、輸入量 $D_A - S_A$ は、

輸入量 $= 240 - 160 = 80$

よって、輸入量の減少は $100 - 80 = 20$ であるので、正解は肢 3 である。

正答 3

必修問題 **セクションテーマを代表する問題に挑戦！**

関税政策の問題も、図を描いて考えましょう。

問 図はある小国におけるある財の国内消費者の需要曲線、国内生産者の供給曲線、自由貿易による世界価格、関税賦課後の国内価格を示している。これに関する次の文中のア～ウに入るものが、いずれも妥当なのはどれか。 （地上2018）

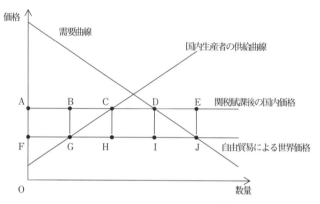

　自由貿易の状態では、この国はこの財を一定の世界価格で輸入することが出来る。この財に従量関税を課すと国内価格は図のようになる。自由貿易の状態と比較すると、関税賦課後の消費者余剰は<u>　ア　</u>ほど減少し、生産者余剰は<u>　イ　</u>ほど増加する。また政府は関税による税収を得るものの、この国の社会全体の余剰は<u>　ウ　</u>ほど減少することになる。

	ア	イ	ウ
1：	ADJF	CDIH	CHG
2：	ADJF	ACGF	CHG＋DIJ
3：	CGH	CDJG	CHG＋DIJ
4：	CGH	ACGF	DIJ
5：	ABGF	CDJG	DIJ

〈貿易政策〉

　自由貿易の状態では、この財の価格は図のＦ点で表される世界価格であり、そのときの需要量はＦＪで表される。この世界価格では、国内生産者の供給はＦＧに限られ、ＧＪ分の輸入が生じている。ここで関税が賦課され国内価格がＡ点の水準まで上昇すると、需要量はＡＤにまで減少する。生産者についてみると、国内価格がＡ点に上昇したことにより、国内生産者の供給はＡＣに増加し、輸入はＣＤに減少している。

　また、関税賦課により、財価格がＦ点からＡ点へと上昇したその上昇分は単位あたりの税額であり、政府はこの税額に輸入量を乗じた関税税収を得ることになる。

　したがって、消費者余剰は、関税賦課により価格がＦ点からＡ点に上昇したことにより、需要量がＦＪからＡＤに減少したので、　ア　に入る余剰の減少分は、ＡＤＪＦによって表される。一方、生産者余剰は、関税賦課により価格がＦ点からＡ点に上昇したことにより、供給量がＦＧからＡＣに増加したので、　イ　に入る余剰の増加分は、ＡＣＧＦによって表される。また社会全体の余剰の減少分は、消費者余剰の減少分ＡＤＪＦから、生産者余剰の増加分ＡＣＧＦを差し引いてＧＣＤＪを求め、そこから、政府の関税収入ＣＤＩＨ（税額×輸入量）を差し引くことによって求められるので、　ウ　に入るのは、ＣＨＧ＋ＤＩＪである。

　以上より、正解は肢２である。

第2章
国際貿易政策

正答 2

Guidance
ガイダンス　**関税政策**
　関税政策の問題も、基本的には図を描いて余剰を分析することになる。小国ケースでは、関税を課すと死荷重が発生し、総余剰が減少する。また、国内の消費者や生産者が直面する価格は上昇し、消費者余剰が減少して生産者余剰が増加することとなる。
大国ケースでは国際価格が変化するため、自国の総余剰が減少するか増加するかはわからない。

1 自由貿易

　自由貿易においては、海外から国際価格P＊で自由に輸入できることからF点が自由貿易均衡となります。**自由貿易の均衡点Fで総余剰は□aFfOとなり、貿易がない場合の競争均衡E点での総余剰△aEOよりも大きくなります。**

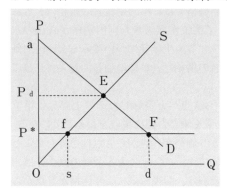

（表1）

消費者余剰①	△aFP＊
生産者余剰②	△P＊fO
総余剰（A）①＋②	□aFfO

2 関税

　政府関税により自由貿易での生産量（s点）からs′点へと国内生産量を増大させるとします。財1単位あたりの税率をP＊gとする従量税のかたちでの輸入関税により輸入品の価格をg点まで上昇させることで、国内生産はh点で決定され、生産量としてs′点が実現します。このとき税率と輸入量の積である関税収入は□hikjとなります。

　余剰分析の結果は（表2）にあります。総余剰は図形aikjhOという複雑な形になりますが、頻出なので注意してください。関税収入③は自国政府の収入となるので自国についての余剰分析では総余剰に含まれます。死荷重は（表1）に示される自由貿易での「総余剰（A）」と、表2の「総余剰（B）」との差となります。

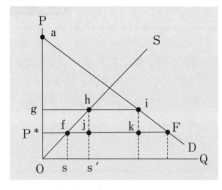

（表2）

消費者余剰①	△aig
生産者余剰②	△Ohg
関税収入③	□hikj
総余剰（B）①＋②＋③	図形aikjhO
死荷重（A）－（B）	△hjf＋△ikF

③ 輸入数量割当

　輸入できる数量を制限して国内産業を保護する政策が輸入数量割当です。

　政府が輸入数量を図のｊｋで表される量に制限すると、ｆｊ＋ｋＦの分だけの供給不足が生じるために市場価格が上昇します。この結果、価格はｇ点となり国内生産量ｓ´点が確保されます。

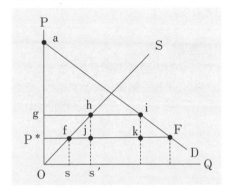

消費者余剰①	△ａｉｇ
生産者余剰②	△Ｏｈｇ
輸入差益③	□ｈｉｋｊ
総余剰（Ｃ） ①＋②＋③	図形ａｉｋｊｈＯ
死荷重 （Ａ）－（Ｃ）	△ｈｊｆ＋△ｉｋＦ

　数量割当では□ｈｉｋｊで示されたような関税収入は生じません。しかし、輸入業者は海外で価格Ｐ＊で財を調達し、国内でｇの価格で販売できるために輸入数量割当枠を獲得した企業に１単位あたりＰ＊ｇだけの輸入差益が生じることから、輸入差益の総額は関税収入□ｈｉｋｊと同じになります。つまり、**関税政策と数量割当での総余剰は等しくなります。**

実践 問題 **169** 基本レベル

頻出度	地上★	国家一般職★	特別区★
	裁判所職員★	国税・財務・労基★★	

問 この国はある財の輸入について小国であると仮定し、その財の需要曲線と国内生産者の供給曲線がそれぞれ、価格をPとして、

$$D＝600－6P \quad 〔D：需要量〕$$

$$S＝4P－200 \quad 〔S：国内生産者供給量〕$$

で表されるとする。当初自由貿易のもとで、この財の国際価格は60であったが、この国の政府がこの財に輸入1単位当たり10の関税を賦課したとすると、そのときに発生する厚生損失はいくらか。 （特別区2019）

1： 200
2： 300
3： 500
4：1000
5：1500

直前復習

OUTPUT

実践 問題 **169** の解説

第2章 国際貿易政策

〈輸入関税政策〉

　政府が、国内産業保護のために輸入財に関税（1単位あたり t ）を課すと、輸入財の国内価格が課税額（ t ）だけ上昇し、均衡点はFからF′に移動する。このとき、生産者余剰は自由貿易のときの△b f P＊から△b f′P′に増加して、政府は税収F′f′cdを得るが、国内価格の上昇により、消費者余剰が減少（△a F P＊から△a F′P′へ）する。その結果、全体の総余剰は△a F′P′＋b f′P′＋□F′f′c d となり、自由貿易のときに比べて△f f′c ＋△F F′dだけ余剰が減少し、その減少を厚生損失の発生とみなすことができる。以上を踏まえ、本問における厚生損失を求める。

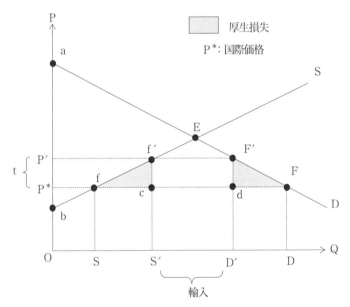

厚生損失

P＊：国際価格

　本問においては、D ＝600 － 6 P、S ＝ 4 P －200、P＊＝60、t ＝10、であることから、
　　　P′＝70、D ＝240、D′＝180、S ＝40、S′＝80
と求めることができる。したがって厚生損失は、

$$\triangle f\ f'c + \triangle F F'd = \frac{1}{2} \times (80-40) \times 10 + \frac{1}{2} \times (240-180) \times 10 = 500$$

となる。

　よって、正解は肢3である。

正答 3

SECTION ② 国際貿易政策
貿易政策

実践 問題 **170** 基本レベル

頻出度	地上★　　国家一般職★　　特別区★ 裁判所職員★　　国税・財務・労基★★

問 次の図は、ある国において、完全競争下で、縦軸に価格を、横軸に数量をとり、ある商品の国内需要曲線をDD′、国内供給曲線をSS′、国際価格をP₁と表し、政府がこの商品の輸入数量をQ₃−Q₂に制限して国内の輸入業者に割り当てた場合において、国内供給曲線SS′にこの商品の輸入数量を加えたときに得られる供給曲線をS″、そのときのこの商品の国内価格をP₂で表したものであるが、この図の説明として妥当なのはどれか。ただし、この国は小国であって、この商品の国際価格は、この国の輸入数量の変化による影響を受けないものとする。

(特別区2008)

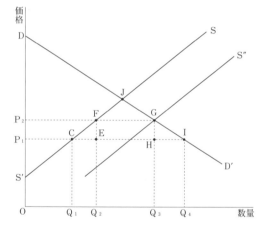

1：政府がこの商品の輸入数量をQ₃−Q₂に制限した場合、社会全体の総余剰は、四角形P₂P₁EFの面積で表される分だけ減少する。

2：政府がこの商品の輸入数量をQ₃−Q₂に制限した場合、社会全体の総余剰は、三角形JFGの面積で表される分だけ増加する。

3：政府がこの商品の輸入数量をQ₃−Q₂に制限した場合、輸入業者の利潤は、四角形FEHGの面積で表される。

4：政府がこの商品の輸入数量をQ₃−Q₂に制限した場合、生産者余剰は、三角形DP₂Gの面積で表される。

5：政府がこの商品の輸入数量をQ₃−Q₂に制限した場合、消費者余剰は、三角形P₁S′Cの面積で表される分だけ減少する。

実践 ▶ 問題 **170** の解説 ────────────

〈貿易政策〉

　自由貿易のときには、均衡点はＩ点であり、均衡価格は国際価格P_1である。このとき、消費者余剰は△DIP_1となり、生産者余剰は△P_1CS'となる。よって、総余剰は図形$DICS'$の面積に等しくなる。選択肢はすべて「政府がこの商品の輸入数量をQ_3-Q_2に制限した場合」で始まっている。輸入数量制限を行った場合、国内の市場均衡はＧ点で達成され、国内市場均衡価格はP_2に決定される。このとき、消費者余剰は△DGP_2となり、生産者余剰は△P_2FS'となる。また、国際商品市場においてP_1円で商品を購入した輸入業者は、国内市場においてP_2円で売却することができるので、輸入業者の利潤は$(P_2-P_1)\times(Q_3-Q_2)$、すなわち、□$EFGH$となる。輸入数量制限を行った場合には、自由貿易に比べて消費者余剰は□P_2P_1IGだけ減少し、生産者余剰は□P_2P_1CFだけ増加し、総余剰で比較すると△$CEF+$△GHIだけの厚生損失が発生する。

　よって、正解は肢３である。

正答 3

実践 問題 171 応用レベル

頻出度	地上★	国家一般職★	特別区★
	裁判所職員★	国税・財務・労基★	

問 図はある国の x 財の市場を表し、需要曲線は DD′ 線、供給曲線は SS′ 線によって示されるとする。当初、この国では自由貿易が行われており、x 財の国際価格は一定であり、図の P_0 で示されるものとする。

　政府による次の三つの政策によって、発生する経済損失の比較に関して、正しいのはどれか。 (地上2006)

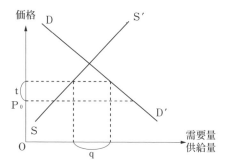

政策A：x 財の輸入に対して財 1 単位当たり、図の t の額の関税を課す。

政策B：国内の x 財の輸入業者に対して輸入量が図の q になるように輸入割当を行う。

政策C：国内の x 財の生産者に対して x 財 1 単位当たり、図の t の額の補助金を与える。

1：Aの損失＜Bの損失＝Cの損失
2：Aの損失＝Bの損失＜Cの損失
3：Aの損失＝Cの損失＜Bの損失
4：Bの損失＝Cの損失＜Aの損失
5：Cの損失＜Aの損失＝Bの損失

実践 問題 **171** の解説

〈貿易政策〉

　本問は、貿易政策と厚生損失についての応用問題である。

　政策Aは、小国経済における輸入従量関税政策を意味する。このときの輸入数量は図のqである。また、政策Bは、政策Aの輸入関税政策発動時の輸入量と同じ輸入数量になるように、輸入数量割り当てを行うことを意味する。輸入従量関税と輸入数量割り当ての同等性定理より、両政策に伴う厚生損失は同じになる。よって、「Aの損失＝Bの損失」が成立する。これによって、選択肢は2あるいは5に絞り込まれる。最後の政策Cは輸入従量関税と同額の生産従量補助金政策である。この政策の場合、生産側からみれば、生産コストの低下になることから、供給曲線が下図のように右シフトする。その結果、この政策に伴う厚生損失は最も小さくなる（下図の△ABC）。

　よって、正解は肢5である。

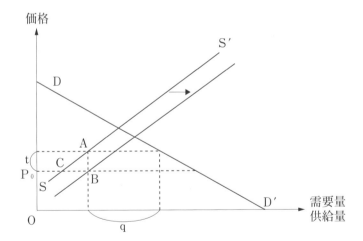

正答 **5**

LEC東京リーガルマインド　2025-2026年合格目標 公務員試験 本気で合格！過去問解きまくり！　665
⑬ミクロ経済学

Q1 下図において、閉鎖経済と自由貿易の余剰を比較すると、閉鎖経済は△ a E b + △ f E F、開放経済は△ a E b で表される。

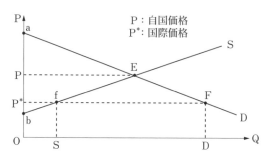

Q2 下図において、政府が国内産業保護のために輸入財に関税(1単位あたり t)を課すと、全体の総余剰は、△ f f′ c + △ F F′ d だけ自由貿易に比べ減少する。なお、この国は小国であるものとする。

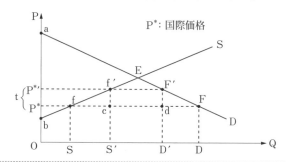

Q3 輸入関税と輸入数量制限の効果は、経済厚生に与える影響に関して同じになるが、これを「同等性定理(同値定理)」といい、所得分配も含めて、両者は全く同じ効果を持つ。

Q4 大国とは、自国の経済政策の変更が他国にも影響を及ぼすような国を指すが、大国が関税(1単位あたり t)を課した場合、税率 t を適切に決めれば自由貿易より経済厚生を高めることが可能となる。このときの税率 t を最適関税率という。

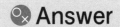

A1 × 閉鎖経済は、均衡点：Eで、総余剰：△aEb（消費者余剰△aEP＋生産者余剰△bEP）となる。また、自由貿易後は、均衡点：Fで、経済余剰：△aEb＋△fEF（消費者余剰△aFP*、生産者余剰△bfP*）となる。よって、閉鎖経済に比べて△fEFだけ総余剰が増加していることがわかる。この増加分を貿易の利益という。

A2 ○ 政府が国内産業保護のために輸入財に関税（1単位あたりt）を課すと、輸入財の国内価格が課税額（t）だけ上昇し均衡点はFからF′に移動する。このとき、生産者余剰は、△bf′P*′へ増加して、政府は税収F′f′cdを得るが、国内価格上昇により消費者余剰が減少（△aFP*から△aF′P*′へ）する。その結果、全体の総余剰は△aF′P*′＋bf′P*′＋□F′f′cdとなり、△ff′c＋△FF′dだけ自由貿易に比べ減少する。

A3 × 同等性定理には、関税の場合の関税収入が、輸入数量制限の場合には輸入業者の利益（レント）となるという所得分配上の違いがある。なお、同等性定理は完全競争が仮定されており、輸入財産業に不完全競争が存在する場合には、関税より輸入数量制限のほうが余剰の減少は大きくなる。

A4 ○ 大国が関税（1単位あたりt）を課すと、国際価格がP*からP*′に下落して国内価格はP*″となる。その理由は、大国が関税を課すと大国の輸入量がDSからD′S′へ減少するために、世界全体の需要が大幅に減少して国際価格が下落するためである。このとき総余剰は、△aF′P*″＋△bf′P*″＋□f′F′geとなり、自由貿易に比べて余剰が増加するか減少するかは□cdge－（△ff′c＋△FF′d）の大きさ次第となる。

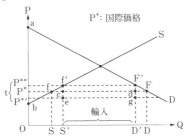

第2章　国際貿易政策

INDEX

INDEX

2025-2026年合格目標
公務員試験 本気で合格！ 過去問解きまくり！
⑬ミクロ経済学

2019年11月15日　第1版　第1刷発行
2024年12月5日　第6版　第1刷発行

編著者●株式会社　東京リーガルマインド
　　　　LEC総合研究所　公務員試験部

発行所●株式会社　東京リーガルマインド
　　〒164-0001　東京都中野区中野4-11-10
　　　　アーバンネット中野ビル
　　LECコールセンター　📞 0570-064-464
　　　　受付時間　平日9：30～19：30/土・日・祝10：00～18：00
　　　　※このナビダイヤルは通話料お客様ご負担となります。
　　書店様専用受注センター　TEL 048-999-7581 / FAX 048-999-7591
　　　　受付時間　平日9：00～17：00/土・日・祝休み
　　www.lec-jp.com/

カバーイラスト●ざしきわらし
印刷・製本●情報印刷株式会社

LEC公開模試

多彩な本試験に対応できる

毎年、全国規模で実施するLECの公開模試は国家総合職、国家一般職、地方上級だけでなく国税専門官や裁判所職員といった専門職や心理・福祉系公務員、理系（技術職）公務員といった多彩な本試験に対応できる模試を実施しています。職種ごとの試験の最新傾向を踏まえた公開模試で、本試験直前の総仕上げは万全です。どなたでもお申し込みできます。

【2025年度実施例】

	職種	対応状況
国家総合職	法律	基礎能力（択一式）試験、専門（択一式）試験、専門（記述式）試験、政策論文試験
	経済	
	人間科学	基礎能力（択一式）試験、専門（択一式）試験、政策論文試験
	工学	基礎能力（択一式）試験、政策論文試験、専門（択一式）試験は、一部科目のみ対応。
	政治・国際・人文	基礎能力（択一式）試験、政策論文試験
	化学・生物・薬学	
	農業科学・水産	
	農業農村工学	
	数理科学・物理・地球科学	
	森林・自然環境	
	デジタル	
国家一般職	行政	基礎能力（択一式）試験、専門（択一式）試験、一般論文試験
	デジタル・電気・電子	基礎能力（択一式）試験、専門（択一式）試験
	土木	
	化学	
	農学	
	建築	
	機械	基礎能力（択一式）試験、専門（択一式）の一部試験（工学の基礎）
	物理	
	農業農村工学	基礎能力（択一式）試験
	林学	

	職種	対応状況
国家専門職	国税専門官A 財務専門官 労働基準監督官A 法務省専門職員（人間科学）	基礎能力（択一式）試験、専門（択一式）試験、専門（記述式）試験
	国税専門官B 労働基準監督官B	基礎能力（択一式）試験
裁判所職員	家庭裁判所調査官補	基礎能力（択一式）試験、専門（記述式）試験、政策論文試験
	裁判所事務官（大卒程度・一般）	基礎能力（択一式）試験、専門（択一式）試験、小論文試験
警察官・消防官・その他	警察官（警視庁）	教養（択一式）試験、論（作）文試験、
	警察官（道府県警） 消防官（東京消防庁） 市役所消防官	教養（択一式）試験、論（作）文試験
	国立大学法人等職員	教養（択一式）試験
	高卒程度（国家公務員・事務）	教養（択一式）試験、適性試験
	高卒程度（地方公務員・事務）	教養（択一式）試験、作文試験
	高卒程度（警察官・消防官）	教養（択一式）試験、作文試験

	職種	対応状況
地方上級・市役所など※	東京都I類B事務（一般方式）	教養（択一式）試験、専門（記述式）試験、教養論文試験
	東京都I類B技術（一般方式） 東京都I類Bその他（一般方式）	教養（択一式）試験、教養論文試験
	特別区I類事務（一般方式）	教養（択一式）試験、専門（択一式）試験、教養論文試験
	特別区I類心理系／福祉系	教養（択一式）試験、教養論文試験
	北海道庁（小論文試験型）	職務基礎力試験、小論文試験
	北海道庁（専門試験型）	職務基礎力試験、専門（択一式）試験
	全国型 関東型 中部北陸型 知能重視型 その他地上型 心理職 福祉職 土木 建築 電気・情報 化学 農学	教養（択一式）試験、専門（択一式）試験、教養論文試験
	横浜市	教養（択一式）試験、論文試験
	札幌市	総合試験
	機械 その他技術	教養（択一式）試験、教養論文試験
	市役所（事務上級）	教養（択一式）試験、専門（択一式）試験、論（作）文試験
	市役所（教養のみ・その他）	教養（択一式）試験、論（作）文試験
	経験者採用	教養（択一式）試験、経験者論文試験、論（作）文試験

※「地方上級・市役所」「警察官・消防官・その他」の筆記試験につきましては、LECの模試と各自治体実施の本試験とで、出題科目・出題数・試験時間などが異なる場合がございます。

資料請求・模試の詳細などについては、LEC公務員サイトをご覧ください。
https://www.lec-jp.com/koumuin/

最新傾向を踏まえた公開模試

本試験リサーチからみえる最新の傾向に対応

本試験受験生からリサーチした、本試験問題別の正答率や本試験受験者全体の正答率から見た受験生レベル、本試験問題レベルその他にも様々な情報を集約し、最新傾向にあった公開模試の問題作成を行っています。LEC公開模試を受験して本試験予想・総仕上げを行いましょう。

信頼度の高い成績分析

充実した個人成績表と総合成績表であなたの実力がはっきり分かる

LEC Webサイト ▷▷▷ www.lec-jp.com/

情報盛りだくさん！

 資格を選ぶときも，
講座を選ぶときも，
最新情報でサポートします！

≫最新情報
各試験の試験日程や法改正情報，対策講座，模擬試験の最新情報を日々更新しています。

≫資料請求
講座案内など無料でお届けいたします。

≫受講・受験相談
メールでのご質問を随時受付けております。

≫よくある質問
LECのシステムから，資格試験についてまで，よくある質問をまとめました。疑問を今すぐ解決したいなら，まずチェック！

≫書籍・問題集（LEC書籍部）
LECが出版している書籍・問題集・レジュメをこちらで紹介しています。

充実の動画コンテンツ！

 ガイダンスや講演会動画，
講義の無料試聴まで
Webで今すぐCheck！

≫動画視聴OK
パンフレットやWebサイトを見てもわかりづらいところを動画で説明。いつでもすぐに問題解決！

≫Web無料試聴
講座の第1回目を動画で無料試聴！気になる講義内容をすぐに確認できます。

LEC全国学校案内

*講座のお問合せ，受講相談は最寄りのLEC各校へ

LEC本校

■北海道・東北

札 幌本校　☎011(210)5002
〒060-0004 北海道札幌市中央区北4条西5-1　アスティ45ビル

仙 台本校　☎022(380)7001
〒980-0022 宮城県仙台市青葉区五橋1-1-10　第二河北ビル

■関東

渋谷駅前本校　☎03(3464)5001
〒150-0043 東京都渋谷区道玄坂2-6-17　渋ксシネタワー

池 袋本校　☎03(3984)5001
〒171-0022 東京都豊島区南池袋1-25-11　第15野萩ビル

水道橋本校　☎03(3265)5001
〒101-0061 東京都千代田区神田三崎町2-2-15　Daiwa三崎町ビル

新宿エルタワー本校　☎03(5325)6001
〒163-1518 東京都新宿区西新宿1-6-1　新宿エルタワー

早稲田本校　☎03(5155)5501
〒162-0045 東京都新宿区馬場下町62　三朝庵ビル

中 野本校　☎03(5913)6005
〒164-0001 東京都中野区中野4-11-10　アーバンネット中野ビル

立 川本校　☎042(524)5001
〒190-0012 東京都立川市曙町1-14-13　立川MKビル

町 田本校　☎042(709)0581
〒194-0013 東京都町田市原町田4-5-8　MIキューブ町田イースト

横 浜本校　☎045(311)5001
〒220-0004 神奈川県横浜市西区北幸2-4-3　北幸GM21ビル

千 葉本校　☎043(222)5009
〒260-0015 千葉県千葉市中央区富士見2-3-1　塚本大千葉ビル

大 宮本校　☎048(740)5501
〒330-0802 埼玉県さいたま市大宮区宮町1-24　大宮GSビル

■東海

名古屋駅前本校　☎052(586)5001
〒450-0002 愛知県名古屋市中村区名駅4-6-23　第三堀内ビル

静 岡本校　☎054(255)5001
〒420-0857 静岡県静岡市葵区御幸町3-21　ペガサート

■北陸

富 山本校　☎076(443)5810
〒930-0002 富山県富山市新富町2-4-25　カーニープレイス富山

■関西

梅田駅前本校　☎06(6374)5001
〒530-0013 大阪府大阪市北区茶屋町1-27　ABC-MART梅田ビル

難波駅前本校　☎06(6646)6911
〒556-0017 大阪府大阪市浪速区湊町1-4-1
大阪シティエアターミナルビル

京都駅前本校　☎075(353)9531
〒600-8216 京都府京都市下京区東洞院通七条下ル2丁目
東塩小路町680-2　木村食品ビル

四条烏丸本校　☎075(353)2531
〒600-8413　京都府京都市下京区烏丸通仏光寺下ル
大政所町680-1　第八長谷ビル

神 戸本校　☎078(325)0511
〒650-0021 兵庫県神戸市中央区三宮町1-1-2　三宮センタールビル

■中国・四国

岡 山本校　☎086(227)5001
〒700-0901 岡山県岡山市北区本町10-22　本町ビル

広 島本校　☎082(511)7001
〒730-0011 広島県広島市中区基町11-13　合人社広島紙屋町アネクス

山 口本校　☎083(921)8911
〒753-0814 山口県山口市吉敷下東 3-4-7　リアライズⅢ

高 松本校　☎087(851)3411
〒760-0023 香川県高松市寿町2-4-20　高松センタービル

松 山本校　☎089(961)1333
〒790-0003 愛媛県松山市三番町7-13-13　ミツネビルディング

■九州・沖縄

福 岡本校　☎092(715)5001
〒810-0001 福岡県福岡市中央区天神4-4-11
天神ショッパーズ福岡

那 覇本校　☎098(867)5001
〒902-0067 沖縄県那覇市安里2-9-10　丸姫産業第2ビル

■EYE関西

EYE 大阪本校　☎06(7222)3655
〒530-0013　大阪府大阪市北区茶屋町1-27　ABC-MART梅田ビル

EYE 京都本校　☎075(353)2531
〒600-8413　京都府京都市下京区烏丸通仏光寺下ル
大政所町680-1　第八長谷ビル

LEC提携校

＊提携校はLECとは別の経営母体が運営をしております。
＊提携校は実施講座およびサービスにおいてLECと異なる部分がございます。

■■ 北海道・東北 ■■

八戸中央校【提携校】　☎0178(47)5011
〒031-0035　青森県八戸市寺横町13　第1朋友ビル
新教育センター内

弘前校【提携校】　☎0172(55)8831
〒036-8093　青森県弘前市城東中央1-5-2
まなびの森　弘前城東予備校内

秋田校【提携校】　☎018(863)9341
〒010-0964　秋田県秋田市八橋鯲沼町1-60
株式会社アキタシステムマネジメント内

■■ 関東 ■■

水戸校【提携校】　☎029(297)6611
〒310-0912　茨城県水戸市見川2-3079-5

所沢校【提携校】　☎050(6865)6996
〒359-0037　埼玉県所沢市くすのき台3-18-4　所沢K・Sビル
合同会社LPエデュケーション内

日本橋校【提携校】　☎03(6661)1188
〒103-0025　東京都中央区日本橋茅場町2-5-6　日本橋大江戸ビル
株式会社大江戸コンサルタント内

■■ 北陸 ■■

新潟校【提携校】　☎025(240)7781
〒950-0901　新潟県新潟市中央区弁天3-2-20　弁天501ビル
株式会社大江戸コンサルタント内

金沢校【提携校】　☎076(237)3925
〒920-8217　石川県金沢市近岡町845-1
株式会社アイ・アイ・ピー金沢内

福井南校【提携校】　☎0776(35)8230
〒918-8114　福井県福井市羽水2-701
株式会社ヒューマン・デザイン内

■■ 中国・四国 ■■

松江殿町校【提携校】　☎0852(31)1661
〒690-0887　島根県松江市殿町517　アルファステイツ殿町
山路イングリッシュスクール内

岩国駅前校【提携校】　☎0827(23)7424
〒740-0018　山口県岩国市麻里布町1-3-3　岡村ビル　英光学院内

新居浜駅前校【提携校】　☎0897(32)5356
〒792-0812　愛媛県新居浜市坂井町2-3-8
パルティフジ新居浜駅前店内

■■ 九州・沖縄 ■■

佐世保駅前校【提携校】　☎0956(22)8623
〒857-0862　長崎県佐世保市白南風町5-15　智翔館内

日野校【提携校】　☎0956(48)2239
〒858-0925　長崎県佐世保市椎木町336-1　智翔館日野校内

長崎駅前校【提携校】　☎095(895)5917
〒850-0057　長崎県長崎市大黒町10-10　KoKoRoビル
minatoコワーキングスペース内

高原校【提携校】　☎098(989)8009
〒904-2163　沖縄県沖縄市大里2-24-1
有限会社スキップヒューマンワーク内

※上記は2024年10月1日現在のものです。

書籍の訂正情報について

このたびは，弊社発行書籍をご購入いただき，誠にありがとうございます。
万が一誤りの箇所がございましたら，以下の方法にてご確認ください。

1 訂正情報の確認方法

書籍発行後に判明した訂正情報を順次掲載しております。
下記Webサイトよりご確認ください。

www.lec-jp.com/system/correct/

2 ご連絡方法

上記Webサイトに訂正情報の掲載がない場合は，下記Webサイトの
入力フォームよりご連絡ください。

lec.jp/system/soudan/web.html

フォームのご入力にあたりましては，「Web教材・サービスのご利用について」の
最下部の「ご質問内容」に下記事項をご記載ください。

> ・対象書籍名（○○年版，第○版の記載がある書籍は併せてご記載ください）
> ・ご指摘箇所（具体的にページ数と内容の記載をお願いいたします）

ご連絡期限は，次の改訂版の発行日までとさせていただきます。
また，改訂版を発行しない書籍は，販売終了日までとさせていただきます。

※上記「2ご連絡方法」のフォームをご利用になれない場合は，①書籍名，②発行年月日，③ご指摘箇所，を記載の上，郵送
にて下記送付先にご送付ください。確認した上で，内容理解の妨げとなる誤りについては，訂正情報として掲載させてい
ただきます。なお，郵送でご連絡いただいた場合は個別に返信しておりません。

送付先：〒164-0001 東京都中野区中野4-11-10 アーバンネット中野ビル
　　　　株式会社東京リーガルマインド 出版部 訂正情報係

> ・誤りの箇所のご連絡以外の書籍の内容に関する質問は受け付けておりません。
> また，書籍の内容に関する解説，受験指導等は一切行っておりませんので，あらかじめ
> ご了承ください。
> ・お電話でのお問合せは受け付けておりません。

講座・資料のお問合せ・お申込み

LECコールセンター ☎ 0570-064-464

受付時間：平日9:30〜19:30/土・日・祝10:00〜18:00

※このナビダイヤルの通話料はお客様のご負担となります。
※このナビダイヤルは講座のお申込みや資料のご請求に関するお問合せ専用ですので，書籍の正誤に関
　するご質問をいただいた場合，上記「2ご連絡方法」のフォームをご案内させていただきます。